dtv

Am liebsten wäre Wallander gar nicht mitgefahren zur Geburtstagsfeier des Korvettenkapitäns Håkan von Enke in den feinen Stockholmer Vorort Djursholm. Doch bei dem ehemaligen U-Boot-Kommandanten handelt es sich um den zukünftigen Schwiegervater seiner Tochter Linda. Von Enke zeigt sich überaus mitteilsam und gewährt Wallander erstaunliche Einblicke in eine politisch-militärische Affäre aus den achtziger Jahren. Damals drangen fremde U-Boote in schwedische Hoheitsgewässer ein, wurden aber nie identifiziert. Von Enke, überzeugt, dass es sich um einen Fall von Landesverrat handelte, hat jahrelang dazu recherchiert und glaubt sich einer Lösung nahe. Aber dann ist er nach seinem Morgenspaziergang plötzlich verschwunden. Louise von Enke, Håkans Frau, bittet Wallander um Beistand, und dieser merkt bald, dass es in dieser Familie mehr als ein wohlgehütetes Geheimnis gibt …
Wallanders zehnter Fall

Henning Mankell, geboren 1948 in Härjedalen, ist einer der angesehensten und meistgelesenen schwedischen Schriftsteller. Er lebt als Theaterregisseur und Autor abwechselnd in Schweden und in Maputo/Mosambik. Mit Kurt Wallander schuf er einen der weltweit beliebtesten Kommissare. Seine Taschenbücher erscheinen bei dtv. Eine Übersicht aller auf Deutsch erschienenen Bücher von Henning Mankell finden Sie unter www.mankell.de.

Henning Mankell

Der Feind im Schatten

Kriminalroman

Aus dem Schwedischen
von Wolfgang Butt

Deutscher Taschenbuch Verlag

Besuchen Sie Kurt Wallander im Internet:
www.wallander.de

**Ausführliche Informationen über
unsere Autoren und Bücher
finden Sie auf unserer Website
www.dtv.de**

Ungekürzte Ausgabe 2012
Deutscher Taschenbuch Verlag GmbH & Co. KG, München
Lizenzausgabe mit Genehmigung des Paul Zsolnay Verlags
© 2009 Henning Mankell
Titel der schwedischen Originalausgabe:
›Den orolige mannen‹ (Leopard Förlag, Stockholm 2009)
© 2010 der deutschsprachigen Ausgabe:
Paul Zsolnay Verlag, Wien
Umschlagkonzept: Balk & Brumshagen
Umschlaggestaltung nach einem Entwurf
von Hauptmann & Kompanie
unter Verwendung eines Fotos von akg-images
Satz: Eva Kaltenbrunner-Dorfinger, Wien
Druck und Bindung: Druckerei C. H. Beck, Nördlingen
· Gedruckt auf säurefreiem, chlorfrei gebleichtem Papier
Printed in Germany · ISBN 978-3-423-21334-9

»Ein Mensch hinterlässt immer Spuren.
Es ist auch kein Mensch ohne einen Schatten ...«

»Man vergisst, was man nicht vergessen will,
und denkt an das, was man lieber vergessen hätte ...«

Graffiti an Hauswänden in New York

PROLOG

Die Geschichte beginnt mit einem Wutanfall.

Noch kurz zuvor hatte in der schwedischen Regierungskanzlei, wo der Vorfall sich abspielte, morgendliche Stille geherrscht. Die Ursache war ein Bericht, der am Vorabend abgegeben worden war und den der schwedische Ministerpräsident jetzt, an seinem dunklen Schreibtisch sitzend, las.

Es war einer der ersten Frühlingstage im Jahre 1983 in Stockholm, ein feuchter Dunst hing über der Stadt, und die Bäume hatten noch nicht ausgeschlagen. In den Ministerien sprach man natürlich genauso viel übers Wetter wie an anderen Arbeitsplätzen. Wenn es um Wetter und Wind ging, wandten sich alle in den allerheiligsten Räumen der Regierungskanzlei an Åke Leander. Es hieß, er könne mit den sichersten Wettervorhersagen aufwarten.

Leander hatte vor einigen Jahren einen Titel bekommen, der vornehmer klang als »Hausmeister«, vielleicht war er »Vorstand der Hausverwaltung« oder etwas in der Art. Er selbst betrachtete sich jedoch weiterhin als Hausmeister und hatte nicht das Bedürfnis, eine neue Berufsbezeichnung zu tragen.

Åke Leander war schon immer da gewesen, stets in der Nähe von Ministern und Staatssekretären, die kamen und gingen. Er gehörte zum Inventar, war pflichtbewusst und diskret. Jemand hatte mal im Scherz vorgeschlagen, er solle nach seinem Tod der Schutzheilige der Regierungskanzlei werden, ein freundliches Phantom, das seine Hand über ihre Anstrengungen hielt, die Geschicke des Landes Schweden zu lenken.

Dass er so viel über Wind und Wetter wusste, lag an dem Hobby, das Åke Leander neben seiner Arbeit betrieb. Er war unverheiratet und wohnte in einer nicht gerade großen Zweizimmerwohnung auf Kungsholmen. Hier pflegte er ein weltumspannendes Netz von Freunden, mit denen er als eifriger Amateurfunker in ständigem Kontakt stand. Er kannte seit langem die meisten Codewörter im Abkürzungsjargon der Amateurfunker auswendig. Nicht nur, dass QRT bedeutete »Sendung abbrechen« oder dass AURORA Empfangs- und Sendestörungen aufgrund hochfrequenten Nordlichts erklärte. Fast jeden Abend saß er mit den Kopfhörern da und sendete sein QRZ: »Sie werden angerufen von …« und dann sein Name. Die Legende berichtet, dass vor sehr langer Zeit der damalige Ministerpräsident aus einem nicht bekannten Grund wissen musste, welches Wetter im Oktober und November auf Pitcairn Island vorherrschte, jener entlegenen Insel im Stillen Ozean, auf der die Seeleute der *Bounty* nach der Meuterei gegen Kapitän Bligh das beschlagnahmte Schiff verbrannt hatten, um danach für immer dort zu bleiben. Åke Leander hatte dem Ministerpräsidenten am folgenden Tag die gewünschten Auskünfte über das Wetter erteilt. Und natürlich hatte er nicht gefragt, warum. Er war, wie bereits erwähnt, äußerst diskret.

»Åke Leander verfügt über bessere internationale Kontakte als irgendeiner im Außenministerium«, pflegte man ein wenig boshaft zu sagen, wenn er gemessenen Schritts durch die Korridore ging.

Als der Ministerpräsident die letzte Seite gelesen hatte, stand er auf und trat an ein Fenster. Draußen wirbelten Möwen in der Luft.

Es ging um die U-Boote. Die verfluchten U-Boote, die im Herbst 1982 vermutlich in schwedische Hoheitsgewässer eingedrungen waren und die Landesgrenzen verletzt hatten. Genau in der Zeit hatte in Schweden die Wahl stattgefunden, und Olof Palme war vom Sprecher des Reichstags mit der Regierungsbildung beauftragt worden, nachdem die Bürgerlichen eine Anzahl Mandate verloren hatten und im Parlament unterlegen waren. Bei ihrem Amtsantritt hatte die neue Regierung eine Kommission zur Aufklärung der Vorkommnisse mit den U-Booten eingesetzt, die man nie zum Auftauchen hatte zwingen können. Sven Andersson war der Vorsitzende des Ausschusses gewesen, dessen Bericht jetzt vorgelegt worden war. Olof Palme hatte ihn gelesen. Und er verstand nichts. Die Schlussfolgerungen der Untersuchung waren unbegreiflich. Olof Palme war außer sich.

Doch ist festzuhalten, dass Olof Palme nicht zum ersten Mal über Sven Andersson in Rage geriet. Eigentlich reichte seine Abneigung gegen ihn bis zu jenem Tag im Juni 1963 zurück, als unmittelbar vor Mittsommer ein grauhaariger siebenundfünfzigjähriger Mann in eleganter Kleidung auf der Riksbro mitten im Zentrum von Stockholm festgenommen worden war. Es ging so diskret vor sich, dass niemand aufmerksam wurde. Der Festgenommene hieß Wennerström, war Oberst der schwedischen Luftwaffe und von diesem Moment an als Spion für die Sowjetunion enttarnt.

Zum Zeitpunkt der Festnahme befand sich der damalige Ministerpräsident Tage Erlander auf dem Heimweg von einer Auslandsreise, einer der wenigen Urlaubswochen, die er in einer von Resos Ferienanlagen in Riva del Sole verbracht hatte. Als Erlander aus dem Flugzeug stieg und von Journalisten bestürmt wurde, war er nicht nur völlig unvorbereitet, er war auch nahezu unwissend, was die Sache betraf. Ihm war weder etwas von der Festnahme bekannt noch von einem suspekten Fliegeroberst namens Wennerström. Möglicherweise waren der Name und der Verdacht bei einem der Einzelberichte, die der Verteidigungsminister ihm von Zeit zu Zeit erstattete, zur Sprache gekommen und aufgewirbelt wie alter Staub. Aber nichts Ernstes, nichts, womit man sich abzugeben hatte. In den trüben Wassern, die den Kalten Krieg ausmachten, war der Verdacht der Spionage für die Russen stets gegenwärtig und trieb dicht unter der Oberfläche. Erlanders Antworten fielen entsprechend aus. Der Mann, der eine lange Reihe von Jahren ununterbrochen schwedischer Ministerpräsident war, siebzehn Jahre, wenn man genau nachzählt, stand wie ein Trottel da und wusste nicht, was er antworten sollte. Weder Verteidigungsminister Andersson noch sonst jemand, der mit dem Fall vertraut war, hatte ihm mitgeteilt, was los war. Während des Fluges von einer knappen Stunde hätte er ausreichend über das schockierende Vorkommnis informiert werden können und die Möglichkeit gehabt, sich auf die Begegnung mit den aufgebrachten Journalisten vorzubereiten. Aber keiner war ihm zum Flughafen Kastrup entgegengekommen, um ihn einzuweihen.

Auch wenn es nie in Einzelheiten an die Öffentlichkeit drang, stand Erlander in den folgenden Tagen kurz vor dem Rücktritt vom Posten des Ministerpräsidenten und als Vorsitzender der Sozialdemokratischen Partei. Nie zuvor war er so enttäuscht gewesen von seinen Kollegen in der Regierung. Und Olof Palme, der schon damals der Mann zu sein schien, den Erlander als Kandidaten für seine Nachfolge betrachtete, teilte loyal dessen Empörung über die Nachlässigkeit, die zu Erlanders Erniedrigung geführt hatte. Olof Palme wachte über seinen Herrn und Meister wie ein Bluthund, pflegte man in regierungsnahen Kreisen zu sagen. Niemand widersprach dem.

Olof Palme konnte Sven Andersson nie verzeihen, was er Erlander angetan hatte.

Viele fragten sich später, warum Olof Palme Sven Andersson trotzdem in seine Regierung holte. Das war eigentlich nicht schwer zu verstehen. Hätte Olof Palme gekonnt, hätte er es nicht getan. Aber er konnte ganz einfach nicht. Sven Andersson hatte große Macht und starken Einfluss bei der Parteibasis. Er war Arbeitersohn im Gegensatz zu Olof Palme, der altem baltischem Adel entstammte, der Offiziere in der Familie hatte – der selbst übrigens Reserveoffizier war –, der vor allem aber der wohlhabenden schwedischen Oberklasse angehörte. Er hatte keinerlei tiefere Verankerung in der Partei. Olof Palme war ein Überläufer, der es zwar ernst meinte mit seiner parteipolitischen Überzeugung, aber dennoch ein fremder politischer Pilger auf lebenslangem Besuch war.

Åke Leander, der auf dem Flur vor dem Zimmer des Ministerpräsidenten vorbeiging, ein bissig formuliertes Rundschreiben in der Hand, in dem die Nachlässigkeit der Angestellten der Staatskanzlei beim abendlichen Abschließen der Türen angeprangert wurde, hörte den Wutausbruch. Er hielt kurz inne und ging dann weiter, als wäre nichts geschehen.

Olof Palme konnte seine Wut nicht mehr beherrschen. Hochrot im Gesicht, mit dem eigentümlichen Zucken der Arme, das seine Momente des Zorns kennzeichnete, wandte er sich zu Sven Andersson um, der sich in das graue Sofa drückte.

»Aber es gibt keine Beweise«, brüllte er. »Nur Behauptungen, Andeutungen, Anspielungen von illoyalen Marineoffizieren. Diese Untersuchung bringt uns keinerlei Klarheit. Im Gegenteil, sie führt uns geradewegs in die politischen Sümpfe.«

Zwei Jahre zuvor, in der Nacht zum 28. Oktober 1981, war ein sowjetisches U-Boot in der Gåsebucht außerhalb von Karlskrona auf Grund gelaufen. Das war nicht nur schwedisches Hoheits-, sondern dazu noch militärisches Sperrgebiet. Das U-Boot hatte das Kennzeichen U 137, und der Kapitän an Bord, Anatoli Michailovitsch Guschtschin, erklärte, das U-Boot sei aufgrund eines unbekannten Defekts am Kreiselkompass vom Kurs abgekommen. Schwedische

Marineoffiziere und einfache Fischer waren der festen Überzeugung, dass nur ein sehr betrunkener Kapitän das Kunststück hatte fertigbringen können, so weit ins Schärenmeer einzudringen, ohne schon früher auf Grund zu laufen.

Am 6. November wurde die U 137 in internationale Gewässer geschleppt und verschwand. In diesem Fall bestand also kein Zweifel daran, dass ein sowjetisches U-Boot in schwedischen Hoheitsgewässern unterwegs gewesen war. Doch ob es eine bewusste Verletzung des schwedischen Hoheitsrechts oder Trunkenheit am Ruder war, wurde nicht geklärt. Dass die Russen steif und fest bei dem defekten Kompass blieben, wurde allgemein als Bestätigung dafür angesehen, dass der Kapitän wirklich betrunken war. Keine Flotte, die etwas auf sich hält, gibt zu, dass einer ihrer Befehlshaber im Dienst betrunken ist.

Damals hatte es die Beweise gegeben. Aber wo waren sie jetzt?

Was der damalige Verteidigungsminister zu seiner eigenen und zur Verteidigung der Untersuchung vorzubringen hatte, weiß niemand. Er selbst hatte keine Aufzeichnungen gemacht, und Olof Palme, der einige Jahre später ermordet wurde, hinterließ auch keine schriftlichen Kommentare.

Auch Åke Leander kommentierte den Wutanfall des Ministerpräsidenten nicht, weder mündlich noch schriftlich. Er quittierte seinen Dienst im Frühjahr 1989 und zog sich in seine Wohnung und zu seinen Freunden im Äther zurück. Er wurde vom damaligen Ministerpräsidenten mit warmem Dank verabschiedet, und niemand hatte später das Gefühl, er könnte als Geist in der Staatskanzlei spuken, nachdem er in aller Stille im Herbst 1998 verschieden war.

Mit diesem Wutanfall begann also alles. Die Geschichte von den Bedingungen der Politik, von der Reise in die Sümpfe, wo Wahrheit und Lüge die Vorzeichen tauschten, so dass am Ende über nichts mehr Klarheit zu erlangen war.

TEIL 1

In die Sümpfe

1

Als Kurt Wallander fünfundfünfzig geworden war, hatte er sich zu seinem eigenen Erstaunen einen lange gehegten Traum erfüllt. Seit der Trennung von Mona vor fast fünfzehn Jahren hatte er die Wohnung in der Mariagata, wo so viele bedrückende Erinnerungen in den Wänden steckten, verlassen wollen, um aufs Land zu ziehen. Jedes Mal, wenn er nach einem meist trostlosen Arbeitstag nach Hause kam, wurde er daran erinnert, dass er hier mit einer Familie gelebt hatte. Jetzt starrten ihn die allein gelassenen Möbel vorwurfsvoll an.

Er konnte sich nicht mit dem Gedanken abfinden, dort zu leben, bis er vielleicht nicht mehr allein zurechtkäme. Obwohl er ja noch nicht einmal sechzig war, kam ihm immer öfter das einsame Alter seines Vaters in den Sinn. Er brauchte nur beim Rasieren am Morgen sein Gesicht im Spiegel zu betrachten, um einzusehen, dass er ihm immer ähnlicher wurde. Als er jung war, hatte er mehr seiner Mutter geähnelt. Jetzt war es, als würde sein Vater ihn wie ein Läufer einholen, der lange zurückgelegen hatte, sich aber unerbittlich heranarbeitete, je näher er dem unsichtbaren Zielband kam.

Wallanders Weltbild war ziemlich einfach. Er wollte kein Einsiedler werden, der in mürrischer Einsamkeit alt wurde und höchstens von seiner Tochter Besuch bekam, vielleicht noch von einem seiner früheren Kollegen, dem plötzlich einfiel, dass er noch lebte. Er hegte keine erbaulichen religiösen Hoffnungen, dass ihn jenseits des schwarzen Flusses etwas erwartete. Dort war nur das gleiche Dunkel wie das, aus dem er einst gekommen war. Bis zu seinem fünfzigsten Lebensjahr hatte er eine unklare Todesfurcht empfunden, es war eine Art persönliches Mantra gewesen, dass er *so lange tot sein* würde. Er hatte in seinem Leben allzu viele Tote gesehen. Es gab kaum etwas in ihren stummen Gesichtern, das darauf hindeutete, dass ihre Seelen von einem Himmel aufgenommen worden waren. In einem düsteren Augenblick, kurz nach seinem fünfzigsten Geburtstag, der mit Torte im Polizeipräsidium und einer mit Standardphrasen gespickten Rede der damaligen Polizeipräsidentin Lisa Holgersson begangen worden war, hatte er in einem eigens dafür gekauften Notizbuch begonnen, sich alle Toten, die er gesehen hatte, in Erinnerung zu rufen. Es war eine makabre Beschäftigung, und er begriff selbst nicht, warum es ihn reizte. Als er zum zehnten Selbstmörder kam, einem Mann in den Vierzigern, einem Süchtigen mit allen Problemen, die man sich vorstellen konnte, gab er auf. Der Mann hatte sich auf dem Dachboden des Abrissgebäudes, in dem er hauste, erhängt. Der Tote, sein Name war Welin, hatte sich so aufgehängt, dass es ihm das Genick brach und er nicht das Risiko einging, langsam erdrosselt zu werden. Der Rechtsmediziner hatte Wallander gesagt, dem Mann sei es geglückt. Er war sein eigener glücklicher Henker gewesen. An diesem Punkt hatte Wallander die Selbstmordfälle aufgegeben und törichterweise einige Stunden dem Versuch gewidmet, sich an die Jugendlichen oder Kinder zu erinnern, die er tot aufgefunden hatte. Aber auch das gab er bald auf. Es war allzu grauenhaft. Hinterher schämte er sich und verbrannte das Notizbuch, als hätte er etwas getan, was nicht nur pervers, sondern auch verboten war. Eigentlich war er ein heiterer Mensch; er musste sich nur erlauben, diese Seite seines Wesens zu bejahen.

Der Tod hatte ihn stets begleitet. Er hatte im Dienst selbst zwei Menschen getötet, war jedoch nach dem Abschluss der obligatorischen Ermittlungen nicht angeklagt worden, ohne Not Gewalt angewendet zu haben.

Zwei Menschen getötet zu haben, das war das ganz persönliche Kreuz, an dem er zu tragen hatte.

Aber eines Tages fasste er einen entscheidenden Entschluss. Er war draußen in der Nähe von Löderup gewesen, dem einstigen Wohnort seines Vaters, und hatte mit einem Bauern gesprochen, der Opfer eines Raubüberfalls geworden war. Auf dem Rückweg nach Ystad hatte er das Schild eines Immobilienmaklers gesehen, das auf eine kleine Schotterpiste wies, wo ein Haus zum Verkauf stand. Sein Entschluss kam aus dem Nichts. Er hielt an, wendete und suchte das Haus. Schon bevor er aus dem Wagen stieg, war ihm klar, dass das Haus saniert werden musste. Es war ein Fachwerkbau, ursprünglich ein U-förmiger Hof. Jetzt war einer der Flügel verschwunden, vielleicht durch einen Brand. Er ging auf dem Hof umher. Es war ein früher Herbsttag. Am Himmel war ein Zugvogelschwarm auf dem Weg nach Süden. Er blickte durch die Fenster ins Innere und erkannte, dass zunächst nur das Dach gründlich repariert werden musste. Die Aussicht war hinreißend, er konnte in der Ferne das Meer ahnen, vielleicht sogar mit einer der Fähren auf dem Weg von Polen nach Ystad. An jenem Nachmittag im September 2003 verliebte er sich auf der Stelle in dieses Haus.

Er fuhr auf direktem Weg zu dem Makler im Zentrum von Ystad. Der Preis war nicht so hoch, dass er den notwendigen Kredit nicht würde abbezahlen können. Schon am folgenden Tag besichtigte er das Haus mit dem Makler, einem hektisch redenden jungen Mann, der mit dem Kopf ganz woanders zu sein schien. Die letzten Besitzer des Hauses waren von Stockholm heruntergezogen, ein junges Paar, das sich aber sofort wieder zu trennen beschloss, noch bevor das Haus eingerichtet war. Die Wände des leeren Hauses verbargen nichts, was ihn geängstigt hatte. Und das Wichtigste war, dass er auf der Stelle einziehen konnte. Das Dach würde wohl noch ein, zwei Jahre halten. Er musste nur ein paar Zimmer streichen, vielleicht die Badewanne auswechseln und möglicherweise einen neuen Herd kaufen. Aber der Heizkessel war erst fünfzehn Jahre alt, und die elektrischen Installationen waren kaum älter.

Bei der Abfahrt fragte Wallander, ob es weitere Interessenten gebe. Einen, erwiderte der Makler und setzte eine besorgte Miene auf, als wünschte er, dass Wallander das Haus bekäme, aber – so die unausgesprochene Warnung – dann müsse er sich schnell entscheiden. Doch Wallander hatte nicht vor, die Katze im Sack zu kaufen. Er sprach mit einem seiner Kollegen, dessen Bruder Hausbesichtigungen durchführte, und schon am nächsten Tag sah der sich mit ihm das Haus gründlich an. Er fand nur das, was auch Wallander schon bemerkt hatte. Am selben Tag besuchte Wallander seine Bankfiliale und erfuhr, dass er einen Kredit aufnehmen konnte, der für den Kauf des Hauses ausreichte. In all den Jahren, die er schon in Ystad lebte, hatte er zerstreut, aber regelmäßig Geld gespart, das jetzt für die Anzahlung reichte.

Am Abend setzte er sich an den Küchentisch und nahm eine gründliche Kalkulation vor. Irgendwie war ihm feierlich zumute. Gegen Mitternacht hatte er sich entschieden: Er würde dieses Haus mit dem dramatischen Namen Schwarzhöhe kaufen. Trotz der fortgeschrittenen Stunde rief er seine Tochter Linda an, die in einer Neubausiedlung in der Nähe der Ausfahrt nach Malmö wohnte. Sie schlief noch nicht.

»Komm her«, sagte Wallander. »Ich habe Neuigkeiten.«

»Mitten in der Nacht?«

»Du hast doch morgen frei.«

Es war eine Überraschung gewesen, als Linda ihm vor einigen Jahren auf einem Spaziergang am Strand von Mossby eröffnete, sie habe beschlossen, in seine Fußstapfen zu treten. Er hatte nicht lange gebraucht, um zu spüren, dass ihre Entscheidung ihn froh machte. Auf eine Weise kam es ihm vor, als gäbe sie all den Jahren, die er selbst als Polizist verbracht hatte, im Nachhinein einen Sinn. Nach Beendigung ihrer Ausbildung arbeitete sie in Ystad. Die ersten Monate wohnte sie bei ihm in der Mariagata. Das war keine gute Lösung, weil er, wie ein alter Hund, daran gewöhnt war, zu sitzen, wo er wollte; auch fiel es ihm schwer, sie als wirklich erwachsen zu betrachten. Als sie schließlich eine eigene Wohnung fand, war das der Gong, der ihre Beziehung rettete.

Sie hatte ihn zum Haus begleitet und sofort gesagt, dass dies genau das Haus sei, das er kaufen solle. Kein anderes, genau dieses Haus, am Ende eines Wegs, auf einem sanft ansteigenden Hügel mit Blick aufs Meer.

»Großvater wird hier seinen Spuk treiben«, sagte sie. »Aber du brauchst keine Angst zu haben. Er wird wie ein Schutzheiliger sein.«

Es war ein großer Augenblick in Wallanders Leben, als er den Kaufvertrag unterzeichnete und dann mit einem großen Schlüsselbund in der Hand dastand. Am ersten November zog er ein, nachdem er zwei Zimmer gestrichen, aber auf den Kauf eines neuen Herds verzichtet hatte. Er verließ die Wohnung in der Mariagata ohne den geringsten Zweifel daran, das Richtige zu tun. An dem Tag, an dem er sein neues Haus in Besitz nahm, wehte ein stürmischer Wind aus südöstlicher Richtung.

Schon am ersten Abend fiel der Strom aus. Plötzlich saß Wallander im Dunkeln in seinem neuen Heim, während draußen der Sturm tobte. Die tragenden Dachbalken ächzten und knarrten, und an einer Stelle regnete es durch. Aber er bereute nichts. Hier würde er wohnen.

Auf dem Hof stand eine Hundehütte. Seit seiner Kindheit hatte Wallander von einem Hund geträumt. Mit dreizehn hatte er die Hoffnung aufgegeben, jemals einen Hund zu bekommen, aber genau da hatten ihm die Eltern einen geschenkt. Er hatte das Tier über alles geliebt. Später hatte er gedacht, dass die Hündin Saga ihm ein Gefühl dafür gegeben hatte, was Liebe sein konnte. Als Saga drei Jahre alt war, wurde sie von einem Lastwagen überfahren. Die Trauer und der Schock waren schlimmer als alles, was er bis dahin erlebt hatte. Es fiel Wallander nicht schwer, sich an seine chaotischen Gefühle zu erinnern, obwohl Sagas Tod vierzig Jahre zurücklag. Der Tod schlägt zu, das wusste er nun. Mit harter und erbarmungsloser Faust.

Zwei Wochen später schaffte er sich einen Hund an, einen schwarzen Labradorwelpen. Er war nicht ganz reinrassig, doch der Besitzer bezeichnete ihn als ein Tier von großer Klasse. Wallander hatte schon vorher beschlossen, den Hund Jussi zu nennen – nach dem berühmten schwedischen Tenor Jussi Björling, einem seiner größten Helden.

Anfang Dezember lud er seine Kollegen vom Polizeipräsidium zu einer Einweihungsfete ein. Auch an diesem Abend fiel der Strom aus, aber inzwischen war er vorbereitet und stellte Kerzen auf und zündete die beiden alten Petroleumlampen an, die er von seinem Vater geerbt hatte. Nach einer knappen Stunde kam der Strom zurück. Es war ein Abend, an den Wallander sich noch lange erinnern wollte. Noch war er nicht zu alt, um einen Aufbruch zu wagen. Noch hatte er Freunde, nicht nur Kollegen, die aus einer Art von zweifelhaftem Pflichtgefühl zu ihm kamen.

Spät in der Nacht, als die Gäste gefahren waren, machte Wallander einen Spaziergang mit Jussi. Er nahm eine Taschenlampe mit, um in der Dunkelheit nicht zu stolpern. Er war nicht nüchtern, und zwischen den Äckern, die im Sommer gelb vom Raps leuchten würden, gab es viele verdeckte

Gräben. Er ließ Jussi von der Leine, und der Hund verschwand in der Dunkelheit. Der Himmel war kalt und klar, der Wind war abgeflaut. Weit draußen am Horizont ahnte er die Lichter eines Schiffes. Hierher bin ich gekommen, dachte er. Ich habe einen Aufbruch gewagt, habe mir sogar einen Hund angeschafft. Die Frage ist nur, wohin ich von hier aus gehe.

Jussi kam wie ein Schatten aus der Dunkelheit zurück. Aber auch der Hund brachte keine Antwort auf die an das nächtliche Dunkel gerichtete Frage.

Fast vier Jahre später, es war der Beginn des Jahres 2007, träumte Wallander von ebendiesem Augenblick, der Nacht nach dem Fest in seinem neuen Haus. Die Frage hängt immer noch in der Luft, dachte er beim Aufwachen. Es sind vier Jahre vergangen, und noch immer weiß ich nicht, wohin mein Weg geht.

Es war nach dem Dreikönigstag, ein Dienstag. In der Nacht war ein kurzes Schneeunwetter über das südliche Schonen hinweggefegt und über die Ostsee abgezogen. Eine Schneewehe versperrte die Einfahrt zu seinem Haus. Schon um kurz nach sechs war Wallander draußen und schippte Schnee, während Jussi eifrig nach Hasenspuren am schneebedeckten Feldrand schnüffelte. Wallander wollte an diesem Morgen den Arzt aufsuchen, der seinen Blutzucker kontrollierte. Es war inzwischen mehr als zehn Jahre her, dass sein Diabetes diagnostiziert worden war. Anfangs hatte er die Werte mithilfe von Medikamenten, Ernährungsumstellung und mehr Bewegung auf einem niedrigen Niveau halten können. Aber seit einigen Jahren musste er auch täglich spritzen. Nach dem Besuch beim Arzt wollte Wallander sich weiter der Ermittlung widmen, die ihn seit Anfang Dezember in Atem hielt. Ein älterer Waffenhändler und seine Frau waren bei einem Überfall schwer verletzt worden; den Räubern war eine große Anzahl Waffen in die Hände gefallen.

Den Mann hatte man ins künstliche Koma gelegt, sein Zustand war von Anfang an kritisch. Die Frau hatte einen Schädelbruch und würde auf einem Auge blind bleiben, war aber bei Bewusstsein. Wallander, der als Erster am Tatort eingetroffen war, einem schönen Haus in einem großen Garten gut zehn Kilometer nördlich von Ystad, war außer sich gewesen vor Empörung über die maßlose Gewalt, die dem Paar zugefügt worden war. Sie waren bewusstlos geschlagen, gefesselt und liegengelassen worden, um zu sterben.

Der Mann, Olof Hansson, hatte sein Waffengeschäft von zu Hause aus betrieben. Er hatte das Gewerbe von seinem Vater übernommen. Gemeinsam mit seiner Frau Hanna hatte er sich auf Revolver und Pistolen spezialisiert, oft handelte es sich um einzigartige Sammlerstücke. Die Räuber waren gut vorbereitet gewesen. Wallander und Staatsanwalt Erik Petrén hatten mit den übrigen Mitgliedern der Ermittlungsgruppe die Bilder der Überwachungskamera gesehen. Sie erkannten fünf maskierte Räuber. Eine der Kameras hatte den Augenblick eingefangen, als Olof Hansson von einem Holzknüppel am Hinterkopf getroffen wurde. Ein halbersticktes Stöhnen war im Raum zu hören.

Wallander rief sich ein altes Paar in Erinnerung, das vor bald zwanzig Jahren in Lenarp ermordet worden war. In seiner privaten Buchführung war dies eine der intensivsten Ermittlungen gewesen, für die er in all seinen Jahren in Ystad die Verantwortung getragen hatte. Die Tat war von zwei Asyl suchenden Flüchtlingen begangen worden, nachdem sie beobachtet hatten, wie der alte Bauer in einer Bank eine hohe Geldsumme abgehoben hatte. Es kam Wallander so vor, als sähe er das Verbrechen von damals jetzt ein zweites Mal vor sich, ein Grauen, das sich wiederholte. Was vor langer Zeit geschehen war, vermischte sich mit dem, womit er jetzt befasst war. Die gleiche bestialische Brutalität, die ihn heute nicht weniger erschreckte als damals.

Seit über einem Monat arbeiteten sie nun schon daran, die Täter dingfest zu machen. In den ersten Wochen hatte es keinerlei handfeste Spuren oder Ansatzpunkte gegeben. Dass der Raubüberfall gründlich geplant war, betrachtete Wallander jedoch als eine Spur an sich. Die Täter wären mit großer Wahrscheinlichkeit in kriminellen Kreisen zu suchen. Nur einmal in diesen Wochen hatte Wallander Ystad verlassen, um nach Hässleholm zu fahren. Dort hatte er sich mit einem Mann namens Rune Berglund unterhalten. Sie hatten sich im abendlichen Dunkel am Sportplatz der Stadt getroffen. Berglund hatte eine kriminelle Vergangenheit und war wegen Raub und schwerer Körperverletzung mehrfach vorbestraft. Dann war er plötzlich bekehrt worden und hatte zur Verwunderung aller seine Laufbahn als Ganove beendet, hatte jedoch weiterhin ein umfangreiches Kontaktnetz. Für eine Ermittlung hatte Wallander ihn als Informanten von einem Kollegen in Malmö »ausgeliehen«. Seitdem wandte er sich gelegentlich an Berglund, wenn er Informationen benötigte. Der Preis war stets der gleiche, zwei Hunderter für die Kollekte. Berglund arbeitete von sieben bis vier bei einer Reifenfirma und verbrachte seine freie Zeit in der freikirchlichen Gemeinde, wo er Jesus gefunden hatte. Oder war es vielleicht umgekehrt, dass Jesus ihn gefunden hatte? Wallander zweifelte nie daran, dass seine Hunderter wirklich in der Kollekte landeten.

Berglund war nicht erstaunt gewesen, als Wallander sein Anliegen erklärte, der Waffendiebstahl bei Ystad hatte in den Medien für viel Wirbel gesorgt. Berglund meinte, es könne sich um eine Auftragsarbeit für ausländische Interessenten handeln. Olof Hansson hatte sein Haus zwar mit einer aufwendigen Alarmanlage gesichert, doch sie war längst nicht vergleichbar mit dem, was man auf dem Kontinent finden konnte. Es konnte also für gerissene Waffendiebe einfacher sein, in Hanssons Haus einzubrechen als in ein Ziel im Ausland. Berglund versprach, sich zu melden, falls er etwas erfuhr. Und tatsächlich rief er Wallander am Tag vor Heiligabend an und gab ihm den Hinweis, dass es sich um eine aus Schweden und angeheuerten Polen zusammengesetzte Bande handeln könne.

An Heiligabend starb Olof Hansson. Damit wurde aus einem Fall von schwerem Raub und Körperverletzung ein Mordfall. Zwei Polizistinnen, Ann-Louise Edenman aus Lund und Kristina Magnusson, die, wie Wallander, von Malmö nach Ystad gezogen war, bearbeiteten den Fall. Wallander hatte die Leitung der Ermittlungen übernommen. Manchmal erinnerte er sich daran, wie es gewesen war, als der erfahrene Kommissar Rydberg sein nächster Vorgesetzter war. Es war in seiner Anfangszeit in Ystad. Dann war Rydberg an Krebs erkrankt und gestorben. Wallander hatte ihn in all den Jahren vermisst, es hatte Perioden gegeben, da dachte er täglich an ihn. Wenn er in einer schwierigen Ermittlung steckte, kam es immer noch vor, dass Wallander mit einer Blume einen Spaziergang zu Rydbergs Grab machte. Vor dem einfachen flachen Stein überlegte er, was Rydberg getan hätte. Und er fragte sich, ob Ann-Louise Edenman oder Kristina Magnusson sich irgendwann in der Zukunft einmal vorstellen würden, was Wallander in ihrer Situation getan hätte.

Er wusste es nicht, und wollte es eigentlich auch nicht wissen.

Am zwölften Januar veränderte sich Wallanders Leben auf einen Schlag. Zunächst erzielten sie einen Durchbruch in der Ermittlung. Kristina Magnusson kam hereingestürmt, als Wallander in seinem Zimmer saß und Berichte über Waffendiebstähle durchlas, die das Reichskriminalamt geschickt hatte. Wallander sah ihr an, dass etwas passiert war. Er erkannte sich selbst in ihr. Es kam noch immer vor, dass er mit wichtigen Neuigkeiten in die Zimmer seiner Kollegen stürmte.

»Hanna Hansson hat angefangen zu sprechen«, sagte Kristina. »Sie beginnt, sich zu erinnern.«

»Was sagt sie?«

»Dass sie zumindest zwei der Männer kannte.«

»Sie waren doch maskiert.«

»Sie sagt, sie habe sie an den Stimmen erkannt. Die Männer wären schon einmal im Laden gewesen.«

»Unmaskiert?«

Kristina Magnusson nickte. Wallander wusste sofort, was das bedeuten konnte.

»Sie sind also auf alten Überwachungsfilmen?«

»Das ist nicht ausgeschlossen.«

»Bist du sicher, dass sie sich nicht irrt?«

»Sie schien klar im Kopf zu sein. Und sehr bestimmt.«

»Weiß sie schon, dass ihr Mann tot ist?«

»Nein. Ihre beiden Töchter sind im Krankenhaus, aber die Ärzte haben sie gebeten, sie noch zu schonen.«

Wallander schüttelte zweifelnd den Kopf. »Wenn sie klar im Kopf ist, wie du sagst, dann weiß sie es schon. Sie sieht es in den Augen ihrer Töchter.«

»Du meinst also, dass wir es ihr auch sagen können?«

Wallander stand auf. »Ich meine nur, dass wir uns nichts vormachen lassen sollen. Sie begreift, dass ihr Mann tot ist. Wie lange waren sie verheiratet? Siebenundvierzig Jahre? Jetzt rufen wir unsere Leute zusammen und gehen die Filme aus diesen Kameras durch.«

Als Wallander einige Schritte hinter Kristina Magnusson, die er insgeheim gern von hinten betrachtete, auf den Korridor trat, klingelte das Telefon in seinem Zimmer. Er überlegte kurz, ob er es klingeln lassen sollte, machte dann aber kehrt. Es war Linda. Sie hatte ein paar Tage frei, nachdem sie Silvester Dienst gehabt hatte. Der Jahreswechsel war in Ystad mit zahlreichen Familienstreitigkeiten und Körperverletzungen außergewöhnlich unruhig verlaufen.

»Hast du Zeit?«

»Eigentlich nicht. Wir können vielleicht zwei der Waffendiebe identifizieren.«

»Wir müssen uns treffen.«

Sie klang angespannt. Wallander war sogleich besorgt, wie immer, wenn er fürchtete, ihr könnte etwas passiert sein.

»Ist es etwas Ernstes?«

»Nein, gar nicht.«

»Wir können uns um ein Uhr treffen.«

»Mossby Strand?«

Wallander hielt es für einen Witz. »Soll ich Badezeug mitbringen?«

»Ich meine es ernst. Am Strand von Mossby. Aber kein Bad.«

»Was sollen wir da draußen bei Kälte und Sturm?«

»Ich bin um ein Uhr da.«

Sie legte auf, bevor er weitere Fragen stellen konnte. Was wollte sie? Er ging in den Sitzungsraum, wo es den besten Fernsehapparat gab. Zwei Stunden lang sahen sie sich Filme aus Hanssons Überwachungskamera an. Um kurz vor halb eins hatten sie noch die Hälfte der Filme vor sich. Wallander stand auf und sagte, sie könnten um zwei Uhr weitermachen. Martinsson, mit dem Wallander die längste Zeit in Ystad zusammengearbeitet hatte, sah ihn verwundert an. »Sollen wir jetzt unterbrechen? Du hast doch sonst keine festen Mittagszeiten.«

»Ich will nicht essen. Ich habe ein anderes Treffen.«

Er verließ den Raum und dachte, dass er zu scharf geklungen hatte. Martinsson und er waren nicht nur Kollegen, sie waren auch Freunde. Bei Wallanders Einweihungsfest im Haus bei Löderup hatte Martinsson eine Rede auf ihn und den Hund und das Haus gehalten. Wir sind wie ein fleißiges altes Paar, dachte er, als er das Polizeipräsidium verließ. Ein altes Paar, das miteinander zankt, hauptsächlich, um in Form zu bleiben.

Er ging zu seinem Wagen, einem Peugeot, den er vor vier

Jahren gekauft hatte, und fuhr los. Wie oft bin ich diesen Weg schon gefahren? Wie viele Male wird es sich noch wiederholen? Während er an einer roten Ampel wartete, dachte er an etwas, was sein Vater ihm erzählt hatte, von einem Cousin, den Wallander selbst nie kennengelernt hatte. Der Cousin hatte eine Fähre zwischen zwei Inseln in den Schären vor Stockholm gefahren; die Überfahrt dauerte nicht länger als fünf Minuten, jahrein, jahraus dieselbe Strecke. Eines Tages war eine Sicherung bei ihm durchgebrannt. Es war an einem Spätnachmittag im Oktober gewesen, und die Fähre war voller Autos. Plötzlich hatte er das Ruder umgelegt und Kurs aufs offene Meer genommen. Nachher erzählte er, er habe gewusst, dass die Dieselmenge in den Tanks ausgereicht hätte, eines der baltischen Länder zu erreichen. Aber das war auch alles, was er sagte, als er schließlich von aufgebrachten Autofahrern überwältigt worden war und die Küstenwache die Fähre zurück auf ihren Kurs gebracht hatte. Er hatte nie eine Erklärung für sein Verhalten gegeben.

Wallander dachte, dass er ihn auf eine unklare Weise verstand.

Einzelne Wolken jagten über den Himmel, als er am Meer entlang nach Westen fuhr. Durch das Seitenfenster sah er Unwetterwolken, die sich am Horizont auftürmten. Am Morgen hatte er im Radio gehört, dass gegen Abend wieder mit Schneefällen zu rechnen war. Kurz vor der Abzweigung nach Marsvinsholm wurde er von einem Motorrad überholt. Der Fahrer winkte ihm, und Wallander dachte, dass es eine seiner schlimmsten Befürchtungen war, Linda könnte eines Tages mit ihrem Motorrad verunglücken. Er war vollkommen ahnungslos gewesen, als sie vor einigen Jahren mit ihrer chromglänzenden Harley-Davidson auf seinen Hof gefahren kam. Ob sie den Verstand verloren habe, war seine erste Frage, nachdem sie den Helm abgenommen hatte.

»Du kennst nicht alle meine Träume«, hatte sie mit einem

glücklichen Lächeln erwidert. »Genauso wie ich sicher nicht alles weiß, wovon du träumst.«

»Auf jeden Fall nicht von einem Motorrad.«

»Schade. Sonst könnten wir zusammen fahren.«

Er war so weit gegangen, sie anzuflehen und ihr zu versprechen, ein Auto für sie zu kaufen und das Benzin zu bezahlen, wenn sie ihr Motorrad abschaffte. Aber sie lehnte ab, und er wusste von Anfang an, dass er verloren hatte. Sie hatte seine Sturheit geerbt, es würde ihm nicht gelingen, ihr das Motorrad auszureden, womit er sie auch zu locken versuchte.

Als er auf den Parkplatz von Mossby Strand fuhr, der im stürmischen Wind verlassen dalag, hatte sie den Helm abgenommen und stand mit flatternden Haaren auf einer Sanddüne. Wallander stellte den Motor ab, blieb sitzen und betrachtete seine Tochter in der dunklen Lederkleidung und den teuren Stiefeln, die sie für den Preis eines fast kompletten Monatsgehalts in einer Fabrik in Kalifornien hatte nähen lassen. Einst war sie ein kleines Mädchen, das auf meinem Schoß saß, und ich war der größte Held in ihrem Leben, dachte Wallander. Jetzt ist sie sechsunddreißig Jahre alt, arbeitet wie ich bei der Polizei und hat einen scharfen Verstand und ein großes Lächeln. Was will ich mehr?

Er stieg aus und kämpfte sich im stürmischen Wind durch den Sand nach oben, bis er neben ihr stand.

Sie lächelte ihn an. »Hier ist einmal etwas geschehen«, sagte sie. »Weißt du noch, was?«

»Du hast mir eröffnet, dass du Polizistin werden wolltest. Das war hier.«

»Ich meine etwas anderes.«

Wallander begriff plötzlich, worauf sie hinauswollte. »Hier ist ein Schlauchboot mit zwei Toten angetrieben«, sagte er. »Es ist so viele Jahre her, ich weiß nicht mehr genau, wann es war. Es waren Ereignisse, die sich in einer anderen Welt abgespielt haben, könnte man sagen.«

»Erzähl mir von dieser Welt.«

»Deshalb hast du mich wohl kaum herkommen lassen.«

»Erzähl trotzdem.«

Wallander machte eine ausladende Armbewegung zum Meer hin. »Über die Länder auf der anderen Seite wussten wir nicht viel. Wir taten wohl manchmal so, als gäbe es sie nicht. Wir waren abgeschnitten von den baltischen Staaten, die unsere nächsten Nachbarn waren. Und sie von uns. Eines Tages trieb das Schlauchboot hier an Land, und die Ermittlung führte mich nach Lettland, nach Riga. Ich machte einen Besuch hinter dem Eisernen Vorhang, den es nicht mehr gibt. Die Welt war damals anders. Nicht schlechter, nicht besser, nur anders.«

»Ich bekomme ein Kind«, sagte Linda. »Ich bin schwanger.«

Wallander hielt den Atem an, als hätte er nicht verstanden. Dann starrte er auf ihren Bauch in der schwarzen Lederkleidung.

Sie musste lachen. »Natürlich sieht man noch nichts. Ich bin erst im zweiten Monat.«

Später sollte Wallander sich an jede Einzelheit dieser Begegnung mit Linda erinnern. Sie gingen zum Strand hinunter und duckten sich gegen den Wind. Sie erzählte ihm, was er wissen wollte. Als er eine Stunde verspätet ins Präsidium zurückkam, hatte er die Ermittlung, für die er die Verantwortung trug, beinahe vergessen.

Kurz vor fünf an diesem Nachmittag, gerade bevor es wieder zu schneien begann, gelang es ihnen, die Bilder von zwei Männern zu sichern, die vermutlich in den Waffenraub und den brutalen Mord verwickelt waren. Wallander fasste zusammen, was alle fühlten: Sie waren der Aufklärung des Falls um einen großen Schritt näher gekommen.

Als die Sitzung vorüber war und alle ihre Papiere und Mappen einsammelten, hatte Wallander große Lust, von der überwältigenden Freude zu erzählen, die ihm so plötzlich widerfahren war.

Aber natürlich sagte er nichts.

Es lag ihm ganz einfach nicht. So eng ließ er seine Kollegen nicht an sich heran, niemals.

2

Am 30. August 2007, kurz nach zwei Uhr am Nachmittag, brachte Linda im Krankenhaus von Ystad eine Tochter zur Welt, Kurt Wallanders erstes Enkelkind. Die Geburt verlief normal, es war genau der Tag, den die Hebamme errechnet hatte. Wallander hatte vorsorglich Urlaub genommen und verbrachte den Tag damit, eine brauchbare Zementmischung anzurühren, um Risse in der Mauer unter dem Verandadach neben der Außentür auszubessern. Er war nicht besonders erfolgreich, aber immerhin abgelenkt. Als das Telefon klingelte und ihm mitgeteilt wurde, dass er sich von nun an Großvater nennen könne, kamen ihm die Tränen. Das Gefühl überrumpelte ihn, für einen Augenblick war er vollständig schutzlos.

Es war nicht Linda, die anrief, sondern der Vater des Kindes, der Finanzmakler Hans von Enke. Weil Wallander sich vor ihm nicht als rührselig zeigen wollte, dankte er eilig für die Nachricht, bat ihn, Linda Grüße auszurichten, und beendete das Gespräch.

Dann machte Wallander einen langen Spaziergang mit Jussi. Noch lag die Spätsommerwärme über Schonen, in der Nacht hatte es ein Gewitter gegeben, und jetzt war die Luft frisch und leicht. Endlich konnte Wallander zugeben, wie oft er sich darüber gewundert hatte, dass Linda nie von einem Kinderwunsch gesprochen hatte. Inzwischen war sie schon siebenunddreißig, ein aus Wallanders Sicht viel zu später Zeitpunkt für eine Frau, um Mutter zu werden. Mona war wesentlich jünger gewesen, als ihre Tochter geboren wurde. Er hatte Lindas Beziehungen aus der Distanz verfolgt, einige ihrer Männer hatte er gern gemocht, andere weniger. Wenn er überzeugt gewesen war, dass sie endlich den Richtigen gefunden habe, war es eines Tages plötzlich aus, und Linda hatte nie erklärt, warum. Auch wenn Wallander und Linda ein enges Verhältnis hatten, gab es gewisse Dinge, die sie selbst in ihren vertraulichsten Stunden nicht berührten. Zu diesen tabubelegten Themen gehörte auch die Kinderfrage.

An ebenjenem Tag am Strand von Mossby hatte sie zum ersten Mal von dem Mann erzählt, mit dem sie ein Kind haben würde. Für Wallander war die Existenz dieses Mannes eine Überraschung. Er war der Meinung gewesen, Linda habe gegenwärtig keine feste Beziehung. Umso erstaunter war er über das, was sie erzählte.

Linda hatte Hans von Enke bei gemeinsamen Freunden in Kopenhagen anlässlich einer Verlobungsfeier kennengelernt. Er kam aus Stockholm, hatte aber zuletzt in Kopenhagen bei einer Finanzmaklerfirma gearbeitet, die sich vor allem dem Aufbau von Hedgefonds widmete. Auf Linda hatte er hochnäsig gewirkt, und sie hatte sich über ihn geärgert. Ziemlich ungestüm erklärte sie ihm, sie sei eine einfache Polizistin mit niedrigem Lohn, die keine Ahnung davon habe, was ein Hedgefonds war. Sprach sie es überhaupt richtig aus? Es endete damit, dass sie sich auf eine lange nächtliche Wanderung durch Kopenhagen begaben und sich wieder verabredeten. Hans von Enke war zwei Jahre jünger als Linda und hatte auch noch keine Kinder. Beide hatten schon vom Beginn ihrer Beziehung an, zwar unausgesprochen, aber doch ganz klar, beschlossen, Kinder zu haben.

Zwei Tage nach der großen Enthüllung hatte Linda am Abend mit dem Mann, mit dem sie zusammenleben wollte, ihren Vater besucht. Hans von Enke war groß und mager, hatte schütteres Haar und klarblaue Augen mit einem durchdringenden Blick. Wallander fühlte sich in seiner Gesellschaft sogleich unsicher, empfand seine Art und Weise sich auszudrücken als fremd und fragte sich, warum Linda sich für diesen Mann entschieden hatte. Als sie erzählt hatte, dass er dreimal so viel verdiente wie Wallander und dazu noch ein Anrecht auf Bonuszahlungen von bis zu einer Million hätte, dachte Wallander bedrückt, das Geld könnte sie gelockt haben. Der Gedanke empörte ihn derart, dass er Linda bei ihrem nächsten Treffen direkt danach fragte. Sie saßen in einem Café in Ystad, und sie war so wütend geworden, dass sie ihm eine Zimtschnecke an den Kopf warf und das Lokal verließ. Er war ihr nachgelaufen und hatte sich entschuldigt. Nein, es war nicht das Geld, erklärte sie, sondern eine große und echte Liebe, wie sie sie noch nie erlebt hatte.

Wallander beschloss, seinen zukünftigen Schwiegersohn mit milderen Augen zu betrachten. Übers Internet und mithilfe des Bankangestellten, der in Ystad seine dürftigen Bankgeschäfte betreute, machte Wallander sich kundig über die Finanzfirma, bei der Hans von Enke angestellt war. Er wusste nun, was Hedgefonds waren, und lernte eine Menge Dinge, die angeblich zu den Grundlagen moderner Finanzberatung zählten. Als Hans von Enke ihn nach Kopenhagen einlud, nahm er die Einladung an und machte einen Rundgang durch die aufwendig ausgestatteten Geschäftsräume in der Nähe des Rundetårn, wo die Firma residierte. Er ließ sich von Hans von Enke zum Mittagessen einladen, und als er nach Ystad zurückkehrte, war das Minderwertigkeitsgefühl verflogen. Vom Auto aus rief er Linda an und sagte ihr, er habe angefangen, den Mann ihrer Wahl zu schätzen.

»Er hat einen Fehler«, sagte Linda. »Er hat zu wenig Haare. Ansonsten ist er in Ordnung.«

»Ich freue mich auf den Tag, an dem ich ihm mein Büro zeigen kann.«

»Das habe ich schon getan. Er hat mich letzte Woche besucht. Hat dir keiner davon erzählt?«

Natürlich hatte niemand Wallander etwas erzählt. Am Abend saß er am Küchentisch, den Bleistift in der Hand, und rechnete aus, was Hans von Enke im Jahr verdiente. Die Summe verschlug ihm den Atem. Wieder überkam ihn ein ungutes Gefühl. Er selbst verdiente nach all den Jahren vierzigtausend Kronen im Monat. Das hielt er für ein gutes Gehalt. Aber nicht er wollte heiraten, sondern Linda. Mochte das Geld ihr Glück bringen oder nicht, es ging ihn nichts an.

Im März zogen Linda und Hans zusammen in ein großes Haus in der Nähe von Rydsgård, das der junge Finanzmakler gekauft hatte. Er pendelte nach Kopenhagen, und Linda arbeitete weiter wie zuvor. Als sie eingerichtet waren, lud Linda ihren Vater zu einem Abendessen ein. Hans' Eltern würden an dem Wochenende zu Besuch sein und wollten ihn natürlich gern kennenlernen.

»Ich habe schon mit Mama gesprochen«, sagte sie.

»Kommt sie?«

»Nein.«

»Warum nicht?«

Linda zuckte die Schultern. »Ich glaube, sie ist krank.«

»Krank? Wieso?«

Linda sah ihn lange an, bevor sie antwortete: »Sie trinkt. Ich glaube, sie trinkt mehr denn je.«

»Das habe ich nicht gewusst.«

»Du weißt vieles nicht.«

Natürlich nahm Wallander die Einladung zu dem Essen an, bei dem er Hans von Enkes Eltern kennenlernen sollte. Obwohl er intensiv mit dem Waffenraub beschäftigt war, nahm er sich die Zeit, mit Linda darüber zu sprechen, was ihn erwartete. Der Vater, Håkan von Enke, war ein ehemaliger Korvettenkapitän, der U-Boote und U-Boot-Jäger befehligt hatte. Linda glaubte, wenngleich sie in diesem Punkt nicht sicher war, dass er zeitweilig auch der Befehlsstelle angehört hatte, die entschied, wann Einheiten der Streitkräfte einen Feind anzugreifen hatten. Hans von Enkes Mutter Louise war Sprachlehrerin gewesen. Geschwister gab es nicht, Hans war Einzelkind.

»Ich habe keine Erfahrung im Umgang mit Adligen«, sagte Wallander wenig begeistert, als Linda geendet hatte.

»Sie sind wie andere Leute auch. Ich glaube, dass ihr über vieles reden könnt.«

»Worüber?«

»Das wird sich zeigen. Sei nicht so negativ.«

»Ich bin nicht negativ. Ich frage mich nur.«

»Wir essen um sechs. Komm pünktlich. Und lass Jussi zu Hause. Er bringt bloß Unruhe.«

»Jussi ist ein sehr folgsamer Hund. Wie alt sind die beiden denn?«

»Håkan wird fünfundsiebzig, Louise ist ein paar Jahre jünger. Im Übrigen gehorcht Jussi nie, das müsstest du doch wissen. Gott sei Dank hattest du bei mir mehr Erfolg mit der Erziehung.«

Sie verließ den Raum, bevor Wallander etwas erwidern konnte. Eigentlich hätte er wütend werden müssen, weil sie immer das letzte Wort behielt. Aber es gelang ihm nicht, und er beugte sich wieder über seine Papiere.

An dem Samstag, an dem Wallander nach Rydsgård fuhr, um Hans von Enkes Eltern zu treffen, fiel ein für die Jahreszeit ungewöhnlich milder Nieselregen über Schonen. Er hatte seit dem frühen Vormittag in seinem Büro gesessen, um zum Gott weiß wievielten Mal die wichtigsten Teile des Untersuchungsmaterials über den Tod des Waffenhändlers und den Waffendiebstahl durchzugehen. Sie glaubten zwar, die Räuber identifiziert zu haben, doch es fehlten die Beweise. Ich habe keinen Schlüssel, dachte er, ich habe allenfalls das entfernte Geräusch eines Schlüsselbunds. Um drei Uhr hatte er die Hälfte des umfangreichen Materials geschafft und beschloss, nach Hause zu fahren. Er schlief zwei

Stunden und zog sich dann für das Abendessen um. Linda hatte gesagt, Hans von Enkes Eltern könnten für ihren Geschmack ein wenig zu formell sein, und deshalb vorgeschlagen, er solle seinen besten Anzug anziehen.

»Ich habe nur den für Beerdigungen«, sagte Wallander. »Aber soll ich deswegen mit einem weißen Schlips kommen?«

»Wenn es dir so zuwider ist, brauchst du überhaupt nicht zu kommen.«

»Es sollte ein Scherz sein.«

»Der war aber nicht gut. Du hast mindestens drei blaue Schlipse. Nimm einen davon.«

Als Wallander gegen Mitternacht ein Taxi zurück nach Ystad nahm, dachte er, dass der Abend bedeutend angenehmer verlaufen war, als er erwartet hatte. Der alte Korvettenkapitän und seine Frau waren Leute, mit denen er reden konnte. Er war Fremden gegenüber immer auf der Hut und vermutete, dass sie mit mehr oder weniger verhohlener Verachtung auf seinen Beruf reagierten. Aber bei keinem von beiden hatte er dieses Gefühl gehabt. Im Gegenteil, sie hatten echtes Interesse an der Polizeiarbeit gezeigt. Håkan von Enke hatte Ansichten über die Organisation der schwedischen Polizei und über verschiedene Mängel bei der Aufklärung gewisser bekannter Verbrechen vertreten, denen Wallander problemlos zustimmen konnte. Er seinerseits hatte Fragen über die schwedische Marine, über U-Boote und über die gegenwärtige Teilabrüstung der schwedischen Streitkräfte stellen können, auf die er kenntnisreiche und unterhaltende Antworten bekommen hatte. Louise von Enke hatte dem Gespräch die meiste Zeit mit einem freundlichen Lächeln zugehört.

Linda begleitete ihn zum Gartentor, nachdem sie das Taxi bestellt hatten. Sie hakte sich bei ihm ein und legte den Kopf an seine Schulter. Das tat sie nur, wenn sie mit ihm zufrieden war.

»Ich habe mich also gut benommen«, sagte Wallander.

»Du warst besser denn je. Du kannst es ja, wenn du nur willst.«

»Kann was?«

»Dich benehmen. Sogar intelligente Fragen stellen über Dinge, die nichts mit Polizeiarbeit zu tun haben.«

»Ich mochte sie, auch wenn ich über Louise nicht viel erfahren habe.«

»Louise ist so. Sie sagt nie viel. Aber sie kann besser zuhören als wir alle.«

»Auf mich machte sie fast einen geheimnisvollen Eindruck.«

Sie waren an die Straße gekommen und stellten sich zum Schutz vor dem anhaltenden Nieselregen unter einen Baum.

»Ich kenne niemanden, der so geheimnisvoll ist wie du«, sagte Linda. »Viele Jahre glaubte ich, du wolltest etwas verbergen. Aber inzwischen weiß ich, dass nur wenige, die geheimnisvoll sind, wirklich etwas verbergen.«

»Und ich bin keiner von ihnen?«

»Ich glaube nicht. Habe ich recht?«

»Vielleicht trägt man ja auch Geheimnisse mit sich herum, ohne es selbst zu wissen?«

Die Lichtkegel des Taxis blendeten sie. Es war eins jener busähnlichen Fahrzeuge, die bei den Taxigesellschaften immer beliebter wurden.

»Ich hasse diese Busse«, murmelte Wallander.

»Nun reg dich nicht auf. Ich bringe dir morgen deinen Wagen.«

»Ab zehn bin ich im Präsidium. Geh jetzt rein und hör mal, was sie so von mir halten. Ich erwarte morgen einen Bericht.«

Kurz vor elf am folgenden Tag brachte sie den Wagen.

»Gut«, sagte sie, als sie in sein Zimmer trat, wie üblich ohne anzuklopfen.

»Gut, was?«

»Du gefällst ihnen. Håkan hat sich so lustig ausgedrückt. Er sagte: ›Dein Vater ist eine außerordentliche Akquisition für die Familie.‹«

»Ich weiß nicht mal, was das bedeutet.«

Sie legte die Wagenschlüssel auf den Schreibtisch. Weil sie mit den Schwiegereltern einen Ausflug machen wollten, hatte sie es eilig. Wallander warf einen Blick aus dem Fenster. Die Wolkendecke begann aufzureißen.

»Werdet ihr heiraten?«, fragte er, bevor sie aus der Tür war.

»Sie sind ganz wild darauf«, antwortete sie. »Ich wäre dir dankbar, wenn du nicht auch damit anfängst. Wir müssen erst sehen, ob wir zusammenpassen.«

»Aber ihr wollt doch Kinder haben?«

»Dazu passen wir gut genug. Aber ob wir dann das ganze Leben miteinander verbringen, ist eine zweite Frage.«

Weg war sie. Wallander lauschte ihren schnellen Schritten. Ich kenne meine Tochter nicht, dachte er. Ich war einmal der Meinung, ich täte es. Jetzt sehe ich, dass sie mir immer fremder wird.

Er stellte sich ans Fenster und blickte hinaus auf den alten Wasserturm, die Tauben, die Bäume, den blauen Himmel, der sich zwischen den auseinandertreibenden Wolken zeigte. Eine tiefe Unruhe überkam ihn, eine Leere, die sich um ihn ausbreitete. Oder war sie nicht vielmehr in ihm selbst? Als verwandelte sich sein ganzes Sein unmerklich in ein Stundenglas, durch das der Sand rieselte. Er blickte weiter auf die Tauben und die Bäume, bis seine Unruhe nachließ. Dann setzte er sich wieder an den Schreibtisch und vertiefte sich in die Berichte.

Mitte Oktober waren Wallander und seine Kollegen so weit gekommen, dass sie bei der Staatsanwaltschaft Haftbefehle gegen vier verdächtige Personen beantragen konnten. Zwei von ihnen waren polnische Staatsangehörige, die auf den Überwachungsfilmen aus dem Waffenladen identifiziert worden waren. Außerdem hatte die Polizei ausreichende Beweise gegen zwei Männer aus Göteborg. Beide hatten Kontakte zum organisierten Verbrechen, das von Einwanderern aus dem früheren Jugoslawien kontrolliert wurde. Wieder dachte Wallander an den brutalen Überfall in Lenarp vor fast zwanzig Jahren. Als herauskam, dass es sich bei den Tätern um Ausländer handelte, war es zu rassistischen Ausschreitungen gekommen, es gab Angriffe auf ein Flüchtlingslager und den Mord an einer vollkommen unschuldigen Person. Es war eine schreckliche Zeit gewesen.

Während der langen und oft trostlosen Ermittlungsarbeit hatte Wallander erkannt, dass die beiden eng mit ihm zusammenarbeitenden Kolleginnen fähige Polizistinnen waren. Sein Respekt war immer mehr gewachsen, und er hatte etwas von der Energie zurückgewonnen, die er in den letzten Jahren verloren zu haben glaubte. Besonders Kristina Magnusson imponierte ihm mit ihrem klaren Blick und ihrer Hartnäckigkeit. Er hörte nicht auf, in den Fluren des Polizeipräsidiums verstohlene Blicke auf sie zu werfen.

Im Sommer konnte Hanna Hansson aus dem Krankenhaus entlassen werden. Sie war auf einem Auge blind und hatte einen bleibenden Rückenschaden erlitten. Wallander sprach eines Tages mit einer ihrer Töchter, die bei Hörby einen Reiterhof betrieb.

»Das Auge bekommt sie nicht zurück«, sagte die Tochter, »und die Ärzte können ihre Rückenschmerzen kaum lindern. Aber wissen Sie, was das Schlimmste ist?«

»Dass ihr Mann tot ist.«

»Das ist so selbstverständlich, dass man es nicht sagen muss. Aber von dem, was unausgesprochen bleibt?«

Wallander kam nicht darauf, welche Antwort sie von ihm erwartete.

»Die Angst«, sagte die Tochter. »Sie fürchtet sich vor anderen Menschen. Sie hat Angst, aus dem Haus zu gehen, Angst, zu schlafen, Angst, allein zu sein. Wie heilt man das? Wie kann ein Täter dafür bestraft werden?«

»Ein guter Staatsanwalt überzeugt das Gericht von der außergewöhnlichen Schwere des Verbrechens«, sagte Wallander.

Die Tochter schüttelte den Kopf. Sie zweifelte daran, wie Wallander im Grunde auch. Schwedische Gerichte überraschten ihn häufig negativ durch ihre Unentschlossenheit, wenn es darum ging, ein Verbrechen als schwer oder weniger schwer einzustufen.

»Fassen Sie die Täter«, sagte sie, als sie sein Büro verließ. »Lassen Sie sie nicht ungeschoren davonkommen.«

Wallander führte selbst die einleitenden Verhöre mit den beiden festgenommenen Polen durch. Beide waren jung, nicht viel älter als zwanzig Jahre. Sie betrachteten ihn höhnisch und gaben durch ihre Dolmetscher zu verstehen, dass sie mit dem Waffendiebstahl nichts zu tun hätten, sich zur fraglichen Zeit gar nicht in Schweden aufgehalten hätten und nicht bereit wären, weitere Fragen zu beantworten. Aber Wallander blieb kühl, obwohl er einen starken Impuls unterdrücken musste, den beiden ein paar kräftige Ohrfeigen zu verabreichen. Es gelang ihm nach und nach, einen von ihnen weichzukneten, der eines Tages im November plötzlich erste Eingeständnisse machte. Danach ging es schnell. Bei einer Hausdurchsuchung in einer Wohnung in Staffanstorp fand die Polizei mehr als die Hälfte der gestohlenen Waffen, bei einem zweiten Zugriff in einem Stockholmer Vorort weitere vier. Als der Prozess begann, an einem Tag im Dezember, fehlten nurmehr drei der verschwundenen Waffen. Am selben Morgen versammelte Wallander in einem Sitzungsraum des Präsidiums seine Mannschaft zu Kaffee und Kuchen. Er hatte ein paar lobende Worte sagen wollen, kam aber davon ab, und sie sprachen hauptsächlich über die laufenden Tarifverhandlungen und ihre Unzufriedenheit mit den ständig neuen Verordnungen und willkürlich wechselnden Prioritäten.

Wallander feierte Weihnachten mit Lindas Familie. Er betrachtete sein Enkelkind, das noch immer keinen Namen hatte, mit Verwunderung und einer stillen Freude. Linda behauptete, das Mädchen sei ihm ähnlich, besonders die Augenpartie, aber Wallander sah keine Ähnlichkeiten, sosehr er sich anstrengte.

»Das Mädchen muss doch irgendwie heißen«, sagte er, als sie Heiligabend zusammensaßen und Wein tranken.

»Das kommt schon«, sagte Linda.

»Wir glauben, dass der Name sich eines Tages von selbst ergibt«, sagte Hans.

»Warum heiße ich Linda«, fragte sie plötzlich. »Woher kommt der Name?«

»Das war ich«, sagte Wallander. »Mona wollte einen anderen Namen, ich weiß nicht mehr, welchen. Aber für mich warst du von Anfang an eine Linda. Dein Großvater dagegen meinte, du solltest Venus heißen.«

»Venus?«

»Du weißt ja, dass er manchmal nicht ganz gescheit war. Magst du deinen Namen nicht?«

»Ich habe einen guten Namen«, antwortete sie. »Und du brauchst dir keine Sorgen zu machen. Wenn wir heiraten, werde ich den Namen nicht wechseln. Ich werde nie eine Linda von Enke.«

»Vielleicht sollte ich den Namen Wallander annehmen«, sagte Hans. »Aber ich glaube, meine Eltern wären außer sich.«

Zwischen Weihnachten und Neujahr sortierte Wallander alle Papiere, die sich im Laufe des Jahres angesammelt hatten. Vor Neujahr schaffte er immer Platz für das kommende Jahr. Anfang Januar sollte das Urteil im Prozess gegen die Waffenräuber gefällt werden. Wallander hatte mit dem

Staatsanwalt gesprochen, der die Höchststrafe für die Angeklagten beantragt hatte, und die Verteidiger hatten dem nicht viel entgegensetzen können. Wallander würde Hanna Hanssons Tochter in die Augen sehen können, wenn er sie wiedersah.

Es kam, wie er angenommen hatte. Die Richter erwiesen sich als streng. Für die beiden Polen, die den Mord und die schwere Körperverletzung begangen hatten, lautete die Strafe auf acht Jahre Gefängnis. Wallander war davon überzeugt, dass die Berufung vor der höheren Instanz zu keiner nennenswerten Strafmilderung führen würde.

Den Abend nach der Urteilsverkündung wollte Wallander zu Hause verbringen und einen Film sehen. Er hatte sich eine Parabolantenne geleistet und konnte jetzt auf zahlreichen Kanälen Filme sehen. Er steckte seine Dienstpistole ein, um sie zu Hause zu reinigen. Sein Schießtraining hatte er schleifen lassen und wusste, dass er spätestens Anfang Februar eine Schießübung absolvieren musste. Sein Schreibtisch war zwar nicht leer, aber er hatte keine dringenden Ermittlungen zu führen. Lieber jetzt die Gelegenheit wahrnehmen, dachte er. Heute sehe ich mir einen Film an, morgen ist es vielleicht zu spät.

Aber als er nach Hause kam und eine Runde mit Jussi gegangen war, fühlte er sich plötzlich rastlos. Manchmal überfiel ihn ein Gefühl der Verlassenheit in seinem zwischen den Äckern wie hingeworfenen Haus. Ich bin wie ein Wrack, dachte er zuweilen. Gestrandet in dem braunen Lehmboden. Meistens verging seine Rastlosigkeit, doch an diesem Abend war sie hartnäckig. Er setzte sich an den Küchentisch, breitete eine alte Zeitung aus und reinigte seine Waffe. Als er damit fertig war, zeigte die Uhr noch nicht einmal acht. Woher der Gedanke kam, war ihm nicht klar. Aber er entschloss sich schnell, zog sich um und fuhr zurück nach Ystad. Im Winter war die Stadt fast menschenleer, besonders an den Abenden in der Woche. Es waren höchstens noch zwei oder drei Cafeterias oder Restaurants geöffnet. Er parkte den Wagen und ging in ein Restaurant am Marktplatz. Es waren kaum Gäste da. Er setzte sich an einen Ecktisch und bestellte eine Vorspeise und eine Flasche Wein. Während er auf das Essen und den Wein wartete, kippte er ein paar Drinks hinunter. Genau das war seine eigene Wahrnehmung: Er kippte den Schnaps hinunter, um seine Unruhe zu dämpfen. Als das Essen kam und der Kellner sein Weinglas füllte, war er schon betrunken.

»Leer hier«, sagte Wallander. »Wo sind die Gäste?«

Der Kellner zuckte die Schultern. »Auf jeden Fall nicht bei uns«, sagte er. »Ich hoffe, es schmeckt Ihnen.«

Wallander stocherte nur im Essen. Dagegen brauchte er weniger als eine halbe Stunde, um die Flasche Wein zu leeren. Er kramte sein Handy hervor und ging die einprogrammierten Nummern durch. Er hatte Lust, mit jemandem zu reden. Aber mit wem? Er steckte das Handy wieder weg; es musste ja niemand hören, dass er betrunken war. Die Weinflasche war leer, er hatte mehr als genug getrunken. Dennoch bestellte er eine Tasse Kaffee und einen Cognac, als der Kellner kam und sagte, sie wollten schließen. Als er vom Tisch aufstand, schwankte er. Der Kellner betrachtete ihn mit müdem Blick.

»Taxi«, sagte Wallander.

Der Kellner rief vom Telefon an der Wand neben dem Bartresen an. Wallander merkte, dass er schwankte. Der Kellner hängte den Hörer ein und nickte.

Als Wallander ins Freie trat, traf ihn schneidend kalter Wind. Er setzte sich auf die Rückbank des Taxis und war beinahe eingeschlafen, als der Wagen auf seinen Hof einbog. Er ließ seine Kleider auf einen Haufen auf dem Fußboden fallen und schlief ein, sobald er sich hingelegt hatte.

Eine halbe Stunde nachdem Wallander eingeschlafen war, kam ein Mann ins Polizeipräsidium. Er war aufgebracht und verlangte, mit einem der diensthabenden Polizeibeamten zu sprechen. Zufällig war es Martinsson.

Der Mann berichtete, er sei Kellner. Dann legte er eine Plastiktüte vor Martinsson auf den Tisch. Darin lag eine Pistole vom selben Typ wie die, die Martinsson selbst hatte.

Der Kellner kannte auch den Namen seines Gastes, denn Wallander war mit den Jahren eine stadtbekannte Person geworden.

Martinsson nahm eine Anzeige auf und blickte dann lange die Pistole an.

Wie konnte Wallander seine Dienstwaffe vergessen? Und warum hatte er sie ins Restaurant mitgenommen?

Martinsson sah zur Uhr. Kurz nach Mitternacht. Eigentlich sollte er Wallander anrufen. Aber er ließ es bleiben.

Es musste bis zum nächsten Tag warten. Er sah dem, was kommen würde, mit einem unguten Gefühl entgegen.

3

Als Wallander am nächsten Tag ins Präsidium kam, lag an der Anmeldung eine Nachricht von Martinsson für ihn. Wallander fluchte in sich hinein. Er hatte einen Kater und fühlte sich mies. Wenn Martinsson sofort mit ihm sprechen wollte, konnte das nur bedeuten, dass etwas geschehen war, was Wallanders Anwesenheit erforderte. Wenn es doch ein paar Tage warten könnte, dachte er. Im Moment wollte er nur die Tür seines Zimmers hinter sich schließen, den Telefonhörer neben das Telefon legen und mit den Füßen auf dem Tisch noch ein bisschen schlafen. Er hängte seine Jacke auf, leerte eine geöffnete Flasche Ramlösa, die auf dem Schreibtisch stand, und ging hinüber zu Martinsson, der in Wallanders ehemaligem Zimmer saß.

Wallander klopfte an und trat ein. Sowie er Martinsson sah, wusste er, es war etwas Ernstes vorgefallen. Wallander konnte Martinssons Gemütsverfassung an seinem Gesicht ablesen, was wichtig war, weil Martinsson ständig zwischen energischer Forschheit und Niedergeschlagenheit hin und her pendelte.

Wallander setzte sich. »Was ist los? Du schreibst mir nicht so einen Zettel, wenn es nicht wichtig ist.«

Martinsson betrachtete ihn verwundert. »Weißt du überhaupt nicht, worüber ich mit dir reden will?«

»Nein. Sollte ich?«

Martinsson antwortete nicht. Er starrte Wallander weiter an, der sich noch mieser fühlte als vorher.

»Ich habe keine Lust, hier zu sitzen und zu raten«, sagte er schließlich. »Was willst du?«

»Du hast immer noch keine Ahnung, worüber ich mit dir reden will?«

»Nein.«

»Das macht die Sache sogar noch schlimmer.«

Martinsson öffnete eine Schublade, nahm Wallanders Dienstpistole heraus und legte sie auf den Tisch. »Ich nehme an, du weißt jetzt, was ich meine?«

Wallander starrte auf die Pistole. Ein eisiges Gefühl von Entsetzen durchfuhr ihn, das seinen Kater beinahe verdrängte. Er erinnerte sich, gestern Abend seine Waffe gereinigt zu haben. Aber was war danach geschehen? Er versuchte, in der Erinnerung zu graben. Vom Küchentisch war seine Pistole auf Martinssons Tisch gelandet. Was in der Zwischenzeit passiert war, wie sie dorthin gekommen war, wo sie jetzt lag, dafür hatte er keine Erklärung, keine Ausrede.

»Du bist gestern Abend ins Restaurant gegangen«, sagte Martinsson. »Warum hast du die Pistole mitgenommen?«

Wallander schüttelte ungläubig den Kopf. Sollte er sie eingesteckt haben, als er nach Ystad fuhr? Wie seltsam es auch sein mochte, er musste es getan haben.

»Ich weiß es nicht«, gab Wallander zu. »Es ist schwarz, leer. Du musst erzählen.«

»Ein Kellner kam gegen Mitternacht mit der Waffe hierher«, sagte Martinsson. »Er war aufgebracht, weil er deine Waffe auf der kleinen Bank gefunden hatte, auf der du gesessen hast.«

Erinnerungsfragmente schwirrten durch Wallanders Kopf. Vielleicht hatte er seine Waffe herausgenommen, als er sein Handy gesucht hatte? Aber wie konnte er sie vergessen haben?

»Ich weiß absolut nicht, was passiert ist«, sagte er. »Aber ich muss sie ja eingesteckt haben, als ich aus dem Haus gegangen bin.«

Martinsson stand auf und öffnete die Tür. »Möchtest du Kaffee?«

Wallander schüttelte den Kopf. Martinsson verschwand im Korridor. Wallander zog seine Pistole zu sich heran und sah, dass sie voll geladen war. Noch schlimmer. Ihm brach der Schweiß aus. Der Gedanke, sich zu erschießen, fuhr ihm wie ein Blitz durch den Kopf. Er drehte die Pistole so, dass der Lauf zum Fenster zeigte. Martinsson kam zurück.

»Kannst du mir helfen?«, fragte Wallander.

»Diesmal nicht. Der Kellner kannte dich. Es ist unmöglich. Du musst von hier direkt zum Chef.«

»Hast du schon mit ihm gesprochen?«

»Es wäre ein Dienstvergehen, wenn ich es nicht getan hätte.«

Wallander hatte nichts mehr zu sagen. Sie saßen schweigend da. Einen Ausweg gab es nicht.

»Wie geht es jetzt weiter?«, fragte er schließlich.

»Ich habe versucht, mich in den Vorschriften schlauzumachen. Es gibt natürlich ein Disziplinarverfahren. Es besteht die Gefahr, dass dieser Kellner, er heißt übrigens Ture Saage, falls du das nicht schon wusstest also, er könnte auf die Idee kommen, der Presse etwas zu stecken. Heutzutage ist eine ordentliche Neuigkeit ein hübsches Sümmchen wert. Betrunkene Polizisten, die Mist bauen, steigern die Auflage.«

»Hast du ihm nicht gesagt, dass er Stillschweigen bewahren soll?«

»Und ob ich das getan habe! Ich habe ihm sogar gesagt, dass er sich strafbar machen könnte, wenn er etwas ausplaudert. Leider glaube ich, dass er mich durchschaut hat.«

»Soll ich mit ihm reden?«

Martinsson beugte sich über den Tisch. Wallander sah, dass er abgespannt und niedergeschlagen war. Das tat ihm leid.

»Wie viele Jahre arbeiten wir jetzt schon zusammen? Zwanzig? Mehr? Am Anfang warst du es, der mir die Meinung gesagt hat. Mit Recht. Du hast geschimpft, hast mich aber auch ermutigt. Jetzt bin ich es, der dir die Meinung sagt: Unternimm nichts. Was dir auch in den Kopf kommt, es wird alles nur noch schlimmer machen. Rede nicht mit dem Kellner Ture Saage, rede mit niemandem. Außer mit Lennart. Und zu dem musst du jetzt gehen. Er wartet.«

Wallander nickte und stand auf.

»Wir müssen versuchen, das Beste aus dieser Geschichte zu machen«, sagte Martinsson.

Wallander hörte an Martinssons Tonfall, dass seine Prognose nicht besonders gut war.

Er streckte die Hand aus, um nach seiner Pistole zu greifen.

Martinsson schüttelte den Kopf. »Wir lassen sie hier liegen«, sagte er.

Wallander trat in den Korridor hinaus. Kristina Magnusson kam gerade mit einem Kaffeebecher in der Hand vorbei. Sie nickte. Wallander sah, dass sie Bescheid wusste. Diesmal drehte er sich nicht nach ihr um. Stattdessen ging er in eine Toilette und schloss sich ein. Der Spiegel über dem Waschbecken hatte einen Sprung. Genau wie ich, dachte Wallander. Er spritzte sich Wasser ins Gesicht, trocknete sich ab und betrachtete seine geröteten Augen. Der Sprung zerteilte sein Gesicht.

Er setzte sich auf die Toilette. Es gab noch ein anderes Gefühl in ihm, neben der Scham und der Angst. So etwas war ihm noch nie passiert. Er hatte seine Dienstpistole noch nie an einem Ort aufbewahrt, der gegen die Regeln verstieß. Wenn er seine Waffe mit nach Hause nahm, schloss er sie immer in seinen Waffenschrank ein. Darin hing noch eine Schrotbüchse, die angemeldet war und die er benutzte, wenn er mit seinen Nachbarn auf Hasenjagd ging. Es war etwas, was tiefer hinabreichte als die Tatsache, dass er betrunken gewesen war. Eine andere Art von Vergessen. Ein Dunkel, in dem er kein Licht anzuzünden vermochte.

Als er schließlich aufstand und zum Zimmer des Polizeipräsidenten ging, hatte er mindestens zwanzig Minuten auf der Toilette gesessen. Wenn Martinsson angerufen und mich angekündigt hat, glauben sie sicher, dass ich mich davongemacht habe, dachte er. Doch ganz so schlimm ist es nicht.

Lennart Mattson hatte den Posten des Polizeipräsidenten in Ystad im Vorjahr angetreten. Vor ihm hatten ihn zwei Frauen innegehabt. Mattson war jung, kaum älter als vierzig, und hatte eine erstaunliche Karriere in der Polizeiverwaltung gemacht, aus der die meisten Präsidenten neuerdings rekrutiert wurden. Wie fast alle aktiven Polizeibeamten betrachtete Wallander diese Form der Rekrutierung als ein ungutes Vorzeichen für die Zukunft der praktischen Polizeiarbeit. Dass Mattson dazu noch aus Stockholm kam und etwas zu oft darüber klagte, wie schwer es ihm fiel, das Schonische zu verstehen, machte die Sache nicht besser. Wallander wusste, dass einige seiner Kollegen sich anstrengten, besonders unverständlich zu sprechen, wenn sie mit Mattson zu tun hatten. An solcher Art boshafter Demonstrationen beteiligte Wallander sich jedoch nicht. Er hatte beschlossen, sich zurückzuhalten und sich aus Mattsons Angelegenheiten herauszuhalten, solange dieser sich nicht allzu sehr in die direkte Polizeiarbeit einmischte. Weil Mattson auch ihn zu respektieren schien, hatte Wallander mit seinem neuen Chef bisher keine Probleme gehabt.

Aber diese Zeit war wohl jetzt endgültig vorbei.

Die Tür zu Mattsons Zimmer war angelehnt. Wallander klopfte und trat ein, als er Mattsons helle, beinahe piepsige Stimme hörte.

Sie setzten sich in die gemusterte Sitzgruppe, die viel zu groß war für den Raum. Mattson hatte eine Technik darin entwickelt, so selten wie möglich ein Gespräch zu beginnen, auch wenn er um das Treffen gebeten hatte. Es ging das Gerücht, ein Berater von der Reichspolizeibehörde habe einmal eine halbe Stunde lang schweigend mit Mattson zusammengesessen. Dann sei der Berater aufgestanden, habe das Zimmer verlassen, ohne dass ein Wort gesagt worden war, und sei nach Stockholm zurückgeflogen.

Wallander dachte kurz, er könne Mattson vielleicht herausfordern, indem er schwieg. Aber sein Unwohlsein verstärkte sich nur noch, er wollte hier raus, brauchte Luft. »Ich habe keine Erklärung für das, was geschehen ist«, begann er. »Mir ist klar, dass es unverantwortlich war und dass du etwas unternehmen musst.«

Mattson schien seine Fragen vorbereitet zu haben, denn sie kamen ohne Zögern. »Ist das früher schon einmal vorgekommen?«

»Dass ich meine Waffe in einem Restaurant vergessen habe? Natürlich nicht!«

»Hast du ein Alkoholproblem?«

Wallander runzelte die Stirn. Wie kam Mattson darauf? »Ich trinke maßvoll. Als ich jünger war, habe ich an den Wochenenden einiges getrunken. Aber jetzt nicht mehr.«

»Trotzdem bist du an einem Wochentag ausgegangen und hast gesoffen?«

»Ich habe nicht *gesoffen*, ich habe zu Abend gegessen.«

»Eine Flasche Wein, ein paar Drinks und Cognac zum Kaffee?«

»Wenn du es schon weißt, warum fragst du? Aber das nenne ich nicht saufen. Ich glaube, kein vernünftiger Mensch hierzulande würde das tun. Unter saufen verstehe ich, dass man Schnaps oder Wodka aus der Flasche trinkt, um einen Rausch zu kriegen. Sonst nichts.«

Mattson dachte nach, bevor er die nächste Frage stellte. Wallander überlegte, ob der Mann mit der piepsigen Stimme eigentlich eine Ahnung davon hatte, was polizeiliche Feldarbeit bedeutete.

»Vor ungefähr zwanzig Jahren wurdest du von Kollegen betrunken am Steuer erwischt. Sie haben das Ganze vertuscht, es passierte nichts. Aber du musst verstehen, dass ich mich frage, ob du vielleicht ein Alkoholproblem verbirgst, das jetzt zu einer so unseligen Konsequenz geführt hat.«

Wallander erinnerte sich des Vorfalls nur allzu gut. Er war in Malmö gewesen und hatte mit Mona zu Abend gegessen. Es war nach ihrer Scheidung, zu einer Zeit, als er sich noch immer einbildete, sie überreden zu können, zu ihm zurückzukommen. Das Treffen hatte im Streit geendet, und er hatte gesehen, wie sie vor dem Restaurant von einem ihm fremden Mann abgeholt wurde. Die aufflammende Eifersucht hatte ihn so außer sich gebracht, dass er jegliche Selbstkontrolle verlor und mit dem Wagen nach Hause gefahren war, statt in ein Hotel zu gehen oder im Wagen zu schlafen. Bei der Einfahrt nach Ystad wurde er von den Kollegen einer Nachtstreife gestoppt. Sie fuhren ihn nach Hause, parkten sein Auto, und danach passierte nichts mehr. Einer der Beamten, die ihn damals gefasst hatten, war inzwischen tot, der andere pensioniert. Dennoch ging also im Präsidium das Gerücht um. Das erstaunte ihn.

»Ich streite es nicht ab. Aber es ist zwanzig Jahre her, wie du selbst sagst. Und ich habe kein Alkoholproblem. Ich sehe auch nicht ein, dass es außer mir jemanden etwas angeht, wenn ich an einem Wochentag abends ausgehe.«

»Ich muss etwas veranlassen. Da du noch Resturlaub hast und gerade keine größere Ermittlung leitest, schlage ich vor, du nimmst eine Woche Urlaub. Natürlich wird ein Disziplinarverfahren eingeleitet werden. Mehr kann ich im Augenblick nicht sagen.«

Wallander stand auf.

Mattson blieb sitzen. »Möchtest du noch etwas sagen?«, fragte er.

»Nein«, entgegnete Wallander. »Ich tue, was du sagst. Ich nehme frei und fahre nach Hause.«

»Deine Waffe lässt du besser hier.«

»Ich bin doch kein Idiot«, sagte Wallander. »Auch wenn du das glauben solltest.«

Wallander holte seine Jacke aus seinem Zimmer. Dann verließ er das Polizeipräsidium durch die Garage und fuhr nach Hause. Er dachte plötzlich daran, dass er nach den gestrigen Ausschweifungen noch Alkohol im Blut haben könnte, aber er fuhr weiter. Es wehte ein steifer Wind aus Nordost, und Wallander schüttelte sich, als er vom Auto zu seinem Haus ging. Jussi sprang erfreut in seinem Zwinger. Aber Wallander konnte nicht einmal den Gedanken ertragen, mit ihm einen Spaziergang zu machen. Er zog sich aus, legte sich hin und konnte sogar einschlafen. Als er erwachte, war es zwölf Uhr. Er lag reglos mit geöffneten Augen da und lauschte dem Wind, der an den Wänden rüttelte.

Das Gefühl, dass etwas nicht so war, wie es sein sollte, regte sich wieder. Ein Schatten war plötzlich über sein Dasein gefallen. Wie kam es, dass er die Waffe am Morgen nicht einmal vermisst hatte? Es war, als hätte ein anderer an seiner Stelle gehandelt und dann seine Erinnerung ausgeschaltet, damit er nicht wusste, was passiert war.

Er stand auf, zog sich an und versuchte, etwas zu essen, obwohl ihm immer noch übel war. Der Gedanke, sich ein Glas Wein einzugießen, war verlockend, aber er widerstand.

Er war beim Abwasch, als Linda anrief. »Ich bin unterwegs zu dir«, sagte sie. »Ich wollte nur wissen, ob du zu Hause bist.«

Sie legte auf, bevor er ein Wort sagen konnte. Zwanzig Minuten später war sie da, mit ihrem schlafenden Kind auf dem Arm. Sie setzte sich ihm gegenüber auf das braune Ledersofa, das er gekauft hatte, als sie nach Ystad gezogen waren. Das Kind schlief auf einem Sessel daneben. Kurt wollte über das Kind sprechen, aber Linda schüttelte den Kopf. Später, nicht jetzt, anderes war im Moment wichtiger.

»Ich habe gehört, was passiert ist«, sagte sie.

»Hat Martinsson dich angerufen?«

»Ja. Nachdem er mit dir gesprochen hatte. Er war sehr unglücklich.«

»Nicht so unglücklich wie ich«, sagte Wallander.

»Erzähl mir jetzt, was ich nicht weiß.«

»Wenn du gekommen bist, um mich zu verhören, kannst du gleich wieder gehen.«

»Ich will es nur wissen. Von dir hätte ich am allerwenigsten erwartet, dass du so einen Mist baust.«

»Niemand ist tot«, sagte Wallander. »Niemand ist zu Schaden gekommen. Außerdem kann jeder jeden Mist bauen. Ich habe lange genug gelebt, um das zu wissen.«

Dann erzählte er die ganze Geschichte, angefangen bei der Rastlosigkeit, die ihn aus dem Haus getrieben hatte, bis zu der Tatsache, dass er nicht wusste, warum er seine Pistole eingesteckt hatte.

Als er geendet hatte, saß Linda lange schweigend da. »Ich glaube dir«, sagte sie schließlich. »Alles, was du mir jetzt erzählt hast, handelt von ein und demselben Problem in deinem Leben. Dass du viel zu allein bist. Plötzlich verlierst du die Kontrolle, und dann ist keiner in der Nähe, der dich beruhigen kann, der dich davon abhält, einfach loszubrausen. Aber eins frage ich mich immer noch.«

»Was?«

»Hast du mir alles erzählt? Oder gibt es etwas, was du nicht sagst?«

Wallander überlegte kurz, ob er ihr von dem eigentümlichen Gefühl eines auf sein Dasein fallenden Schattens erzählen sollte, doch er schüttelte nur den Kopf. Es gab nichts hinzuzufügen.

»Was wird passieren?«, fragte sie. »Ich weiß nicht mehr, welche Regeln gelten, wenn wir uns eine derartige Blöße geben.«

»Es wird ein Disziplinarverfahren eingeleitet. Mehr weiß ich nicht.«

»Besteht die Gefahr, dass du entlassen wirst?«

»Ich bin wohl zu alt dafür, entlassen zu werden. Außerdem ist das, was ich getan habe, nicht dermaßen gravierend.

Aber vielleicht fordern sie mich auf, mich vorzeitig pensionieren zu lassen.«

»Wäre das nicht schön?«

Wallander kaute an einem Apfel, als sie ihre Frage stellte. Mit aller Kraft warf er den Griebs an die Wand. »Hast du nicht eben gesagt, die Einsamkeit wäre mein Problem? Wie würde es denn erst werden, wenn ich in Pension gehen müsste? Dann bliebe mir ja überhaupt nichts mehr.«

Das Kind erwachte von seiner erregten Stimme.

»Entschuldige«, sagte er.

»Du hast Angst«, sagte sie. »Das verstehe ich, hätte ich auch. Ich glaube nicht, dass man sich für seine Angst entschuldigen muss.«

Linda blieb bis zum Abend, machte ihm Essen, und sie sprachen nicht mehr über das, was geschehen war. Kurt brachte sie in dem böigen und kalten Wind ans Auto.

»Kommst du jetzt zurecht?«, fragte sie.

»Ich werde schon überleben. Aber ich bin froh, dass du fragst.«

Am nächsten Tag rief Lennart Mattson an und wollte Wallander noch am selben Tag sprechen. Bei diesem Treffen wurde Wallander einem internen Ermittler aus Malmö vorgestellt, der ihn vernehmen sollte.

»Wann es passt«, sagte der Ermittler, der in Wallanders Alter war. Er hieß Holmgren.

»Es passt jetzt«, sagte Wallander. »Worauf sollten wir warten?«

Sie zogen sich in einen der kleineren Sitzungsräume des Präsidiums zurück. Wallander bemühte sich, exakt zu sein, sich nicht zu entschuldigen und das Geschehene nicht zu beschönigen. Holmgren machte Notizen, bat Wallander hin und wieder, noch einmal einen Schritt zurückzugehen, eine Antwort zu wiederholen und dann weiterzugehen. Wallander dachte, dass die Vernehmung bei vertauschten Rollen wahrscheinlich genauso abgelaufen wäre. Nach einer guten Stunde waren sie fertig. Holmgren legte den Stift beiseite und betrachtete Wallander, nicht wie man einen Verbrecher betrachtet, der gerade ein Geständnis abgelegt hat, sondern wie jemanden, der eine große Dummheit gemacht hat. Es sah beinah so aus, als hätte er Mitleid.

»Du hast nicht geschossen«, sagte Holmgren. »Du hast deine Dienstwaffe vergessen, als du in angetrunkenem Zustand in einem Lokal gewesen bist. Du hast niemanden misshandelt, keine Bestechungsgelder angenommen, niemanden belästigt.«

»Ich werde also nicht entlassen?«

»Wohl kaum. Aber das entscheide nicht ich.«

»Und wenn du eine Vermutung anstellen würdest?«

»Das will ich nicht. Du musst abwarten.«

Holmgren sammelte seine Papiere ein und verstaute sie sorgfältig in seiner Aktentasche. Plötzlich hielt er inne. »Es wäre natürlich ein Vorteil, wenn nichts zu den Medien durchsickerte«, sagte er. »Dann könnten wir einen Vorfall wie diesen vertuschen und intern regeln.«

»Ich glaube, das könnte klappen«, sagte Wallander. »Da bisher keine Meldung gekommen ist, könnte es sein, dass nichts durchgesickert ist.«

Doch Wallander irrte sich. Noch am selben Tag klopfte es an seiner Tür. Wallander, der sich hingelegt hatte, ging und öffnete. Er erwartete einen Nachbarn, mit dem er eine gemeinsame Arbeit besprechen wollte. Als er die Tür aufmachte, wurde er sofort vom Blitz eines Fotografen geblendet. Neben dem Mann stand eine Reporterin, die sich als Lisa Halbing vorstellte und ein Lächeln hatte, das Wallander sofort als künstlich empfand.

»Können wir mit Ihnen sprechen?«, fragte sie aufdringlich.

»Worüber denn?«, fragte Wallander, der schon Bauchschmerzen bekam.

»Was glauben Sie?«

»Ich glaube nichts.«

Der Fotograf schoss eine ganze Serie von Bildern. Wallanders erster Impuls war, ihn zu schlagen, aber er tat es nicht. Stattdessen rang er ihm das Versprechen ab, im Haus keine Fotos zu machen. Das war privater Bereich. Als der Fotograf und Lisa Halbing versicherten, seinen Wunsch zu respektieren, ließ er sie ins Haus und bat sie, sich an den Küchentisch zu setzen. Er machte Kaffee und bot ihnen die Reste eines Kuchens an, den eine seiner unermüdlich backenden Nachbarinnen ihm vor ein paar Tagen gebracht hatte.

»Welche Zeitung?«, fragte er, als der Kaffee auf dem Tisch stand. »Das habe ich vergessen zu fragen.«

»Ich hätte es sagen sollen«, sagte Lisa Halbing, die stark geschminkt war und ihr Übergewicht unter einem lose hängenden Hemd verbarg. Sie war an die dreißig und erinnerte fast ein wenig an Linda, die sich allerdings nie so grell schminken würde. »Ich arbeite für mehrere Zeitungen«, sagte sie dann. »Wenn ich eine gute Story habe, nehme ich die Zeitung, die am besten zahlt.«

»Und jetzt bin ich also eine gute Story?«

»Auf einer Skala zwischen eins und zehn wären Sie eine knappe Vier, mehr nicht.«

»Was wäre ich gewesen, wenn ich den Kellner erschossen hätte?«

»Dann wären Sie ein perfekter Zehner gewesen. Es hätte eine bombige Schlagzeile mit riesigen schwarzen Lettern gegeben.«

»Wie haben Sie von dieser Sache erfahren?«

Der Fotograf fingerte an seiner Kamera, hielt sich aber an seine Zusage.

Lisa Halbing zeigte weiter ihr unangenehmes Lächeln. »Sie verstehen wohl, dass ich diese Frage nicht beantworten werde.«

»Natürlich. Ich gehe davon aus, dass der Kellner im Restaurant es Ihnen gesteckt hat.«

»Nein, der nicht. Aber weitere Fragen dazu beantworte ich nicht.«

Später dachte Wallander, dass vielleicht einer seiner Kollegen die Waffengeschichte hatte durchsickern lassen. Es konnte jeder sein, sogar Lennart Mattson selbst. Oder warum nicht der interne Ermittler aus Malmö? Wie viel war die Story wohl wert gewesen? In all seinen Jahren als Polizist waren Indiskretionen ein Problem gewesen. Aber es war nie vorgekommen, dass er selbst betroffen war. Er hatte nie einem Journalisten unter der Hand Informationen zukommen lassen und hatte auch nie davon gehört, dass einer seiner engsten Kollegen es getan hätte. Aber was wusste er eigentlich? Mit absoluter Gewissheit nichts.

Am gleichen Abend rief er Linda an und warnte sie vor, dass am nächsten Tag etwas in der Zeitung stehen würde.

»Hast du gesagt, wie es war?«

»Mir soll jedenfalls keiner vorwerfen können, dass ich lüge.«

»Dann kommst du glimpflich davon. Sie sind auf Lügen aus. Es wird etwas Wirbel geben, aber keine Hetzjagd.«

In der Nacht schlief Wallander schlecht. Am nächsten Tag wartete er darauf, dass das Telefon Sturm klingeln würde. Aber es kamen nur zwei Anrufe, einer von Kristina Magnusson, die empört war, weil die Geschichte unangemessen groß aufgebauscht worden war.

Kurz danach rief Lennart Mattson an. »Es ist ausgesprochen unglücklich, dass du dich geäußert hast«, verkündete er in schulmeisterlichem Ton.

Wallander wurde wütend. »Was hättest du denn getan, wenn ein Fotograf und eine Journalistin vor deiner Tür gestanden hätten? Menschen, die bis in jede Einzelheit Bescheid wussten? Hättest du die Tür zugeschlagen oder gelogen?«

»Ich dachte, du hättest selbst mit der Presse Kontakt aufgenommen«, sagte Mattson lahm.

»Dann bist du dümmer, als ich bisher angenommen habe.«

Wallander knallte den Hörer auf und riss den Telefonstecker aus der Wand. Dann rief er Linda über das Handy an und sagte ihr, dass sie diese Nummer wählen solle, wenn sie ihn sprechen wolle.

»Komm doch mit uns«, sagte sie.

»Wohin denn?«

Sie schien erstaunt zu sein. »Habe ich dir das nicht gesagt? Wir fahren nach Stockholm. Hans' Vater wird fünfundsiebzig. Komm mit!«

»Nein«, sagte er. »Ich bleibe hier. Mir ist nicht nach Feiern zumute. Der Abend im Restaurant hat mir gereicht.«

»Wir fahren übermorgen. Denk noch einmal darüber nach.«

Als Wallander an diesem Abend zu Bett ging, war er überzeugt, nirgendwohin zu fahren, aber am nächsten Morgen hatte er es sich anders überlegt. Die Nachbarn würden sich um Jussi kümmern. Es wäre vielleicht nicht schlecht, sich ein paar Tage unsichtbar zu machen.

Am Tag darauf flog er nach Stockholm, während Linda und ihre Familie mit dem Auto fuhren. Wallander stieg in einem Hotel gegenüber vom Hauptbahnhof ab. Als er die Abendzeitungen durchblätterte, stellte er fest, dass die Waffengeschichte schon auf einem weniger Aufsehen erregenden Platz gelandet war. Die große Nachricht des Tages war ein dreister Banküberfall in Göteborg, bei dem die vier Räuber ABBA-Masken getragen hatten. Widerwillig empfand er ein Gefühl von Dankbarkeit den Bankräubern gegenüber.

In dieser Nacht schlief er ungewöhnlich gut in seinem Hotelbett.

4

Håkan von Enkes Geburtstagsfeier fand in einem gemieteten Festsaal im gehobenen Stockholmer Vorort Djursholm statt. Wallander war noch nie in Djursholm gewesen. Linda hatte beteuert, mit seinem Anzug sei er korrekt gekleidet. Håkan von Enke hasste Frack und Smoking, liebte hingegen die unterschiedlichen Uniformen, die er während seines langen Berufslebens bei der Marine getragen hatte. Wallander hätte natürlich seine Polizeiuniform wählen können, aber er hatte sich für seinen Anzug entschieden. In der gegenwärtigen Situation schien es ihm passender.

Warum hatte er sich darauf eingelassen, mit nach Stockholm zu reisen, ging es Wallander durch den Kopf, als die Schnellbahn von Arlanda in den Stockholmer Hauptbahnhof einlief. Vielleicht hätte er sich einen anderen Ort aussuchen sollen. Zum Beispiel Skagen, wo er so gern an den Stränden entlangwanderte, das Kunstmuseum besuchte und in einer der Pensionen, die er seit fast dreißig Jahren immer wieder besuchte, ausspannen konnte. Nach Skagen war er auch gefahren, als er vor vielen Jahren erwogen hatte, die Polizistenlaufbahn an den Nagel zu hängen. Doch jetzt war er hier in Stockholm, um an einer Geburtstagsfeier teilzunehmen.

Als er nach Djursholm hinauskam, nahm von Enke sich seiner sogleich an. Es hatte den Anschein, als freue er sich wirklich, Wallander zu sehen. Beim Festessen saß Wallander am Ehrentisch zwischen Linda und einer Konteradmiralswitwe. Die Admiralswitwe hieß Hök und war in den Achtzigern, trug ein Hörgerät und trank gierig vom Wein, der auf den Tisch kam. Schon beim Vorgericht begann sie, leicht anzügliche Geschichten zu erzählen. Wallander fand sie interessant, besonders als sich herausstellte, dass eins ihrer sechs Kinder ein Experte der Rechtsmedizin in Lund war; Wallander hatte bei verschiedenen Gelegenheiten mit ihm zu tun gehabt und einen guten Eindruck von ihm gewonnen. Es wurden zahlreiche Reden gehalten, aber alle waren vorbildlich kurz. Militärisch beispielhaft, dachte Wallander. Toastmaster war Korvettenkapitän Tobiasson; seine humorvollen Kommentare fand Wallander tatsächlich lustig. Als die Admiralswitwe vorübergehend verstummte, weil ihr Hörgerät streikte, stellte sich Wallander vor, was geschehen könnte, wenn er selbst fünfundsiebzig würde. Wer würde zu seinem Fest kommen, falls er sich entschließen würde, richtig zu feiern? Linda hatte erzählt, dass es Håkan von Enkes Idee gewesen sei, einen Festsaal zu mieten. Wenn Wallander es recht verstanden hatte, war das zumindest für seine Frau Louise eine Überraschung gewesen. Früher hatte ihr Mann seine Geburtstage mit ausgesprochener Verachtung betrachtet. Aber plötzlich hatte er sich eines anderen besonnen und zu diesem üppigen Festessen eingeladen.

Der Kaffee wurde in angrenzenden Räumen mit bequemen Sitzmöbeln serviert. Als das eigentliche Essen vorbei war, ging Wallander auf eine verglaste Veranda hinaus, um sich die Beine zu vertreten. Ein großer Garten umgab das Festlokal, das einem von Schwedens frühen und vermögendsten Industriebossen als Wohnung gedient hatte.

Er zuckte zusammen, als Håkan von Enke neben ihm auftauchte, in der Hand eine alte Stummelpfeife, für die heutige Zeit absolut ungewöhnlich. Wallander kannte auch das Tabakpaket, »Hamiltons Mischung«. Für eine kurze Periode vor seinem zwanzigsten Lebensjahr hatte er selbst Pfeife geraucht und genau diesen Tabak bevorzugt.

»Winter«, sagte Håkan von Enke. »Und Schneesturm im Anzug, dem Wetterbericht zufolge.«

Er verstummte und betrachtete aufmerksam den dunklen Himmel. »Wenn man sich an Bord eines U-Boots in ausreichender Tiefe befindet, gibt es keine Wetter- und Klimaverhältnisse mehr. Da herrscht Ruhe, ein stilles unteres Meer, wenn man nur tief genug ist. In der Ostsee reicht eine Tiefe von fünfundzwanzig Metern, wenn es an der Oberfläche nicht zu stark stürmt. In der Nordsee ist es schwieriger. Ich erinnere mich, dass wir einmal bei Sturm von Schottland ausgelaufen sind. In dreißig Metern Tiefe hatten wir fünfzehn Grad Schräglage. Das war nicht unbedingt angenehm.«

Er zündete die Pfeife an und betrachtete Wallander mit forschendem Blick. »Ist das eine allzu poetische Betrachtung für einen Polizisten?«

»Nein. Aber ein U-Boot ist für mich eine fremde Welt. Beängstigend, sollte ich hinzufügen.«

Der Korvettenkapitän an seiner Seite zog gierig an seiner Pfeife. »Seien wir ehrlich«, sagte er. »Dieses Fest langweilt uns beide. Alle wissen, dass ich es arrangiert habe. Aber nur, weil viele meiner Freunde es wünschten. Jetzt können wir uns in einem der vielen Nebenzimmer hier verstecken. Früher oder später beginnt meine Frau mich zu suchen. Aber bis dahin haben wir Ruhe.«

»Du bist aber trotz allem die Hauptperson«, sagte Wallander.

»Das ist wie in einem guten Theaterstück«, antwortete von Enke. »Damit die Spannung steigt, darf die Hauptperson nicht ständig auf der Bühne sein. Ein Teil der wichtigen Ereignisse der Intrige sollte sich in den Kulissen abspielen.«

Er verstummte. Abrupt, zu abrupt, dachte Wallander. Håkan von Enkes Blick war an etwas in Wallanders Rücken hängen geblieben. Wallander drehte sich um. Jenseits des Gartens verlief eine der kleineren Straßen Djursholms, die weiter vorn in die Hauptzufahrtsstraße nach Stockholm einmündete.

Wallander bemerkte einen Mann, der hinter dem Zaun direkt unter einer Straßenlaterne stand, neben einem Auto mit laufendem Motor. Eine Abgaswolke stieg auf und verflüchtigte sich im gelben Licht.

Wallander hatte den Eindruck, dass von Enke beunruhigt war. »Eins der kleinen Zimmer«, sagte er. »Wir nehmen den Kaffee mit und machen die Tür hinter uns zu.«

Als Wallander die Terrasse verließ, warf er noch einen Blick zurück. Das Auto war verschwunden, ebenso der Mann unter der Laterne. Vielleicht jemand, den er zu seinem Fest einzuladen vergessen hat, dachte Wallander. Jedenfalls hat er nichts mit mir zu tun. Kein Journalist, der mit mir über vergessene Pistolen reden will.

Nachdem sie ihren Kaffee geholt hatten, lotste von Enke Wallander in ein kleines Zimmer mit brauner Holztäfelung und weichen Ledersesseln. Wallander bemerkte, dass das Zimmer kein Fenster hatte.

Håkan von Enke folgte seinem Blick. »Es gibt eine Erklärung dafür, dass dies wie ein Bunker ist«, sagte er. »In den 1930er Jahren gehörte das Haus für einige Jahre einem Mann, der in Stockholm eine ganze Reihe Nachtclubs besaß, die meisten illegal. Jede Nacht fuhren seine bewaffneten Kuriere herum, sammelten die Kassen ein und brachten sie hierher. In diesem Zimmer stand damals ein großer Geldschrank. Hier saß sein Prokurist und zählte die Geldscheine, führte Buch und legte die Bündel in den Tresor. Als der Besitzer wegen seiner zwielichtigen Geschäfte auffog, wurde der Geldschrank aufgeschweißt. Der Mann hieß Göransson, wenn ich mich richtig erinnere. Er bekam eine hohe Freiheitsstrafe, die er nicht ertrug. Er erhängte sich in seiner Zelle auf Långholmen.«

Er trank einen Schluck Kaffee und zog an der erloschenen Pfeife. Und hier, in diesem Zimmer, dessen Wände dicht waren und in das die Geräusche des Festes nur schwach hereindrangen, erkannte Wallander, dass von Enke Angst hatte. Er hatte es oft genug erlebt, wenn Menschen sich ängstigten vor etwas, sei es eingebildet oder wirklich. Er war sicher, dass er sich nicht irrte.

Das Gespräch begann tastend, von Enke ging zurück in frühere Jahre, als er noch aktiver Marineoffizier war. »Herbst 1980«, sagte er. »Das ist lange her, eine Generation, achtundzwanzig Jahre. Was hast du damals gemacht?«

»Ich war Polizist in Malmö. Linda war noch ganz klein. Mona und ich sprachen immer öfter über einen Umzug nach Ystad, ich wollte näher bei meinem alten Vater sein. Ich dachte auch, dass Linda in einem besseren Milieu aufwachsen sollte. Zumindest waren das die Gründe, warum wir über einen Umzug nachdachten. Was danach kam, ist eine ganz andere Geschichte.«

Von Enke schien gar nicht zuzuhören. Stattdessen fuhr er mit seiner eigenen Geschichte fort. »Ich war in jenem Herbst auf dem Marinestützpunkt an der Ostküste stationiert. Zwei Jahre vorher hatte ich das Kommando über eins unserer besten U-Boote vom Typ Seeschlange abgegeben. Unter U-Boot-Leuten sagte man nie etwas anderes als ›die Schlange‹. Im Marinestützpunkt hatte ich nur einen befristeten Posten. Ich selbst wollte wieder zur See fahren, aber es war vorgesehen, dass ich in die strategische Führung der schwedischen Seeverteidigung eintreten sollte. Im September hielten die Staaten des Warschauer Pakts Manöver an der ostdeutschen Küste und in der Pommerschen Bucht ab. MILOBALT hieß ein Manöver, daran erinnere ich mich noch. Es war nichts Ungewöhnliches dabei, sie hielten ihre Herbstmanöver meistens etwa zur gleichen Zeit ab wie wir. Es war jedoch eine große Anzahl von Schiffen beteiligt, weil sie sowohl Landungsmanöver als auch U-Boot-Bergung übten. Das hatten wir ohne große Anstrengung herausgefunden. Von der Funküberwachung wurden wir informiert, dass zwischen den russischen Kriegsschiffen und ihrer Heimatbasis vor Leningrad ein lebhafter Signalaustausch stattfand. Aber alles war im Bereich des Normalen, wir beobachteten ihre Aktivitäten und notierten das, was wir für wichtig hielten, in unseren Logbüchern. Aber dann kam dieser Donnerstag, es war der achtzehnte September, das Datum werde ich wohl nie vergessen. Plötzlich rief uns der wachhabende Offizier auf einem der Schlepper der Küstenflotte, der HMS Ajax, an und meldete, dass sie ein fremdes U-Boot in schwedischen Gewässern gesichtet hätten. Ich befand mich im Kartenraum des Stützpunkts, um nach einer detaillierteren Übersichtskarte der ostdeutschen Küste zu suchen, als ein nervöser Wehrpflichtiger in den Raum stürmte. Er vermochte nicht zu erklären, was passiert war, also ging ich zurück in die Kommandozentrale und sprach selbst mit dem Wachhabenden auf der Ajax. Er berichtete, er habe in dreihundert Meter Entfernung im Fernglas plötzlich die Antennen des U-Boots entdeckt. Nach fünfzehn Sekunden tauchte das U-Boot. Der Wachhabende, ein aufgeweckter Kerl, sagte, das U-Boot habe wahrscheinlich auf Schnorcheltiefe gelegen und sei dann, nachdem sie den schwedischen Schlepper entdeckt hatten, abgetaucht. Die Ajax befand sich südlich von Huvudskär, als dieser Vorfall sich ereignete, und das U-Boot hatte einen südwestlichen Kurs gehalten, lief also parallel zur schwedischen Hoheitsgrenze. Aber ganz eindeutig auf der schwedischen Seite. Ich brauchte nicht lange, um herauszufinden, ob sich in diesem Seegebiet schwedische U-Boote aufhielten. Das war nicht der Fall. Ich nahm erneut Funkkontakt zur HMS Ajax auf und fragte den Wachhabenden, ob er den Mast oder das Periskop beschreiben könne. Nach seiner Schilderung war mir sofort klar, dass es sich um ein U-Boot des Typs handelte, den die Nato Whiskey nannte. Und die wurden zu jener Zeit ausschließlich von Russen und Polen benutzt. Du kannst sicher verstehen, dass mir das Herz schneller schlug, als ich dies hörte. Gleichzeitig stellten sich mir zwei andere Fragen.«

Von Enke verstummte, als erwartete er, dass Wallander wüsste, was für Fragen ihm durch den Kopf gingen. Vor der Tür war aufgekratztes Lachen zu hören, das sich wieder entfernte.

»Du hast dich wohl gefragt, ob das U-Boot sich irrtümlich in schwedischen Gewässern befand«, sagte Wallander. »Wie man damals behauptete, als dieses andere russische U-Boot vor Karlskrona auf Grund lief.«

»Die Frage hatte ich schon beantwortet. Bei keinem Kriegsschiff kommt es so sehr auf genaue Navigation an wie bei einem U-Boot. Der Grund ist einleuchtend. Das U-Boot, auf das die Ajax gestoßen war, befand sich mit voller Absicht da, wo es war. Also stellt sich die Frage: Wer *war* es? Schnorcheln und das U-Boot durchlüften, ohne entdeckt zu werden? Wenn das gelang, war es ein Zeichen dafür, dass die Besatzung nicht aufmerksam genug war. Aber es gab natürlich auch eine andere Möglichkeit.«

»Dass das U-Boot entdeckt werden wollte?«

Von Enke nickte und versuchte erneut, seine widerspenstige Pfeife anzuzünden. »Und für den Fall«, fuhr er fort, »war ein Schlepper absolut ideal. Auf einem solchen Schiff gibt es kaum eine Zwille, um jemanden anzugreifen. Und auch die Besatzung ist nicht für Konfrontationen ausgebildet. Weil ich der Dienst habende Chef war, rief ich den Oberbefehlshaber an, und er war mit mir darin einig, dass wir unmittelbar einen Hubschrauber einsetzen sollten, der auf U-Boot-Jagd spezialisiert war. Der Hubschrauber bekam auch Sonarkontakt zu einem beweglichen Objekt, das wir als U-Boot klassifizierten. Zum ersten Mal in meinem Leben musste ich einen Feuerbefehl geben, der nicht nur Übungszwecken galt. Der Hubschrauber warf eine Unterwasserbombe ab, um das U-Boot zu warnen. Danach verschwand es, wir verloren den Kontakt.«

»Wie konnte es einfach verschwinden?«

»U-Boote haben viele Möglichkeiten, sich unsichtbar zu

machen. Sie können sich in Tiefwassergräben legen, dicht an Felswände, falsche Sonarspuren legen. Obwohl mehrere Hubschrauber hochgeschickt wurden, fanden wir es nicht wieder.«

»Aber konnte es nicht beschädigt worden sein?«

»So funktioniert es nicht. Eine erste Unterwasserbombe soll laut internationalen Regeln eine Warnung sein. Erst in einer späteren Phase kann man durch Unterwasserbomben ein U-Boot zum Auftauchen zwingen, um es zu identifizieren.«

»Und was passierte dann?«

»Eigentlich nichts mehr. Es wurde eine Untersuchung durchgeführt, die ergab, dass ich richtig gehandelt hatte. Vielleicht war dies die Ouvertüre zu dem, was zwei Jahre später kommen sollte, als es in schwedischen Gewässern von U-Booten wimmelte, vor allem in den Schären vor Stockholm. Das Wichtigste war vielleicht die Bestätigung, dass die Russen sich für unsere Fahrwasser genauso stark interessierten wie eh und je. Dies war in einer Periode, als niemand glaubte, dass die Berliner Mauer fallen und die Sowjetunion sich auflösen würde. Man vergisst das leicht. Der Kalte Krieg war noch nicht vorbei. Nach diesem Vorfall vor Utö bekam die Marine eine Aufstockung der Mittel. Aber das war auch alles.«

Von Enke trank den Rest aus seiner Kaffeetasse. Wallander wollte gerade aufstehen, als Håkan von Enke erneut zu sprechen begann. »Ich bin noch nicht fertig. Zwei Jahre später war es wieder so weit. Ich war befördert worden und saß in der obersten Führung der schwedischen Seeverteidigung. Unser Hauptquartier war in Berga, und dort gab es einen operativen Stab, der rund um die Uhr in Dienst war. Am ersten Oktober ging ein Alarm ein, den wir uns in unseren wildesten Fantasien nicht hatten vorstellen können. Es gab Anzeichen dafür, dass ein oder mehrere U-Boote sich in der Bucht Hårsfjärden befanden, in unmittelbarer Nähe unserer

Basis auf Muskö. Es handelte sich also nicht mehr nur um eine Verletzung schwedischer Hoheitsgewässer, sondern fremde U-Boote hielten sich innerhalb des militärischen Sperrgebiets auf. Du kannst dich sicher an das alles erinnern.«

»Die Zeitungen waren voll davon, Fernsehreporter kletterten auf rutschigen Felsklippen herum.«

»Ich weiß nicht, womit man es vergleichen soll. Es war vielleicht so, als wären Hubschrauber eines fremden Landes im Innenhof des königlichen Schlosses gelandet. So fühlte es sich an, U-Boote in unmittelbarer Nähe unserer geheimsten militärischen Anlagen zu haben.«

»Ich selbst bekam damals gerade die Bestätigung, dass ich in Ystad arbeiten könnte.«

Die Tür wurde plötzlich geöffnet. Wallander nahm im Bruchteil einer Sekunde wahr, dass von Enkes rechte Hand zur Brusttasche seiner Anzugjacke zuckte. Dann ließ er die Hand wieder in den Schoß fallen. Die Tür war von einer angetrunkenen Frau geöffnet worden, die nach einer Toilette suchte. Sie verschwand, und sie waren wieder allein. »Es war im Oktober«, fuhr von Enke fort, »wir hatten manchmal den Eindruck, die gesamte schwedische Küste sei einem Angriff unbekannter U-Boote ausgesetzt. Ich war froh, nicht für den Kontakt zu all den Journalisten verantwortlich zu sein, die sich draußen in Berga sammelten. Wir mussten ein paar Unterkünfte als Presseräume einrichten. Ich war die ganze Zeit damit beschäftigt, eins dieser U-Boote zu erwischen. Wir würden unsere Glaubwürdigkeit verlieren, wenn es uns nicht gelang, eins von ihnen zum Auftauchen zu zwingen. Und schließlich kam der Abend, an dem wir ein U-Boot im Hårsfjärden eingekreist hatten. Es bestand kein Zweifel, wir alle in der Führung waren uns einig. Ich war derjenige, der die ganze Verantwortung für den Feuerbefehl hatte. Während dieser hektischen Stunden sprach ich mehrmals mit dem Oberbefehlshaber und mit dem Verteidigungsminister. Er hieß Andersson, falls du dich erinnerst. Ein Mann aus Borlänge.«

»Ich erinnere mich vage, dass er ›der rote Börje‹ genannt wurde.«

»Richtig. Aber er war dem Ganzen nicht gewachsen. Er fand wohl, dass die U-Boote die Hölle waren. Er ging wieder zurück nach Dalarna, und wir bekamen Anders Thunborg als Verteidigungsminister. Einen von Palmes engsten Vertrauten. Viele meiner Kollegen trauten ihm nicht. Aber meine Kontakte zu ihm waren gut. Er mischte sich nicht ein, er stellte Fragen. Bekam er Antworten, war er zufrieden. Aber einmal, als er anrief, hatte ich das Gefühl, Palme sei im selben Raum, unmittelbar neben ihm. Ob es stimmt, weiß ich nicht. Aber das Gefühl war sehr stark.«

»Und was passierte?«

Ein Zucken lief über Håkan von Enkes Gesicht, als wäre er verärgert über die Unterbrechung. Aber als er fortfuhr, war ihm nichts anzumerken. »Wir hatten das U-Boot in eine Ecke gedrängt, wo es keine Manövriermöglichkeit mehr gab, ohne dass wir sie zuließen. Ich sprach mit dem Oberbefehlshaber und sagte: ›Jetzt holen wir es mit Unterwasserbomben hoch.‹ Wir brauchten noch eine Stunde zur Vorbereitung der Operation. Dann würden wir der Welt zeigen, was für ein fremdes U-Boot da in schwedischen Hoheitsgewässern operierte. Eine halbe Stunde verging. Die Zeiger der Uhr an der Wand bewegten sich unerträglich langsam. Ich hatte ununterbrochen Kontakt mit den Hubschraubern und den Schiffen, die in einem Kreis um das U-Boot herumlagen. Es vergingen fünfundvierzig Minuten, die Zeit war fast gekommen. Da geschah es.«

Von Enke brach plötzlich ab und verließ den Raum. Wallander fragte sich, ob ihm unwohl geworden sei. Nach einigen Minuten kam der Korvettenkapitän jedoch mit zwei Gläsern Cognac zurück.

»Kalter Winterabend«, sagte er. »Wir brauchen etwas, um

uns zu wärmen. Keiner scheint uns zu vermissen. Wir können also unseren Plausch in diesem alten Kassenraum fortführen.«

Wallander wartete auf die Fortsetzung. Auch wenn es nicht hundertprozentig faszinierend war, sich alte U-Boot-Geschichten anzuhören, zog er von Enkes Gesellschaft doch der Konversation mit völlig unbekannten Menschen vor.

»Da geschah es«, wiederholte von Enke. »Vier Minuten vor dem Einsatz klingelte das Telefon, durch das wir direkt mit dem Führungsstab verbunden waren. Soweit ich weiß, war es eins der wenigen Telefone, die abhörsicher und außerdem mit einem automatischen Stimmenverzerrer ausgerüstet waren. Ich bekam eine Mitteilung, die ich nicht erwartet hatte. Kannst du dir vorstellen, welche?«

Wallander schüttelte den Kopf und wärmte das Cognacglas zwischen den Händen.

»Es kam der Befehl, den bewaffneten Einsatz abzubrechen. Mir verschlug es die Sprache, und ich bat um eine Erklärung. Aber ich bekam zunächst keine. Nur diesen direkten Befehl, keine Unterwasserbomben einzusetzen. Natürlich blieb mir nichts anderes übrig, als zu gehorchen. Als der Befehl die Hubschrauberpiloten erreichte, fehlten noch zwei Minuten. Keiner von uns, die da in Berga saßen, verstand, was da los war. Dann vergingen exakt zehn Minuten bis zum nächsten Befehl. Der war noch unerklärlicher, wenn das überhaupt möglich war. Als wären unsere Vorgesetzten vom Wahnsinn befallen. Wir sollten uns zurückziehen.«

Wallander hörte mit wachsendem Interesse zu. »Solltet ihr das U-Boot ziehen lassen?«

»Natürlich hat das niemand so gesagt. Auf jeden Fall nicht direkt. Wir erhielten den Befehl, uns auf ein anderes Seegebiet am äußeren Hårsfjärden zu konzentrieren, südlich vom Danziger Gatt. Dort hatte ein Hubschrauber ein anderes U-Boot ausgemacht. Warum war das wichtiger als das von uns gestellte U-Boot, das wir gerade zum Auftauchen zwingen wollten? Meine Mitarbeiter und ich begriffen nichts. Ich verlangte, mit dem Oberbefehlshaber direkt zu sprechen, aber er war unerreichbar. Was an sich schon sehr sonderbar war, weil er zuvor den Waffeneinsatz befürwortet hatte. Ich versuchte sogar, den Verteidigungsminister oder seinen Staatssekretär zu erreichen. Auf einmal schienen alle verschwunden zu sein, hatten die Hörer neben ihre Telefone gelegt oder waren zum Schweigen verdonnert worden. Von wem? Natürlich konnte die Regierung das tun, oder der Ministerpräsident. Während dieser Stunden bekam ich richtig Bauchschmerzen. Ich verstand die Befehle nicht, die ich bekam. Den Einsatz abzubrechen widersprach all meinen Erfahrungen und Instinkten. Es hätte nicht viel gefehlt, und ich hätte den Befehl verweigert. Dann wäre meine militärische Laufbahn beendet gewesen. Aber irgendwo hatte ich noch einen Rest von Vernunft behalten. Wir verlegten also unsere Hubschrauber und zwei Schiffe ins Danziger Gatt. Ich forderte, dass zumindest ein Hubschrauber über der Stelle blieb, an der das U-Boot sich befand. Aber wir bekamen ein Nein. Wir sollten den Ort verlassen, und zwar unverzüglich. Was wir auch taten, mit dem erwarteten Resultat.«

»Nämlich?«

»Wir bekamen natürlich keinen Kontakt mit einem U-Boot am Danziger Gatt. Wir suchten den Abend und die ganze Nacht. Ich frage mich heute noch, wie viele tausend Liter Treibstoff für die Hubschrauber draufgegangen sind.«

»Was geschah mit dem U-Boot, das ihr gestellt hattet?«

»Es verschwand. Spurlos.«

Wallander dachte über das eben Gehörte nach. Er hatte seinen Wehrdienst in weit entfernter Vergangenheit beim Panzerabwehrregiment in Skövde abgeleistet. Er erinnerte sich mit einem ungutem Gefühl an jene Zeit. Bei der Musterung hatte er sich zur Marine gemeldet, wurde aber nach

Västergötland gelegt. Er hatte nie Probleme damit gehabt, die Disziplin zu akzeptieren, aber es war ihm schwergefallen, viele der Befehle zu verstehen, die bei den Manövern ergingen. Oft schien reine Beliebigkeit vorzuherrschen, obwohl die Rekruten sich vorstellen sollten, in eine tödliche Konfrontation mit dem Feind verwickelt zu sein.

Von Enke leerte sein Cognacglas. »Ich fing an, Fragen zu stellen über das, was geschehen war. Das hätte ich nicht tun sollen. Ich spürte schnell, dass es nicht gern gesehen war. Leute zogen sich zurück. Sogar einige meiner Kollegen, die ich zu meinen besten Freunden gezählt hatte, ließen erkennen, dass sie meine Neugier missbilligten. Aber ich wollte ja nur wissen, warum dieser Gegenbefehl ergangen war. Wir waren, behaupte ich, so dicht daran wie nie zuvor und nie danach, wirklich ein U-Boot an die Oberfläche zu zwingen. Zwei Minuten, nicht mehr. Anfänglich war ich mit meiner Empörung nicht allein. Ein anderer Korvettenkapitän, Arosenius, und ein Analytiker des Verteidigungsstabs bildeten mit mir zusammen den Stab, der an jenem Tag arbeitete. Aber es dauerte nur ein paar Wochen, bis auch diese beiden sich allmählich von mir zurückzogen. Sie wollten nicht mitmachen, als ich nachbohrte und Fragen stellte. Und eines Tages war es auch bei mir vorbei.«

Von Enke stellte das Glas auf den Tisch und beugte sich zu Wallander vor. »Ich habe diese Geschichte natürlich nicht vergessen. Ich versuche noch immer zu verstehen, was damals geschehen ist, nicht nur an dem Tag, an dem wir uns freiwillig ein U-Boot entgehen ließen. Ich gehe alles durch, was in jenen Jahren geschah. Und ich glaube, dass ich mich jetzt endlich einer Art Klarheit nähere.«

»Darüber, warum ihr das U-Boot nicht zum Auftauchen zwingen durftet?«

Er nickte langsam, zündete seine Pfeife wieder an, sagte aber nichts.

Wallander fragte sich, ob die Geschichte, die ihm hier serviert worden war, unabgeschlossen bleiben würde. »Ich bin natürlich neugierig. Wie war die Erklärung?«

Von Enke machte eine abwehrende Handbewegung. »Es ist zu früh, um darüber zu sprechen. Ich bin noch nicht am Ziel. Im Moment kann ich nicht mehr sagen. Vielleicht ist es besser, wir gehen zurück zu den anderen.«

Sie standen auf und verließen das Zimmer. Wallander kehrte zur Terrasse zurück und stieß dort auf die Frau, die sie vorhin unterbrochen hatte. Erst jetzt dachte Wallander über die Bewegung nach, die von Enke mit der rechten Hand gemacht hatte, zuerst zielbewusst, dann innehaltend, um die Hand schließlich wieder in den Schoß zu legen.

Auch wenn es ihm absurd erschien, kam Wallander nur auf eine einzige Erklärung. Von Enke war bewaffnet. War es wirklich möglich, dachte er, während er auf den kahlen Garten hinausblickte. Ein pensionierter Korvettenkapitän, der bei der Feier seines fünfundsiebzigsten Geburtstages eine Waffe trägt?

Linda tauchte auf der Terrasse auf. »Ich dachte schon, du wärst gegangen.«

»Noch nicht. Aber bald.«

»Ich bin sicher, dass Håkan und Louise sich gefreut haben, dass du gekommen bist.«

»Er hat mir von U-Booten erzählt.«

Linda zog die Augenbrauen hoch. »Wirklich? Das erstaunt mich.«

»Warum?«

»Ich habe schon oft versucht, ihn zum Erzählen zu bringen. Aber er winkt jedes Mal ab und wird beinahe ärgerlich.«

Linda ging ins Haus, weil Hans nach ihr rief. Wallander blieb zurück und dachte über ihre Worte nach. Warum hatte Håkan von Enke sich gerade ihm anvertraut?

Später, als Wallander nach Schonen zurückgekehrt war und noch einmal über das nachdachte, was von Enke ihm erzählt hatte, stellte sich ihm noch eine weitere Frage. Natürlich war vieles von dem, was von Enke ihm erzählt hatte, unklar, schwebend und für Wallander schwer zu verstehen. Aber was die eigentliche Voraussetzung betraf, die eigentliche *Inszenierung*, wie Wallander es nannte, so war da etwas, worauf er sich keinen Reim machen konnte. Hatte von Enke dies in der kurzen Zeit, seit er wusste, dass Wallander zu seinem Fest kommen würde, geplant? Oder war die Startbahn noch kürzer gewesen und hatte mit dem Mann begonnen, der unter der gelben Laterne gestanden hatte?

Wer war dieser Mann? Auf diese Frage konnte er sich keine Antwort geben.

5

Drei Monate später, genauer gesagt am elften April, geschah etwas, was Wallander noch einmal zwang, in seiner Erinnerung zu jenem Januarabend zurückzukehren, als er in einem stickigen Zimmer gesessen und der Erzählung des Geburtstagskindes über Ereignisse gelauscht hatte, die fast dreißig Jahre zurücklagen.

Es kam für alle Beteiligten gänzlich unerwartet. Håkan von Enke verschwand spurlos. Jeden Morgen pflegte Håkan von Enke von seiner Wohnung in Östermalm aus einen langen Spaziergang zu machen, egal, wie das Wetter war. An diesem Tag fiel Nieselregen über Stockholm. Wie gewöhnlich war er früh aufgestanden und saß schon um kurz nach sechs am Frühstückstisch. Um sieben klopfte er an die Schlafzimmertür seiner Frau, um sie zu wecken und ihr zu sagen, dass er jetzt seinen Spaziergang machen wolle. Normalerweise war er ungefähr zwei Stunden unterwegs, aber bei strenger Kälte kürzte er den Spaziergang um die Hälfte ab: Er war starker Raucher gewesen, und seine Lungen hatten sich nie ganz erholt. Er nahm immer den gleichen Weg. Von seiner Wohnung in der Grevgata ging er zum Valhallaväg und auf diesem nach Westen bis in den Lilljansskog, wo er auf kleineren Pfaden in einem verwinkelten Muster lief, an dessen Ende er wieder zum Valhallaväg gelangte, dann die Sturegata entlang in südlicher Richtung und auf dem Karlaväg schließlich wieder nach Hause. Er ging schnell, benutzte einen der alten Spazierstöcke seines Vaters und war immer verschwitzt, wenn er in seine Wohnung zurückkam, wo er sich als Erstes ein Bad einlaufen ließ.

Dieser Morgen war wie alle anderen gewesen, mit dem einzigen Unterschied, dass Håkan von Enke nicht nach Hause zurückkehrte. Louise wusste genau, welche Wege er immer ging, denn in früheren Jahren hatte sie ihm Gesellschaft geleistet, dann aber damit aufgehört, als sie sein Tempo nicht mehr mithalten konnte. Als er nicht wie gewohnt nach Hause kam, machte sie sich Sorgen. Er hatte zwar eine gute Kondition, aber er war trotz allem ein alter Mann, dem etwas passiert sein konnte. Ein Schlaganfall, ein geplatztes Blutgefäß. Sie ging sogleich los, um nach ihm zu suchen. Sein Handy lag auf seinem Schreibtisch. Er hatte sich also nicht an ihre Absprache gehalten, es immer bei sich zu haben. Um elf Uhr war sie nach Hause zurückgekehrt, nachdem sie seine Route abgegangen war. Bei jedem Schritt hatte sie gefürchtet, ihn zu finden, wie er tot am Boden lag. Aber er war nicht da, er war verschwunden. Zu Hause hatte sie die zwei oder drei Freunde angerufen, die er besucht haben konnte. Als die Freunde erklärten, ihn nicht gesehen zu haben, war sie sicher, dass ihm etwas zugestoßen war. Gegen zwölf Uhr rief sie Hans in seinem Büro in Kopenhagen an. Obwohl sie äußerst besorgt war und das Verschwinden ihres Mannes sofort bei der Polizei melden wollte, hatte Hans ihr gut zugeredet, damit sie sich beruhigte. Sie beschlossen, noch ein paar Stunden zu warten, obwohl seine Mutter bis zum Schluss widersprach.

Direkt nach dem Gespräch mit seiner Mutter rief Hans Linda an, und durch sie erfuhr Wallander von den Geschehnissen des Morgens. Er war gerade dabei, Jussi beizubringen, ruhig zu stehen, wenn er ihm die Pfoten reinigte. Ein Hundetrainer aus Skurup hatte ihm Anweisungen gegeben. Wallander war an dem Punkt angelangt, wo er nicht mehr daran glaubte, dass der Hund noch neue Verhaltensweisen erlernen konnte, als das Telefon schrillte. Linda erzählte ihm von ihrer besorgten Schwiegermutter und bat ihn um Rat.

»Du bist selbst Polizistin«, sagte Wallander. »Du weißt,

wie das übliche Vorgehen ist. Man wartet ab. Die meisten kommen zurück.«

»Er hat über viele Jahre seine Gewohnheiten nicht geändert. Ich verstehe, warum Louise besorgt ist. Sie ist nicht hysterisch.«

»Wartet bis heute Abend«, sagte Wallander. »Er kommt bestimmt zurück.«

Wallander war überzeugt, dass Håkan von Enke bald durch die Tür seiner Wohnung treten und eine vollkommen normale Erklärung für sein Wegbleiben haben würde. Er war mehr neugierig als besorgt, was den Ausgang der Sache betraf. Aber Håkan von Enke kam nicht zurück, weder am ersten noch am zweiten Abend. Schon am Abend des elften April gab Louise eine Vermisstenanzeige auf und fuhr in einem Polizeiwagen die labyrinthähnlichen kleinen Wege im Lilljansskog ab, ohne dass er gefunden wurde. Am nächsten Tag kam ihr Sohn von Kopenhagen herauf. Da begann Wallander einzusehen, dass durchaus etwas passiert sein konnte.

Wallander war zu diesem Zeitpunkt, im April, noch nicht wieder an seine Arbeit zurückgekehrt. Die interne Ermittlung hatte sich in die Länge gezogen. Außerdem war er Anfang Februar auf dem glatten Weg vor seinem Haus gestürzt und hatte sich das linke Handgelenk gebrochen. Er war nicht einfach ausgerutscht, sondern war über Jussis Leine gestolpert, weil der Hund immer noch zerrte und zog und auch nicht auf der richtigen Seite ging. Das Handgelenk war eingegipst und Wallander krankgeschrieben worden. Es war eine Periode großer Ungeduld und häufig aufflammender Wutanfälle, unter denen nicht nur er selbst und Jussi, sondern vor allem Linda zu leiden hatte. Sie traf ihn nur noch dann, wenn es sich nicht umgehen ließ. Ihrer Meinung nach wurde er seinem Vater immer ähnlicher: mürrisch, reizbar und ungeduldig. Er wusste, dass sie recht hatte. Er wollte nicht werden wie sein Vater, alles, nur das nicht. Kein verbitterter alter Mann, der sich ständig wiederholte, sei es auf den Bildern, die er auf seiner Staffelei malte, sei es in seinen Ansichten über eine Welt, die ihm immer unbegreiflicher wurde. Es war eine Zeit, in der Wallander in seinem Haus herumlief wie in einem Käfig; ein eingeschlossener Bär, der sich nicht mehr gegen die Einsicht wehren konnte, dass er jetzt sechzig war und damit unaufhaltsam dem Alter entgegenging. Vielleicht würde er noch zehn oder zwanzig Jahre leben, aber er würde nichts anderes mehr erleben, als dass das Alter sich um ihn herabsenkte. Die Jugend war eine ferne Erinnerung, die mittleren Jahre waren vorbei. Er wartete in den Kulissen, um die Bühne für den dritten und letzten Akt zu betreten, in dem alles seine Erklärung finden sollte, in dem Helden hervortreten und Schurken sterben würden.

Am meisten Sorgen machte ihm seine Vergesslichkeit. Er schrieb Besorgungszettel, wenn er zum Einkaufen nach Simrishamn oder Ystad fuhr, aber wenn er im Laden stand, stellte er fest, dass er den Zettel vergessen hatte. Hatte er überhaupt einen geschrieben? Er erinnerte sich nicht. Eines Tages, als ihn sein schlechtes Gedächtnis mehr als sonst beunruhigte, ließ er sich einen Termin bei einer Ärztin geben, die sich auf »Altersbeschwerden« spezialisiert hatte. Sein Handgelenk war noch eingegipst, außerdem hatte er eine schwere Erkältung. Die Ärztin hieß Margareta Bengtsson und hatte ihre Praxis in einem alten Haus im Zentrum von Malmö. Wallander hielt sie für viel zu jung, um etwas vom Elend des Alters zu verstehen. Er war versucht, in der Tür wieder umzudrehen, folgte ihr aber doch fügsam ins Sprechzimmer, setzte sich in einen schwarzen Ledersessel und erzählte von seinem schlechten Gedächtnis.

»Habe ich Alzheimer?«, fragte er, als sein Besuch der Sprechstunde sich dem Ende näherte.

Margareta Bengtsson lächelte, nicht herablassend, sondern ganz natürlich freundlich. »Nein«, sagte sie. »Das glaube ich nicht. Aber wer weiß schon, was einen hinter der nächsten Ecke erwartet.«

Hinter der nächsten Ecke, dachte Wallander, als er durch den beißend kalten Wind zu seinem Wagen ging, den er gleich um die Ecke geparkt hatte. Dort erwartete ihn ein Strafzettel unter dem Scheibenwischer; Wallander warf ihn in den Wagen, ohne auf die Höhe des Bußgeldes zu schauen, und fuhr nach Hause.

Vor seinem Haus stand ein Auto, das er nicht kannte. Als Wallander ausstieg, sah er, dass es Martinsson war, der beim Hundezwinger stand und Jussi durch die Gitterstäbe hindurch streichelte.

»Ich wollte gerade wieder fahren«, sagte Martinsson. »Ich habe einen Zettel an deine Tür gesteckt.«

»Hat man dich als Kurier geschickt?«

»Ich bin ganz von selbst gekommen, um zu hören, wie es dir geht.«

Sie gingen ins Haus. Martinsson las die Titel auf den Buchrücken in Wallanders Bibliothek, die im Lauf der Jahre sehr umfangreich geworden war. Sie setzten sich an den Küchentisch und tranken Kaffee. Wallander sagte nichts über seine Fahrt nach Malmö und den Arztbesuch. Martinsson nickte in Richtung seiner gegipsten Hand.

»In der nächsten Woche kommt der Gips runter«, sagte Wallander. »Was verlautet in der Gerüchteküche?«

»Über die Hand?«

»Über mich. Die Pistole im Restaurant.«

»Lennart Mattson ist ein ungewöhnlich verschwiegener Mann. Ich weiß nichts über das, was läuft. Aber du sollst wissen, dass wir zu dir halten.«

»Das stimmt nicht. Du tust es vielleicht. Aber irgendwo muß doch die undichte Stelle sein. Es gibt genug Leute im Präsidium, die mich nicht mögen.«

Martinsson zuckte mit den Schultern. »Das ist einfach so. Dagegen kann man nichts machen. Wer mag mich denn?«

Sie redeten über alles und nichts. Wallander dachte, dass Martinsson jetzt als Einziger aus der Zeit übrig geblieben war, als er in Ystad angefangen hatte.

Martinsson machte einen bedrückten Eindruck. Wallander fragte, ob er krank sei.

»Nein, nicht krank«, erwiderte Martinsson. »Aber ich habe mich damit abgefunden, dass es vorbei ist. Also meine Zeit bei der Polizei.«

»Hast du auch deine Pistole in einer Kneipe vergessen?«

»Ich kann nicht mehr.«

Zu Wallanders großer Verblüffung fing Martinsson plötzlich zu weinen an. Wie ein hilfloses Kind saß er mit der Kaffeetasse zwischen den Händen da, während die Tränen rannen. Wallander wusste nicht, was er tun sollte. Er hatte Martinsson zwar im Lauf der Jahre schon viele Male niedergeschlagen erlebt, aber noch nie war er so zusammengebrochen wie jetzt. Wallander beschloss, einfach abzuwarten. Als das Telefon klingelte, zog er nur den Stecker heraus.

Martinsson fasste sich wieder und wischte sich die Tränen vom Gesicht. »Wie ich mich anstelle«, sagte er. »Entschuldige.«

»Was gibt es da zu entschuldigen? Wer es schafft, vor einem anderen Menschen zu weinen, zeigt meiner Auffassung nach großen Mut. Einen Mut, über den ich selbst leider nicht verfüge.«

Martinsson erzählte ihm von seiner sich vertiefenden Wüstenwanderung. Es war so weit gekommen, dass er seine Rolle als Polizist immer mehr in Frage stellte. Nicht dass er mit seiner eigenen Arbeit unzufrieden war, seine Zweifel betrafen vielmehr die Rolle der Polizei in der gegenwärtigen schwedischen Gesellschaft, in der sich zwischen den Erwartungen der Bürger und dem, was die Polizei leistete, eine immer größere Kluft auftat. Inzwischen war er an einem Punkt angelangt, wo jede Nacht zu einem schlaflosen Warten auf den nächsten quälenden Tag wurde.

»Ich höre zum Sommer auf«, sagte Martinsson. »Ich habe Kontakt zu einer Firma in Malmö aufgenommen, die kleine Unternehmen und private Grundstücksverwaltungen in Sicherheitsfragen berät. Da kann ich arbeiten, und außerdem verdiene ich wesentlich mehr als jetzt.«

Wallander erinnerte sich an eine Situation vor vielen Jahren, als Martinsson schon einmal hatte aufhören wollen. Damals war es Wallander gelungen, ihn zum Bleiben zu überreden. Es war jetzt mindestens fünfzehn Jahre her. Ihn jetzt noch einmal zu überreden hielt Wallander für ziemlich unmöglich. Seine eigene Lebenssituation war auch kaum dazu angetan, die Zukunft bei der Polizei als besonders verlockend zu betrachten. Auch wenn er natürlich nie Sicherheitsberater werden wollte.

»Ich glaube, ich verstehe dich«, sagte er. »Und ich denke, du tust das Richtige. Wechsle, solange du noch jung genug dazu bist.«

»In ein paar Jahren werde ich fünfzig«, sagte Martinsson. »Ist man da noch jung?«

»Ich bin sechzig«, sagte Wallander. »Da hat man die Schleuse passiert, durch die nur noch die hindurchgelassen werden, die richtig alt werden.«

Martinsson blieb noch eine Weile und erzählte von der Arbeit, die ihn in Malmö erwartete. Wallander verstand, dass er zu zeigen versuchte, wie groß sein Enthusiasmus trotz allem noch war.

Wallander begleitete ihn zum Auto.

»Hast du etwas von Mattson gehört?«, fragte Martinsson vorsichtig.

»Der Staatsanwalt kann zwischen vier Maßnahmen wählen«, sagte Wallander. »Ein ›belehrendes Gespräch‹, das sie aber bei mir nicht anwenden können. Es würde bedeuten, das gesamte Polizeikorps der Lächerlichkeit preiszugeben. Ein sechzigjähriger Polizeibeamter, der wie ein ungehorsamer Junge vor dem Provinzpolizeipräsidenten oder wem auch immer sitzen und sich eine schulmeisternde Rede anhören soll.«

»Ist davon die Rede gewesen? Das wäre doch völlig verrückt!«

»Sie können mich auch abmahnen«, fuhr Wallander fort. »Oder mir eine Gehaltskürzung aufbrummen. Als letzte Station auf dem Weg abwärts können sie mich entlassen. Ich nehme an, sie entscheiden sich für eine Gehaltskürzung.«

Sie trennten sich beim Wagen. Martinsson verschwand in einer Schneewolke. Wallander kehrte ins Haus zurück und blätterte in seinem Kalender: Seit jenem unseligen Abend, an dem er seine Waffe vergessen hatte, war mehr als ein Monat vergangen.

Er blieb weiter krankgeschrieben, nachdem der Gips entfernt worden war. Bei einem Besuch am zehnten April entdeckte der Orthopäde im Krankenhaus von Ystad, dass der Bruch nicht so verheilt war, wie er gewünscht hätte. Einen Moment lang dachte Wallander voller Entsetzen, das Handgelenk müsste noch einmal gebrochen werden, doch der Arzt beruhigte ihn damit, dass es noch andere Möglichkeiten gebe. Es war jedoch wichtig, dass Wallander die Hand nicht benutzte, deshalb konnte er auch noch nicht zurück an seine Arbeit.

Nach dem Besuch beim Orthopäden blieb Wallander in der Stadt. Im Theater von Ystad wurde an diesem Abend ein Stück eines modernen amerikanischen Dramatikers gespielt. Wallander hatte von Linda, die erkältet war und nicht ins Theater gehen konnte, eine Eintrittskarte bekommen. In ihren Teenagerjahren hatte sie davon geträumt, Schauspielerin zu werden. Doch der Wunsch war rasch verflogen. Jetzt war sie dankbar, so schnell eingesehen zu haben, dass ihr das Talent für die Bühne fehlte.

Schon nach zehn Minuten begann Wallander, auf die Uhr zu sehen. Die Vorstellung langweilte ihn. Mäßig begabte Schauspieler gingen in einem Zimmer umher und legten hier und dort ihre Repliken ab, auf einem Regal, einem Tisch oder vielleicht einem Fensterbrett. Das Stück handelte von einer Familie, die im Begriff war, unter dem inneren Druck von ungelösten Konflikten, Lügen und abgenutzten Träumen auseinanderzubrechen; es interessierte ihn nicht. Als endlich die Pause kam, holte Wallander seine Jacke und verließ das Theater. Er hatte sich auf die Vorstellung gefreut und war bedrückt. Lag es an ihm, oder war die Vorstellung wirklich so langweilig, wie er sie empfunden hatte?

Sein Wagen stand am Bahnhof. Nachdem er die Gleise überquert hatte, nahm er eine Abkürzung, die auf einem ausgetretenen Pfad zur Rückseite des roten Bahnhofsgebäudes führte. Plötzlich erhielt er einen harten Stoß in den Rücken und wäre fast zu Boden gestürzt. Zwei junge Männer, vielleicht achtzehn oder neunzehn Jahre alt, standen vor ihm. Der eine trug einen Kapuzenpulli, der andere eine Lederjacke. Der Junge mit der über den Kopf gezogenen Kapuze hielt ein Messer in der Hand. Ein Küchenmesser, dachte Wallander, bevor der Junge in der Lederjacke ihm die Faust ins Gesicht schlug. Seine Oberlippe platzte auf und blutete. Er erhielt einen zweiten Schlag, diesmal an die Stirn. Der Junge war stark und schlug hart, als wäre er voller Wut. Dann zerrte er an Wallanders Kleidung und zischte, er wolle Brieftasche und Handy haben. Wallander hob einen Arm, um sich zu schützen, und behielt das Messer im Auge. Plötzlich erkannte er, dass die Jungen noch mehr Angst hatten als er und dass er sich wegen des Messers in einer zitternden Hand keine Sorgen zu machen brauchte. Er holte aus und trat nach dem Jungen mit dem Messer. Er traf nicht, konnte aber die Hand des Jungen packen und umdrehen. Das Messer flog davon. Gleichzeitig spürte er einen heftigen Schlag in den Nacken und fiel zu Boden. Der Schlag war so schwer, dass er nicht hochkommen konnte. Er kniete auf der Erde, spürte, wie die nasse Kälte durch die Hosenbeine drang, und dachte, dass sie jetzt vielleicht auf ihn einstechen würden.

Aber nichts geschah. Als er aufsah, waren die Jungen verschwunden. Er tastete mit der Hand in den Nacken und fühlte, dass sie klebrig wurde. Langsam stand er auf, merkte, wie ihm schwarz vor Augen wurde, und hielt sich an dem Zaun fest, der die Gleise vom Gehweg trennte. Er holte einige Male tief Luft und ging nach einer Weile zu seinem Wagen. Die Jungen waren verschwunden. Sein Nacken war blutig, aber er würde die Wunde zu Hause selbst behandeln können. Er hatte wahrscheinlich nur eine leichte Gehirnerschütterung davongetragen.

Er blieb im Wagen sitzen, ohne den Motor anzulassen. Aus einer Welt in die andere, dachte er. Ich sitze in einem Theater, wo ich mich nicht beteiligt fühle, ich verlasse es und werde in eine Welt hinausgeschleudert, der ich in meinem Beruf von außen begegne. Jetzt war ich derjenige, der dort lag, niedergeschlagen und bedroht.

Vor allem dachte er an das Messer. Am Anfang seiner Laufbahn, als junger Polizist in Malmö, war er im Pildammspark von einem Verrückten, der Amok lief, durch einen Messerstich schwer verletzt worden. Wäre die Klinge nur wenige Zentimeter daneben in seinen Körper eingedrungen, hätte sie ihn direkt ins Herz getroffen. Dann hätte er nicht all die Jahre in Ystad gelebt und eine Tochter mit Namen Linda aufwachsen sehen.

Er erinnerte sich daran, dass er gedacht hatte: Zu leben hat seine Zeit, tot zu sein hat seine Zeit.

Es war kalt im Wagen. Er ließ den Motor an und stellte die Heizung auf Maximum. Ein ums andere Mal ließ er im Kopf den Überfall ablaufen. Er stand noch unter Schock, merkte aber jetzt, wie der Zorn in ihm aufstieg.

Er fuhr zusammen, als jemand an die Scheibe klopfte, dachte, die Jungen seien zurückgekommen. Doch das Gesicht, das sich zeigte, gehörte einer alten Dame mit Baskenmütze auf dem Kopf. Er öffnete die Tür einen Spalt weit.

»Es ist verboten, den Motor so lange im Leerlauf laufen

zu lassen, wie Sie es tun«, sagte sie. »Ich bin mit meinem Hund hier draußen und habe auf die Uhr gesehen, wie lange Ihr Wagen hier schon mit laufendem Motor steht.«

Wallander antwortete nicht, sondern nickte nur und fuhr davon. In dieser Nacht lag er lange wach. Als er zum letzten Mal auf die Uhr sah, zeigte sie fünf. Am Tag danach verschwand Håkan von Enke. Und Wallander erstattete nie Anzeige wegen des Überfalls, der auf ihn verübt worden war, und erzählte niemandem davon, nicht einmal Linda.

Als von Enke nach achtundvierzig Stunden nicht zurückgekommen war, begann Wallander einzusehen, dass etwas Ernstes geschehen war. Es war für ihn eine Selbstverständlichkeit, nach Stockholm zu fahren, als sein zukünftiger Schwiegersohn anrief und darum bat. Wallander verstand, dass es eigentlich Louise war, die um Hilfe gebeten hatte. Von vornherein erklärte Wallander, er wolle sich nicht in die polizeilichen Ermittlungen einmischen. Die Kollegen in Stockholm bearbeiteten den Fall. Polizisten, die sich einmischten und Reviergrenzen überschritten, machten sich nie beliebt.

Am Abend vor der Reise nach Stockholm, einem der frühen, immer heller werdenden Vorfrühlingsabende, fuhr Wallander zu Linda. Hans war wie gewöhnlich nicht zu Hause, weil er mit seinen »finanziellen Spekulationen«, wie Wallander es nannte, unentwegt Überstunden machte. Das hatte auch zum bisher einzigen Streit mit seinem Schwiegersohn in spe geführt. Hans hatte gekränkt dagegen protestiert, dass seine Kollegen und er selbst sich nur damit beschäftigten. Aber als Wallander fragte, worin denn seine Arbeit genau bestehe, beschrieb die Antwort genau das, nämlich Spekulationen mit Währungen und Wertpapieren, Derivaten und Hedgefonds (von denen Wallander eingestandenermaßen keine Ahnung hatte). Linda hatte eingegriffen und erklärt, ihr Vater verstehe sich weder auf Geld noch auf die rätselhaften und deshalb furchteinflößenden finanziellen Instrumente der neuen Zeit. Früher hätte Wallander empört auf ihre Festellung reagiert, aber jetzt spürte er die Wärme in ihrer Stimme und machte eine resignierende Handbewegung zum Zeichen der Unterwerfung.

Jetzt aber saß er bei ihnen zu Hause. Das Baby, das noch keinen Namen hatte, schlief auf einer Decke zu Lindas Füßen. Wallander betrachtete es und kam, vielleicht zum ersten Mal, zu der Einsicht, dass seine Tochter nie wieder auf seinem Schoß sitzen würde. Wenn die eigenen Kinder selbst Kinder bekommen, bedeutet das immer, dass etwas unwiderruflich vorbei ist.

»Was könnte mit Håkan passiert sein?«, fragte Wallander. »Was ist deine Meinung, als Polizistin und als Schwiegertochter?«

Lindas Antwort kam schnell und gut vorbereitet. »Ich bin sicher, dass ihm etwas zugestoßen ist. Ich fürchte sogar, er könnte tot sein. Håkan ist kein Mensch, der einfach verschwindet. Er würde nie Selbstmord begehen, ohne eine Mitteilung zu hinterlassen, in der er seine Gründe angäbe. Er würde ohnehin nie Selbstmord begehen, aber das ist eine andere Sache. Wenn er eine strafbare Tat begangen hätte, würde er sich nicht davonstehlen, sondern seine Strafe annehmen. Ich glaube ganz einfach nicht, dass er freiwillig verschwunden ist.«

»Kannst du das erläutern?«

»Muss ich das? Du verstehst doch auch so, was ich meine.«

»Ja, aber ich will es mit deinen Worten hören.«

Wallander dachte zum zweiten Mal, dass sie sich gut vorbereitet hatte. Linda war nicht nur eine Person, die sich über einen Angehörigen äußerte, sie war auch eine scharfsinnige junge Polizistin, die ihre Ansicht darlegte.

»Wenn man von Unfreiwilligkeit spricht, gibt es zwei

mögliche Antworten. Entweder ist ein Unglück geschehen, man bricht ins Eis ein oder wird von einem Auto angefahren. Oder man wird ein Opfer vorsätzlicher Gewalt, man wird entführt oder erschlagen. Dass ein Unglück geschehen sein könnte, ist nicht mehr wahrscheinlich. Er ist in keinem der Krankenhäuser. Dieser Weg ist also versperrt. Bleibt nur die zweite Möglichkeit.«

Wallander hob die Hand und unterbrach sie. »Lass uns einmal etwas annehmen«, sagte er, »von dem wir beide wissen, dass es wesentlich häufiger vorkommt, als man allgemein denkt. Besonders wenn es sich um ältere Männer handelt.«

»Dass er eine andere Frau gehabt hätte und mit ihr durchgebrannt wäre?«

»Ungefähr so.«

Sie schüttelte energisch den Kopf. »Natürlich habe ich mit Hans darüber gesprochen. Er hat entschieden verneint, dass es irgendwelche Leichen im Keller geben könnte. Håkan ist Louise sein Leben lang treu gewesen.«

Wallander drehte den Spieß um: »Und Louise? Ist sie treu gewesen?«

Die Frage hatte Linda sich nicht gestellt, das konnte er sehen. Noch hatte sie nicht alles darüber gelernt, welche Richtungsänderungen man in einer Befragung vornehmen konnte. »Das kann ich mir nicht vorstellen. Dafür ist sie nicht der Typ.«

»Das ist eine schlechte Antwort. Man kann nie von einem Menschen sagen, dass er so oder so nicht ist. Das hieße ihn unterschätzen.«

»Dann lass es mich so sagen: Ich glaube nicht, dass sie Affären gehabt hat. Aber ich kann es natürlich nicht mit Bestimmtheit sagen. Frag du sie!«

»Das werde ich ganz bestimmt nicht tun. Es wäre unverschämt in der gegenwärtigen Situation.«

Wallander zögerte vor der nächsten Frage, die in seinem

Kopf auftauchte. »Du und Hans, ihr müsst in diesen Tagen miteinander gesprochen haben. Er kann ja nicht ununterbrochen über seine Monitore gebeugt dasitzen. Was sagt er? War er erstaunt, als Håkan verschwand?«

»Ist das nicht selbstverständlich?«

»Ich weiß es nicht. Aber als ich in Stockholm war, bekam ich den Eindruck, dass Håkan sich um irgendetwas Sorgen machte.«

»Warum hast du nichts davon erzählt?«

»Weil ich es von mir geschoben habe. Ich dachte, ich bilde mir etwas ein.«

»An deiner Intuition ist aber in der Regel nichts auszusetzen.«

»Danke. Aber felsenfest überzeugt bin ich nur noch selten.«

Linda saß schweigend da. Wallander betrachtete ihr Gesicht. Sie hatte nach der Schwangerschaft zugenommen, ihre Wangen waren runder geworden. Dass sie müde war, sah er an ihren Augen. Er dachte an Mona und ihre ständige Wut darüber, dass er nie genug half, wenn Linda nachts wach wurde und schrie. Wie es ihr wohl geht? dachte er. Wenn Kinder kommen, werden alle Bogen auf einmal gespannt. Und schnell reißt eine Sehne.

»Etwas sagt mir, dass du recht hast«, sagte Linda schließlich. »Wenn ich jetzt darüber nachdenke, erinnere ich mich an Situationen, in denen er beunruhigt wirkte, auch wenn es kaum zu merken war. Er blickte sich über die Schulter.«

»Buchstäblich oder bildlich?«

»Buchstäblich. Er drehte sich um. Ich habe vorher nicht darüber nachgedacht.«

»Fällt dir sonst noch etwas ein?«

»Er hat genau kontrolliert, ob die Türen verschlossen waren. Und gewisse Lampen sollten immer brennen.«

»Warum?«

»Ich weiß es nicht. Aber da war zum Beispiel eine Schreibtischlampe in seinem Arbeitszimmer und das Flurlicht bei der Außentür.«

Ein alter Marineoffizier, dachte Wallander, der nachts das Fahrwasser beleuchtet. Einsam gelegene Leuchttürme in einer geheimen militärischen Fahrrinne, wo Schiffe normalerweise nicht fahren.

In diesem Moment erwachte die Kleine, und Wallander hielt sie, bis sie aufhörte zu schreien.

Im Zug nach Stockholm beschäftigten die angezündeten Lampen ihn weiter. Dies war ein Geheimnis, das er versuchen musste zu durchdringen. Auch wenn die Erklärung einfach schien. Und er musste sich Håkan von Enke auf Wegen nähern, von denen er noch keine Vorstellung hatte.

Aber er dachte trotz allem, dass von Enkes Verschwinden eine plausible und undramatische Lösung finden würde.

6

Am Ende der siebziger Jahre hatten Mona und er eine Reise nach Stockholm unternommen. Wallander erinnerte sich, dass sie damals im Sjöfartshotell gewohnt hatten, und dort hatte er auch jetzt angerufen und ein Zimmer für zwei Nächte bestellt. Als er aus dem Zug stieg, war er unschlüssig, ob er ein Taxi oder die U-Bahn nehmen sollte. Das Ergebnis war, dass er seine leichte Tasche über die Schulter warf und sich für einen Spaziergang entschied. Es war immer noch kalt, aber die Sonne schien, keine Regenwolken, die sich am Horizont auftürmten.

Sie waren im Sommer 1979 nach Stockholm gefahren, erinnerte er sich, als er durch Gamla Stan ging. Die Reise war nicht seine Idee gewesen; Mona hatte sich plötzlich bewusst gemacht, dass sie noch nie in der Hauptstadt gewesen war, und jetzt wollte sie diese unverzeihliche Unterlassung korrigieren. Sie hatten vier seiner Urlaubstage genutzt, Mona studierte damals und hatte weder einen Lohn noch geregelte Urlaubszeiten. Linda blieb drei Tage bei einer Klassenkameradin, sie sollte in jenem Herbst in die dritte Klasse kommen. Er erinnerte sich, dass es Anfang August gewesen war. Warme Tage, ab und zu heftige Gewitter, dann wieder drückende Hitze, die sie in den Schatten unter den hohen Parkbäumen trieb. Das ist jetzt fast dreißig Jahre her, dachte er, als er sich Slussen näherte und sich an den Aufstieg zum Hotel machte. Dreißig Jahre, mehr als eine Generation, und jetzt kehre ich zurück. Aber diesmal allein.

Als er das Foyer betrat, erkannte er nichts wieder und fragte sich, ob sie wirklich in diesem Hotel gewohnt hatten.

Dann schüttelte er sein plötzlich aufkommendes Unlustgefühl ab, verbannte alle Gedanken an die Vergangenheit und nahm den Aufzug hinauf zu seinem Zimmer im ersten Obergeschoss. Er schlug den Bettüberwurf zurück und legte sich hin. Die Zugreise war wenig entspannend gewesen, denn er war von schreienden Kindern und einigen angetrunkenen jungen Männern, die in Alvesta zugestiegen waren, umgeben gewesen. Er schloss die Augen und versuchte zu schlafen. Als er mit einem Ruck erwachte und auf die Uhr sah, waren nur zehn Minuten vergangen. Er stand auf und trat ans Fenster. Was konnte mit Håkan von Enke geschehen sein? Wenn er alle Puzzlestücke zusammenfügte – die, die er von Linda bekommen hatte, und die, die er aufgrund seiner Erfahrung beisteuern konnte –, was war dann das Ergebnis? Er gelangte nicht einmal zum Ansatz einer Schlussfolgerung.

Er hatte angekündigt, Louise um sieben Uhr am Abend zu besuchen. Wieder entschied er sich für einen Spaziergang. Als er am Schloss vorbeikam, hielt er plötzlich inne. Hier war er mit Mona gewesen, er war ganz sicher. Genau hier auf der Brücke waren sie stehen geblieben und hatten darüber gesprochen, wie sehr ihnen die Füße wehtaten. Die Erinnerung war so deutlich, dass er ihre Stimmen im Kopf zu hören meinte. Es gab Augenblicke, in denen er von Trauer über das Scheitern ihrer Ehe überwältigt wurde. Dies war ein solcher Augenblick. Er sah auf das wirbelnde Wasser hinunter und dachte, dass sein Leben sich immer mehr darum drehte, sich zweifelhafte Rechenschaften über all das abzulegen, was er mit der Zeit verloren hatte.

Als er an der Haustür klingelte, hatte Louise von Enke Tee gemacht. Sie war übernächtigt, aber doch merkwürdig konzentriert. An den Wänden des Wohnzimmers hingen Porträts derer von Enke und Schlachtengemälde in dumpfen Farben.

Sie bemerkte seinen Blick, als er die Bilder betrachtete.

»Håkan war der erste Marineoffizier in der Familie. Sein Vater, Großvater und Urgroßvater waren Armeeoffiziere. Ein Onkel war außerdem Kammerherr von König Oskar, ob es der erste oder der zweite war, weiß ich nicht mehr. Ein anderer Verwandter erhielt den Degen dort in der Ecke von Karl XIV. für geleistete Dienste. Håkan behauptete, es sei seine Aufgabe gewesen, die Majestät mit geeigneten jungen Damen zu versorgen.«

Sie verstummte. Wallander lauschte dem Ticken einer Uhr auf dem Sims des offenen Kamins. Von der Straße drang gedämpftes Brausen herein.

»Was könnte geschehen sein?«

»Ganz ehrlich, ich weiß es nicht.«

»War etwas ungewöhnlich an dem Tag, an dem er verschwand? Etwas, was von Håkans Verhaltensmuster abwich?«

»Nein. Alles war wie immer. Håkan ist ein Mensch mit festen Gewohnheiten, auch wenn er kein Pedant ist.«

»Wie waren die Tage davor? Die Woche davor?«

»Er war erkältet. Einen Tag hat er seinen Morgenspaziergang ausgelassen. Das war alles.«

»Hat er Post erhalten? Hat jemand angerufen? Hatte er Besuch?«

»Er hat einige Male mit Sten Nordlander gesprochen, seinem engsten Freund.«

»War er auch auf dem Fest in Djursholm?«

»Er war an dem Tag verreist. Håkan und Sten haben sich kennengelernt, als sie auf demselben U-Boot arbeiteten. Håkan als Kommandant und Sten als Maschineningenieur. Es muss schon irgendwann Ende der sechziger Jahre gewesen sein.«

»Was sagt Sten über Håkans Verschwinden?«

»Er ist genauso besorgt wie alle anderen. Er hat auch keine Erklärung. Er sagt, er wolle gern mit dir sprechen, wenn du hier bist.«

Sie saß auf einem Sofa Wallander gegenüber. Die Abendsonne schien ihr plötzlich ins Gesicht. Sie rückte ein Stück zur Seite, um ihr auszuweichen. Wallander dachte, dass sie eine von jenen Frauen war, die ihre Schönheit hinter einer Maske von Alltäglichkeit zu verbergen suchen. Als hätte sie seinen Gedanken erraten, lächelte sie ihm unsicher zu.

Wallander holte sein Notizbuch heraus und schrieb Sten Nordlanders Telefonnummern auf. Er registrierte, dass sie sie auswendig wusste, nicht nur die Festnetznummer, sondern auch die des Handys.

Sie sprachen eine Stunde, ohne dass Wallander das Gefühl hatte, etwas zu erfahren, was er nicht bereits wusste. Dann führte sie ihn in das Arbeitszimmer ihres Mannes.

Wallander betrachtete die Schreibtischlampe. »Er ließ nachts das Licht brennen?«

»Wer hat das gesagt?«

»Linda hat es erwähnt. Unter anderem diese Lampe hier.«

Sie schloss die schweren Vorhänge, während sie antwortete. Wallander nahm den kaum merkbaren Tabakgeruch im Zimmer wahr.

»Er fürchtete sich im Dunkeln«, sagte sie, während sie Staub aus einem der Vorhänge schüttelte. »Diese Furcht hatte er auf seinen U-Booten bekommen. Sie trat erst viel später zutage, als er schon für immer an Land war. Ich musste ihm versprechen, niemandem etwas davon zu sagen.«

»Dennoch weiß dein Sohn davon? Und er wiederum hat es Linda erzählt.«

»Håkan muss es Hans gegenüber erwähnt haben, ohne dass ich davon wusste.«

In einem anderen Zimmer klingelte das Telefon.

»Das Zimmer steht zu deiner Verfügung«, sagte sie, bevor sie durch die hohe Doppeltür verschwand.

Wallander ertappte sich dabei, dass er sie auf die gleiche Art und Weise betrachtete wie Kristina Magnusson. Er setzte sich auf den Schreibtischstuhl aus rostbraunem Holz, mit grünem Lederbezug auf Sitz und Rückenlehne. Langsam blickte er sich im Raum um. Er knipste die Lampe an. Um den Schalter herum lag Staub. Wallander zog den Finger über die polierte Mahagonifläche. Dann hob er die Schreibtischunterlage an. Es war eine Gewohnheit aus der Zeit, als er noch bei Rydberg in die Lehre gegangen war. Kamen sie an einen Tatort, wo es einen Schreibtisch gab, fing Rydberg immer damit an. In der Regel fand er nichts. Aber er hatte mit rätselhafter Betonung erklärt, auch eine leere Fläche sei eine wichtige Spur.

Auf dem Tisch lagen ein paar Bleistifte, ein Vergrößerungsglas, eine Porzellanvase in Form eines Schwans, ein kleiner Stein und eine Schachtel Heftzwecken. Das war alles. Er drehte sich langsam mit dem Stuhl und sah sich im Zimmer um. An den Wänden hingen gerahmte Fotos von U-Booten und anderen Kriegsschiffen. Ein großes Farbfoto von Hans mit Studentenmütze. Hochzeitsfoto mit Håkan in Uniform. Er und Louise schreiten durch eine Ehrenpforte aus gekreuzten Schwertern. An einer Wand ein Gemälde. Wallander trat näher heran, um es genauer zu studieren. Es war eine romantische Darstellung der Seeschlacht bei Trafalgar. Der sterbende Nelson, an ein Geschütz gelehnt, umgeben von weinenden Seeleuten auf den Knien. Das Gemälde erstaunte ihn. Es war ein Machwerk in einer Wohnung, die von gutem Geschmack geprägt war. Warum hatte von Enke es aufgehängt? Wallander hob vorsichtig das Bild ab und drehte es um. Da stand nichts. Eine Schreibunterlage, unter der es leer war, die leere Rückseite eines schlechten Gemäldes. Es ist zu spät, das Zimmer durchzugehen, dachte er. Es ist bald halb neun, es würde viele Stunden dauern. Ich fange besser morgen früh an. Er verließ den Raum und ging zurück in eins der beiden Wohnzimmer, die hintereinanderlagen. Louise kam aus der Küche. Wallander ahnte einen Hauch von Alkohol, war aber nicht sicher. Sie verabredeten, dass er am nächsten Morgen um neun Uhr wiederkommen würde.

Als Wallander im Flur die Jacke angezogen hatte, zögerte er plötzlich. »Du siehst müde aus«, sagte er. »Schläfst du genug?«

»Vielleicht hin und wieder eine Stunde. Wie könnte ich schlafen, solange ich nicht weiß, was geschehen ist?«

»Möchtest du, dass ich hierbleibe?«

»Das ist nett gemeint, aber nicht nötig. Ich bin es gewohnt, allein zu sein. Vergiss nicht, dass ich eine Seemannsfrau bin.«

Er ging den langen Weg zurück in sein Hotel und machte unterwegs Halt an einem italienischen Restaurant, das billig aussah. Das Essen war danach. Um nicht wach zu liegen, nahm er eine halbe Schlaftablette. Finster dachte er, dass dies eine der wenigen ihm verbliebenen Arten zu feiern war; den Schlaf anzulocken, indem er den Deckel der Pillendose öffnete.

Der folgende Tag begann ebenso wie sein Besuch am Abend zuvor. Louise hatte Tee gemacht. Er sah ihr an, dass ihr nächtlicher Schlaf wahrscheinlich minimal gewesen war.

Sie hatte eine telefonische Mitteilung für ihn von einem Kommissar namens Ytterberg, der den Fall des verschwundenen von Enke bearbeitete. Sie reichte ihm das schnurlose Telefon und ging hinaus in die Küche. In einem Spiegel an der Wand konnte Wallander sehen, dass sie mitten im Raum stehen geblieben war, reglos, den Rücken ihm zugewandt.

Ytterberg sprach mit unverkennbarem norrländischem Dialekt. »Die Ermittlung ist eingeleitet«, begann er. »Wir sind inzwischen der Meinung, dass etwas passiert ist. Ich habe es so verstanden, dass seine Frau wünscht, dass du seine Papiere durchsiehst.«

»Habt ihr das nicht schon getan?«

»Seine Frau hat es getan, ohne etwas zu finden. Ich nehme an, sie will, dass du alles noch einmal kontrollierst.«

»Habt ihr irgendeinen Anhaltspunkt? Hat jemand ihn gesehen?«

»Wir haben nur einen unsicheren Zeugen, der glaubt, ihn im Lilljansskog gesehen zu haben. Das ist alles.«

Wallander hörte, wie Ytterberg in gereiztem Ton jemanden bat, später wiederzukommen.

»Daran gewöhne ich mich nie«, sagte Ytterberg. »Dass die Leute nicht mehr anklopfen.«

»Eines Tages wird der Reichspolizeichef vorschlagen, dass wir alle in Großraumbüros sitzen, um unsere Effektivität zu erhöhen«, sagte Wallander. »Jeder kann die Zeugen des anderen verhören, sich in die Ermittlungen der Kollegen einmischen.«

Ytterberg kicherte zufrieden. Wallander dachte, dass er sich jetzt einen guten Kontakt bei der Stockholmer Polizei geschaffen hatte.

»Noch eins«, sagte Ytterberg. »Håkan von Enke war in seiner aktiven Zeit ein sehr hoher Militär. Die Sicherheitspolizei wird sich routinemäßig mit dem Fall befassen. Unsere geheimen Kollegen sehnen sich immer danach, einen möglichen Spion zu finden.«

Wallander war verblüfft. »Existiert ein Verdacht?«

»Natürlich nicht. Aber sie müssen ja etwas vorzuweisen haben, wenn über das Budget des nächsten Jahres entschieden wird.«

Wallander entfernte sich ein paar Schritte von der offenen Küchentür. »Unter uns«, sagte er mit gedämpfter Stimme. »Was ist deiner Meinung nach passiert? Abgesehen von allen Fakten, wenn du nur von deiner Erfahrung ausgehst?«

»Es sieht ernst aus. Er kann draußen im Wald überfallen und entführt worden sein. Das ist es, was ich im Moment glaube.«

Vor dem Ende des Gesprächs ließ Ytterberg sich Wallanders Handynummer geben. Wallander kehrte zu seiner Teetasse zurück und dachte, dass er viel lieber Kaffee getrunken hätte. Louise kam aus der Küche zurück und sah ihn fragend an.

Wallander schüttelte den Kopf. »Nichts Neues. Aber sie nehmen sein Verschwinden äußerst ernst.«

Sie blieb vor dem Sofa stehen. »Ich weiß, dass er tot ist«, sagte sie plötzlich. »Bisher habe ich mich geweigert, das Schlimmste anzunehmen. Aber jetzt kann ich mich nicht mehr dagegen wehren.«

»Dieser Gedanke muss einen Grund haben«, sagte Wallander vorsichtig. »Gibt es etwas Besonderes, was dich jetzt so denken lässt?«

»Ich habe vierzig Jahre mit ihm zusammengelebt«, sagte sie. »Er würde mir so etwas nie antun. Weder mir noch dem Rest der Familie.«

Sie verließ hastig das Zimmer. Wallander hörte, wie die Tür zum Badezimmer geschlossen wurde. Er wartete einen Augenblick, stand auf und ging leise in den Flur zu den Schlafzimmern und lauschte. Er hörte sie hinter der geschlossenen Tür weinen. Obwohl er nicht besonders gefühlsbetont war, spürte er einen Kloß im Hals. Er trank seinen Tee aus und ging dann zu dem Arbeitszimmer, in dem er am Vorabend gewesen war. Die Vorhänge waren noch geschlossen. Er zog sie zur Seite und ließ Licht herein. Dann ging er den Schreibtisch durch, Schublade für Schublade. Überall herrschte große Ordnung, jedes Ding an seinem Platz. In einer der Schubladen lagen eine Anzahl alte Pfeifen, Pfeifenreiniger und etwas, was einem Putztuch glich. Wallander wandte sich der anderen Schreibtischseite zu. Die gleiche Ordnung, Schulzeugnisse, Bescheinigungen, ein Pilotenschein. Im März 1958 hatte Håkan von Enke die Flugerlaubnis für einmotorige Flugzeuge erworben, die Prüfung hatte er auf dem Flugplatz Bromma abgelegt. Er hat also nicht nur in der Tiefe gelebt, dachte Wallander. Er tat es nicht nur den Fischen, sondern auch den Vögeln gleich.

Wallander nahm von Enkes Abiturzeugnis von der Norra Latin in die Hand. In Geschichte und Schwedisch hatte er die beste Note, ebenso in Geographie. Deutsch und Religion waren knapp ausreichend. In der nächsten Schublade lagen eine Kamera und ein Paar Kopfhörer. Als Wallander die Kamera untersuchte, eine alte Leica, entdeckte er, dass ein Film eingelegt war. Entweder waren zwölf Aufnahmen belichtet, oder es waren noch zwölf unbelichtete Bilder auf dem Film. Er legte die Kamera auf den Tisch. Die Kopfhörer waren ebenfalls alt, Wallander vermutete, dass sie vor fünfzig Jahren modern gewesen waren. Warum hob von Enke sie auf? In der untersten Schublade lag nichts außer einem Comicheft, in dem in farbigen Zeichnungen und Sprechblasen *Der letzte Mohikaner* von Cooper nacherzählt wurde. Das Heft war so abgegriffen, dass es in Wallanders Händen beinahe auseinanderfiel. Er erinnerte sich an etwas, was Rydberg einmal zu ihm gesagt hatte. *Such immer das, was gegen das Muster verstößt.* Was tat ein Heft der Reihe Illustrierte Klassiker in Håkan von Enkes unterster Schreibtischschublade?

Er hatte sie nicht kommen hören. Plötzlich stand sie einfach in der Tür. Sie hatte alle Spuren ihrer Gefühlsaufwallung sorgsam beseitigt, ihr Gesicht war frisch gepudert.

Er hielt das Heft hoch. »Warum hat er dies aufgehoben?«

»Ich glaube, er hat es bei einer besonderen Gelegenheit von seinem Vater bekommen. Was der Anlass war, hat er nie erzählt.«

Sie ließ ihn wieder allein. Wallander zog die große Mittelschublade heraus. Hier herrschte Unordnung, Briefe, Fotos, alte Flugtickets, ein gelber Gesundheitspass, mehrere Rechnungen. Warum herrschte hier Unordnung, aber sonst nirgends? Er beschloss, den Inhalt vorerst nicht zu berühren, und ließ die Schublade offen stehen. Das Einzige, was er herausnahm, war der gelbe Gesundheitspass.

Der Mann, dessen Spuren er folgte, hatte sich im Lauf der Jahre vielen Impfungen unterzogen. Noch vor drei Wochen hatte er sich gegen Gelbfieber impfen lassen, außerdem gegen Wundstarrkrampf und Gelbsucht. Zwischen den Deckeln des gelben Passes steckte noch ein Rezept für eine Malariaprophylaxe. Wallander runzelte die Stirn. Gelbfieber? Wohin wollte man reisen, wenn man sich dagegen impfen ließ? Er legte das gelbe Dokument zurück, ohne die Frage beantwortet zu haben.

Wallander nahm den Inhalt der Bücherregale in Augenschein. Wenn Bücher die Wahrheit sprachen, dann interessierte sich Håkan von Enke sehr für Geschichte, besonders für die englische, und für die Marinegeschichte des zwanzigsten Jahrhunderts. Es gab auch einige allgemeinhistorische Titel und zahlreiche politische Memoiren. Tage Erlanders Memoiren und das Erinnerungsbuch des Spions Wennerström standen einträchtig nebeneinander. Zu seiner Verwunderung entdeckte Wallander, dass von Enke sich auch für moderne schwedische Lyrik interessierte. Einige Namen waren Wallander unbekannt, andere waren ihm zumindest ein Begriff, etwa Sonnevi und Tranströmer. In einem von Tranströmers Büchern hatte jemand Kommentare an den Rand geschrieben, an einer Stelle stand »großartiges Gedicht«. Wallander las es und stimmte zu. Es handelte von rauschenden Nadelwäldern. Ivar Lo-Johansson füllte einen Regalmeter, Vilhelm Moberg einen weiteren; das Bild des verschwundenen Mannes veränderte sich, vertiefte sich. Nichts erweckte bei Wallander den Eindruck, der Vizeadmiral sei eitel gewesen und habe seiner Umwelt nur demonstrieren wollen, dass er sich auch für Belletristik interessierte. Wallander glaubte, mit einem besonderen Spürsinn gerade für solche Menschen ausgerüstet zu sein, weil diese Eigenschaft ihm äußerst unsympathisch war.

Nach den Bücherregalen wandte sich Wallander dem Dokumentenschrank zu und zog eine Schublade nach der anderen heraus. In allen große Ordnung, Dokumentenmappen, Briefe, Berichte, eine Reihe privater Logbücher, Zeichnungen von U-Booten mit dem Kommentar »Typ von mir gefahren«. Alles war in bester Ordnung, die Schreibtischschublade war die unerwartete Ausnahme. Aber dennoch beunruhigte Wallander noch etwas anderes, ohne dass er hätte sagen können, was es war. In einer Ecke des Zimmers standen ein brauner Ledersessel, ein Tisch mit ein paar Büchern, eine Leselampe mit rotem dämpfendem Schirm. Zwei Bücher waren aufgeschlagen. Das eine war alt, Rachel Carsons *Stummer Frühling*. Es war eins der ersten Bücher, in denen davor gewarnt wurde, dass die westliche Welt im Begriff war, die Zukunft des ganzen Planeten zu gefährden. Das zweite Buch handelte von schwedischen Schmetterlingen, kurze Texte, dazwischen schöne Farbfotografien. Schmetterlinge und ein bedrohter Planet, dachte Wallander. Und Unordnung in einer Schreibtischschublade. Er konnte sich keinen Reim darauf machen.

Da entdeckte er unter dem Sessel die Ecke einer Zeitschrift. Er zog sie hervor und hielt eine englische oder amerikanische Zeitschrift über Kriegsschiffe in der Hand. Wallander blätterte sie durch. Sie enthielt eine bunte Mischung von Artikeln über den Flugzeugträger *Ronald Reagan* bis zu Bildern von U-Booten, die noch im Entwicklungsstadium waren. Wallander legte die Zeitschrift zur Seite und betrachtete erneut den Dokumentenschrank. *Zu sehen, ohne zu sehen.* Es war das Erste, wovor Rydberg ihn gewarnt hatte, nicht wirklich wahrzunehmen, was man eigentlich sah. In einer der Schubladen lag ein Staubtuch. Er wischt also auch selbst Staub, dachte Wallander. Kein Staubkorn auf seinen Dokumenten, Ordnung und Sauberkeit. Er drehte den Stuhl und betrachtete erneut die geöffnete Mittelschublade, in der alles kunterbunt durcheinanderlag, ein lebender Widerspruch. Vorsichtig machte er sich daran, den Inhalt zu durchsuchen. Aber nichts erregte seine Aufmerksamkeit. Nur die Unordnung als solche bereitete ihm Kopfzerbrechen. Sie war kein natürlicher Teil von Håkan von Enke. Oder war die Unordnung das Natürliche und die Ordnung das Unnatürliche?

Er stand auf und tastete die Oberseite des Dokumentenschranks ab. Dort lag ein Bündel Papiere, das er herunternahm. Es war ein Bericht über die politische Situation in Kambodscha, verfasst von Robert Jackson und Evelyn Harrison. Zu seiner Verwunderung sah Wallander, dass der Bericht vom amerikanischen Außenministerium herausgegeben war. Er stammte aus dem März 2008, war also ganz neu. Wer ihn auch gelesen haben mochte, hatte es mit starken Emotionen getan, manche Sätze waren unterstrichen, und am Rand fanden sich Anmerkungen mit großen, kräftigen Ausrufezeichen. Wallander versuchte, sich an die offizielle schwedische Übersetzung des englischen Titels zu erinnern, *On the challenges of Cambodia, based upon the legacies of the Pol Pot regime,* aber es gelang ihm nicht.

Er ging zurück ins Wohnzimmer. Die Teetassen waren abgeräumt. Louise stand an einem Fenster und blickte auf die Straße hinunter. Erst als er sich räusperte, drehte sie sich um. Sie tat es so schnell, als wäre sie erschrocken. Wallander kam plötzlich die heftige Bewegung ihres Mannes auf dem Fest in Djursholm in den Sinn. Die gleiche Art von Reaktion, dachte er. Beide sind nervös, verängstigt, sie reagieren, als wären sie einer Bedrohung ausgesetzt.

Er hatte nicht geplant, die Frage zu stellen, sie kam wie von selbst, als er an den Vorfall von Djursholm dachte. »Besitzt er eine Waffe?«

»Nein. Jetzt nicht mehr. Als er noch im Dienst war, hatte er vielleicht eine. Aber hier zu Hause? Nein, nie.«

»Ihr habt kein Sommerhaus?«

»Wir haben darüber gesprochen. Aber wir haben immer

etwas gemietet. Als Hans klein war, haben wir die Sommer regelmäßig draußen auf Utö verbracht. Später sind wir meistens an die Riviera gefahren und haben ein Appartement gemietet. Wir haben davon gesprochen, ein Sommerhaus zu kaufen, aber es ist nie etwas daraus geworden.«

»Und es gibt sonst keinen Ort, an dem er eine Waffe hätte aufbewahren können?«

»Nein. Wo sollte das sein?«

»Vielleicht hat er irgendwo einen Abstellraum? Gibt es hier im Haus Dachspeicher? Oder Keller?«

»Wir haben alte Möbel und Sachen aus seiner Kindheit in einem Kellerraum. Aber dass sich dort eine Waffe finden sollte, kann ich mir nicht vorstellen.«

Sie verließ den Raum und kam mit einem Schlüssel für ein Vorhängeschloss zurück. Wallander nahm ihn und steckte ihn in die Tasche. Louise von Enke fragte, ob er noch Tee haben wolle. Er lehnte ab. Zu sagen, dass er Kaffeetrinker war, fiel ihm nicht ein.

Er kehrte ins Arbeitszimmer zurück und blätterte weiter in dem Bericht über die politische Lage in Kambodscha. Warum hatte er oben auf dem Dokumentenschrank gelegen? Neben dem Lehnstuhl stand ein Fußschemel. Wallander schob ihn vor den Dokumentenschrank und stellte sich darauf auf die Zehenspitzen, so, dass er die Oberfläche überblicken konnte. Nur dort, wo der Bericht gelegen hatte, war keine Staubschicht. Wallander brachte den Schemel zurück und blieb stehen. Plötzlich merkte er, was zuvor seine Aufmerksamkeit erregt hatte. Es schien, als ob Papiere fehlten, vor allem im Dokumentenschrank. Um seiner Sache ganz sicher zu sein, ging Wallander alles noch einmal durch, im Schreibtisch und im Dokumentenschrank. Überall entdeckte er Spuren, die darauf hinwiesen, dass jemand bestimmte Dinge herausgenommen hatte. Konnte Håkan es selbst gewesen sein? Das war natürlich nicht ausgeschlossen, ebenso wenig, dass Louise es getan hatte.

Wallander ging zurück ins Wohnzimmer. Louise saß in einem Sessel, der Wallander sehr alt vorkam. Sie schaute auf ihre Hände. Sie stand auf, als er kam, und fragte wieder, ob er Tee wolle. Diesmal sagte er ja. Er wartete, bis sie ihm den Tee eingegossen hatte, ohne aber selbst eine Tasse zu nehmen.

»Ich finde nichts«, sagte Wallander. »Kann jemand Håkans Papiere durchgegangen sein?«

Sie sah ihn fragend an. Die Erschöpfung ließ ihr Gesicht grau, fast verzerrt erscheinen. »Ich habe sie natürlich durchgesehen. Aber wer sonst sollte da gewesen sein?«

»Ich weiß es nicht. Aber es scheinen Papiere zu fehlen, eine plötzlich entstandene Unordnung. Vielleicht irre ich mich auch.«

»Niemand ist seit dem Tag seines Verschwindens in seinem Büro gewesen. Außer mir.«

»Wir haben schon einmal davon gesprochen. Aber ich möchte die Frage wiederholen. Die Frage nach seinem Ordnungssinn.«

»Er verabscheute Unordnung.«

»Aber er war kein Pedant, wenn ich mich richtig erinnere?«

»Wenn wir Gäste erwarten, hilft er mir, den Tisch zu decken. Er achtet darauf, dass Besteck und Gläser richtig angeordnet sind. Aber er benutzt kein Lineal. Reicht das als Antwort?«

»Es reicht voll und ganz«, sagte Wallander weich und sah mit einem Gefühl des Unbehagens, wie ihr Gesicht immer müder wurde.

Wallander trank seinen Tee und ging dann in den Keller hinunter, um sich den Abstellraum der Familie anzusehen. Er fand alte Koffer, ein Schaukelpferd und Plastikkästen mit Spielsachen früherer Generationen, nicht nur Dinge, die wahrscheinlich Hans gehört hatten. An der Wand standen ein Paar Skier und eine zerlegte Dunkelkammerausrüstung.

Wallander setzte sich vorsichtig auf das Schaukelpferd. Die Einsicht traf ihn wie ein rücksichtsloser Überfall, wie der, den man kürzlich auf ihn verübt hatte. Håkan von Enke war tot. Eine andere Erklärung gab es nicht. Er war tot.

Das Gefühl machte ihn nicht nur traurig. Es machte ihm auch Angst.

Håkan von Enke hat versucht, mir etwas zu erzählen, dachte er. Aber an jenem Abend in dem fensterlosen Zimmer in Djursholm habe ich nicht verstanden, was er mir sagen wollte.

7

Früh am Morgen wachte Wallander davon auf, dass sich im Nebenzimmer ein Pärchen stritt. Die Wände waren so schlecht isoliert, dass er die Schimpfworte verstand, die sie sich an den Kopf warfen. Er stand auf und suchte in seinem Necessaire nach Ohrstöpseln, war diesmal aber anscheinend ohne abgereist. Er klopfte kräftig an die Wand, zwei harte Schläge und danach noch einen, als wollte er mit seiner Faust eine abschließende Drohung hinterherschicken. Der Streit hörte sofort auf, zumindest wurde er so leise, dass er nicht mehr verstand, was gesagt wurde. Bevor er wieder einschlief, grübelte er darüber nach, ob nicht auch Mona und er auf ihrer Reise in die Hauptstadt einen dummen Streit im Hotel ausgetragen hatten. Manchmal waren sie über bedeutungslose Kleinigkeiten aneinandergeraten, immer waren es Kleinigkeiten, nie etwas wirklich Wichtiges, was sie wütend machte. Unsere Zusammenstöße waren nie bunt, sondern immer nur grau, dachte er. Wir waren verdrossen oder enttäuscht oder beides, und wir wussten, dass es vorübergehen würde. Dennoch stritten wir uns, und wir waren beide gleich dumm und gaben einfältige Sätze von uns, die wir sofort bereuten. Wir ließen ganze Vogelschwärme frei und schafften es nicht, sie wieder einzufangen.

Er schlief wieder ein, träumte von einem Menschen, der vielleicht Rydberg oder möglicherweise sein Vater war, der draußen im Regen stand und auf ihn wartete. Aber er hatte sich verspätet, vielleicht hatte der Wagen eine Panne gehabt, und er wusste, dass er wegen seiner Verspätung Vorwürfe zu hören bekommen würde.

Nach dem Frühstück setzte er sich in die Rezeption und rief Sten Nordlander an. Zunächst wählte er die Festnetznummer. Niemand meldete sich. Auch unter der Handynummer erreichte er niemanden. Allerdings konnte er eine Nachricht hinterlassen. Er nannte seinen Namen und sein Anliegen. Aber was war eigentlich sein Anliegen? Nach dem verschwundenen Håkan von Enke zu suchen war die Angelegenheit der Stockholmer Polizei, nicht seine. Möglicherweise konnte er als improvisierender Privatermittler angesehen werden, aber diese Leute hatten seit dem Mord an Olof Palme einen sehr schlechten Ruf.

Er wurde vom Klingeln seines Handys aus seinen Gedanken gerissen.

Es war Sten Nordlander. Seine Stimme war dunkel und heiser. »Ich weiß, wer Sie sind«, sagte er. »Louise und Håkan haben von Ihnen gesprochen. Wo kann ich Sie abholen?«

Wallander stand schon vor dem Hotel, als Nordlanders Auto am Bürgersteig bremste. Es war ein Dodge von ungefähr 1955 mit glänzendem Chrom und Weißwandreifen. Sten Nordlander war in seiner Jugend bestimmt *raggare* gewesen, einer jener Amischlittenfreaks, über die sich damals so viele aufgeregt hatten. Auch jetzt trug er eine Lederjacke, amerikanische Stiefel, Jeans und nur ein dünnes T-Shirt, obwohl es kalt war. Wallander fragte sich, wie es zu einer so engen Freundschaft zwischen Håkan von Enke und Sten Nordlander gekommen war. Auf den ersten Blick fiel es ihm schwer, sich zwei unterschiedlichere Männer vorzustellen. Aber es war gefährlich, nur dem äußeren Schein zu vertrauen. Einer von Rydbergs stets wiederkehrenden Aussprüchen lautete: *Oberflächen sind etwas, worauf man fast immer ausgleitet.*

»Springen Sie rein«, sagte Sten Nordlander.

Wallander fragte nicht, wohin sie fuhren, sondern ließ sich in den roten Ledersitz sinken, der bestimmt original war. Er stellte ein paar höfliche Fragen zu dem Wagen und erhielt ebenso höfliche Antworten. Dann schwiegen sie. Zwei große Würfel aus einem wollartigen Material baumelten am Rückspiegel. In seiner frühesten Jugend hatte Wallander viele Autos dieser Art gesehen. Hinter den Lenkrädern saßen Männer um die vierzig, ihre Anzüge glänzten wie das Chrom der Wagen. Sie kauften die Bilder seines Vaters im Dutzend auf und bezahlten mit Scheinen, die sie von dicken Geldbündeln abzählten. Er hatte sie damals »die Seidenritter« genannt. Später hatte er begriffen, dass sie seinen Vater demütigten, indem sie viel zu wenig für seine Bilder zahlten.

Die Erinnerung ließ ihn einen Anflug von Melancholie verspüren. Eine Zeit, die vorbei war, unwiderruflich.

Der Wagen hatte keine Sicherheitsgurte. Sten Nordlander sah, wie Wallander danach suchte.

»Der Wagen gilt als antikes Stück«, sagte er. »Ich habe eine Ausnahmegenehmigung wegen der Sicherheitsgurte.«

Sie kamen irgendwo auf Värmdö heraus. Wallander hatte bereits jedes Gefühl für Richtung und Entfernung verloren. Nordlander hielt das schaukelnde Gefährt vor einem braun gestrichenen Haus an, das ein Café beherbergte.

»Die Inhaberin des Cafés war mit einem guten Freund von Håkan und von mir verheiratet«, sagte Sten Nordlander. »Matilda ist inzwischen Witwe, ihr Mann Claes Hornvig war Erster Offizier auf einer Schlange, auf der Håkan und ich fuhren.«

Wallander nickte. Er erinnerte sich, dass Håkan von Enke diesen U-Boot-Typ erwähnt hatte.

»Wir unterstützen sie. Sie hat das Geld nötig. Außerdem macht sie guten Kaffee.«

Als Wallander eintrat, fiel sein Blick sofort auf ein Periskop mitten im Raum. Sten Nordlander erklärte, von welchem eingemotteten U-Boot es stammte, und Wallander wurde klar, dass er sich jetzt in einem privaten U-Boot-Museum befand.

»Es wurde zur Gewohnheit«, sagte Sten Nordlander. »Alle, die je auf schwedischen U-Booten gefahren sind, entweder als feste Besatzung oder als Wehrpflichtige, machten mindestens eine Pilgerfahrt zu Matildas Café. Und man brachte immer irgendetwas Gutes mit, alles andere war undenkbar. Ein bisschen gestohlenes Porzellan, eine Wolldecke, sogar funktionierende Steuerruder und Regler. Höhepunkte waren natürlich die Gelegenheiten, wenn U-Boote außer Dienst gestellt und verschrottet werden sollten. Dann haben viele sich einfach bedient, und immer war jemand dabei, der eine Kollekte für Matilda organisierte. Da spendete man kein Geld, sondern lieber einen Tiefenmesser, den man in dem ausgemusterten U-Boot losgeschraubt hatte.«

Eine etwa zwanzigjährige Frau kam durch die Schwingtür aus der Küche.

»Matildas und Claes' Enkelin Marie«, sagte Sten Nordlander. »Matilda kommt noch manchmal her, aber sie ist über neunzig. Sie behauptet, ihre Mutter sei hunderteins und ihre Großmutter hundertdrei Jahre alt geworden.«

»Das stimmt«, sagte das Mädchen. »Mutter ist fünfzig. Sie geht davon aus, dass sie ihr halbes Leben gelebt hat.«

Sie bekamen ein Tablett mit Kaffee und Zimtschnecken. Sten Nordlander nahm außerdem eine Napoleonschnitte. An einigen Tischen saßen Gäste, die meisten älteren Jahrgangs.

»Alte U-Boot-Besatzungen?«, fragte Wallander, während sie dem hintersten Raum zustrebten, der leer war.

»Nicht unbedingt«, sagte Sten Nordlander. »Aber viele von ihnen kenne ich.«

Im Hinterzimmer hingen alte Uniformjacken und militärische Signalflaggen an den Wänden. Wallander hatte das Gefühl, sich in einem Requisitenlager für Militärfilme zu befinden. Sie setzten sich an einen Ecktisch. An der Wand über ihnen hing ein gerahmtes Schwarzweißfoto.

Sten Nordlander zeigte darauf. »Da haben Sie eine unserer Seeschlangen. Die Nummer zwei in der hinteren Reihe bin ich, die Nummer vier ist Håkan. Claes Hornvig war damals nicht dabei.«

Wallander stand auf, um das Bild genauer zu betrachten. Es war schwierig, die Gesichter zu erkennen. Sten Nordlander erzählte, das Foto sei in Karlskrona aufgenommen worden, kurz vor dem Auslaufen zur Langfahrt.

»Vielleicht keine richtige Traumreise«, fuhr er fort. »Wir sollten von Karlskrona nach Kvarken laufen, ganz bis Kalix hinauf und wieder zurück. Es war im November, eiskalt. Wenn ich mich richtig erinnere, hatten wir die ganze Zeit Sturm. Es schaukelte, wo wir uns auch befanden, denn der Bottnische Meerbusen ist flach. Wir kamen nie in ausreichend große Tiefen. Die Ostsee ist eine Pfütze.«

Sten Nordlander aß gierig seinen Kuchen. Aber es schien ihm egal zu sein, wie er schmeckte. Plötzlich legte er die Gabel hin. »Was ist passiert?«, fragte er.

»Ich weiß kaum mehr als Sie oder Louise.«

Sten Nordlander schob die Kaffeetasse mit einer heftigen Bewegung zur Seite. Wallander bemerkte, dass er genauso erschöpft war wie Louise. Noch jemand, der nicht schläft, dachte er.

»Sie kennen ihn«, sagte Wallander. »Sehr gut sogar. Louise sagt, Sie ständen sich sehr nah. Wenn das so ist, dann ist Ihre Ansicht von dem, was passiert ist, sehr wichtig.«

»Sie reden genau wie der Polizeibeamte, den ich in der Bergsgata besucht habe.«

»Ich *bin* Polizeibeamter.«

Sten Nordlander nickte. Er war sehr konzentriert. Seine Kiefer verrieten die Anspannung.

»Warum waren Sie nicht auf seinem fünfundsiebzigsten Geburtstag?«, fragte Wallander.

»Ich habe eine Schwester in Bergen in Norwegen. Ihr Mann ist plötzlich gestorben. Sie brauchte meine Hilfe. Außerdem kann ich mit großen Veranstaltungen nicht viel anfangen. Håkan und ich hatten unsere eigene Feier. Eine Woche vorher.«

»Und wo?«

»Hier. Bei Kaffee und Kuchen.«

Sten Nordlander zeigte auf eine Uniformmütze, die an der Wand hing.

»Das ist Håkans Mütze. Er hat sie gestiftet, als wir unser kleines Fest hatten.«

»Worüber haben Sie gesprochen?«

»Über das, worüber wir immer gesprochen haben, was im Oktober 1982 geschehen war. Ich tat damals auf dem Zerstörer *Halland* Dienst. Er sollte bald außer Dienst gestellt werden. Jetzt liegt er als Museumsschiff in Göteborg.«

»Sie waren also nicht nur auf U-Booten Maschineningenieur?«

»Ich habe auf einem Torpedoboot angefangen, dann folgten eine Korvette, U-Boot-Jäger und U-Boote, am Schluss wieder Zerstörer. Wir lagen an der Westküste, als die ersten U-Boote in der Ostsee auftauchten. Am zweiten Oktober gegen Mittag sagte Befehlshaber Nyman, wir würden mit voller Fahrt in die Schären um Stockholm laufen, um uns dort als Reserve in Bereitschaft zu halten.«

»Hatten Sie in diesen intensiven Tagen Kontakt mit Håkan?«

»Er rief mich regelmäßig an.«

»Zu Hause oder an Bord?«

»Auf dem U-Boot-Jäger. Ich war in jener Zeit nie zu Hause. Alle Urlaube waren gestrichen. Es herrschte Alarmbereitschaft, kann man wohl sagen. Man muss bedenken, dass es die wunderbare Zeit war, als noch nicht jedermann über ein Mobiltelefon verfügte. Die Wehrpflichtigen, die das Telefon des U-Boot-Jägers bedienten, kamen herunter und sagten Bescheid, dass ein Gespräch wartete. Meistens rief er nachts an. Er wollte, dass ich die Gespräche nur in meiner Kajüte in Empfang nahm.«

»Warum das?«

»Er wollte wohl nicht, dass jemand hörte, worüber wir sprachen.«

Sten Nordlander antwortete in mürrischem und widerwilligem Tonfall. Dabei zerdrückte er die Reste seines Kuchens mit der Gabel. »Wir telefonierten praktisch jede Nacht zwischen dem ersten und dem fünfzehnten Oktober. Eigentlich glaube ich nicht, dass es erlaubt war, so mit mir zu reden, wie er es tat. Aber wir vertrauten einander. Er trug schwer an seiner Verantwortung. Eine Unterwasserbombe konnte falsch landen und das U-Boot versenken, statt es an die Oberfläche zu zwingen.«

Sten Nordlander hatte jetzt die Kuchenreste zu einem unappetitlichen Brei auf dem Teller zermanscht. Er legte die Gabel hin und warf eine Papierserviette darauf. »Am letzten Abend rief er mich dreimal an. Spät in der Nacht, oder eher im Morgengrauen, rief er ein letztes Mal an.«

»Sie waren immer noch auf dem Zerstörer?«

»Wir lagen eine knappe Seemeile südöstlich von Hårsfjärden. Es wehte ein frischer, aber nicht besonders starker Wind. An Bord herrschte volle Alarmbereitschaft. Die Offiziere waren natürlich informiert, worum es ging, aber die übrige Besatzung wusste nur, dass Bereitschaft war, nicht warum.«

»War es wirklich vorgesehen, dass Sie bei der U-Boot-Jagd eingesetzt werden sollten?«

»Wir konnten ja nicht wissen, was die Russen sich einfallen lassen würden, wenn wir eins ihrer U-Boote hochholten. Vielleicht würden sie versuchen, es zu befreien. Es lagen russische Kriegsschiffe nördlich von Gotland, und sie bewegten sich langsam in unsere Richtung. Einer unserer Funker sagte, er habe noch nie so viel russischen Funkverkehr erlebt, nicht einmal bei den allergrößten Manövern unten an der baltischen Küste. Die machten sich Sorgen, das war uns klar.«

Er verstummte, als Marie hereinkam und fragte, ob sie Kaffee nachschenken solle. Beide sagten nein.

»Nehmen wir das Wesentlichste«, sagte Wallander. »Wie reagierten Sie darauf, dass dem gestellten U-Boot erlaubt wurde, zu entkommen?«

»Ich traute natürlich meinen Ohren nicht.«

»Wie erfuhren Sie davon?«

»Nyman erhielt plötzlich Order, dass wir uns nach Landsort zurückziehen und dort warten sollten. Es wurde keine Erklärung gegeben, und Nyman war keiner, der unnötige Fragen stellte. Ich befand mich im Maschinenraum, als der Bescheid kam, dass ein Telefongespräch auf mich wartete. Ich lief hinauf in meine Kajüte. Es war Håkan. Er fragte, ob ich allein sei.«

»Tat er das öfter?«

»Nur an diesem Tag, sonst nicht. Ich sagte, ich sei allein. Er bestand darauf, dass es wichtig sei. Ich weiß noch, dass ich fast wütend wurde. Plötzlich wurde mir klar, dass er die Operationsführung verlassen hatte und von einem Münztelefon aus anrief.«

»Wie konnten Sie das wissen? Hat er es gesagt?«

»Ich hörte, dass er Münzen einwarf. Es gab ein öffentliches Telefon in der Offiziersmesse. Weil er der Führungszentrale nicht lange fernbleiben konnte, kaum länger als ein Besuch auf der Toilette dauert, musste er gelaufen sein.«

»Hat er das gesagt?«

Sten Nordlander sah ihn forschend an. »Sind Sie der Polizist hier oder ich? Ich hörte, dass er außer Atem war!«

Wallander ließ sich nicht aus dem Konzept bringen. Er nickte Nordlander nur zu, weiterzusprechen.

»Er war aufgebracht, einerseits wütend und andererseits hatte er Angst, so kann man es wohl sagen. Es war, als brenne die Lunte an beiden Seiten. Er schrie, dass es Verrat sei und dass er beabsichtige, den Befehl zu verweigern und dieses U-Boot heraufzubomben, egal, was sie sagten. Dann waren die Münzen alle. Es war wie ein Tonband, das abgeschnitten wurde.«

Wallander starrte ihn an und wartete auf eine Fortsetzung, die jedoch nicht kam. »Verrat? Das ist ein starkes Wort.«

»Aber genau das war es! Landesverrat. Man ließ ein U-Boot entkommen, das unsere Grenzen verletzt hatte.«

»Wer war dafür verantwortlich?«

»Einer oder mehrere in der obersten Führung, die sehr kalte Füße bekommen hatten. Sie wollten kein russisches U-Boot an die Oberfläche holen.«

Ein Mann mit einer Kaffeetasse in der Hand betrat den Raum. Aber Sten Nordlander blickte ihn mit so entschlossenen Augen an, dass er sogleich den Rückzug antrat und sich einen Tisch in einem anderen Raum suchte.

»Wer die Verantwortung hatte, das weiß ich nicht. Die Frage nach dem ›Warum‹ ist möglicherweise leichter zu beantworten. Aber das sind natürlich Spekulationen. Was man nicht weiß, das weiß man nicht.«

»Manchmal ist es nötig, laut zu denken. Selbst für Polizisten.«

»Nehmen wir an, es war etwas an Bord dieses U-Boots, das schwedische Behörden nicht in die Hand bekommen sollten.«

»Was könnte das gewesen sein?«

Sten Nordlander senkte die Stimme, gerade so viel, dass Wallander es merken sollte. »Man kann diese Annahme dahin gehend vertiefen, dass es nicht ›etwas‹ war, sondern ›jemand‹. Wie hätte es ausgesehen, wenn dort ein schwedischer Offizier an Bord gewesen wäre? Nur als Beispiel.«

»Wie kommen Sie darauf?«

»Das ist nicht meine Idee. Es war eine von Håkans Theorien. Er hatte viele.«

Wallander überlegte, bevor er fortfuhr. Er sagte sich, dass er besser notiert hätte, was Sten Nordlander berichtete.

»Was geschah danach?«

»Was meinen Sie mit ›danach‹?« Sten Nordlander begann unwirsch zu werden. Aber ob das an Wallanders Fragen lag oder an der Sorge um den verschwundenen Freund, konnte Wallander nicht entscheiden.

»Håkan hat mir erzählt, dass er begonnen habe, Fragen zu stellen«, sagte er. »Er hat versucht, den Dingen auf den Grund zu gehen. Fast alles war natürlich geheim. Ein Teil des Materials unterlag sogar einer verschärften Geheimhaltung, so dass es erst nach siebzig Jahren freigegeben wird. Das ist die längste Zeit, die etwas in Schweden der Geheimhaltung unterliegen kann. Normalerweise bleiben die Archivtüren vierzig Jahre lang verschlossen. Aber hier wurden also gewisse Dokumente für siebzig Jahre aus dem Verkehr gezogen. Selbst die nette Marie, die uns den Kaffee serviert, wird vor ihrem Tod kaum einen Blick in die Papiere werfen können.«

»Anderseits entstammt sie einem Geschlecht mit guten Genen«, wandte Wallander ein.

Sten Nordlander reagierte nicht.

»Håkan konnte hartnäckig sein, wenn er sich etwas in den Kopf gesetzt hatte«, fuhr er fort. »Er fühlte sich verletzt, so wie die schwedischen Hoheitsgewässer verletzt waren. Jemand hatte Verrat geübt, schweren Verrat. Obwohl eine ganze Menge Journalisten sich den U-Booten widmeten, war Håkan nicht zufrieden. Er wollte es wirklich wissen. Er setzte seine Karriere dabei aufs Spiel.«

»Mit wem sprach er?«

Sten Nordlanders Antwort kam wie aus der Pistole geschossen. »Mit allen. Er fragte alle. Vielleicht nicht den König, aber es fehlte nicht viel. Er drängte auf ein Gespräch mit dem Ministerpräsidenten, das ist auf jeden Fall sicher. Er rief Thage G. Peterson an, den alten, feinen Sozialdemokraten in der Staatskanzlei, und bat um einen Termin bei Palme. Peterson sagte, es gebe keinen freien Termin, aber

Håkan ließ nicht locker. ›Holen Sie den zweiten Kalender heraus‹, sagte er. ›Den, auf dem dringende Besuche immer noch irgendwo eingeschoben werden.‹ Und er bekam tatsächlich einen Termin. Das war ein paar Tage vor Weihnachten 1983.«

»Hat er Ihnen davon erzählt?«

»Ich habe ihn begleitet.«

»Zu Palme?«

»Ich war an jenem Tag sein Chauffeur, könnte man sagen. Ich saß wartend draußen im Auto und sah, wie er in Uniform und dunklem Mantel durch die Tür des – gleich nach dem Schloss – Allerheiligsten im Lande eintrat. Der Besuch dauerte ungefähr dreißig Minuten. Nach zehn Minuten klopfte ein Parkwächter an die Scheibe und sagte, man dürfe dort nur Leute absetzen, aber nicht parken. Ich kurbelte die Scheibe herunter und erklärte ihm, dass ich auf eine Person wartete, die sich bei einem wichtigen Treffen mit dem Ministerpräsidenten befinde, und nicht die Absicht hätte, von dort wegzufahren. Danach ließ er mich in Ruhe. Als Håkan zurückkam, hatte er Schweißperlen auf der Stirn.«

Schweigend waren sie davongefahren.

»Wir fuhren hierher«, sagte Sten Nordlander. »Und wir saßen genau an diesem Tisch. Als wir aus dem Wagen stiegen, fing es an zu schneien. In dem Jahr bekamen wir weiße Weihnachten in Stockholm. Der Schnee blieb bis Silvester liegen. Dann spülte der Regen alles wieder weg.«

Marie kam wieder mit der Kaffeekanne vorbei. Diesmal ließen sie ihre Tassen auffüllen. Als Sten Nordlander ein Stück Zucker in den Mund nahm, bemerkte Wallander plötzlich, dass er ein Gebiss trug. Das verursachte ihm für einige Sekunden ein Unwohlsein. Vielleicht weil es ihn daran erinnerte, dass er selbst nur allzu nachlässig war mit seinen Zahnarztbesuchen.

Sten Nordlander zufolge hatte von Enke sehr detailliert über seine Begegnung mit Olof Palme berichtet. Er war gut empfangen worden, Palme hatte einige Fragen nach seiner militärischen Karriere gestellt und mit leichter Selbstironie seinen eigenen Status als Reserveoffizier erwähnt. Palme hatte von Enke aufmerksam zugehört. Und von Enke hatte kein Blatt vor den Mund genommen. Was die Loyalität gegenüber seinem Arbeitgeber, dem schwedischen Militär, anging, so hatte er dort im Büro des Ministerpräsidenten alle bestehenden Grenzen überschritten, meinte Sten Nordlander. Er hatte sich aus eigenem Antrieb an den Ministerpräsidenten des Landes gewandt und damit alle Brücken zwischen dem Oberbefehlshaber und seinem Stab abgebrochen. Jetzt gab es kein Zurück mehr. Er musste es sagen, wie es war. Er hatte schon mehr als zehn Minuten gesprochen, als er zum entscheidenden Punkt kam. Und Palme habe ihm zugehört, sagte er. Mit halb geöffnetem Mund und ohne den Blick von ihm zu wenden. Hinterher habe Palme lange nachgedacht, bevor er begonnen habe, Fragen zu stellen. Zunächst wollte er wissen, ob das Militär sich bezüglich der Nationalität des U-Boots sicher gewesen sei, ob es wirklich dem Warschauer Pakt angehört habe. Håkan habe mit einer Gegenfrage geantwortet, sagte Sten Nordlander. Er habe gefragt, was es denn sonst gewesen sein solle. Palme habe darauf nicht geantwortet, nur den Kopf geschüttelt. Als Håkan begonnen habe, von Landesverrat und einem militärpolitischen Skandal zu sprechen, habe Palme ihn unterbrochen und gesagt, dies sei eine Diskussion, die auf andere Weise geführt werden müsse, nicht unter vier Augen beim Ministerpräsidenten. Danach waren sie nicht weitergekommen. Ein Sekretär hatte vorsichtig die Tür geöffnet und Palme an seinen nächsten Termin erinnert. Als Håkan zum Auto zurückkam, war er verschwitzt, aber erleichtert und voller Optimismus, dass jetzt etwas geschehen würde. Der Ministerpräsident hatte seinen Vorwurf, es sei Verrat begangen worden, verstanden. Jetzt würde er von seinem Verteidigungsminister und seinem Oberbefehlshaber Aufklärung verlangen. Wer hatte den Käfig geöffnet und das U-Boot entkommen lassen? Und vor allem, warum?«

Sten Nordlander hielt inne und warf einen Blick auf seine Armbanduhr, bevor er fortfuhr: »Es war Weihnachten. Alles stand ein paar Tage still, aber kurz vor Neujahr wurde Håkan zu einem Gespräch beim Oberbefehlshaber beordert. Der erteilte ihm eine scharfe Rüge, weil er hinter seinem Rücken Olof Palme aufgesucht hatte. Aber Håkan begriff, dass die eigentliche Kritik sich gegen den Ministerpräsidenten selbst richtete, der einen Marineoffizier auf Irrwegen nicht hätte empfangen dürfen.«

»Aber er grub weiter in der Geschichte nach? Er ließ nicht locker? Obwohl er kaltgestellt wurde?«

»Er hat seitdem nicht aufgehört damit. Seit fünfundzwanzig Jahren nicht.«

»Sie sind sein engster Freund. Er muss mit Ihnen über die Drohungen gesprochen haben, die er erhielt?«

Sten Nordlander nickte, ohne einen Kommentar abzugeben.

»Und jetzt ist er verschwunden?«

»Er ist tot. Jemand hat ihn getötet.«

Die Antwort kam schnell und hart. Sten Nordlander hatte von Håkans Tod gesprochen, als gäbe es keinen Zweifel.

»Wie können Sie so sicher sein?«

»Welchen Grund gibt es, zu zweifeln?«

»Wer hat ihn getötet? Und warum?«

»Ich weiß es nicht. Aber vielleicht wusste er etwas, was am Ende zu gefährlich wurde.«

»Es ist fünfundzwanzig Jahre her, dass diese U-Boote die schwedischen Hoheitsgrenzen verletzten. Was kann nach so vielen Jahren noch gefährlich sein? Herrgott, die Sowjetunion existiert nicht mehr, die Berliner Mauer ist abgerissen. Und die DDR? Das ist alles Vergangenheit. Was sind das für Schatten, die jetzt plötzlich auftauchen sollten?«

»Wir glauben, dass alles vorbei ist. Aber es kann ja sein,

dass jemand nur draußen in den Kulissen gewesen ist und die Kleider gewechselt hat. Das Repertoire kann sich geändert haben, aber die Bühne, auf der sich alles abspielt, ist dieselbe.«

Sten Nordlander stand auf. »Wir können ein andermal weiterreden«, sagte er. »Jetzt wartet meine Frau auf mich.«

Er fuhr Wallander zum Hotel zurück.

Kurz bevor sie sich trennten, fiel Wallander noch eine Frage ein. »Hatte Håkan noch jemanden, der ihm richtig nahestand?«

»Keiner stand ihm nahe. Vielleicht Louise. Alte Seebären sind oft reserviert. Sie wollen für sich sein. Ich stand ihm kaum nahe. Aber vielleicht standen wir uns *näher*, um es einmal so zu sagen.«

Wallander merkte, dass Sten Nordlander zögerte. »Steven Atkins«, sagte er schließlich. »Ein amerikanischer U-Boot-Kapitän. Ein, zwei Jahre jünger. Ich glaube, er wird im nächsten Jahr fünfundsiebzig.«

Wallander zog sein Notizbuch hervor und notierte den Namen. »Haben Sie eine Adresse von ihm?«

»Er lebt in Kalifornien, in der Nähe von San Diego. Er war auf Groton stationiert, dem großen Marinestützpunkt.«

Wallander fragte sich, warum Louise den Namen Steven Atkins nicht erwähnt hatte. Aber damit wollte er Sten Nordlander nicht behelligen, der es eilig zu haben schien und ungeduldig ans Gaspedal tippte.

Wallander sah dem glänzenden Wagen hinterher, wie er die Straße hinauffuhr und verschwand.

Dann ging er in sein Zimmer und dachte über alles nach, was er gehört hatte. Aber Håkan von Enke war weiterhin verschwunden, und Wallander schien der Lösung nicht einen Schritt näher gekommen zu sein.

8

Am nächsten Morgen rief Linda an und fragte, wie es in Stockholm gehe. Er sagte wahrheitsgemäß, Louise sei überzeugt, dass Håkan von Enke nicht mehr lebe.

»Hans weigert sich, das zu glauben«, sagte Linda. »Er ist überzeugt, dass sein Vater nicht tot ist.«

»Ganz im Innersten ahnt er vielleicht, dass Louise recht haben könnte.«

»Was glaubst du?«

»Es sieht nicht gut aus.«

Wallander fragte, ob sie mit jemandem in Ystad gesprochen habe. Er wusste, dass sie auch privat mit Kristina Magnusson verkehrte.

»Der interne Ermittler ist wieder nach Malmö zurückgekehrt«, sagte sie. »Das heißt, dass in deiner Angelegenheit jetzt eine Entscheidung fällt.«

»Vielleicht feuern sie mich«, sagte Wallander.

Sie klang beinah empört, als sie antwortete. »Es war natürlich unglaublich dämlich von dir, deine Pistole mit ins Restaurant zu nehmen. Aber wenn das dazu führen sollte, dass sie dich feuern, dann müssten ein paar hundert schwedische Polizisten auf einen Schlag ihren Job verlieren. Wegen wesentlich schwerer wiegender disziplinarischer Vergehen.«

»Ich rechne mit dem Schlimmsten«, sagte Wallander finster.

»Wenn du dieses Selbstmitleid überwunden hast, können wir wieder miteinander reden«, sagte sie und legte auf.

Wallander dachte, dass sie natürlich recht hatte. Wahrscheinlich würde er eine Abmahnung bekommen, möglicherweise einen Lohnabzug. Er griff zum Telefon, um sie wieder anzurufen, ließ es aber bleiben. Die Gefahr, dass sie sich streiten würden, war zu groß. Er zog sich an, frühstückte und rief dann bei Ytterberg an, der ihm versprach, ihn um neun Uhr zu treffen. Wallander fragte, ob sie irgendwelche Spuren gefunden hätten, aber die Antwort war negativ.

»Wir haben einen Hinweis erhalten, dass von Enke in Södertälje gesehen worden sei«, sagte Ytterberg. »Was er auch da zu suchen haben mochte. Aber es war eine Niete. Ein Mann in Uniform. Und die trug unser Freund nicht auf seinem langen Spaziergang.«

»Aber es ist schon seltsam, dass ihn niemand gesehen hat«, sagte Wallander. »Wenn ich es recht verstanden habe, ist der Lilljansskog doch ziemlich beliebt bei Joggern und Hundebesitzern.«

»Ganz deiner Meinung«, sagte Ytterberg. »Das macht uns auch Kummer. Aber es scheint ihn niemand gesehen zu haben. Komm um neun, dann reden wir weiter. Ich hol dich unten ab.«

Ytterberg war groß und kräftig, und Wallander dachte unwillkürlich an die klassischen schwedischen Ringergestalten. Er warf einen Blick auf Ytterbergs Ohren, um zu sehen, ob sie die blumenkohlartige Deformation aufwiesen, die bei Ringern üblich ist, entdeckte jedoch keine Anzeichen für eine Ringerkarriere. Trotz seiner kräftigen Gestalt bewegte Ytterberg sich auf leichten Füßen. Er berührte kaum den Boden, als er mit Wallander durch die Korridore eilte. Schließlich gelangten sie zu einem chaotischen Büroraum, in dem ein riesiger aufblasbarer Delphin auf dem Fußboden lag.

»Für mein Enkelkind«, sagte Ytterberg. »Anna Laura Constance bekommt ihn am Freitag zu ihrem neunten Geburtstag. Hast du Enkelkinder?«

»Ich habe gerade das erste bekommen. Ein Mädchen.«

»Und wie heißt es?«

»Sie hat noch keinen Namen. Die Eltern warten darauf, dass er sich von selbst einfindet.«

Ytterberg murmelte etwas Unverständliches und ließ sich schwer auf seinen Stuhl fallen. Er zeigte auf eine Kaffeemaschine in der Ecke, aber Wallander schüttelte den Kopf.

»Wir gehen inzwischen davon aus, dass ein Gewaltverbrechen vorliegt«, sagte Ytterberg. »Er ist schon zu lange weg. Die ganze Sache ist sonderbar. Keine einzige Spur. Niemand hat ihn gesehen. Er hat sich im wahrsten Sinne des Wortes in Luft aufgelöst. Der Wald ist voller Menschen, aber niemand hat ihn gesehen. Das passt nicht zusammen.«

»Das heißt also, dass er von seinem üblichen Verhalten abgewichen ist und gar nicht im Lilljansskog war?«

»Zumindest dass etwas passiert ist, bevor er in den Wald kam. Was immer das gewesen sein mag, es ist schon seltsam, dass niemand etwas gesehen hat. Man tötet keinen Menschen auf dem Valhallaväg, ohne dass es bemerkt wird. Man zieht auch nicht so ohne weiteres einen Mann in ein Auto.«

»Kann er sich freiwillig entfernt haben?«

»Da er niemandem aufgefallen ist, liegt das nahe. Aber sonst spricht nichts dafür.«

Wallander nickte. »Du hast gesagt, die Sicherheitspolizei interessiere sich für den Fall. Haben sie irgendetwas beitragen können?«

Ytterberg blinzelte Wallander an und lehnte sich zurück. »Seit wann trägt die Sicherheitspolizei hierzulande etwas Sinnvolles bei? Sie sagen, es sei reine Routine, dass sie sich dafür interessieren, wenn ein hoher Militär verschwindet, auch wenn er schon lange pensioniert ist.«

Ytterberg goss sich eine Tasse Kaffee ein.

Wallander schüttelte wieder den Kopf. »Auf dem Fest zu seinem Fünfundsiebzigsten wirkte von Enke beunruhigt«, sagte er.

Weil er Vertrauen zu Ytterberg gefasst hatte, erzählte er von der Episode auf der Terrasse, als von Enke erschrocken war. »Außerdem bekam ich an dem Abend den Eindruck, dass er sich mir anvertrauen wollte. Aber nichts von allem, was er sagte, erklärte seine Beunruhigung, und es gab auch nichts, was man als eine besondere Vertraulichkeit hätte bezeichnen können.«

»Aber er hatte Angst?«

»Es kam mir so vor. Ich weiß noch, wie ich dachte, dass ein U-Boot-Kapitän sich kaum durch eingebildete Gefahren beunruhigen lassen würde. Dafür sollte ein Dasein unter Wasser gesorgt haben.«

»Ich verstehe, was du meinst«, sagte Ytterberg nachdenklich.

Auf dem Korridor erklang plötzlich eine erregte Frauenstimme. Wallander bekam mit, dass die Frau sich wütend darüber beschwerte, »von einem Kasper verhört zu werden«. Dann wurde es wieder still.

»Etwas beunruhigt mich«, sagte Wallander. »Ich bin das Arbeitszimmer in seiner Wohnung in der Grevgata durchgegangen. Dabei hatte ich das Gefühl, dass jemand dort gewesen war und sein Archiv gesäubert hat. Es fällt mir schwer, es zu begründen. Aber du kennst so etwas. Man findet ein System in der Art, wie Menschen ihre Habe verwahren, vor allem die Papiere, die sich in unser aller Kielwasser ansammeln. Der eigentliche *Schaum des Lebens*, wie ein alter Kommissar einmal zu mir sagte. Aber dann kommt es plötzlich zu Brüchen. Es entstehen seltsame Lücken. Alles war auffallend ordentlich – bis auf eine Schublade, in der alles durcheinanderlag.«

»Was hat seine Frau dazu gesagt?«

»Dass niemand außer ihr im Zimmer gewesen sei.«

»Dann gibt es wohl nur zwei Möglichkeiten. Entweder war sie es selbst, die dort aus Gründen, die sie nicht nennen will, eine Art Säuberung vorgenommen hat. Vielleicht will sie einfach ihre Neugier nicht zugeben. Es ist ihr peinlich, was weiß ich. Oder er selbst hat die Schublade durchwühlt.«

Wallander verlor sich in Gedanken, als er hörte, was Ytterberg sagte. Es war etwas, was er verstehen sollte, ein Zusammenhang, der ganz kurz aufschien, um sogleich wieder unklar zu werden. Aber es gelang ihm nicht, den Gedanken festzuhalten. »Lass uns noch einmal zur Sicherheitspolizei zurückkommen«, sagte er. »Können die etwas gegen ihn in der Hand haben? Einen alten Verdacht, der in einer verstaubten Schublade gelegen hat und jetzt plötzlich wieder interessant wird?«

»Diese Frage habe ich auch gestellt. Und erhielt eine sehr diffuse Antwort. Das kann man auf zweierlei Weise deuten. Entweder da ist nichts, oder der Sicherheitsmann, der mich besucht hat, wusste nicht Bescheid. Das ist denkbar. Wir haben wohl alle zuweilen das Gefühl, dass die Leute intern zwar eine Menge Geheimnisse haben, es aber nicht immer vermeiden können, ihr Wissen an die Öffentlichkeit dringen zu lassen.«

»Aber gab es etwas gegen von Enke?«

Ytterberg machte eine ausladende Handbewegung und traf den Kaffeebecher, der umkippte, so dass der Kaffee über die Tischplatte lief. Wütend warf Ytterberg den Becher in den Papierkorb und wischte den Tisch und die durchnässten Papiere mit einem Handtuch ab, das auf einem Regal neben dem Schreibtisch lag. Wallander vermutete, dass die Episode mit dem Kaffeebecher kein Einzelfall war.

»Es gab nichts«, sagte Ytterberg. »Håkan von Enke ist ein durch und durch ehrenhafter schwedischer Militär. Ich habe mit einem Mann gesprochen, dessen Namen ich wieder vergessen habe. Er hat Zugang zu den Personalakten der Marineoffiziere und versichert, Håkan von Enke sei eine Sonne ohne Flecken. Er legte eine schnelle Karriere hin, wurde ziemlich früh Korvettenkapitän. Aber danach war Stillstand. Die Karriere verebbte, kann man sagen.«

Wallander dachte an das, was Sten Nordlander über von Enke gesagt hatte, nämlich dass er seine Karriere aufs Spiel gesetzt habe. Ytterberg reinigte sich mit einem Brieföffner die Fingernägel. Auf dem Korridor ging jemand vorbei und pfiff. Zu seiner Verwunderung erkannte Wallander einen alten Schlager aus dem Krieg: »We'll meet again ...« »Don't know where, don't know when«. Er summte im Kopf die Melodie mit.

»Wie lange bleibst du in Stockholm?«, fragte Ytterberg.

»Ich fahre heute Nachmittag zurück.«

»Lass mir deine Telefonnummer hier, dann halte ich dich auf dem Laufenden.«

Ytterberg brachte ihn an die Tür zur Bergsgata. Wallander ging zum Kungsholms Torg, winkte ein Taxi heran und kehrte ins Hotel zurück. Nachdem er das Bitte-nicht-stören-Schild an die Tür gehängt hatte, legte er sich aufs Bett. In Gedanken kehrte er noch einmal zu dem Fest in Djursholm zurück. Es kam ihm vor, als zöge er die Schuhe aus und tastete sich auf Zehenspitzen vorwärts, um sich lautlos seiner eigenen Erinnerung an Håkan von Enkes Verhalten und das, was er gesagt hatte, zu nähern. Er drehte und wendete seine Erinnerungsbilder, um die Risse zu erkennen. Vielleicht hatte er sich gründlich geirrt? Was er als Angst gedeutet hatte, war gar keine? Der Gesichtsausdruck eines Menschen konnte in ganz unterschiedlicher Weise gelesen werden. Kurzsichtige Menschen, die blinzelten, konnten schnell mal als dreist oder verächtlich eingestuft werden. Sechs Tage war der Mann, dessen Spuren er zu folgen versuchte, schon verschwunden. Die Zeitgrenze war überschritten, innerhalb derer Menschen in den meisten Fällen wieder auftauchen. Oder zumindest ein Lebenszeichen von sich gaben. Bei Håkan von Enke nichts dergleichen.

Er ist nur verschwunden, sagte sich Wallander in seinem stummen Selbstgespräch. Er begibt sich auf einen Spaziergang und kommt nicht zurück. Sein Pass liegt zu Hause, er hat kein Geld bei sich, nicht einmal sein Handy. Dies Letzte war einer der Punkte, an denen Wallander gestutzt hatte, einer der verwirrendsten Begleitumstände. Das Handy war ein Rätsel, das einer Lösung bedurfte, einer Antwort. Natürlich konnte er es vergessen haben. Aber ausgerechnet an dem Morgen, an dem er verschwand? Es verstärkte die Glaubwürdigkeit der These, dass sein Verschwinden unfreiwillig war.

Wallander machte sich für die Rückreise nach Ystad fertig. Die Stunde vor der Abfahrt des Zuges nutzte er für das Mittagessen in einem nahe gelegenen Restaurant. Während der Fahrt löste er zwei Kreuzworträtsel; es ärgerte ihn, dass er immer ein paar Wörter nicht herausbekam. Doch die längste Zeit saß er da und grübelte. Um kurz nach neun Uhr war er wieder zu Hause. Als er Jussi holte, hätte der Hund ihn vor Freude über das Wiedersehen beinahe umgerissen.

Beim Betreten des Hauses merkte er, dass es komisch roch. Zusammen mit Jussi schnüffelte er sich durch zum Ablauf im Badezimmer. Er goss zwei Eimer Wasser hinein, ohne dass der Gestank nennenswert nachließ. Es lag wahrscheinlich an einer Verstopfung in einem der Rohre, die zur Sickergrube führten. Er schloss die Badezimmertür. Der Klempner, den er in den meisten Fällen zu Rate zog, war Quartalssäufer. Wallander hoffte, dass er gerade eine trockene Periode hatte.

Jarmo, so hieß der Klempner, war völlig nüchtern, als Wallander ihn am nächsten Morgen anrief. Der Geruch im Badezimmer war nicht verschwunden. Der Klempner traf eine Stunde später ein, und eine weitere Stunde später war es ihm gelungen, die Rohre zu reinigen. Der Gestank verschwand sofort. Wallander bezahlte ihn schwarz. Es war ihm unangenehm, aber Jarmo schrieb prinzipiell keine Rechnungen. Er war um die vierzig und hatte in der Gegend mehrere Kinder. Wallander hatte ihn vor einigen Jahren einmal festgenommen, als er als Hehler angezeigt worden war. Man beschuldigte ihn, Waren zu verkaufen, die aus verschiedenen Werkzeugwagen gestohlen worden waren. Doch Jarmo war unschuldig gewesen, es hatte irgendwo ein Missverständnis gegeben. Dann hatte Wallander sein Haus gekauft, und Jarmo hatte sich stets um die störanfälligen Rohrleitungen gekümmert.

»Wie läuft es mit der Waffengeschichte?«, fragte Jarmo unbekümmert, als er seine Hunderter von Wallander bekommen und in eine dicke Brieftasche gestopft hatte.

»Ich warte noch auf Bescheid«, erwiderte Wallander, der darüber lieber nicht diskutieren wollte.

»So voll bin ich noch nie gewesen«, sagte Jarmo, »dass ich in der Kneipe eine Rohrzange vergessen hätte.«

Wallander blieb eine passende Antwort schuldig. Er winkte nur stumm, als Jarmo in seinem rostigen Arbeitswagen verschwand. Dann rief er Martinsson über die Direktverbindung im Polizeipräsidium an. Der Anrufbeantworter informierte ihn, dass Martinsson sich an diesem Tag in Lund auf einem Seminar über illegale Flüchtlingstransporte befand. Wallander überlegte einen Augenblick, ob er Kristina Magnusson anrufen sollte. Aber er ließ es. Er löste noch einige Kreuzworträtsel, taute den Kühlschrank ab und machte einen langen Spaziergang mit Jussi. Er langweilte sich, und die fehlende Arbeit machte ihn rastlos. Als das Telefon klingelte, stürzte er sich auf den Hörer, als hätte er endlos lange auf das Zeichen gewartet. Eine junge, beinahe zwitschernde weibliche Stimme fragte ihn, ob er daran interessiert sei, eine Massageanlage zu mieten, die im Kleiderschrank aufbewahrt werden konnte und auch aufgebaut nicht viel Platz beanspruchte. Wallander knallte den Hörer auf die Gabel, bereute aber sofort, ein Mädchen angeschnauzt zu haben, das dies kaum verdiente.

Es klingelte erneut. Er zögerte, ob er sich melden sollte, nahm aber dann den Hörer ab. Es rauschte in der Leitung, das Gespräch kam von weit her. Die englisch sprechende Stimme erreichte ihn mit Zeitverzögerung.

Es war ein Mann, der fragte, ob er mit der richtigen Person spreche, er suche Kurt, Kurt Wallander. Sei er Kurt Wallander?

»Das bin ich«, rief Wallander in das Rauschen hinein. »Aber wer sind Sie?«

Es hörte sich an, als wäre das Gespräch unterbrochen. Wallander wollte schon auflegen, als die Stimme wiederkehrte, diesmal deutlicher, näher.

»Wallander?«, rief der Mann. »Sind Sie es, Kurt?«

»Ja, das bin ich!«

»Hier ist Steven Atkins. Wissen Sie, wer ich bin?«

»Ja«, sagte Wallander. »Sie sind Håkans Freund.«

»Ist er wieder da?«

»Nein.«

»Haben Sie nein gesagt?«

»Ja, ich habe nein gesagt!«

»Er ist also seit einer Woche verschwunden?«

»Ja. So muss man sagen.«

In der Leitung begann es wieder zu rauschen. Wallander vermutete, dass Steven Atkins vom Handy aus telefonierte.

»Ich mache mir Sorgen«, rief Atkins. »Er ist kein Mann, der einfach verschwindet.«

»Wann haben Sie zuletzt mit ihm gesprochen?«

»Am Sonntag vor acht Tagen. Am Nachmittag. Swedish time.«

Am Tag bevor er verschwand, dachte Wallander.

»Hat er Sie angerufen, oder Sie ihn?«

»Er hat angerufen. Er sagte, er sei zu einer Schlussfolgerung gekommen.«

»Worüber?«

»Das weiß ich nicht. Das hat er nicht gesagt.«

»Nur das? Eine Schlussfolgerung? Er muss doch mehr gesagt haben.«

»Das muss er keineswegs. Er war sehr vorsichtig, wenn er am Telefon sprach. Manchmal rief er mich von einem öffentlichen Telefon an.«

Die Verbindung schwankte wieder. Wallander hielt den Atem an. Er wollte den Kontakt nicht verlieren.

»Ich will wissen, was passiert ist«, sagte Atkins. »Ich mache mir Sorgen.«

»Hat er etwas davon gesagt, dass er verreisen wollte?«

»Er wirkte froher als seit langem. Håkan konnte recht düsterer Stimmung sein. Er mochte es nicht, alt zu werden, fürchtete, dass die Zeit ihm nicht mehr reichen würde. Wie alt sind Sie, Kurt?«

»Ich bin sechzig.«

»Das ist kein Alter. Haben Sie eine E-Mail-Adresse, Kurt?«

Wallander buchstabierte mühsam seine Adresse, sagte aber nicht, dass er sie so gut wie nie benutzte.

»Ich schreibe Ihnen, Kurt«, rief Atkins. »Warum kommen Sie nicht her und besuchen uns? Aber finden Sie Håkan vorher.«

Die Verbindung wurde wieder schlechter und brach dann ab. Wallander blieb mit dem Hörer in der Hand stehen. *Why don't you come over?* Dann legte er den Hörer auf und setzte sich an den Küchentisch. Aus dem fernen Kalifornien hatte Steven Atkins ihm neue Informationen gegeben. Direkt ins Ohr. Punkt für Punkt, Satz für Satz ging er das Gespräch mit Atkins durch. Am Tag vor seinem Verschwinden rief Håkan von Enke in Kalifornien an, nicht Sten Nordlander oder seinen Sohn. War es eine bewusste Wahl? Und genau dieses Gespräch, war es von einem öffentlichen Telefon aus geführt worden? War von Enke in die Stadt gegangen, um zu telefonieren? Das war eine offene Frage. Er schrieb alles auf, bis er das gesamte Gespräch durchgegangen war. Dann erhob er sich, trat ein paar Meter vom Tisch zurück und starrte seinen Notizblock an wie ein Maler, der auf

Distanz zu seiner Staffelei geht. Natürlich war es Sten Nordlander gewesen, der Atkins Wallanders Telefonnummer gegeben hatte. Daran war nichts Seltsames. Atkins machte sich eben Sorgen wie alle anderen. Oder doch nicht? Wallander hatte plötzlich das wunderliche Gefühl, Håkan von Enke habe neben Atkins gestanden, als er mit Wallander sprach. Er verwarf jedoch den Gedanken, als wäre er unanständig.

Wallander war des Falls plötzlich überdrüssig. Gut, er mochte sich Sorgen machen wie die anderen. Aber es war nicht seine Aufgabe, den Verschwundenen zu suchen oder über alle möglichen Begleitumstände Spekulationen anzustellen. Er tat nichts anderes, als seine Untätigkeit mit Spuk und Gespenstern zu kompensieren, dachte er. Vielleicht war es eine erste Übung für das Elend, das ihn erwartete, wenn die unumgängliche Pensionierung auch ihn einholte.

Er machte Essen, putzte lustlos und versuchte, ein Buch zu lesen, das Linda ihm geschenkt hatte, ein Buch über die Geschichte des schwedischen Polizeiwesens. Er war mit dem Buch auf der Brust eingeschlafen, als das Telefon klingelte.

Es war Ytterberg. »Ich hoffe, ich störe dich nicht«, begann er.

»Überhaupt nicht. Ich habe gelesen.«

»Wir haben einen Fund gemacht«, fuhr Ytterberg fort. »Ich möchte, dass du davon erfährst.«

»Einen Toten?«

»Eine Brandleiche. Wir haben sie vor einigen Stunden in einer abgebrannten Baubude in Lidingö gefunden. Nicht allzu weit vom Lilljansskog. Vom Alter her kann es stimmen. Eigentlich spricht sonst nichts dafür, dass er es ist. Wir sagen seiner Frau zunächst nichts, und auch sonst niemandem.«

»Und die Zeitungen?«

»Die erfahren nichts davon.«

In dieser Nacht schlief Wallander wieder schlecht. Viele Male stand er auf, griff zu dem Buch über die Geschichte der

Polizei, ließ es aber gleich wieder sinken. Jussi lag vor dem offenen Kamin und folgte ihm mit dem Blick. Manchmal ließ Wallander ihn im Zimmer schlafen.

Kurz nach sechs Uhr am Morgen rief Ytterberg an. Es war nicht Håkan von Enkes verbrannter Körper, den sie gefunden hatten. Ein Ring an einem der verkohlten Finger hatte zur Identifizierung geführt. Wallander war erleichtert. Er schlief noch einmal ein und erwachte erst um neun Uhr.

Während er frühstückte, rief Lennart Mattson an. »Es ist so weit«, sagte er. »Die Disziplinarkammer hat beschlossen, dir wegen der vergessenen Waffe fünf Tage Lohnabzug zu geben.«

»Ist das alles?«

»Reicht das nicht?«

»Mehr als genug. Dann komme ich wieder zum Dienst. Jetzt am Montag.«

Früh am Montagmorgen saß Wallander wieder auf seinem Platz hinter dem Schreibtisch.

Aber von Håkan von Enke fehlte weiterhin jede Spur.

9

Der verschwundene Mann blieb verschwunden. Wallander war wieder im Dienst, und die frohen Mienen der Kollegen verrieten Erleichterung darüber, dass seine Disziplinarstrafe so milde ausgefallen war. Jemand schlug sogar vor, sie sollten Geld zusammenlegen, um ihm den Lohnabzug zu ersetzen, aber dazu kam es natürlich nicht. Wallander hatte den Verdacht, dass es auch Kollegen gab, die Schadenfreude empfanden, aber er nahm sich vor, nicht zu versuchen, potentielle Heuchler auszumachen. Er würde nur schlecht schlafen, wenn er sich über Kollegen aufregte, die hinter seinem Rücken höhnisch grinsten.

Sein erster Fall nach der Aufklärung des Waffenraubs, für die er im Übrigen eines Tages von der Tochter mit dem Pferdehof einen Blumenstrauß bekam, war eine schwere Körperverletzung. Die Tat hatte sich auf einer Fähre zwischen Ystad und Polen ereignet; eine ungewöhnlich brutale und traurige Geschichte mit dem klassischen Ausgangspunkt, dass es keine glaubwürdigen Zeugen gab und jeder jeden beschuldigte. Der Vorfall hatte sich in einer engen Kabine abgespielt, das Opfer war eine junge Frau aus Skurup. Sie hatte diese unglückselige Reise mit ihrem Freund gemacht, wohl wissend, dass er eifersüchtig war und keinen Alkohol vertrug. Während der Überfahrt waren sie in eine Gruppe junger Männer aus Malmö geraten, die mit der Reise nur das eine Ziel verfolgten, sich sinnlos zu betrinken. Wallander fiel es schwer, sich Menschen vorzustellen, die meinten, ein gut genutzter freier Abend bestehe darin, möglichst viel zu saufen, um sich dann an nichts mehr zu erinnern.

Zunächst arbeitete er allein an dem Fall, hin und wieder assistierte ihm Martinsson. Es war nicht nötig, mehr Personal hinzuzuziehen, da die Täter mit Sicherheit unter den jungen Männern zu finden waren, die die junge Frau auf der Fähre getroffen hatte. Wenn er nur kräftig genug am Baum rüttelte, würden die Früchte zu Boden fallen. Er würde sie in zwei Eimer sortieren, einen für die unschuldigen, den anderen für den- oder diejenigen, die das Mädchen halbtot geprügelt und ihr fast das linke Ohr abgerissen hatten.

Nichts Neues ergab sich im Fall Håkan von Enke. Wallander sprach fast täglich mit Ytterberg, der bei seiner Meinung blieb, der Korvettenkapitän sei nicht freiwillig verschwunden. Der zurückgelassene Pass deutete darauf hin, ebenso die Tatsache, dass seine Kreditkarte nicht benutzt wurde. Aber vor allem, meinte Ytterberg, sei es der Charakter des Mannes. Håkan von Enke war ganz einfach kein Mann, der sich aus dem Staub machte. Er würde seine Frau nicht allein lassen. Das passte nicht zu ihm.

Wallander sprach auch oft mit Louise. Es war stets sie, die anrief, meistens gegen sieben, wenn er zu Hause war und ein lustlos zubereitetes Essen verspeiste. Wallander spürte, dass sie sich jetzt mit dem Gedanken abgefunden hatte, ihr Mann sei tot. Auf eine direkte Frage antwortete sie, dass sie jetzt nachts schlief, mithilfe von Schlaftabletten. Alle warten, dachte Wallander, als er den Hörer nach einem Gespräch mit Louise aufgelegt hatte. Im Moment ist er wirklich spurlos verschwunden, er hat sich in die berühmte Luft aufgelöst, in den Rauch, der aus dem Schornstein des Daseins aufsteigt. Aber liegt sein Körper irgendwo und verwest? Oder sitzt der Mann an einem unbekannten Ort und isst zu Abend? Auf einem anderen Planeten, unter einem anderen Namen, mit einem unbekannten Begleiter auf der anderen Seite des Esstischs?

Was glaubte Wallander selbst? Seine Erfahrung und die Summe aller Indizien führten ihn zu der Annahme, dass der alte U-Boot-Kapitän tot war. Wallander fürchtete, es würde sich eines Tages zeigen, dass sein Tod durch ein banales Ereignis herbeigeführt worden war, vielleicht durch einen Überfall. Aber sicher war er nicht. Er räffte nicht alle Segel; vielleicht gab es doch noch eine kleine Möglichkeit, dass von Enke freiwillig fortgegangen war, auch wenn sie bisher keine Erklärung für ein so unerwartetes Manöver fanden.

Am deutlichsten sprach Linda sich dagegen aus, dass von Enke getötet worden war. Er war kein Mann, den man einfach ums Leben brachte, sagte sie beinahe empört, wenn sie sich mit ihrem Vater in ihrer Lieblingskonditorei in der Stadt traf und die Kleine im Kinderwagen schlief. Aber auch Linda hatte keine Erklärung dafür, dass er sich aus freien Stücken davongemacht haben sollte. Hans rief nie von sich aus an, doch durch Lindas Fragen und Gedanken hatte Wallander das Gefühl, seine Position zu kennen. Aber er fragte nicht, wollte sich nicht einmischen, es war ihr Leben.

Steven Atkins begann, lange E-Mails an Wallander zu schreiben. Je länger sie wurden, desto kürzer waren die Antworten, die Wallander sich abringen konnte. Er hätte gern länger geschrieben, aber sein Englisch war so begrenzt, dass er fürchtete, sich in komplizierten Satzgefügen zu verheddern. Ihm wurde klar, dass Steven Atkins jetzt in Point Loma lebte, in der Nähe des großen Marinestützpunkts San Diego in Kalifornien. Dort hatte er ein kleines Haus in einem Viertel, das fast ausschließlich von Veteranen bewohnt wurde. In der engsten Umgebung hätte die Möglichkeit bestanden, die Besatzung für ein oder zwei U-Boote zusammenzubekommen, bis hin zum letzten Mann. Wallander stellte sich vor, wie es wäre, in einem Stadtteil mit lauter ehemaligen Polizisten zu wohnen. Der Gedanke machte ihn schaudern.

Atkins schrieb über sein Leben, seine Familie, seine Kinder und Enkelkinder und schickte sogar Fotos übers Netz, die Wallander nur mit Lindas Hilfe herunterladen konnte.

Es waren Bilder voller Sonne, mit Kriegsschiffen im Hintergrund, Atkins selbst in Uniform, umgeben von seiner großen Familie, die Wallander zulächelte. Atkins war ein dürrer Mann mit Glatze und hatte den Arm um die Schultern seiner ebenso dürren, aber nicht glatzköpfigen Frau gelegt. Wallander konnte sich des Eindrucks nicht erwehren, das Bild sei aus einer Anzeige für Waschmittel oder eine neue Sorte Cornflakes herauskopiert worden. Es war eine rosige amerikanische Familie, die dort stand und lächelte.

Es war jetzt genau ein Monat vergangen, seit Håkan von Enke die Wohnung in der Grevgata verlassen hatte und nicht mehr zurückgekehrt war. An diesem Tag telefonierten Ytterberg und Wallander lange miteinander. Es war der elfte Mai, und in Stockholm regnete es in Strömen. Ytterberg schien verzweifelt zu sein, ob wegen des Wetters oder der Ermittlung, vermochte Wallander nicht zu sagen. Er selbst war in Grübeleien darüber versunken, wie er im Fall der schweren Körperverletzung an Bord der Fähre den richtigen Mann zu fassen bekäme. Es waren mit anderen Worten zwei erschöpfte und ziemlich übel gelaunte Polizisten, die an diesem Tag miteinander telefonierten. Wallander fragte, ob die Sicherheitspolizei sich weiterhin für den Fall des Verschwundenen interessiere.

»Manchmal kommt ein Mann namens William zu mir«, sagte Ytterberg. »Ich weiß nicht mal, ob das sein Vor- oder Nachname ist. Ich kann auch nicht behaupten, dass es mich besonders interessiert. Als er zuletzt hier war, hätte ich ihn am liebsten erwürgt. Ich fragte, ob sie irgendetwas hätten, was uns ein bisschen weiterhelfen könnte. Ein bisschen normale Amtshilfe, die ja der Dreh- und Angelpunkt in dem demokratisch aufgebauten Land sein soll, das Schweden heißt. Eine klitzekleine Vermutung, was geschehen sein könnte. Aber damit konnte er natürlich nicht dienen. Zumindest sagte er das. Ob es stimmt, kann man nicht wissen. Ihre berufliche Existenz baut ja darauf auf, ein Spiel zu spielen, in dem Lüge und Betrug die effektivsten Instrumente sind. Dass wir als gewöhnliche Polizisten auch mal falschspielen, gehört sozusagen dazu, ist aber doch nicht unser existentieller Ausgangspunkt.«

Nach dem Gespräch wandte sich Wallander wieder der aufgeschlagenen Mappe mit Verhörprotokollen zu. Neben der Mappe lag eine Fotografie des schwer misshandelten Gesichts der Frau. Deswegen mache ich das hier, dachte er. Weil jemand sie fast totgeschlagen hätte.

Als Wallander am Nachmittag nach Hause kam, war Jussi krank. Er lag in seiner Hütte, wollte weder fressen noch trinken, und Wallander brach sofort der kalte Angstschweiß aus. Er rief einen Tierarzt an, der ihm einmal geholfen hatte, einen Mann zu finden, der bestialische Attentate auf Fohlen in den Koppeln um Ystad herum verübte. Der Arzt wohnte in Kåseberga und kam nach kurzer Zeit. Nach der Untersuchung glaubte er sicher zu sein, dass Jussi nur etwas Falsches gefressen hatte und bald wieder gesund sein würde. In dieser Nacht lag Jussi auf einem Teppich vor dem Kamin, und Wallander sah immer wieder nach ihm. Am Morgen stand der Hund wieder auf, wenn auch auf etwas zittrigen Beinen.

Wallander war sehr erleichtert. Als er ins Büro kam und seinen Computer einschaltete, fiel ihm auf, dass es fünf Tage her war, seit er zuletzt etwas von Atkins gehört hatte. Vielleicht gab es nichts mehr zu erzählen, keine Fotos mehr zu schicken. Aber kurz vor zwölf, gerade als er überlegte, ob er nach Hause fahren und sich ein Mittagessen machen oder irgendwo in der Stadt essen sollte, wurde er von der Anmeldung angerufen. Er habe Besuch.

»Wer ist es?«, fragte Wallander. »Und worum geht es?«

»Es ist ein Ausländer«, sagte die Frau in der Anmeldung. »Er scheint Polizeibeamter zu sein.«

Wallander ging zur Anmeldung. Er wusste sofort, wer

der Besucher war. Er trug keine Polizeiuniform, sondern eine amerikanische Marineuniform. Steven Atkins stand vor ihm, die Uniformmütze unter dem Arm.

»Ich hatte nicht die Absicht, unangemeldet zu erscheinen«, sagte Atkins. »Leider habe ich mich mit der Ankunftszeit in Kopenhagen geirrt. Ich habe zu Hause bei Ihnen und auf Ihrem Mobiltelefon angerufen, aber niemanden erreicht. Deshalb bin ich hierhergefahren.«

»Ich bin tatsächlich überrascht«, sagte Wallander. »Aber Sie sind natürlich willkommen. Wenn ich richtig verstanden habe, besuchen Sie Schweden zum ersten Mal?«

»Ja. Obwohl Håkan, mein verschwundener Freund Håkan, mich ständig eingeladen hat, ist nie etwas daraus geworden.«

Sie aßen in dem Restaurant zu Mittag, das Wallander für das beste hielt. Atkins war ein freundlicher Mann, der sich neugierig umsah, nicht nur aus Höflichkeit Fragen stellte und sich aufmerksam die Antworten anhörte. Wallander fiel es anfangs schwer, sich Atkins als U-Boot-Kommandanten vorzustellen, zumal auf einem von der schwersten Klasse atombetriebener amerikanischer Unterseeboote. Er wirkte viel zu jovial. Aber natürlich fehlten Wallander die Voraussetzungen für eine solche Beurteilung.

Allein die Sorge um seinen Freund hatte Atkins nach Schweden getrieben, und Wallander war gerührt. Ein alter Mann, der einen anderen alten Mann vermisste. Eine Freundschaft, die sehr tief reichte.

Atkins hatte am Flugplatz Kastrup ein Zimmer im Hilton genommen, dann einen Wagen gemietet, um nach Ystad zu fahren. »Ich musste natürlich die lange Brücke erleben«, sagte er und lachte.

Wallander empfand plötzlich etwas wie Neid angesichts von Atkins' funkelnd weißem Gebiss. Nach dem Essen rief er im Präsidium an und meldete sich für den Rest des Tages ab. Dann fuhren sie zu seinem Haus, Wallander spielte den

Führer. Atkins erwies sich als großer Hundefreund, was Jussi sogleich zu schätzen wusste. Sie machten einen langen Spaziergang, Jussi blieb angeleint. Sie liefen an Äckern entlang, hielten hier und da inne und bewunderten das Meer und die wogende Landschaft.

Plötzlich wandte sich Atkins Wallander zu, biss sich auf die Lippen und fragte: »Ist Håkan tot?«

Wallander verstand seine Absicht. Atkins hatte die Frage abgefeuert, damit Wallander sich nicht hinter einer Antwort verbergen konnte, die unwahr oder ausweichend war. Er wollte eine klare Auskunft. In dem Augenblick war er der U-Boot-Kommandant, der eine Antwort auf die Frage haben wollte, ob ein Schiff verloren war oder nicht.

»Wir wissen es nicht. Er ist spurlos verschwunden.«

Atkins betrachtete ihn lange und nickte zögernd. Sie gingen weiter, kamen nach einer halben Stunde wieder zum Haus. Wallander machte Kaffee. Sie setzten sich an den Küchentisch.

»Sie haben von Ihrem letzten Telefongespräch erzählt«, sagte Wallander. »Warum sagt einer, er sei zu einer Schlussfolgerung gekommen, wenn derjenige, mit dem er spricht, keine Ahnung hat, worum es geht?«

»Manchmal glaubt man, ein anderer Mensch wisse, was man denkt«, sagte Atkins. »Vielleicht glaubte Håkan, ich wüsste, was er meinte.«

»Sie müssen viele Gespräche geführt haben. Gab es ein wiederkehrendes Thema? Eins, das wichtiger war als alle anderen?«

Wallander hatte seine Fragen nicht vorbereitet. Sie kamen sehr leicht, wie selbstverständlich.

»Wir waren gleichaltrig«, sagte Atkins. »Wir waren beide Kinder des Kalten Krieges. The cold war. Ich war dreiundzwanzig, als die Russen ihren Sputnik starteten. Entsetzt darüber, daran erinnere ich mich, dass sie im Begriff waren, uns zu überholen. Håkan erzählte einmal, dass er es ähnlich erlebt habe, aber unschuldiger, nicht so alptraumhaft. Die Russen waren da, aber sie waren für ihn nicht die gleichen Monster wie für mich. Dennoch waren wir ganz von jener Zeit geprägt. Ich weiß, dass Håkan darüber empört war, dass Schweden nicht der Nato beitrat. Er hielt es für eine katastrophale Fehleinschätzung. Er war der Meinung, die Neutralität sei nicht nur gefährlich und ein Fehler, sondern Heuchelei. Wir standen auf der gleichen Seite. Schweden befand sich nicht in einer Art neutralem Niemandsland, was immer die Politiker an ihren Rednerpulten behaupteten. Als der schwedische Spion Wennerström entlarvt wurde, rief Håkan an, ich weiß es noch wie heute. Es war im Juni 1963. Ich war Erster Offizier auf einem U-Boot, wir sollten gerade in den Stillen Ozean auslaufen. Håkan war nicht empört, dass dieser Oberst Verrat begangen und für die Russen spioniert hatte. Er jubelte! Endlich würde das schwedische Volk begreifen, was los war. Die Russen infiltrierten alles, was die schwedische Verteidigungsmacht aufgebaut hatte. Die Überläufer saßen überall, nur ein Anschluss an die Nato würde Schweden noch retten können, wenn die Russen eines Tages beschlossen, zuzuschlagen. Sie fragen, ob es wiederkehrende Themen in unseren Gesprächen gab? Das war die Politik, darüber sprachen wir ständig. Nicht zuletzt darüber, wie die Politiker unsere Möglichkeiten, das Gleichgewicht gegenüber den Russen zu halten, beschnitten. Es gab eigentlich kein Gespräch zwischen uns, das nicht politische Überlegungen beinhaltete.«

»Wenn es nun so war, dass die Politik Ihre Gespräche bestimmte«, sagte Wallander. »Was für eine Schlussfolgerung kann er dann gemeint haben? War es früher schon vorgekommen, dass er Schlussfolgerungen zog, die ihn jubeln ließen?«

»Ich glaube nicht. Aber wir kannten uns fast fünfzig Jahre. Viele Erinnerungsbilder sind natürlich verblasst.«

»Wie sind Sie sich begegnet?«

»Auf die gleiche Art, wie alle wichtigen Begegnungen stattfinden. Durch einen großen und wunderlichen Zufall.«

Es hatte zu regnen angefangen, als Atkins von seiner ersten Begegnung mit Håkan von Enke berichtete. Er war ein bedeutend faszinierenderer Erzähler als der Mann, mit dem Wallander in jenem fensterlosen Raum des Festlokals in Djursholm gesprochen hatte. Aber vielleicht liegt es auch an der Sprache, dachte Wallander. Immer kommt es mir so vor, als wären Erzählungen auf Englisch reicher oder gewichtiger als die in meiner eigenen Sprache.

»Es war vor bald fünfzig Jahren, genauer gesagt im August 1961«, sagte Atkins mit seiner leisen Stimme. »An einem Ort, den man sich nicht unbedingt als Treffpunkt für zwei junge Marineoffiziere vorstellt. Ich war gemeinsam mit meinem Vater, der Armeeoberst war, nach Europa gereist. Er wollte mir Berlin zeigen, die kleine isolierte Festung mitten in der russischen Zone. Wir flogen mit Pan Am von Hamburg, glaube ich. Die Maschine war voller Militärs, es waren fast keine Zivilisten an Bord, abgesehen von einigen dunkel gekleideten Geistlichen. Die Lage war gespannt, aber als wir nach Berlin kamen, standen sich die Panzer aus dem Westen und die aus dem Osten jedenfalls nicht wie kampfbereite Raubtiere gegenüber. Eines Abends gerieten mein Vater und ich in der Nähe der Friedrichstraße in einen Massenauflauf. Uns gegenüber rollten ostdeutsche Soldaten Stacheldraht aus und errichteten eine Barriere aus Ziegeln und Zement. Neben mir stand ein junger Mann in meinem Alter, auch in Uniform. Ich fragte ihn, woher er komme. Er antwortete, aus Schweden, und das war also Håkan. So begegneten wir uns. Wir standen da und sahen, wie Berlin durch eine Mauer geteilt wurde, ein Stück der Welt wurde amputiert, könnte man sagen. Ulbricht, der ostdeutsche Führer, erklärte, es handle sich um eine Maßnahme für ›die Rettung des Friedens‹ und um ›den Grundstein für die weitere Blüte des sozialistischen Staates«. Aber an ebenjenem Tag, an dem die Berliner Mauer errichtet wurde, sahen wir eine alte Frau dastehen und weinen. Sie war ärmlich gekleidet, sie hatte eine kräftige Narbe im Gesicht, vielleicht war eins ihrer Ohren eine Art Attrappe aus Plastik, die unter ihrem Haar befestigt war, das fragten wir uns hinterher, doch keiner von uns war sich sicher. Aber was wir beide nie vergessen sollten, war, wie sie eine Hand mit einer hilflosen Geste gegen diese Menschen ausstreckte, die vor ihren Augen eine Mauer errichteten. Diese arme Frau war nicht an ein Kreuz genagelt, aber sie streckte die Hand aus, und sie streckte sie *gegen uns* aus. Ich glaube, in diesem Augenblick verstanden wir beide unsere Aufgabe, die freie Welt frei zu halten und aufzupassen, dass nicht noch mehr Länder hinter gefängnisgleichen Mauern landeten. Noch überzeugter waren wir einige Wochen später, als die Russen ihre Atomwaffenversuche wieder aufnahmen. Da war ich schon wieder nach Groton zurückgekehrt, wo ich stationiert war, und Håkan hatte sich in den Zug zurück nach Schweden gesetzt. Aber wir hatten unsere Adressen ausgetauscht, und das war der Beginn einer immer noch bestehenden Freundschaft. Håkan war damals achtundzwanzig, ich war gerade siebenundzwanzig Jahre alt geworden. Siebenundvierzig Jahre sind eine lange Zeit.«

»Hat er Sie in Amerika besucht?«

»Er kam oft. Er war bestimmt fünfzehn Mal bei uns, wenn nicht öfter.«

Die Antwort erstaunte Wallander. Er hatte geglaubt, Håkan von Enke sei höchstens ein oder zwei Mal in den USA gewesen. Hatte Linda das gesagt? Oder hatte er es sich eingebildet? Auf jeden Fall wusste er jetzt, dass es falsch war.

»Das macht ungefähr eine Reise jedes dritte Jahr«, sagte er.

»Er war ein großer Freund Amerikas.«

»Blieb er jedes Mal lange?«

»Selten weniger als drei Wochen. Louise war immer dabei. Meine Frau und sie verstanden sich gut. Wir freuten uns immer, wenn sie uns besuchen wollten.«

»Sie wissen vielleicht, dass ihr Sohn Hans in Kopenhagen lebt?«

»Ich treffe ihn heute Abend.«

»Und Sie wissen natürlich auch, dass er mit meiner Tochter zusammenlebt?«

»Ich weiß. Aber Linda treffe ich bei einer anderen Gelegenheit. Hans arbeitet viel. Wir treffen uns irgendwann nach zehn in meinem Hotel. Morgen fliege ich nach Stockholm, um Louise zu besuchen.«

Der Regen hatte aufgehört. Eine Passagiermaschine im Landeanflug auf Sturup flog in geringer Höhe übers Haus. Die Fensterscheiben klirrten.

»Was ist Ihrer Meinung nach geschehen?«, fragte Wallander. »Sie kannten ihn besser als ich.«

»Ich weiß es nicht«, sagte Atkins. »Es widerstrebt mir, eine solche Antwort zu geben. Zögern entspricht nicht meiner Art. Aber ich kann nicht glauben, dass er freiwillig verschwindet und seine Frau und seinen Sohn, und jetzt auch noch ein Enkelkind, in Angst und Unsicherheit zurücklässt. Ich hisse die weiße Flagge, obwohl ich es ganz und gar nicht möchte.«

Atkins leerte seine Tasse und stand auf. Es war Zeit für ihn, nach Kopenhagen zurückzukehren. Wallander erklärte ihm, wie er fahren sollte, um am schnellsten auf die Landstraße nach Ystad und Malmö zu gelangen.

Als Atkins sich verabschiedete, holte er einen kleinen Stein aus der Tasche und gab ihn Wallander. »Ein Geschenk«, sagte er. »Ich hörte einmal einen alten Indianer von einer Tradition seines Stammes erzählen. Ich glaube, es waren die Kiowa. Wenn ein Mensch ein Problem hat, steckt er einen Stein, gern einen schweren, in seine Kleider und schleppt ihn mit sich, bis er seine Schwierigkeiten gelöst hat. Dann kann er den Stein weglegen und wieder mit Leichtigkeit durchs Leben gehen. Stecken Sie diesen Stein in die Tasche. Lassen Sie ihn darin, bis wir wissen, was mit Håkan geschehen ist.«

Es ist wohl ein ganz gewöhnlicher Granit, dachte Wallander, während er Atkins nachwinkte, der den Hügel hinabfuhr. Dabei fiel ihm der Stein ein, der auf dem Schreibtisch in der Grevgata gelegen hatte. Und er dachte an das, was Atkins über seine erste Begegnung mit Håkan von Enke erzählt hatte. Wallander hatte keine Erinnerung an jene Tage im August 1961. Er war damals dreizehn Jahre alt geworden, und seine einzige wirkliche Erinnerung betraf den Hormonsturm, der ihn durchgeschüttelt und bewirkt hatte, dass sein gesamtes Leben sich in Träumen abspielte. Träumen von Frauen, eingebildeten oder wirklichen.

Wallander gehörte zur Generation derer, die in den sechziger Jahren erwachsen geworden waren. Aber er war nie selbst in einer politischen Bewegung aktiv gewesen, hatte nie an einer Demonstration in Malmö teilgenommen, nie ganz verstanden, worum es beim Vietnamkrieg eigentlich ging, und er hatte sich wenig für Befreiungsbewegungen in Ländern interessiert, von denen er kaum wusste, wo sie lagen. Linda erinnerte ihn oft daran, dass er ein ziemlich unwissender Mensch war. Die Politik hatte er als eine höhere Macht abgetan, die über die Möglichkeiten der Polizei, Ruhe und Ordnung zu bewahren, bestimmte, kaum mehr. Er hatte zwar an Wahlen teilgenommen, aber stets bis zuletzt gezögert. Sein Vater war überzeugter Sozialdemokrat gewesen, und auch er hatte meistens diese Partei gewählt. Aber selten aus echter Überzeugung.

Die Begegnung mit Atkins hatte ihn betroffen gemacht. Er suchte nach einer Berliner Mauer in seinem Inneren, konnte jedoch keine finden. War sein Leben wirklich so beschränkt gewesen, dass er von den äußeren Ereignissen, die ihn umgaben, nie wesentlich berührt worden war? Was hatte ihn in seinem Leben aufgewühlt? Natürlich Bilder von Kindern, denen Schlimmes widerfahren war, aber sie hatten nicht dazu geführt, dass er sich engagierte. Seine Ausrede war stets die Arbeit gewesen, dachte er. Da habe ich zwar Menschen helfen können, indem ich dafür gesorgt habe, dass Übeltäter von der Straße geholt wurden. Aber darüber hinaus? Er blickte über die Äcker hin, fand aber nicht, was er suchte.

An diesem Abend räumte er seinen Arbeitstisch auf und kippte alle Teile eines Puzzles darauf aus, das Linda ihm im Jahr zuvor zum Geburtstag geschenkt hatte. Das Motiv war ein Gemälde von Degas. Er sortierte die Teile methodisch und schaffte es, die untere linke Ecke des Bildes zu legen.

Die ganze Zeit grübelte er über Håkan von Enke und sein Schicksal. Aber dabei sann er doch auch über sein eigenes Leben nach.

Er suchte weiter nach einer Mauer, die es nicht gab.

10

Eines Nachmittags Anfang Juni erhielt Wallander den Anruf eines alten Mannes, den er nur mit Mühe in seiner Erinnerung lokalisieren konnte. Auch wenn der Name sofort in
seinem Gedächtnis auftauchte, konnte er ihn zunächst nicht
einordnen. Das war nicht so verwunderlich, denn Wallander
hatte den Mann seit mehr als zehn Jahren nicht gesehen,
und auch damals nur wenige Male.

Zuletzt hatten sie sich bei der Beerdigung von Wallanders Vater getroffen. Der Mann hieß Sigfrid Dahlberg
und war einer der Nachbarn, er hatte dem Vater manchmal
mit dem Schneepflug geholfen und den kleinen Schotterweg zu seinem Haus in Ordnung gehalten. Zum Dank hatte
er jedes Jahr eins von den Bildern des Vaters bekommen.
Wallander hatte gelegentlich seinem Vater klarzumachen
versucht, dass es dem Nachbarn möglicherweise zu viel werden konnte, zehn Bilder an den Wänden hängen zu haben,
die alle identisch waren. Aber seine Äußerung war mit fins-
terem Schweigen quittiert worden. Nach dem Tod des Vaters und dem Verkauf des Hauses hatte Wallander keinen
Kontakt mehr zur Familie Dahlberg gehabt. Jetzt aber rief
der Alte an, und er hatte ein Anliegen. Seine Frau Aina, der
Wallander wahrscheinlich nur ein einziges Mal begegnet
war, würde bald sterben. Sie war unheilbar an Krebs erkrankt, man konnte nichts mehr tun, und sie hatte sich mit
ihrem Schicksal abgefunden.

»Aber sie will Sie treffen, Herr Kommissar«, sagte Dahlberg. »Sie will Ihnen etwas sagen. Was es ist, weiß ich
nicht.«

Wallander hatte gezögert. Zugleich war er neugierig geworden und setzte sich also in seinen Wagen und fuhr zum Pflegeheim in Hammenhög, in dem Aina Dahlberg lag. An der Anmeldung wurde er von einer Schwester empfangen, die ihm lächelnd erklärte, sie sei in Lindas Parallelklasse gegangen. Sie begleitete ihn zu Aina Dahlbergs Abteilung. Es bedrückte Wallander, all die Alten zu sehen, die mit ihren Rollatoren umherschlurften oder dasaßen und an die Wand starrten, von Schweigen und Isolation umgeben. Seine Furcht vor dem Alter hatte sich mit den Jahren ständig verstärkt. Er fühlte sich wie von einer unsichtbaren und lautlosen Hebebühne entführt, einem Punkt entgegen, an dem er nicht mehr in der Lage wäre, sich selbst zu helfen. Ständig wurde er von Reportagen in der Presse und im Fernsehen über die Vernachlässigung älterer Menschen aufgeschreckt; meistens ging es um private Pflegeheime, in denen die Grenze zu einem noch vertretbaren Minimum an Personal längst unterschritten war.

Sie blieben vor einer Tür stehen.

»Sie ist schwer krank«, sagte die Pflegerin. »Aber Sie sind Polizist, Sie haben Menschen in vielen verschiedenen Zuständen erlebt. Nicht wahr?«

Wallander bereute im selben Moment, hergekommen zu sein. Aina Dahlberg lag allein im Zimmer. Sie war ausgemergelt, ihr Mund stand offen, und ihre glänzenden Augen betrachteten Wallander mit einem Ausdruck des Entsetzens – so empfand er es. Es roch nach Urin, dachte er, genau wie in der letzten Zeit meines Vaters, wenn er allein war, wenn Gertrud sich seiner nicht erbarmt hatte. Er trat ans Bett und berührte ihre Hand. Er erkannte sie nicht, nahm höchstens ganz entfernt das Bild einer Frau wahr, die er einmal getroffen hatte. Doch sie wusste, wer er war, und begann sofort zu reden, als wäre nicht viel Zeit, was ja auch zutraf.

Wallander beugte sich über sie, um zu verstehen, was sie

sagte. Aus ihrem Mund kam eher ein zischendes Geräusch als Worte. Er bat sie, zu wiederholen, was sie zu sagen versuchte, einmal und noch einmal, bevor er verstand. Verwirrt fragte er sie, wie es ihr gehe. Er vermochte nicht zu verhindern, dass die idiotische Frage aus seinem Mund kam. Er streichelte noch einmal ihre Hand und verließ das Zimmer.

Draußen im Korridor stand eine Frau und strich liebkosend mit der Hand über die Blätter einer Topfpflanze. Wallander ging hastig davon. Erst auf der Straße begann er darüber nachzudenken, was Aina Dahlberg gesagt hatte. *Du hattest einen Vater, der dich sehr geliebt hat.* Warum hatte sie nach ihm gerufen, um ihm dies zu sagen? Er konnte sich nur eine Erklärung denken, nämlich dass sie glaubte, er wüsste es nicht. Und jetzt wollte sie ihm zu dieser Einsicht verhelfen, bevor sie selbst fortging.

Wallander fuhr nach Ystad zurück und parkte den Wagen am Kleinboothafen. Er ging zu der Bank am äußersten Ende der Pier. Hierhin zog er sich oft zurück, wenn er seine Ruhe haben und etwas, was ihn quälte, verarbeiten wollte; die Bank war wie ein Hochsitz in seinem Leben, ein Beichtstuhl ohne Pastor. Es war ein kaltes Frühjahr gewesen, regnerisch und windig, aber jetzt hatte sich der erste sommerliche Hochdruck übers Land gelegt. Wallander zog die Jacke aus und schloss die Augen gegen die Sonne, öffnete sie aber sofort wieder. Wie eine Membrane zwischen ihm und der Sonne war Aina Dahlbergs Gesicht ihm erschienen. *Du hattest einen Vater, der dich sehr geliebt hat.* Oft hatte er sich gefragt, ob es wirklich so war. Sie hatten sich nie darüber ausgesöhnt, dass er Polizist geworden war. Aber das Leben musste doch so viel mehr gewesen sein. Mona hatte seinen Vater grässlich gefunden und sich geweigert mitzufahren, wenn Wallander ihn besuchen wollte. Es hatte damit geendet, dass nur Linda und er sich in den Wagen setzten und nach Löderup fuhren. Gegenüber Linda hatte sein Vater sich immer freundlich gezeigt. Bei ihr hatte er eine Geduld bewiesen, wie sie weder Wallander noch seine Schwester Kristina als Kinder je erlebt zu haben glaubten.

Er war ein Mann, der sich ständig entzog, dachte Wallander. Bin ich im Begriff, genauso zu werden?

Ein Mann in seinem Alter lehnte an der Reling eines kleinen Fischerboots und säuberte ein Netz. Er war ganz konzentriert und summte vor sich hin, während er arbeitete. Wallander hätte in diesem Augenblick gern den Platz mit ihm getauscht. Von der Bank zum Netz, vom Polizeipräsidium zu einem schön gelackten Holzboot.

Sein Vater war ihm ein Rätsel gewesen. War er selbst für Linda ebenfalls ein Rätsel? Was würden seine Enkel über ihren Großvater sagen? Würde er nur ein grauer und schweigsamer alter Polizist werden, der in seinem Haus saß und immer weniger Besuch von immer weniger Menschen bekam? Ich fürchte es, dachte er, und ich habe allen Grund dazu. Ich habe meine Freundschaften wahrlich nicht gepflegt.

Jetzt war es in vielen Fällen zu spät. Ein Teil der Menschen, die ihm nahegestanden hatten, war tot. Vor allem Rydberg, aber auch sein alter Freund, der Pferdetrainer Sten Widén. Wallander hatte die Leute nie verstanden, die meinten, man brauche den Umgang mit einem Menschen nicht aufzugeben, nur weil er tot war, das Gespräch gehe weiter, auch wenn jemand begraben war. Ihm war es nicht gelungen. Die Toten waren nur noch Gesichter, an die er sich kaum erinnerte, und ihre Stimmen sprachen nicht mehr zu ihm.

Widerwillig stand er von der Bank auf, er musste zurück ins Präsidium. Die Ermittlung im Fall der Körperverletzung auf der Fähre war abgeschlossen, man hatte einen für schuldig befunden, doch Wallander war sicher, dass es zwei gewesen waren, die die Frau geschlagen hatten. Es war nur ein halber Sieg, ein Mensch wurde verurteilt, ein anderer erhielt Genugtuung, wenn das nach einer solchen Verunstaltung des Gesichts überhaupt möglich war. Aber eine

Person schlüpfte durch die Maschen, und Wallander war keineswegs sicher, dass sie nicht in der Lage gewesen wären, eine bessere Ermittlung durchzuführen.

Um drei Uhr am Nachmittag, als Wallander von seinem Ausflug zurückkehrte, lag die Mitteilung auf seinem Schreibtisch, dass Ytterberg ihn dringend zu erreichen versucht habe. Dringend war es immer in Wallanders Berufsleben. Er hatte noch nie eine Mitteilung bekommen, die nicht dringend war. Deshalb rief er nicht sofort zurück, sondern las zunächst ein Rundschreiben der Reichspolizeibehörde, zu dem Lennart Mattson ihn um Stellungnahme gebeten hatte. Es handelte sich um eine der ständigen Umorganisationen, die von oben herab über die Köpfe der Polizeibezirke des Landes verfügt wurden. Jetzt ging es darum, an Feiertagen ein System für erweiterte polizeiliche Präsenz in der Öffentlichkeit zu schaffen, nicht nur in den großen Städten, sondern auch in einer Stadt wie Ystad. Wallander las die Seiten durch, geriet ob der umständlichen und bürokratischen Sprache in Rage und hatte das Gefühl, eigentlich nicht begriffen zu haben, worauf das Ganze hinauslief. Er schrieb einen nichtssagenden Kommentar und steckte alles in einen Umschlag, den er nach Feierabend beim Verlassen des Präsidiums in das Postfach des Polizeipräsidenten legen würde.

Dann rief er bei Ytterberg in Stockholm an, der sich sofort meldete.

»Du hast angerufen«, sagte Wallander.

»Jetzt ist sie auch fort.«

»Wer?«

»Louise. Louise von Enke. Jetzt ist sie auch verschwunden.«

Wallander hielt den Atem an. Hatte er richtig gehört? Er bat Ytterberg, noch einmal zu wiederholen, was er gesagt hatte.

»Louise von Enke ist verschwunden.«

»Was ist geschehen?«

Wallander hörte Papier rascheln. Ytterberg suchte in seinen Notizen. Er wollte eine präzise Darstellung geben.

»Seit einigen Jahren haben die von Enkes eine Reinigungshilfe aus Bulgarien, sie hat eine Arbeitserlaubnis und heißt genauso wie die Hauptstadt, Sofia, wenn ich mich nicht irre. Sie kommt montags, mittwochs und freitags, jeweils drei Stunden am Vormittag. Am letzten Montag war sie da, und alles schien wie immer zu sein. Diese bulgarische Putztante weckt Vertrauen, wenn man mit ihr spricht. Ihre Angaben sind klar und deutlich, sie macht einen durch und durch zuverlässigen Eindruck. Außerdem spricht sie erstaunlich gut Schwedisch, mit einer faszinierenden Beimischung von Söderslang, woher sie den auch haben mag. Als sie gegen ein Uhr am Montag die Wohnung verließ, hatte Louise gesagt, dass sie sich wie üblich am Mittwoch wiedersehen würden. Als Sofia am Mittwoch um neun Uhr in die Wohnung kam, war sie verlassen. Das war durchaus normal, Louise war nicht immer zu Hause, Sofia dachte sich also nichts dabei. Aber als sie heute Morgen in die Wohnung kam, wusste sie, dass etwas nicht stimmte. Sie ist ganz sicher, dass Louise seit Mittwoch nicht in der Wohnung gewesen ist. Alles war exakt so, wie sie es hinterlassen hatte. Louise war noch nie so lange fort, ohne ihr Bescheid zu geben. Aber es war keine Nachricht da, nichts, nur die leere Wohnung. Daraufhin rief Sofia Louises Sohn in Kopenhagen an, der ihr erklärte, er habe zuletzt am Sonntag mit seiner Mutter gesprochen, also vor fünf Tagen. Und er wiederum rief mich an. Verstehst du übrigens, womit er sich beschäftigt?«

»Geld«, sagte Wallander. »Nichts als Geld.«

»Das hört sich nach einer faszinierenden Beschäftigung an«, sagte Ytterberg.

Dann wandte er sich wieder seinen Notizen zu. »Hans gab mir Sofias Telefonnummer, und zusammen sind wir die

Wohnung durchgegangen. Es zeigte sich, dass die bulgarische Dame ziemlich eingehende Kenntnisse über den Inhalt der Wohnung, Kleiderschränke und dergleichen hatte. Sie sagte mir, was ich am wenigsten von allem hören wollte. Ich nehme an, du weißt, was ich meine?«

»Ja«, sagte Wallander. »Dass nichts fehlte.«

»Ganz genau. Keine Handtasche, keine Kleider, keine Brieftasche, nicht einmal der Pass. Er lag in der Schublade, in der er, wie Sofia wusste, immer lag.«

»Ihr Handy?«

»Lag zum Aufladen in der Küche. Als ich das entdeckte, wurde mir wirklich mulmig, muss ich sagen.«

Wallander dachte nach. Er hätte sich nie vorstellen können, dass auf das Verschwinden Håkan von Enkes ein weiteres folgen würde. »Das sieht nicht gut aus«, sagte er schließlich. »Gibt es eine plausible Erklärung?«

»Ich sehe keine. Ich habe ihre engsten Freundinnen angerufen, doch seit Sonntag hat niemand sie gesehen oder von ihr gehört. Zuletzt hat sie eine Frau mit Namen Katarina Lindén angerufen und sie nach ihren Erfahrungen mit einem Hochgebirgshotel in Norwegen gefragt, das die Freundin anscheinend besucht hatte. Katarina Lindén zufolge hörte sie sich an wie immer. Danach hat keiner mehr mit ihr gesprochen. Wir werden in der Gruppe, die im Fall ihres verschwundenen Mannes ermittelt, darüber beratschlagen. Ich wollte dich nur vorher anrufen. Vor allem auch, um zu hören, wie du reagierst.«

»Mein erster Gedanke ist, dass sie weiß, wo Håkan sich aufhält, und dass sie zu ihm gefahren ist. Aber der Pass und das Handy sprechen natürlich dagegen.«

»So etwa habe ich auch gedacht. Aber ich habe meine Zweifel, genau wie du.«

»Kann es trotz allem eine rationale Erklärung geben? Kann sie krank geworden und auf der Straße zusammengebrochen sein?«

»Die Krankenhäuser habe ich als Erstes angerufen. Sofias Angaben zufolge, die zu bezweifeln kein Anlass besteht, hatte Louise immer einen Ausweis bei sich, in der Jacke oder im Mantel. Da wir ihn nicht gefunden haben, ist anzunehmen, dass sie ihn bei sich hatte, als sie das Haus verließ.«

Wallander überlegte, warum Louise ihm nicht erzählt hatte, dass dreimal in der Woche eine Reinigungshilfe kam. Auch Hans hatte sie nicht erwähnt. Aber das musste natürlich nichts bedeuten. Die Familie von Enke gehörte einer gehobenen Gesellschaftsschicht an, wo Putzfrauen etwas Selbstverständliches waren. Man erwähnte sie nicht, es gab sie einfach.

Ytterberg versprach, ihn auf dem Laufenden zu halten. Als sie das Gespräch gerade beenden wollten, fragte Wallander, ob Ytterberg mit Atkins gesprochen habe, als dieser in Stockholm war.

»Kann er irgendeine Information haben?«, sagte Ytterberg zweifelnd.

Wallander fand es seltsam, dass Ytterberg nicht wusste, wie nahe die Familien einander gestanden hatten. Oder hatte Atkins ihm etwas anderes erzählt als Wallander?

»Wie spät ist es jetzt in Kalifornien?«, fragte Ytterberg. »Es hat wenig Sinn, die Leute mitten in der Nacht anzurufen und zu wecken.«

»Der Unterschied zur Ostküste der USA beträgt sechs Stunden«, sagte Wallander. »Aber Kalifornien weiß ich nicht. Ich kann es aber herausfinden und ihn anrufen.«

»Tu das«, sagte Ytterberg. »Und lass das Gespräch vermitteln, dann können wir es bezahlen.«

»Mein Diensttelefon ist noch nicht gesperrt«, sagte Wallander. »Ich kann mir nicht denken, dass man die Polizei wegen unbezahlter Telefonrechnungen in Konkurs gehen lässt. Ganz so weit ist es noch nicht gekommen.«

Wallander rief die Auskunft an und erfuhr, dass der Zeitunterschied neun Stunden betrug. Es war also sechs Uhr am Morgen in San Diego, und er beschloss, mit dem Anruf ein paar Stunden zu warten. Er wählte Lindas Nummer. Sie hatte schon ausführlich mit Hans in Kopenhagen gesprochen.

»Komm doch her«, sagte sie. »Ich sitze hier, und Klara schläft in ihrem Wagen.«

»Klara?«

Linda lachte über seine Verwunderung. »Wir haben es gestern Abend beschlossen. Sie soll Klara heißen. Sie heißt schon Klara.«

»Wie meine Mutter? Deine Großmutter?«

»Wie du weißt, kenne ich sie gar nicht. Aber es ist ein schöner Name. Und er passt zu beiden Nachnamen. Klara Wallander oder Klara von Enke.«

»Und wie wird sie endgültig heißen?«

»Bis auf weiteres Wallander. Dann soll sie selbst bestimmen. Kommst du? Du kannst eine Tasse Kaffee bei einer improvisierten Taufe bekommen.«

»Wollt ihr sie taufen lassen? Richtig?«

Linda antwortete nicht darauf. Und Wallander war klug genug, die Frage nicht zu wiederholen.

Eine Viertelstunde später bremste er vor dem Haus. Der Garten stand in leuchtenden Farben. Wallander dachte an seinen eigenen verwahrlosten Garten, in dem er sich kaum um die Pflanzen und Beete kümmerte. Als er noch in der Mariagata wohnte, hatte er sich immer ein anderes Dasein vorgestellt, in dem er zwischen allen Gartendüften an der Erde herumkroch und Unkraut jätete.

Klara schlief im Kinderwagen im Schatten eines Birnbaums. Wallander betrachtete das kleine Gesicht unter dem Mückennetz. »Klara ist ein schöner Name«, sagte er. »Wie seid ihr darauf gekommen?«

»Wir haben den Namen in einer Zeitung gesehen. Eine Frau namens Klara hatte sich durch ihren Einsatz bei einem

Großbrand in Östersund ausgezeichnet. Wir waren uns sofort einig.«

Sie gingen durch den Garten und sprachen über Louises Verschwinden, das für Linda und Hans auch völlig überraschend gekommen war. Es hatte keinerlei Anzeichen gegeben, nichts, was dafür sprach, dass Louise einen Plan gehabt und ihn jetzt verwirklicht hätte.

»Soll man sich noch ein Gewaltverbrechen vorstellen?«, sagte Wallander. »Wenn wir einmal davon ausgehen, dass Håkan etwas zugestoßen ist?«

»Irgendjemand will die beiden aus dem Weg haben«, sagte Linda. »Was könnte der Grund dafür sein?«

»Das genau ist die Frage«, sagte Wallander, während er einen Strauch mit flammenden Rosen bewunderte. »Können sie etwas gemeinsam gehabt haben, von dem keiner von uns gewusst hat?«

Sie gingen schweigend weiter, Linda erwog seine Frage. »Man weiß so wenig über Menschen«, sagte sie schließlich, als sie zur Vorderseite des Hauses zurückgekehrt waren und in den Kinderwagen geschaut hatten.

Klara schlief, die Hände in ihre Decke vergraben.

»In gewisser Weise kann man sagen, dass ich von den beiden nicht mehr weiß als von diesem kleinen Wesen«, fuhr sie fort.

»Hast du Louise und Håkan als rätselhaft erlebt?«

»Überhaupt nicht. Im Gegenteil! Mir gegenüber waren sie offen und zugänglich.«

»Viele Menschen legen falsche Spuren aus«, sagte Wallander nachdenklich. »Zugänglichkeit und Offenheit können eine Art unsichtbarer Riegel vor einer Wirklichkeit sein, die sie am liebsten verbergen.«

Sie tranken Kaffee im Garten, bis es für Wallander Zeit war, Atkins anzurufen. Er kehrte ins Präsidium zurück und wählte von seinem Büro aus die Nummer. Nach viermaligem Klingeln meldete sich Atkins mit einem Murmeln, als wäre er bereit, einen Befehl entgegenzunehmen. Wallander erzählte, was geschehen war. Als er geendet hatte, war es so lange still im Hörer, dass er glaubte, das Gespräch sei unterbrochen.

Dann kam Atkins mit voller Kraft zurück. »Das ist nicht möglich«, sagte er.

»Leider doch. Sie scheint seit Montag oder Dienstag verschwunden zu sein.«

Wallander hörte, dass Atkins erregt war. Er atmete schwer. Wallander fragte, wann er zuletzt mit Louise gesprochen habe.

Atkins überlegte lange. »Freitagnachmittag. Ihr Nachmittag, unser Vormittag.«

»Wer hat angerufen?«

»Sie hat mich angerufen.«

Wallander furchte die Stirn. Die Antwort hatte er nicht erwartet. »Und was wollte sie?«

»Meiner Frau zum Geburtstag gratulieren. Wir haben uns beide gewundert. Um Geburtstage hatten wir nie etwas gegeben.«

»Kann es einen anderen Grund für ihren Anruf gegeben haben?«

»Wir hatten das Gefühl, dass sie unter der Einsamkeit litt, dass sie mit jemandem sprechen wollte. Das ist ja nicht schwer zu verstehen.«

»Wenn Sie genau nachdenken, gab es in Ihrem Gespräch irgendetwas, was Sie jetzt mit der Tatsache verbinden können, dass sie verschwunden ist?«

Wallander verzweifelte wegen seines schlechten Englisch. Aber Atkins verstand, was er meinte. »Nein«, sagte er. »Sie klang wie immer.«

»Aber es muss doch einen Zusammenhang geben«, sagte Wallander. »Zuerst verschwindet er, dann sie.«

»Es ist wie bei dem Kinderreim mit den zehn kleinen Negerlein«, sagte Atkins. »Sie verschwinden eins nach dem anderen. Jetzt ist die halbe Familie weg. Bleiben noch die beiden Kinder.«

Wallander fuhr zusammen. Hatte er falsch verstanden?

»Es gibt doch nur noch ein Kind«, sagte er vorsichtig. »Oder rechnen Sie Linda dazu?«

»Wir dürfen die Schwester nicht vergessen«, sagte Atkins.

»Die Schwester? Hat Hans eine Schwester?«

»Ja sicher. Sie heißt Signe. Ich weiß nicht, ob ich ihren Namen richtig ausspreche. Ich kann ihn buchstabieren. Sie lebte nicht zu Hause. Warum, weiß ich nicht. Man soll nicht unnötig im Leben anderer Menschen graben. Ich habe sie nie getroffen. Aber Håkan erzählte mir, dass er eine Tochter habe.«

Wallander war viel zu überrascht, um irgendeine Frage zu stellen, und sie beendeten das Gespräch. Er trat ans Fenster und blickte auf den Wasserturm. *Es gab eine Schwester, die Signe hieß.* Warum hatte niemand etwas von ihr erzählt?

An diesem Abend saß Wallander an seinem Küchentisch und ging seine Aufzeichnungen durch, angefangen bei dem Tag, an dem Håkan von Enke verschwunden war. Aber nirgendwo fand er den geringsten Hinweis auf eine Tochter in der Familie. Signe war nicht vorhanden. Es war, als hätte es sie nie gegeben.

TEIL 2

Unter der Oberfläche

11

Wallander war empört und entschied sich zu einem für ihn ungewöhnlich direkten Angriff. Er fühlte sich an der Nase herumgeführt von der Familie, in der zwei Personen verschwunden waren und eine dritte gerade neu entdeckt worden war. Er meinte, ein Opfer der üblichen Verlogenheit der Oberklasse geworden zu sein, wo Familiengeheimnisse um jeden Preis verborgen werden sollten. Nach dem Gespräch mit Atkins und dem langen Abend, an dem er noch einmal den Rückwärtsgang eingelegt hatte und mit einer Art wütender Akribie alles durchgegangen war, was seit Håkan von Enkes Fünfundsiebzig-Jahr-Feier geschehen und gesagt worden war, schlief er schwer und rief Linda schon um kurz nach sieben an. Er hatte gehofft, Hans noch zu erwischen, aber gerade an diesem Morgen war er gegen sechs Uhr gefahren.

»Was macht er denn so früh schon?«, fragte Wallander gereizt. »Jetzt sind doch noch keine Banken geöffnet, und es kauft oder verkauft auch noch niemand Aktien.«

»Versuch's mal mit Japan«, erwiderte Linda. »Oder warum nicht Neuseeland? Die Wirtschaft schläft nie. Offenbar sind an den asiatischen Börsen starke Bewegungen im Gange. Es ist nicht ungewöhnlich, dass er so früh fährt. Dagegen rufst du sonst nicht um sieben Uhr an. Du brauchst nicht auf mich sauer zu sein. Ist etwas passiert?«

»Ich will über Signe reden«, sagte Wallander.

»Wer ist das?«

»Die Schwester deines Mannes.«

Er hörte durch den Hörer ihr Atmen. Jeder Atemzug ein neuer Gedanke.

»Er hat doch keine Schwester.«

»Bist du dir da ganz sicher?«

Linda kannte ihren Vater und wusste, dass es ihm ernst war. Er würde sie nicht so früh am Morgen anrufen, um einen schlechten Scherz zu machen.

Klara begann, in ihrem Bett zu wimmern.

»Du musst herkommen«, sagte Linda. »Klara ist wach. Morgens ist sie immer schwierig. Ich frage mich, ob sie das von dir hat.«

Als Wallander auf dem Schotterweg vor Lindas Haus bremste, war Klara inzwischen satt und zufrieden, Linda aufgestanden und angezogen. Wallander fand immer noch, dass sie blass und schlapp aussah, und fragte sich, ob ihr was fehlte. Aber natürlich stellte er die Frage nicht laut. Sie war wie er und mochte es nicht, wenn jemand sich einmischte.

Sie setzten sich an den Küchentisch. Wallander kannte das Tischtuch. Es hatte in seinem Elternhaus auf dem Tisch gelegen, später bei seinem Vater in Löderup, und jetzt lag es hier. Als Kind hatte er oft mit dem Finger das komplizierte Muster von roten Fäden im Stoff nachgezogen.

»Erkläre, was du meinst«, sagte sie. »Ich wiederhole, was ich gesagt habe: Hans hat keine Schwester.«

»Ich glaube dir«, sagte Wallander. »Du weißt von keiner Schwester, ebenso wenig wie ich es tat. Bis jetzt.«

Er erzählte von seinem Telefongespräch mit Atkins und der überraschenden Bemerkung über das Mädchen namens Signe. Vermutlich war es reiner Zufall, dass er die heimliche Schwester erwähnt hatte.

Linda hörte gespannt zu und zog die Augenbrauen immer höher. »Hans hat mir nie etwas von einer Schwester erzählt«, sagte sie, als Wallander geendet hatte. »Das ist eine völlig absurde Situation.«

Wallander zeigte aufs Telefon. »Ruf ihn an und stelle ihm eine einfache Frage: Warum hast du mir nicht erzählt, dass du eine Schwester hast?«

»Ist sie älter oder jünger?«

Wallander überlegte. Atkins hatte davon nichts gesagt. Dennoch war er sicher, dass es eine ältere Schwester war. Denn wäre sie nach Hans geboren worden, hätte sich das Geheimnis nur sehr schwer verbergen lassen.

»Ich will ihn nicht anrufen«, sagte Linda. »Ich warte, bis er nach Hause kommt.«

»Nein«, sagte Wallander. »Es geht um zwei verschwundene Personen. Dies ist keine private Angelegenheit, sondern eine polizeiliche Ermittlung. Wenn du nicht anrufst, tue ich es.«

»Das ist vielleicht besser«, sagte sie.

Wallander wählte die Nummer in Kopenhagen, die sie ihm vorsagte. Als der Anruf durchging, erklang klassische Musik.

Linda beugte sich vor und lauschte. »Das ist sein Direktanschluss«, sagte sie. »Ich habe ihm die Musik ausgesucht. Vorher hatte er schreckliche Countrymusik. Einen, der sich Billy Ray Cyrus nennt. Ich habe ihm gedroht, nicht mehr anzurufen, wenn er die nicht ändert. Er meldet sich gleich.«

Kaum hatte sie den Satz beendet, hörte Wallander Hans' Stimme. Er klang gehetzt, fast atemlos. Was ist wohl an den Börsen in Asien passiert, dachte Wallander.

»Ich habe eine Frage, die nicht warten kann«, sagte er. »Ich sitze übrigens an deinem Küchentisch.«

»Louise«, sagte Hans. »Oder Håkan? Sind sie wieder aufgetaucht?«

»Ich wünschte, es wäre so. Aber es geht um einen ganz anderen Menschen. Kannst du dir denken, um wen?«

Wallander spürte, dass Linda ärgerlich wurde wegen seiner Art zu fragen, die sie als unnötiges Katz-und-Maus-Spiel empfand. Natürlich hatte sie recht. Er hätte direkt fragen sollen, wie er es bei Linda getan hatte.

»Es geht um deine Schwester«, sagte er. »Deine Schwester Signe.«

Es dauerte einen Moment, bis Hans etwas sagte. »Ich verstehe nicht, wovon du redest. Soll das ein Scherz sein?«

Linda hatte sich über den Tisch gebeugt, und Wallander hielt den Hörer so, dass sie mithören konnte. Er spürte, dass Hans die Wahrheit sagte.

»Es ist kein Scherz«, sagte er. »Du sagst also, dass du nichts von einer Schwester weißt, die Signe heißt?«

»Ich habe keine Geschwister. Kann ich mit Linda sprechen?«

Wallander reichte wortlos den Hörer an Linda weiter, die wiederholte, was ihr Vater erzählt hatte.

»Als ich ein Kind war, habe ich meine Eltern oft gefragt, warum ich keine Geschwister hätte«, sagte Hans. »Sie antworteten immer, sie fänden, dass ein Kind reichte. Ich habe nie von jemandem gehört, der Signe hieß, nie irgendwelche Fotos von ihr gesehen. Ich war immer ein Einzelkind.«

»Das ist schwer zu glauben«, sagte Linda.

Für einen Moment verlor Hans die Selbstbeherrschung und schrie direkt in den Hörer. »Was glaubst du denn, was es für mich ist?«

Wallander nahm ihr den Hörer aus der Hand. »Ich glaube dir«, sagte er. »Und Linda tut das auch. Aber du musst verstehen, dass es wichtig ist, herauszufinden, wie das Ganze zusammenhängt, wenn es das überhaupt tut. Deine Eltern sind verschwunden. Und jetzt taucht eine unbekannte Schwester auf.«

»Ich verstehe das nicht«, sagte Hans. »Mir wird schlecht.«

»Wie die Erklärung auch sein mag, ich werde sie finden.«

Wallander reichte Linda wieder den Hörer. Sie redete beruhigend auf Hans ein. Weil das Gespräch sich in die Länge zu ziehen begann, schrieb er ein paar Worte auf einen Zettel und legte ihn auf den Küchentisch. Sie nickte, nahm einen Schlüsselbund von der Fensterbank und gab ihn ihm. Er betrachtete Klara, die auf dem Bauch in ihrem Bett lag und schlief. Behutsam strich er mit einem Finger über ihre Wange. Ein Zucken ging über ihr Gesicht, aber sie schlief weiter. Dann verließ er das Haus.

Als er ins Polizeipräsidium kam, rief er Sten Nordlander an, noch bevor er seine Jacke ausgezogen hatte.

Er erhielt sogleich die Bestätigung, die er gesucht hatte. »Ja sicher, es gibt noch ein Kind. Ein Mädchen, das seit seiner Geburt schwer behindert war. Völlig hilflos, wenn ich Håkan recht verstanden habe. Sie konnten sie nicht zu Hause behalten, weil sie schon vom ersten Tag ihres Lebens an besondere Pflege brauchte. Sie haben nie von ihr gesprochen, und ich war der Meinung, dass man das respektieren sollte.«

»Heißt sie Signe?«

»Ja.«

»Wissen Sie, wann sie geboren ist?«

Sten Nordlander dachte einen Moment nach. »Sie ist wohl fast zehn Jahre älter als ihr Bruder. Ich glaube, sie haben einen so schweren Schock erlitten, als sie geboren wurde, dass es lange dauerte, bis sie es wagten, ein weiteres Kind zu haben.«

»Dann ist sie jetzt über vierzig Jahre alt«, sagte Wallander. »Wissen Sie, wo sie lebt? In welchem Pflegeheim oder in welcher Anstalt?«

»Håkan erwähnte einmal ein Heim in der Nähe von Mariefred. Aber einen Namen habe ich nie gehört.«

Wallander beeilte sich, das Gespräch zu beenden. Es kam ihm vor, als stünde er unter Zeitdruck, obwohl er eigentlich nichts mit der Angelegenheit zu tun hatte. Er wollte als Erstes Ytterberg benachrichtigen. Aber seine Neugier trieb ihn in eine andere Richtung. Er musste einen Moment in seinem hoffnungslos sudeligen Telefonverzeichnis blättern, bis er die gesuchte Handynummer fand. Es war die Nummer einer Frau, die bei der Sozialbehörde der Gemeinde Ystad arbeitete. Sie war die Tochter eines früheren Zivilangestellten im Polizeipräsidium. Wallander hatte sie vor einigen Jahren kennengelernt, als er gegen einen Pädophilenring ermittelte. Sie hieß Sara Amander und meldete sich fast sofort. Sie wechselten ein paar Worte über das Wetter und den Lauf der Welt, bevor Wallander zu seinem Anliegen kam. »Eine staatliche Anstalt für Behinderte in der Nähe von Mariefred. Vielleicht gibt es mehr als eine? Ich brauche Anschriften und Telefonnummern.«

»Kannst du etwas mehr sagen? Geht es um einen angeborenen Hirnschaden?«

»Vor allem physische Einschränkungen, glaube ich. Ein Kind, das von seinem ersten Lebenstag an Pflege brauchte. Aber es kann natürlich auch einen psychischen Defekt geben. Wahrscheinlich wäre es ein Vorteil für einen stark behinderten Menschen, wenn er sich nicht unbedingt klar darüber ist, welch elendes Leben er lebt.«

»Wir sollten vorsichtig sein, wenn wir uns über das Leben anderer Menschen äußern«, sagte Sara Amander. »Es gibt Menschen mit schweren Behinderungen, deren Leben erstaunlich viel Freude beinhaltet. Aber ich will sehen, was ich tun kann.«

Wallander legte auf, holte Kaffee am Automaten und wechselte einige Worte mit Kristina Magnusson, die ihn daran erinnerte, dass die Kollegen am nächsten Abend bei ihr im Garten ein improvisiertes Sommerfest feiern würden. Wallander hatte es natürlich vergessen, sagte aber, er werde selbstverständlich dabei sein.

Er ging zurück in sein Büro und schrieb einen großen Merkzettel, den er neben das Telefon legte.

Nach ein paar Stunden rief Sara Amander zurück. Sie hatte zwei Vorschläge. Im ersten Fall handelte es sich um ein privates Pflegeheim mit Namen Amalienborg ganz in der Nähe von Mariefred. Das zweite Heim, Niklasgården, war staatlich und lag in der Nähe von Schloss Gripsholm.

Wallander notierte die Adressen und Telefonnummern

und wollte gerade die erste Nummer wählen, als Martinsson in der halboffenen Tür auftauchte. Wallander legte den Hörer wieder auf und nickte ihm zu, hereinzukommen. Martinsson verzog das Gesicht.

»Was ist?«

»Eine Partie Poker, die aus dem Ruder gelaufen ist. Ein Krankenwagen hat soeben einen durch Messerstiche verletzten Mann ins Krankenhaus gefahren. Wir haben schon eine Streife da. Aber wir beide müssen wohl hinfahren.«

Wallander nahm seine Jacke und folgte Martinsson nach draußen. Es dauerte bis in den Abend, zu klären, was bei der Pokerpartie, die in brutale Gewalttätigkeit ausgeartet war, passiert war. Erst nach seiner Rückkehr ins Präsidium gegen acht Uhr konnte Wallander die Nummern anrufen, die Sara Amander ihm gegeben hatte.

Er begann mit Amalienborg. Eine freundliche Frau meldete sich. Noch während er seine Frage stellte, fiel ihm ein, dass er einen Denkfehler gemacht hatte. Er würde keine Auskunft bekommen. Eine Anstalt für schwer kranke Menschen durfte die Namen ihrer Patienten nicht an Wildfremde aus der Hand geben.

Das war auch die Antwort, die er erhielt. Er bekam auch keine Antwort auf seine anderen Fragen, ob es sich um Patienten unterschiedlicher Altersgruppen oder nur um Erwachsene handelte. Die freundliche Frau fuhr geduldig fort, ihm zu erklären, dass sie ihm keine Auskünfte erteilen dürfe. Sie könne ihm leider nicht helfen, so gern sie es auch täte.

Wallander legte auf und dachte, dass er jetzt Ytterberg anrufen sollte. Doch es gab keinen zwingenden Grund, ihn um diese Tageszeit zu stören. Das Gespräch konnte bis morgen warten.

Da es ein warmer und stiller Abend war, nahm er zu Hause sein Abendbrot mit hinaus und aß im Garten. Jussi lag zu seinen Füßen und schnappte die Stücke auf, die von

Wallanders Gabel rutschten. Auf den umgebenden Feldern leuchtete gelb der Raps. Sein Vater hatte ihm einmal gesagt, dass der lateinische Name von Raps *Brassica napus* lautete. Die Wörter hatten sich ihm eingeprägt. Mit Unbehagen erinnerte er sich plötzlich an einen Vorfall vor vielen Jahren, als sich eine verzweifelte junge Frau in einem Rapsfeld angezündet und das Leben genommen hatte. Aber er schob den Gedanken daran fort. Es musste doch möglich sein, sich einen Abend ohne Gedanken an Gewaltopfer, Erniedrigte und Tote zu gönnen.

Doch der Gedanke an die Schwester ging ihm nicht aus dem Kopf. Er versuchte, das sie umgebende Schweigen zu deuten, versuchte auch, sich vorzustellen, wie Mona und er reagiert hätten, wenn sie ein Kind bekommen hätten, das vom ersten Tag an auf die Pflege durch fremde Menschen angewiesen gewesen wäre. Ihn schauderte bei der Vorstellung, zu der er sich eigentlich in keiner Weise verhalten konnte. So saß er in Gedanken versunken da, als er das Telefon klingeln hörte.

Jussi spitzte die Ohren. Es war Linda. Sie sprach leise und sagte, dass Hans schliefe. »Er ist völlig am Ende«, sagte sie. »Am meisten quält er sich damit, dass er jetzt niemanden hat, den er nach ihr fragen kann.«

»Ich bin dabei, sie ausfindig zu machen«, sagte Wallander. »Binnen weniger Tage sollte ich erfahren haben, wo sie lebt.«

»Verstehst du, wie Håkan und Louise sich so verhalten konnten?«

»Nein. Aber vielleicht ist es die einzige Art und Weise, es auszuhalten. So zu tun, als ob ein so schwer behindertes Kind nicht existierte.«

Dann beschrieb Wallander ihr das Rapsfeld und den Horizont. »Ich freue mich schon auf die Zeit, wenn Klara hier herumspringt«, sagte er.

»Du solltest dir trotzdem eine Frau besorgen.«

»Man *besorgt* sich keine Frau!«

»Du findest auch keine, wenn du dich nicht anstrengst! Die Einsamkeit wird dich von innen zerfressen. Du wirst ein griesgrämiger Greis werden.«

Wallander blieb noch bis nach zehn Uhr sitzen und dachte nach über das, was Linda gesagt hatte. Aber trotz allem schlief er ruhig und wachte erholt um kurz nach fünf auf.

Schon um halb sieben betrat er sein Büro. Da hatte sich bereits ein Gedanke in seinem Kopf zu regen begonnen. Er ging seinen Kalender bis Mittsommer durch und stellte fest, dass ihn eigentlich nichts in Ystad festhielt. Um die Poker- geschichte konnten andere sich kümmern. Weil Lennart Mattson auch ein Frühaufsteher war, klopfte er bei ihm an. Mattson war gerade gekommen, als Wallander eintrat und um drei Tage Urlaub bat. Vom nächsten Tag an drei Tage.

»Ich sehe ein, dass es ein bisschen plötzlich kommt«, sagte er. »Aber ich habe einen privaten Grund. Außerdem kann ich mich an den Feiertagen um Mittsommer zur Verfügung stellen, obwohl ich da eine Woche Urlaub beantragt hatte.«

Lennart Mattson machte keine Schwierigkeiten. Wallan- der bekam seine Urlaubstage. Er ging zurück in sein Zim- mer und suchte im Internet, wo Amalienborg und der Ni- klasgård lagen. Nach den Informationen, die er über die beiden Anstalten fand, konnte er nicht einschätzen, welche die richtige war. In beiden schienen Menschen mit ganz un- terschiedlichen, aber schweren Funktionsstörungen gepflegt zu werden.

Am Abend ging er zu dem Gartenfest bei Kristina Mag- nusson. Er wusste, dass Linda auch zugesagt hatte, und ge- gen neun Uhr stand sie am Gartentor. Klara war endlich ein- geschlafen, und Hans war zu Hause. Wallander zog Linda sofort zur Seite und erzählte ihr von dem Ausflug, den er machen würde; gleich morgen früh wollte er aufbrechen. Er stand mit einem Glas Selterwasser in der Hand da, und Linda sagte, sie habe fast damit gerechnet, dass er sich so entscheiden würde. Gegen zehn Uhr verließ Wallander das Fest. Kristina Magnusson begleitete ihn zur Straße. In einer plötzlich aufflammenden Lust hätte er sie beinahe an sich gezogen, doch es gelang ihm, sich zu beherrschen. Sie hatte einiges getrunken und schien seine unterdrückten Absichten gar nicht zu bemerken.

Schon vor dem Fest hatte er Jussi zu seinen Nachbarn gebracht. Der Zwinger lag verlassen da. Wallander legte sich aufs Bett, stellte den Wecker auf drei Uhr und schlief ein paar Stunden. Um vier Uhr stieg er in den Wagen und fuhr nach Norden. Die Morgendämmerung war von Dunst verhangen, aber es würde ein schöner Tag werden. Um kurz nach zwölf erreichte er Mariefred. Nachdem er an einer Raststätte zu Mittag gegessen und eine Weile im Wagen geschlafen hatte, suchte er den Weg nach Amalienborg, einer ehemaligen Volkshochschule mit Nebengebäuden. In der Anmeldung zeigte er seinen Polizeiausweis und hoffte, dies würde ausreichen, um zumindest zu erfahren, ob er am richtigen Ort gelandet war. Das Mädchen in der Anmeldung war unsicher und holte eine Leiterin, die Wallanders Ausweis sorgfältig studierte.

»Signe von Enke«, sagte er freundlich. »Das ist alles, was ich wissen muss. Lebt sie hier? Es geht um ihre Eltern, die vermisst werden.«

Die Leiterin trug eine Anstecknadel mit ihrem Namen: Anna Gustafsson.

Sie hörte Wallanders Erklärung an und betrachtete ihn prüfend. »Der Korvettenkapitän?«, fragte sie. »Meinen Sie den?«

»Den meine ich«, sagte Wallander und verbarg seine Verwunderung nicht.

»Ich habe von ihm in der Zeitung gelesen.«

»Ich spreche von seiner Tochter«, sagte Wallander. »Lebt sie hier?«

Anna Gustafsson schüttelte den Kopf. »Nein«, sagte sie.

»Wir haben niemanden mit Namen Signe. Unter unseren Insassen befindet sich keine Patientin, die die Tochter eines Korvettenkapitäns ist. Das kann ich Ihnen versichern.«

Wallander setzte seine Fahrt fort. Er musste ein kräftiges Gewitter durchfahren und war gezwungen anzuhalten, weil er keine Sicht mehr hatte. Er bog in einen Seitenweg ein und stellte den Motor ab. Als er dort saß, eingeschlossen wie in einer Blase, während der Regen aufs Wagendach trommelte, versuchte er noch einmal, das Geschehen rund um das Verschwinden der von Enkes zu durchdringen. Håkan von Enke war zuerst verschwunden, freiwillig oder als Opfer eines Verbrechens oder eines Unglücks. Aber das musste nicht bedeuten, dass Louises Verschwinden eine direkte Folge davon war. Das war eine Binsenweisheit, die er kannte, seit Rydberg sein Mentor gewesen war. Mehr als einmal hatte sich herausgestellt, dass die Zusammenhänge genau umgekehrt verliefen: Das zuletzt Entdeckte oder Eingetroffene war die Einleitung und nicht der Abschluss gewesen. Wieder dachte er an die Unordnung in der einen von Håkan von Enkes Schreibtischschubladen. Der Kompass in seinem Kopf drehte sich, ohne eine bestimmte Richtung anzuzeigen.

Alles konnte Einbildung sein. Nicht einmal Håkan von Enkes heimliche Unruhe musste in einer Wirklichkeit verankert sein. Wallander hatte oft genug Gespenster gesehen, auch wenn es ihm meistens gelungen war, Einbildungen gegenüber einen kühlen Kopf zu bewahren. In seinem Beruf hatte er über die Jahre hin nach zahlreichen verschwundenen Menschen gesucht. Fast immer hatte es schon früh Anzeichen dafür gegeben, ob eine natürliche Erklärung nahelag oder ob es angebracht war, sich Sorgen zu machen. Bei Håkan und Louise war er sich nicht sicher. Das Ganze war wirklich sehr unklar, dachte er, während er im Wagen saß und darauf wartete, dass die Sicht sich besserte.

Als der Regen endlich nachgelassen hatte, suchte er den

Weg zum Niklasgård, der idyllisch an einem auf der Karte als Vångsjön bezeichneten See gelegen war. Die weißen Holzhäuser lagen an einem Hang, hier und da Wäldchen mit alten und hohen Laubbäumen, weiter entfernt Getreidefelder und Weiden. Wallander war aus dem Wagen gestiegen und sog die nach dem Regen frische Luft in die Lungen. Es kam ihm vor, als betrachtete er eine der alten Bildtafeln, die in seinem Klassenzimmer in der Volksschule in Limhamn gehangen hatten. Bildtafeln mit biblischen Landschaften, immer Palästina mit Schafherden und Hirten, und die schwedische Kulturlandschaft in all ihren Varianten. Für einen kurzen Moment befiel ihn eine wehmütige Sehnsucht nach dieser *Bildtafelzeit*, doch er wischte die Erinnerungsbilder fort. Sentimentalität angesichts der Vergangenheit würde die Gedanken an das Altern nur noch quälender und erschreckender machen.

Er holte den Feldstecher aus seinem Rucksack und betrachtete die Häuser und die umgebende parkähnliche Landschaft. Er lächelte grimmig bei dem Gedanken, dass er wie ein Periskop war, das in dieser schönen Sommerlandschaft auftauchte, ein U-Boot an Land, getarnt als Peugeot mit Schrammen im Lack. Im Schatten unter Bäumen entdeckte er zwei Rollstühle. Er stellte das Fernglas scharf und versuchte, es ruhig zu halten. In einem der Rollstühle erkannte er eine Frau, deren Alter er nicht bestimmen konnte; ihr Kopf war tief auf die Brust gesunken. Im zweiten Rollstuhl saß ein Mann, ein junger Mann, glaubte er zu sehen, dessen Kopf nach hinten gefallen war, als gäbe der Nacken ihm keinerlei Halt. Wallander ließ das Fernglas mit einem Gefühl des Unbehagens sinken. Er setzte sich wieder in den Wagen und fuhr zum Hauptgebäude, wo die Verwaltung ihn auf Schildern, die in verschiedene Richtungen zeigten, willkommen hieß. Wallander betrat eine Anmeldung, betätigte eine Klingel und wartete. Aus dem Inneren war ein Radio zu hören. Eine Frau trat aus der Tür eines angrenzenden Raums.

Sie war um die vierzig, und Wallander war auf der Stelle gebannt von ihrer Schönheit. Sie trug kurz geschnittenes schwarzes Haar, hatte dunkle Augen und sah ihn lächelnd an. Sie sprach mit fremdem Akzent, den Wallander einem arabischen Land zuordnete. Er zeigte ihr seinen Ausweis und stellte seine Frage.

Die schöne Frau betrachtete ihn immer noch mit einem Lächeln. »Es ist das erste Mal, dass ein Polizist zu uns kommt«, sagte sie, »noch dazu von so weit her. Aber leider darf ich keine Namen herausgeben. Alle, die hier wohnen, haben ein Recht auf Anonymität.«

»Das ist mir klar«, sagte Wallander. »Sollte es nötig werden, muss ich einen Beschluss vom Staatsanwalt besorgen, der mir das Recht gibt, sämtliche Zimmer, sämtliche Unterlagen und sämtliche Namen durchzusehen. Das würde ich lieber vermeiden. Es reicht mir, wenn Sie mit dem Kopf nicken oder den Kopf schütteln. Dann verspreche ich ihnen, keine weiteren Fragen mehr zu stellen.«

Sie überlegte, bevor sie antwortete. »Stellen Sie Ihre Frage«, sagte sie schließlich. »Ich verstehe, was Sie meinen.«

»Lebt hier eine Frau mit Namen Signe von Enke? Sie ist ungefähr vierzig Jahre alt und seit ihrer Geburt behindert.«

Sie nickte, ein einziges Mal, das war alles. Aber Wallander brauchte auch nicht mehr. Jetzt wusste er, wo sie war, und musste mit Ytterberg sprechen.

Er hatte sich schon abgewandt, es war ihm gelungen, den Blick von ihr loszureißen, als ihm noch eine Frage einfiel, die sie ihm vielleicht beantworten würde.

Er blickte sie wieder an. »Noch ein Nicken«, sagte er. »Oder ein Kopfschütteln. Wann hatte Signe zuletzt Besuch?«

Sie überlegte, bevor sie antwortete, aber diesmal mit Worten, nicht mit einer Kopfbewegung. »Es ist ein paar Monate her«, sagte sie. »Irgendwann im April. Aber ich kann nachsehen, wenn es wichtig ist.«

»Überaus wichtig«, sagte Wallander. »Es wäre eine große Hilfe.«

Sie ging in das Zimmer, aus dem sie zuvor gekommen war. Nach einigen Minuten kehrte sie mit einem Papier in der Hand zurück. »Am zehnten April«, sagte sie. »Das war ihr letzter Besuch. Danach ist niemand hier gewesen. Sie ist ganz plötzlich ein einsamer Mensch geworden.«

Wallander überlegte. Am zehnten April. Am Tag danach hatte Håkan von Enke seine Wohnung verlassen. Und war nicht zurückgekommen.

»Ich nehme an, es war ihr Vater, der sie an dem Tag besucht hat«, sagte Wallander langsam.

Sie nickte. Klar, er war es.

Wallander verließ den Niklasgård und fuhr nach Stockholm. Er hielt vor dem Haus in der Grevgata und schloss die Wohnungstür mit den Schlüsseln auf, die er von Linda bekommen hatte.

Er musste noch einmal zum Anfang zurückkehren und neu beginnen. Aber zum Anfang wovon?

Er stand lange reglos im Wohnzimmer, versuchte zu verstehen. Aber es gab nichts, was ihn weiterbrachte.

Um ihn her: nur dieses große Schweigen. Eine U-Boot-Tiefe, in der die Unruhe des Meeres nicht zu spüren war.

12

In dieser Nacht schlief Wallander in der verlassenen Wohnung.

Da es warm war, ließ er einige Fenster einen Spalt weit offen stehen. Die Gardinen bewegten sich sacht, und von der Straße waren dann und wann lärmende Menschen zu hören. Wallander dachte, dass er Schatten lauschte, wie man es in kürzlich verlassenen Häusern oder Wohnungen immer tut. Aber Wallander hatte Linda nicht um den Wohnungsschlüssel gebeten, um die Kosten für ein Hotelzimmer zu sparen. Aus Erfahrung wusste er, dass die ersten Eindrücke oft am wichtigsten waren, wenn es um eine Ermittlung ging. Nur selten ergab eine spätere Rückkehr besonders viel Neues. Doch diesmal wusste er, wonach er suchte.

Er war auf Strümpfen umhergeschlichen, um bei den Nachbarn keinen Verdacht zu erregen. Er hatte Håkans Zimmer und Louises Kommoden durchgesehen. Auch das große Bücherregal im Wohnzimmer und andere Schränke und Regale in der Wohnung hatte er untersucht. Als er um neun Uhr am Abend vorsichtig die Wohnung verließ, um etwas zu essen, war er absolut sicher: Alle Spuren des behinderten Mädchens waren sorgsam beseitigt worden.

Er aß in einem Restaurant, das sich »ungarisch« nannte, obwohl die gesamte Bedienung und das Personal in der offenen Küche Italienisch sprachen. Als er in dem langsamen Aufzug wieder in den zweiten Stock hinauffuhr, überlegte er, wo er schlafen sollte. In Håkan von Enkes Arbeitszimmer stand eine Couch. Aber er legte sich schließlich im

Wohnzimmer hin, wo er mit Louise Tee getrunken hatte, und deckte sich mit einer Wolldecke mit Schottenmuster zu.

Gegen ein Uhr wurde er von ein paar lauten Nachtschwärmern geweckt. Und da, als er in dem dunklen Zimmer lag, wurde er plötzlich hellwach. Es war undenkbar, dass keinerlei Spuren von dem Mädchen, das jetzt im Niklasgård lebte, geblieben sein sollten. Es empörte ihn geradezu, dass er noch keine Bilder oder zumindest ein Dokument gefunden hatte, eines jener bürokratischen Identitätszeichen, die alle Schweden von Geburt an umgeben. So tappte er erneut durch die Wohnung. Er hatte eine kleine Taschenlampe mitgenommen, mit der er in die dunkelsten Ecken leuchtete. Aus Furcht, einer der Nachbarn im Haus auf der gegenüberliegenden Straßenseite könnte Verdacht schöpfen, schaltete er möglichst keine Lampen ein, aber gleichzeitig dachte er an die Lampen, die Håkan von Enke nachts ständig hatte brennen lassen. War das wirklich wahr? War die unsichtbare Grenzlinie zwischen Lüge und Wirklichkeit in der Familie Enke nicht ungewöhnlich leicht zu überschreiten? Er blieb in der Küche stehen und versuchte, eine Antwort zu finden. Dann machte er unverdrossen weiter, es war der Bluthund in ihm, den er zuweilen hervorlocken konnte und dem er jetzt keine Ruhe lassen würde, bevor er nicht die Spuren von Signe gefunden hatte, die es einfach geben musste.

Gegen vier Uhr am Morgen war er auch erfolgreich. Im Bücherregal, hinter einigen großen Kunstbänden versteckt, fand er ein Fotoalbum. Es waren nicht viele Bilder, aber sie waren ordentlich eingeklebt, die meisten hatten verblasste Farben, einige waren schwarzweiß. Außer den Fotos enthielt das Album nichts, keine geschriebenen Kommentare. Es gab keine Bilder von beiden Geschwistern zusammen, doch das hatte er auch nicht erwartet. Als Hans geboren wurde, war Signe schon verschwunden, weggegeben, ausgewischt. Wallander zählte knapp fünfzig Bilder. Die meisten zeigten Signe allein, liegend, in unterschiedlichen Stellungen. Aber auf dem letzten Bild hielt Louise sie im Arm, ernst und ohne in die Kamera zu blicken. Das Bild strahlte eine unendliche Einsamkeit aus und ließ erkennen, dass Louise eigentlich nicht dort sitzen und ihr Kind halten wollte; es berührte Wallander äußerst unangenehm und erfüllte ihn mit Trauer. Er schüttelte den Kopf.

Dann legte er sich wieder aufs Sofa. Er war sehr müde, aber zugleich erleichtert und schlief sofort ein. Mit einem Ruck erwachte er gegen acht Uhr, als auf der Straße ein Auto hupte. Er hatte von Pferden geträumt. Eine Herde war über die Sanddünen von Mossby galoppiert und geradewegs ins Wasser gestürmt. Er versuchte, den Traum zu deuten, doch ohne Erfolg. Es gelang ihm fast nie, er wusste nicht, wie er mit Träumen umgehen sollte. Er ließ sich ein Bad ein, trank Kaffee und rief gegen neun Uhr Ytterberg an, der in einer Sitzung war. Wallander konnte ihm jedoch eine Nachricht zukommen lassen und erhielt als Antwort eine SMS. Ytterberg wollte ihn um halb elf am Stadshus treffen, auf der Wasserseite. Wallander erwartete ihn schon, als Ytterberg auf seinem Fahrrad angestrampelt kam. Sie setzten sich in ein Café, jeder mit einer Tasse Kaffee vor sich auf dem Tisch.

»Was tust du hier?«, fragte Ytterberg. »Ich dachte, du ziehst Kleinstädte oder das Land vor.«

»Das tue ich auch, aber manchmal geht es nicht anders.«

Wallander erzählte von Signe. Ytterberg hörte aufmerksam zu, ohne ihn zu unterbrechen. Zum Schluss erzählte Wallander von dem Fotoalbum, das er in der Nacht gefunden hatte. Er hatte es in einer Plastiktüte mitgebracht, die er jetzt auf den Tisch legte.

Ytterberg schob die Tasse zur Seite, wischte sich die Hände ab und blätterte vorsichtig das Album durch. »Wie alt kann sie heute sein?«, fragte er. »Vierzig?«

»Wenn ich Atkins richtig verstanden habe.«

»Hier sind keine Bilder von ihr, die sie älter als zwei, höchstens drei Jahre alt zeigen.«

»Genau das ist es«, sagte Wallander. »Es sei denn, es existiert ein weiteres Album. Aber das glaube ich nicht. Nach ihren ersten zwei Lebensjahren ist sie wie ausgelöscht.«

Ytterberg schnitt eine Grimasse und schob das Album vorsichtig wieder in die Plastiktüte. Ein weißes Passagierschiff zog draußen auf Riddarfjärden vorbei.

Wallander rückte seinen Stuhl in den Schatten. »Ich hatte vor, zum Niklasgård zurückzufahren«, sagte er. »Trotz allem bin ich ein Teil der Familie dieses Mädchens. Aber ich brauche deine Zustimmung. Du musst wissen, was ich unternehme.«

»Was kann es dir bringen, sie zu treffen?«

»Ich weiß nicht. Aber ihr Vater hat sie am Tag vor seinem Verschwinden besucht. Und danach ist niemand mehr bei ihr gewesen.«

Ytterberg überlegte eine Weile. »Es ist wirklich seltsam, dass Louise seit seinem Verschwinden kein einziges Mal bei ihr gewesen ist. Wie erklärst du dir das?«

»Ich kann es nicht erklären. Aber ich frage mich genau wie du. Vielleicht sollten wir zusammen zu ihr fahren.«

»Fahr du allein. Ich lasse jemanden anrufen und Bescheid geben, dass du berechtigt bist, sie zu treffen.«

Wallander trat an die Kaimauer und sah übers Wasser, während Ytterberg telefonierte. Die Sonne stand hoch am klarblauen Himmel. Jetzt ist richtig Sommer, dachte er.

Nach einer Weile kam Ytterberg und stellte sich neben ihn. »Es geht in Ordnung«, sagte er. »Aber du musst eins wissen. Die Frau, mit der ich telefoniert habe, sagte, dass Signe von Enke nicht spricht. Nicht weil sie nicht will, sondern weil sie nicht kann. Ich weiß nicht, ob ich es ganz begriffen habe. Aber sie scheint ohne Stimmbänder geboren zu sein. Unter anderem.«

Wallander sah ihn an. »Unter anderem?«

»Sie ist stark behindert. Ihr fehlt so einiges. Ich bin wirklich froh, dass ich nicht dorthin fahre. Besonders heute.«

»Warum besonders heute?«

»Schönes Wetter«, sagte Ytterberg. »Einer der ersten Sommertage in diesem Jahr. Da möchte ich ungern aus dem Gleichgewicht geraten.«

»Hatte sie einen Akzent?«, fragte Wallander, als sie weitergingen. »Die Frau im Niklasgård?«

»Hatte sie. Und eine sehr schöne Stimme. Ihr Name war Fatima, wenn ich sie richtig verstanden habe. Ich tippe, dass sie aus dem Irak oder dem Iran stammt.«

Wallander versprach, sich noch am selben Tag zu melden. Er hatte den Wagen vor dem Haupteingang des Stadshus abgestellt und kam gerade noch rechtzeitig, bevor ein eifriger Parkwächter auf den Plan trat. Er verließ die Stadt und hielt eine gute Stunde später vor dem Eingang des Niklasgård. Als er die Anmeldung betrat, stand dort ein älterer Mann, der sich als Artur Källberg vorstellte. Er hatte die Nachmittagsschicht bis Mitternacht.

»Fangen wir von vorn an«, sagte Wallander. »Erzählen Sie mir von Signes Krankheit.«

»Sie ist eine der am schwersten Behinderten«, sagte Källberg. »Bei ihrer Geburt glaubte niemand, dass sie lange überleben würde. Aber manche Menschen haben einen Lebenswillen, den keiner von uns gewöhnlichen Sterblichen begreifen kann.«

»Bitte genauer«, sagte Wallander. »Was fehlt ihr?«

Artur Källberg zögerte, als versuchte er einzuschätzen, ob Wallander es ertragen könnte, alle Fakten zu hören. Vielleicht fragte er sich auch, ob er es verdiente, die Wahrheit zu erfahren.

Wallander wurde ungeduldig. »Ich höre«, sagte er. »Machen Sie weiter!«

»Ihr fehlen beide Arme. Außerdem hat sie einen Defekt am Kehlkopf, so dass sie nicht sprechen kann, und einen angeborenen Hirnschaden. Dazu kommt eine Missbildung des Rückgrats. Das bedeutet, dass sie nur in äußerst engen Grenzen bewegungsfähig ist.«

»Was heißt das?«

»Sie verfügt über eine gewisse Beweglichkeit in Hals und Kopf. Sie kann zum Beispiel zwinkern.«

Wallander versuchte, sich die entsetzliche Situation vorzustellen, dass Klara von diesem Elend betroffen wäre, dass Linda ein Kind mit schweren Funktionsstörungen zur Welt gebracht hätte. Wie hätte er reagiert? Konnte er sich in die Situation von Håkan und Louise versetzen und verstehen, was es für sie bedeutet hatte?

Wallander kam natürlich zu keiner Klarheit. »Wie lange ist sie schon hier?«, fragte er.

»Ihre ersten Lebensjahre verbrachte sie in einem Heim für schwer funktionsgestörte Kinder«, sagte Källberg. »Es lag auf Lidingö, wurde aber 1972 geschlossen.«

Wallander hob die Hand. »Lassen Sie uns genau sein«, sagte er. »Gehen Sie davon aus, dass ich von diesem Mädchen nicht mehr als den Namen weiß.«

»Dann sollten wir vielleicht damit anfangen, dass wir sie nicht mehr ›Mädchen‹ nennen. Sie wird einundvierzig Jahre alt. Raten Sie mal, wann?«

»Wie soll ich das wissen?«

»Sie hat heute Geburtstag. Normalerweise wäre ihr Vater hergekommen und hätte den ganzen Nachmittag hier verbracht. Jetzt kommt niemand.«

Källberg schien entrüstet zu sein bei dem Gedanken, dass Signe von Enke ihren Geburtstag ohne Besuch durchleiden musste. Wallander verstand ihn.

Eine Frage war natürlich wichtiger als alle anderen. Aber er beschloss, sie zurückzustellen und der Reihe nach vorzugehen.

Er zog seinen zerfledderten Notizblock aus der Tasche. »Sie ist also am achten Juni 1967 geboren?«

»Richtig.«

»Lebte sie je zu Hause bei ihren Eltern?«

»Sie wurde, den mir bekannten Unterlagen zufolge, direkt vom Krankenhaus ins Nyhagaheim nach Lidingö gebracht. Als es ausgebaut werden sollte, fürchteten die Anwohner um den Wert ihrer Grundstücke. Wie sie es anstellten, das Projekt zu stoppen, weiß ich nicht. Aber sie schafften es nicht nur, den Ausbau zu verhindern, sondern das Heim ganz schließen zu lassen.«

»Wohin wurde Signe dann verlegt?«

»Sie geriet in eine Art Pflegekarussell. Unter anderem war sie ein Jahr auf Gotland, in der Nähe von Hemse. Aber vor neunundzwanzig Jahren kam sie hierher. Und hier ist sie geblieben.«

Wallander machte sich Notizen. Das Bild von Klara ohne Arme tauchte mit makabrer Hartnäckigkeit mehrfach in seinem Kopf auf.

»Sagen Sie mir etwas über ihren Zustand«, bat Wallander. »An und für sich haben Sie das schon getan. Ich denke jetzt an ihr Bewusstsein. Was versteht sie? Was fühlt sie?«

»Das wissen wir nicht. Sie lässt nur grundlegende Reaktionen erkennen, und zwar mit einer Art Körpersprache und einer gewissen Mimik, die für Außenstehende schwer zu deuten sein kann. Wir betrachten sie am ehesten als einen Säugling, aber einen Säugling mit langer Lebenserfahrung.«

»Kann man sich vorstellen, was sie denkt?«

»Nein. Aber es spricht eigentlich nichts dafür, dass ihr das Ausmaß ihres Leidens bewusst ist. Sie hat nie Schmerz oder Verzweiflung zum Ausdruck gebracht. Und wenn das zutrifft, so ist es natürlich eine Gnade.«

Wallander nickte. Er glaubte zu verstehen. Er war bei seiner wichtigsten Frage angelangt. »Ihr Vater hat sie besucht«, sagte er. »Wie oft?«

»Mindestens einmal im Monat, manchmal öfter. Es waren

auch keine kurzen Besuche. Er blieb immer mindestens zwei Stunden.«

»Was tat er? Wenn sie nicht sprechen konnten?«

»*Sie* kann nicht sprechen. Er saß bei ihr und erzählte. Es war rührend. Er erzählte von allem, was passiert war, vom Alltag, vom Leben in der kleinen und der großen Welt. Er sprach mit ihr wie mit einem erwachsenen Menschen, ohne müde zu werden.«

»Was geschah, wenn er auf See war? Er war ja viele Jahre lang Kommandant auf U-Booten und anderen Kriegsschiffen.«

»Er hat immer Bescheid gesagt, dass er fort sein würde. Es war ergreifend, wenn er es ihr erklärte.«

»Und wer kam dann und besuchte Signe? Ihre Mutter?«

Källbergs Antwort war klar und kalt und kam ohne Zögern. »Sie war nie hier. Ich arbeite seit 1994 hier im Niklasgård. Sie hat ihre Tochter nie besucht. Der Einzige, der sie besuchte, war ihr Vater.«

»Sie wollen sagen, dass Louise von Enke nie hier war und ihre Tochter gesehen hat?«

»Nie.«

»Muss man das nicht bemerkenswert finden?«

»Nicht unbedingt. Manche sind ganz einfach nicht in der Lage, leidende Menschen zu ertragen.«

Wallander steckte den Notizblock ein. Er fragte sich, ob er entziffern könnte, was er geschrieben hatte. »Ich möchte sie gern sehen«, sagte er. »Unter der Voraussetzung, dass es sie nicht beunruhigt.«

»Ich vergaß wohl zu sagen, dass sie auch sehr schlecht sieht«, sagte Källberg. »Sie nimmt Menschen nur als verschwommene Figuren vor einem grauen Hintergrund wahr. Das glauben die Ärzte jedenfalls.«

»Sie hat ihren Vater also an der Stimme erkannt?«

»Ja, vermutlich. Ihre Körpersprache ließ darauf schließen.«

Wallander war aufgestanden. Aber Källberg blieb sitzen.

»Sind Sie ganz sicher, dass Sie sie sehen wollen?«

»Ja«, sagte Wallander. »Das bin ich.«

Es war natürlich nicht die Wahrheit. Eigentlich wollte er nur ihr Zimmer sehen.

Sie gingen durch die Glastüren, die sich lautlos hinter ihnen schlossen. Källberg schob die Tür eines Zimmers am Ende eines Korridors auf. Es war hell, auf dem Fußboden lag ein Bastteppich. Ein paar Stühle, ein Bücherregal und ein Bett, in dem Signe von Enke zusammengerollt lag.

»Können Sie mich mit ihr allein lassen und draußen warten?«, bat Wallander.

Als Källberg gegangen war, blickte er sich rasch im Zimmer um. *Warum steht ein Bücherregal im Zimmer eines Menschen, der blind und ohne Bewusstsein ist?* Er trat einen Schritt näher ans Bett und betrachtete Signe. Sie hatte helles, kurz geschnittenes Haar und erinnerte an ihren Bruder Hans. Ihre Augen waren geöffnet, starrten aber leer vor sich hin. Sie atmete stoßweise, als bereitete ihr jeder Atemzug Schmerzen. Wallander spürte einen Kloß im Hals. Warum musste ein Mensch solche Qualen erleiden? Ein Dasein, das nicht die geringste Möglichkeit bot, sich auch nur der Illusion eines sinnerfüllten Lebens zu nähern? Er sah sie weiter an, aber sie schien sich seiner Gegenwart nicht bewusst zu sein. Die Zeit stand still. Er fühlte sich wie in einem absonderlichen Museum, wo er gezwungen war, einen eingemauerten Menschen anzusehen. Das Mädchen im Turm, dachte er. Eingemauert in sich selbst.

Er sah auf den Stuhl am Fenster. *Dort saß Håkan von Enke immer, wenn er sie besuchte.* Wallander trat ans Bücherregal und ging in die Hocke. Es waren Kinderbücher, Bilderbücher. Signe von Enke war am Beginn ihrer Entwicklung stehengeblieben, sie war noch immer ein Kind. Wallander ging sorgfältig das Regal durch, nahm Bücher heraus und untersuchte, ob etwas dahinter versteckt war.

Zwischen einigen Babar-Büchern entdeckte er, was er suchte. Diesmal kein Fotoalbum, das hatte er auch nicht erwartet. Was er eigentlich suchte, hätte er nicht sagen können. Aber etwas hatte in der Wohnung in der Grevgata gefehlt, davon war er überzeugt. Entweder war jemand dort gewesen und hatte Papiere aussortiert, oder Håkan von Enke hatte es selbst getan. Und wo hätte er in diesem Fall das Aussortierte verstecken können, wenn nicht in diesem Zimmer? Zwischen den Babar-Büchern, die Wallander und Linda selbst gelesen hatten, als sie Kinder waren, befand sich ein großer Ordner mit steifen schwarzen Mappen. Zwei dicke Gummibänder hielten sie zusammen. Wallander war sich nicht sicher, ob er sie hier im Zimmer öffnen sollte, entschied sich aber schnell dagegen, zog die Jacke aus und wickelte die Mappen darin ein. Signe lag weiter reglos mit offenen Augen da.

Wallander öffnete die Tür. Källberg stand da und stocherte mit dem Finger in einem viel zu trockenen Blumentopf.

»Es ist ein Jammer«, sagte Wallander. »Mir bricht der kalte Schweiß aus, wenn ich sie nur ansehe.«

Sie gingen zurück zur Anmeldung.

»Vor ein paar Jahren kam einmal eine junge Kunststudentin her«, sagte Källberg. »Ihr Bruder lebte hier. Er ist inzwischen gestorben. Sie fragte, ob sie die Patienten zeichnen dürfe. Sie war sehr gut, sie hatte Zeichnungen mitgebracht, um zu zeigen, was sie konnte. Ich war absolut dafür, es ihr zu erlauben, aber im Vorstand war man der Meinung, dass es die Integrität der Patienten verletzen könnte.«

»Was geschieht, wenn Patienten sterben?«

»Die meisten haben eine Familie. Aber hin und wieder wird jemand in aller Stille ohne Angehörige begraben. Dann gehen so viele von uns mit wie möglich. Das Personal hier wechselt nicht so oft. Wir werden sozusagen die neue Familie der Patienten.«

Nachdem er sich verabschiedet hatte, fuhr Wallander

nach Mariefred und aß in einer Pizzeria. Nach dem Essen ging er mit seiner Kaffeetasse nach draußen und setzte sich an einen der Tische auf dem Bürgersteig. Eine Gewitterfront türmte sich am Horizont auf. Vor einem kleineren Kaufhaus in der Nähe stand ein Mann und spielte Ziehharmonika. Er spielte zum Gotterbarmen falsch, er war ein Bettler, kein Straßenmusikant. Als die Musik unerträglich wurde, trank Wallander seinen Kaffee aus und kehrte nach Stockholm zurück. Er betrat in dem Moment die Wohnung in der Grevgata, als das Telefon klingelte. Die Töne hallten verloren durch die verlassenen Räume. Niemand sprach eine Nachricht auf den Anrufbeantworter. Wallander hörte die früheren Nachrichten ab. Ein Zahnarzt und eine Schneiderin. Beim Zahnarzt hatte Louise einen früheren Termin bekommen, weil ein anderer Patient abgesagt hatte. Aber von wann war die Nachricht? Wallander notierte sich den Namen: Sköldin. Die Schneiderin sagte nur, dass das Kostüm fertig sei, nannte aber keinen Namen und keinen Zeitpunkt.

Plötzlich begann es über Stockholm zu regnen. Ein Wolkenbruch. Wallander trat ans Fenster und blickte auf die Straße hinunter. Er fühlte sich wie ein Eindringling. Aber das Verschwinden des Ehepaars von Enke war von Bedeutung für das Leben anderer Menschen, Menschen, die ihm nahestanden. Nur deshalb war er jetzt hier.

Nach einer guten Stunde ließ der heftige Regen nach, einer der schwersten, die in diesem Sommer die Hauptstadt heimsuchten. Keller wurden überflutet, Ampeln fielen aus, weil es zu Kurzschlüssen in den Stromleitungen kam. Aber davon merkte er nichts. Er war gefangen von dem Ordner, den Håkan von Enke im Zimmer seiner Tochter versteckt hatte. Es war ein krauses Durcheinander. Neben kurzen Haikus fanden sich fotokopierte Auszüge aus dem Tagebuch des schwedischen Oberbefehlshabers vom Herbst 1982, mehr oder weniger klare Aphorismen, die Håkan von Enke selbst formuliert hatte, Zeitungsausschnitte, Fotos, ein paar hingeworfene Aquarelle. Wallander wendete ein Blatt nach dem anderen in diesem merkwürdigen Tagebuch, wenn man es denn als solches bezeichnen konnte, und fühlte immer stärker, dass er dies von Håkan von Enkes Händen am allerwenigsten erwartet hätte. Zuerst blätterte er den Ordner nur durch, um eine Übersicht zu bekommen. Dann fing er wieder von vorn an, diesmal gründlicher. Als er schließlich die Deckel zusammenklappte und den Rücken streckte, dachte er, dass im Grunde nichts klarer geworden war.

Er ging hinaus und aß zu Abend. Der kräftige Regen war abgezogen. Um neun Uhr kehrte er in die leere Wohnung zurück. Zum dritten Mal zog er den Ordner mit den schwarzen Einbanddeckeln heran und ging den Inhalt durch.

Er suchte nach *dem anderen* Inhalt. Der unsichtbaren Schrift zwischen den Zeilen.

Die es geben musste. Dessen war er sicher.

13

Kurz vor drei Uhr am Morgen stand Wallander von der Couch auf und stellte sich ans Fenster. Es hatte wieder zu regnen begonnen, ein schwacher Nieselregen fiel auf die nassen Straßen. Wieder kehrte er in seinem müden Kopf zu dem Fest in Djursholm zurück, auf dem Håkan von Enke ihm von den U-Booten erzählt hatte. Wallander war sich sicher, dass der Ordner schon damals hinter Signes Babar-Büchern versteckt gewesen war. Das war Håkans geheimer Raum, sicherer als ein Safe. Wallanders Gewissheit in diesem Punkt beruhte ganz einfach auf der Tatsache, dass von Enke einen Teil der Dokumente datiert hatte. Die letzte Zeitangabe stammte vom Tag vor seinem fünfundsiebzigsten Geburtstag. Er hatte seine Tochter mindestens noch ein weiteres Mal besucht, und zwar am Tag bevor er verschwand, aber da hatte er nichts geschrieben.

Weiter komme ich nicht, hatte er als Letztes geschrieben. *Aber ich bin weit genug gekommen.* Das waren seine abschließenden Worte. Bis auf ein Wort, das offensichtlich später hinzugefügt worden war, mit einem anderen Stift. *Sumpf.* Nur das. Ein einziges Wort.

Wahrscheinlich das letzte von seiner Hand, dachte Wallander. Er war natürlich nicht ganz sicher und hatte im Augenblick auch nicht das Gefühl, es sei wichtig. Anderes, was zwischen den Deckeln gelegen hatte, sagte so viel mehr über den Mann aus, der den Stift geführt hatte.

Vor allem waren dies die Kopien der Tagebücher von Lennart Ljung, dem Oberbefehlshaber. Es war eigentlich nicht der Text, der wichtig war, sondern es waren die Kommentare, die Håkan von Enke an den Rand geschrieben hatte. Oft in Rot, manchmal durchgestrichen oder korrigiert, mit Ergänzungen und, hier und da, Jahre nach der ersten Randnotiz, ganz neuen Gedankengängen. Zuweilen hatte er auch Strichmännchen zwischen die Zeilen gezeichnet, Teufel mit Äxten oder Schürhaken in den Händen. An einer Stelle hatte er eine verkleinerte Seekarte der Hårsbucht eingeklebt. Darauf waren rote Punkte eingezeichnet, verschiedene Fahrwege für unbekannte Schiffe skizziert, und er hatte anschließend alles wütend ausgestrichen, um wieder von vorn anzufangen. Er hatte auch die Anzahl der abgeworfenen Wasserbomben notiert, verschiedene Minenpfade unter Wasser, Sonarkontakte. Manchmal zerfloss vor Wallanders müden Augen alles zu einem undeutbaren Brei. Dann ging er in die Küche und wusch sich das Gesicht. Und machte weiter.

Oft hatte von Enke den Stift so fest aufs Papier gedrückt, dass Löcher entstanden waren. Die Aufzeichnungen verrieten ein ganz anderes Temperament, fast eine Besessenheit, die vielleicht an Wahnsinn grenzte. Nichts von der Ruhe, mit der er in jenem fensterlosen Raum seinen Monolog gehalten hatte.

Wallander blieb am Fenster stehen und lauschte einigen jungen Männern, die heimwärts torkelten und Obszönitäten in die Nacht posaunten. Das sind die, bei denen niemand angebissen hat, dachte er, die allein nach Hause gehen müssen. Vor vierzig Jahren ist es mir auch oft so ergangen.

Wallander hatte die Auszüge aus den Tagebüchern so genau gelesen, dass er glaubte, jeden Satz inzwischen auswendig zu können. *Mittwoch, 24. September 1980.* Der Oberbefehlshaber besucht ein Luftabwehrregiment in der Nähe von Stockholm, stellt fest, dass es weiterhin hapert mit der Rekrutierung von Offiziersnachwuchs, obwohl viel Geld in die Renovierung von Kasernen gesteckt worden ist, um sie attraktiver zu machen. In diesem Abschnitt hat Håkan von

Enke keine einzige Anmerkung gemacht. Erst unten auf der Seite blitzt der Rotstift auf, wie ein Schwerthieb im Papier. *Die Frage von U-Booten in schwedischen Territorialgewässern ist während des Tages erneut aktualisiert worden. Vergangene Woche wurde vor Utö ein U-Boot eindeutig innerhalb der Hoheitsgewässer entdeckt. Man sah Teile des U-Boots über Wasser. Die Identifizierung weist eindeutig auf ein U-Boot der Misky-Klasse. Die Sowjetunion und Polen haben solche U-Boote.*

Hier waren die Kommentare auf einmal schwer zu entziffern. Wallander hatte sich vom Schreibtisch ein Vergrößerungsglas geholt und die Wörter am Ende lesen können. Von Enke fragt sich, was für »Teile« man gesehen haben will. Periskop? Turm? Wie lange das U-Boot sichtbar war, wer es gesehen hat, welchen Kurs es genommen hat. Er ist ärgerlich darüber, dass das Tagebuch so wenige entscheidende Einzelheiten enthält. Beim Wort »Misky-Klasse« hat von Enke hinzugefügt: *Nato und Whiskey. Also die westliche Bezeichnung des betreffenden U-Boots.* Die letzten Zeilen am Fuß der Seite sind rot unterstrichen. *Bei dieser Gelegenheit wurde Warnfeuer sowohl mit U-Jagdgranaten wie auch mit Wasserbomben abgegeben. Das U-Boot konnte nicht zum Auftauchen gezwungen werden. Man nimmt an, dass es später die schwedischen Hoheitsgewässer verlassen hat.* Wallander saß einen Moment nachdenklich da und fragte sich, was eine U-Jagdgranate sein konnte, fand aber keine Erklärung, weder in seiner eigenen Erfahrung noch in dem vor ihm liegenden Ordner. Am Rand stand: *Man zwingt ein U-Boot nicht mit Warnschüssen zum Auftauchen, nur mit scharfen Schüssen. Warum ließ man es entwischen?*

Die Randnotizen gehen bis zum 28. September. Da führt Ljung ein Gespräch mit dem Chef der Marine, der von einem Besuch in Jugoslawien zurückgekehrt ist. Jetzt ist Håkan von Enke nicht mehr interessiert. Keine Randnotiz, kein Strichmännchen, kein Ausrufezeichen. Aber am Fuß der

Seite ist Ljung unzufrieden mit einer Äußerung der Informationsabteilung der Marine. Er fordert den Marinechef auf, den Verantwortlichen zur Rechenschaft zu ziehen. Am Rand bemerkt der Rotstift: *Es wäre wichtiger, andere Missstände zu priorisieren.*

Das U-Boot vor Utö. Wallander erinnerte sich, draußen in Djursholm davon gehört zu haben. *Da fing alles an*, hatte Håkan von Enke gesagt. Der genaue Wortlaut allerdings war Wallander entfallen.

Der zweite Ausschnitt aus dem Tagebuch war entschieden länger. Er erstreckte sich vom fünften Oktober bis zum fünfzehnten Oktober 1982. Das ist die richtig große Galavorstellung, dachte Wallander. Schweden befindet sich im Mittelpunkt der Welt. Alle Welt verfolgt, wie die schwedische Marine und ihre Hubschrauber mit aller Kraft nach U-Booten oder vermeintlichen U-Booten suchen. Mittendrin wechselt Schweden die Regierung. Der Oberbefehlshaber hat seine liebe Not damit, nicht nur die abtretende, sondern auch die neu antretende Regierung zu informieren. Torbjörn Fälldin scheint hier und da zu vergessen, dass er abtreten wird, woraufhin Olof Palme verärgert seinem Erstaunen darüber Ausdruck verleiht, nicht ordentlich informiert zu werden über das, was sich da draußen auf Hårsfjärden tut. Der Oberbefehlshaber hat keine ruhige Minute. Wie ein Weberschiffchen schießt er zwischen Berga und den beiden Regierungen, die sich gegenseitig auf den Füßen stehen, hin und her. Außerdem muss er forsche Kommentare des Vorsitzenden der Konservativen, Adelsohn, beantworten, der nicht begreifen kann, warum die U-Boote nicht hochgeholt werden können. Von Enke notiert ironisch, dass er endlich einen Politiker gefunden hat, der die gleichen Fragen stellt wie er selbst.

Wallander hatte angefangen, auf seinem zerfledderten Notizblock Listen von Namen und Zeitpunkten zu erstellen. Warum er das tat, hätte er nicht sagen können. Vielleicht ging es nur darum, in dem Gewimmel von Details die Übersicht zu behalten, um von Enkes zunehmend verbitterte Randbemerkungen besser zu verstehen.

Manchmal hatte Wallander das Gefühl, von Enke versuche, dem Geschehen einen *anderen Verlauf* einzuschreiben. Von Enke sitzt da und schreibt die Geschichte um, dachte er. Er gleicht dem Irren in der Anstalt, der vierzig Jahre lang klassische Werke las und dann die Schlüsse umschrieb, weil er sie zu tragisch fand. Von Enke schreibt, was seiner Ansicht nach hätte geschehen sollen. Und stellt dadurch die Frage, warum es nicht geschehen ist.

Vertieft in seine Lektüre, hatte Wallander sich das Hemd ausgezogen und saß halb nackt auf dem Sofa. Er begann sich zu fragen, ob von Enke paranoid war. Aber er verwarf den Gedanken schnell. Die Notizen am Rand und zwischen den Zeilen waren bissig, dabei aber klar und logisch, zumindest soweit Wallander sie verstand.

Mitten im Text standen plötzlich ein paar einfache Worte, fast wie ein Haiku.

Geschehen unter der Oberfläche
Niemand merkt
was vor sich geht.

Geschehen unter der Oberfläche
Das U-Boot schleicht
Niemand will, dass es gezwungen wird, aufzutauchen.

War es so?, dachte Wallander. Dass alles ein Spiel für die Galerie war? Dass es nie wirklich darum ging, das U-Boot zu identifizieren? Aber für Håkan von Enke gab es eine andere, wichtigere Frage. Er betrieb eine andere Jagd, nicht nach einem U-Boot, sondern nach einem Menschen. Wie beharrlich wiederholte Trommelwirbel kehrte dies in seinen Aufzeichnungen wieder. Wer fasst die Beschlüsse? Wer ändert sie? Wer?

An einer Stelle kommentiert Håkan von Enke: *Um her-auszufinden, wer diese Beschlüsse eigentlich gefasst hat, muss ich die Frage beantworten, warum. Wenn sie nicht bereits beantwortet ist.* Als er dies schreibt, ist er nicht wütend, nicht aufgebracht, sondern ganz ruhig. Hier hat das Papier keine Löcher.

Wallander fiel es inzwischen nicht mehr schwer, Håkan von Enkes Sicht der Dinge zu verstehen. Es waren Befehle ergangen, die Befehlskette war eingehalten worden. Aber plötzlich tritt jemand auf den Plan und verändert sie, hebt einen Beschluss auf, und auf einmal sind die U-Boote verschwunden. Er nennt keine Namen, auf jeden Fall keine, die Verdachtspersonen bloßstellen. Aber manchmal nennt er Personen X oder Y oder Z. Er versteckt sie, dachte Wallander. Und dann versteckt er die Aufzeichnungen zwischen Signes Babar-Büchern. Und verschwindet. Und jetzt ist Louise auch verschwunden.

Die Kopien des Kriegstagebuchs zu durchforsten dauerte den größten Teil der Nacht. Aber Wallander schenkte auch dem übrigen Material zwischen den Umschlagdeckeln intensive Aufmerksamkeit. Es enthielt die Lebensgeschichte Håkan von Enkes, angefangen bei dem Tag, an dem er sich entschloss, die Offizierslaufbahn einzuschlagen. Fotos, Souvenirs, Postkarten. Schulzeugnisse, militärische Examen, Ernennungen. Das Hochzeitsfoto von ihm und Louise und Bilder von Hans in verschiedenen Altersstufen. Als Wallander am Ende am Fenster stand und in die Sommernacht und den Nieselregen hinausblickte, dachte er: Ich weiß mehr. Aber ich kann nicht sagen, dass irgendetwas klarer geworden ist. Vor allem das Wichtigste nicht, warum Håkan seit mehreren Monaten fort ist und warum auch noch Louise verschwunden ist. Auf diese Fragen finde ich keine Antwort. Aber ich weiß mehr darüber, wer Håkan von Enke ist.

Mit solchen Gedanken legte er sich schließlich unter die Wolldecke und schlief ein.

Am nächsten Tag erwachte er mit einem schweren Kopf. Es war acht Uhr, sein Mund war trocken, als hätte er am Abend gesumpft. Aber als er die Augen aufschlug, wusste er sofort, was er tun würde. Er wählte die Telefonnummer, noch bevor er Kaffee getrunken hatte.

Nach dem zweiten Klingeln meldete sich Sten Nordlander.

»Ich bin wieder in Stockholm«, sagte Wallander. »Ich muss Sie treffen.«

»Ich wollte gerade mit meinem kleinen Holzboot hinausfahren. Hätten Sie zehn Minuten später angerufen, wäre ich schon weg gewesen. Kommen Sie doch mit auf eine Bootstour. Da können wir uns unterhalten.«

»Ich habe keine geeignete Kleidung dabei.«

»Die habe ich. Wo sind Sie?«

»In der Grevgata.«

»Dann hole ich Sie in einer halben Stunde ab.«

Sten Nordlander kam in einem abgetragenen grauen Overall mit dem Emblem der schwedischen Marine. Auf dem Rücksitz seines Autos stand ein großer Korb mit Essen und Thermoskannen. Sie verließen die Stadt und fuhren auf kleinen Straßen bis zu der Marina, wo Sten Nordlanders Boot lag. Nordlander hatte einen Blick auf die Plastiktüte mit dem schwarzen Ordner geworfen, aber nichts gesagt. Und Wallander nahm sich vor zu warten, bis sie an Bord waren.

Sie standen auf der Pontonbrücke und betrachteten das frisch lackierte, glänzende Boot.

»Eine echte Petterson«, sagte Sten Nordlander. »Alles im Originalzustand. Solche Boote werden nicht mehr gebaut. Kunststoff bedeutet weniger Arbeit, wenn man das Boot im Frühjahr seeklar macht. Aber ein Kunststoffboot liebt man nie auf die gleiche Art und Weise. Eins wie dieses duftet wie ein Blumenstrauß. Jetzt zeige ich Ihnen Hårsfjärden.«

Wallander war verblüfft. Als sie die Stadt verließen, hatte

er vollkommen die Orientierung verloren, er hatte sogar gedacht, das Boot liege vielleicht an einem Binnensee oder am Mälaren. Aber jetzt sah er, dass sich die Bucht nach Utö öffnete, das Sten Nordlander ihm auf der Seekarte zeigte. Und nordwestlich davon lagen Mysingen und Hårsfjärden und das Allerheiligste der schwedischen Marine, der Flottenstützpunkt Muskö.

Wallander bekam einen Overall, wie ihn auch Sten Nordlander trug, dazu eine dunkelblaue Schirmmütze.

»Jetzt siehst du anständig aus«, sagte Nordlander, nachdem Wallander sich umgezogen hatte.

Das Boot hatte einen Glühkopfmotor. Als er mit dem Schwungrad gestartet war, warf Wallander mit unbeholfenen Bewegungen die Leinen los. Er hoffte sehnlichst, dass der Wind draußen auf dem Wasser nicht zu stark war.

Sten Nordlander beugte sich zur Frontscheibe vor, eine Hand ruhte leicht auf dem schön geformten hölzernen Steuerrad. »Zehn Knoten«, sagte er. »Genau die richtige Fahrt. Man hat Zeit, das Meer zu erleben, und prescht nicht nur vorwärts, als hätte man es eilig, den Horizont zu erreichen. Was wolltest du erzählen?«

»Ich habe gestern Signe besucht«, sagte Wallander. »Im Heim. Sie liegt zusammengekauert in einem Bett wie ein Kind, obwohl sie vierzig Jahre alt ist.«

Sten Nordlander hob mit einer heftigen Bewegung die Hand. »Ich will nichts hören. Wenn Håkan oder Louise hätten erzählen wollen, hätten sie es getan.«

»Dann sage ich nichts mehr.«

»Hast du mich angerufen, um über sie zu sprechen? Das kann ich nicht glauben.«

»Ich habe etwas gefunden. Ich möchte, dass du es dir ansiehst, später, wenn wir einmal still liegen.«

Wallander beschrieb seinen Fund, erzählte jedoch nichts vom eigentlichen Inhalt. Er wollte, dass Sten Nordlander ihn selbst entdeckte.

»Das hört sich sonderbar an«, sagte er, als Wallander geendet hatte.

»Was erstaunt dich?«

»Dass Håkan ein Tagebuch geführt hat. Er war kein Schriftmensch. Einmal waren wir zusammen in England. Er hat nicht mal Postkarten geschickt, er sagte, er wüsste nicht, was er schreiben sollte. Seine Logbücher waren auch nicht gerade eine umwerfende Lektüre.«

»Hier stehen sogar Texte, die wie Gedichte aussehen.«

»Das kann ich kaum glauben.«

»Du wirst ja selbst sehen.«

»Wovon handelt das Ganze?«

»Meistens hat es mit dem Ort zu tun, zu dem wir auf dem Weg sind.«

»Muskö?«

»Hårsfjärden. Die U-Boote. Er scheint von den Vorfällen Anfang 1980 ganz und gar besessen gewesen zu sein.«

Sten Nordlander streckte die Arme in Richtung Utö aus. »Dort wurde 1980 nach einem U-Boot gesucht«, sagte er.

»Im September«, ergänzte Wallander. »Man glaubte, es sei eins von denen, die die Nato Whiskey nannte. Wahrscheinlich russisch, konnte aber auch polnisch sein.«

Sten Nordlander blinzelte in seine Richtung. »Du hast dich schlaugemacht!«

Er überließ Wallander das Steuerrad und packte Kaffeetassen und eine Thermoskanne aus. Wallander hielt Kurs auf eine Pricke, die Nordlander ihm gezeigt hatte. Ein Schiff der Küstenwache warf einen kräftigen Schwall auf, als es an ihnen vorbeifuhr. Sten Nordlander schaltete in den Leerlauf und ließ das Boot treiben, während sie Kaffee tranken und belegte Brote aßen.

»Håkan war nicht der Einzige, der empört war«, sagte Sten Nordlander. »Viele von uns fragten sich, was da eigentlich vor sich ging. Es war eine ganze Reihe von Jahren nach Wennerström. Aber es gab viele Gerüchte.«

»Worüber?«

Sten Nordlander legte den Kopf schief, als wollte er Wallander auffordern, zu sagen, was er bereits wusste.

»Spione?«

»Es war ganz einfach unbegreiflich, dass die U-Boote, die es bewiesenermaßen unter Hårsfjärden gab, uns die ganze Zeit einen Schritt voraus zu sein schienen. Sie agierten, als wüssten sie, wie unsere Taktik aussah und wo unsere Minensperren lagen. Es war, als hörten sie sogar unsere Chefs diskutieren. Es gab Gerüchte über einen Spion, der noch besser platziert war als Wennerström. Du darfst nicht vergessen, dass es damals einen Mann in Norwegen gab, Arne Treholt, der sich in norwegischen Regierungskreisen bewegte. Und Willy Brandts Sekretär war ein ostdeutscher Spion. Die Mutmaßungen führten natürlich zu nichts. Es wurde niemand enttarnt. Aber das muss ja nicht bedeuten, dass es niemanden gab, der spionierte.«

Wallander dachte an die Buchstaben X, Y und Z. »Es muss bestimmte Personen gegeben haben, die du verdächtigst.«

»Es gab Offiziere in der Marine, die meinten, es spreche vieles dafür, dass Palme selbst Spion war. Ich habe das immer für Nonsens gehalten. Aber eigentlich war niemand sicher vor Verdächtigungen. Außerdem wurden wir in anderer Weise attackiert.«

»Attackiert?«

»Mittelkürzungen. Das Geld wurde in Roboterwaffen und in die Luftwaffe gesteckt. Die Mittel der Marine wurden immer stärker gekürzt. Viele Journalisten sprachen damals verächtlich von unseren ›Budget-U-Booten‹. Als wären sie nur erfunden, damit die Marine sich höhere und bessere Mittel sichern konnte.«

»Hast du jemals gezweifelt?«

»Woran?«

»An der Existenz der U-Boote?«

»Nie. Natürlich gab es da russische U-Boote.«

Wallander zog den schwarzen Ordner aus der Plastiktüte. Er war sicher, dass Sten Nordlander ihn nie zuvor gesehen hatte. Nordlanders fragende Miene wirkte nicht aufgesetzt. Er wischte sich die Hände ab und legte den geöffneten Ordner vorsichtig auf seinen Schoß. Das Wasser war bei dem leichten Wind nur schwach gekräuselt.

Er blätterte langsam die Papiere durch. Dann und wann blickte er auf, um zu sehen, wohin das Boot trieb. Dann wandte er sich wieder dem Ordner zu. Als er ihn durchgesehen hatte, reichte er ihn Wallander zurück und schüttelte den Kopf. »Das alles erstaunt mich«, sagte er. »Und vielleicht doch wieder nicht. Ich wusste ja, dass Håkan Nachforschungen in dieser Richtung betrieben hat. Aber dass er es so gründlich getan hat, wusste ich nicht. Wie soll man das hier nennen? Ein Tagebuch? Eine private Erinnerungsschrift?«

»Ich glaube, man kann es auf zweierlei Weise lesen«, sagte Wallander. »Teils als das, was da steht. Aber auch als eine unvollendete Untersuchung darüber, was eigentlich geschehen ist.«

»Unvollendet?«

Er hat recht, dachte Wallander. Warum sage ich das? Das Buch ist vermutlich das Gegenteil. Etwas Vollendetes und Geschlossenes.

»Wahrscheinlich hast du recht«, sagte Wallander. »Er war vermutlich fertig damit. Aber was glaubte er damit zu erreichen?«

»Es dauerte lange, bis ich merkte, wie viel Zeit er in seinem Archiv zubrachte, um Berichte, Untersuchungen und Bücher zu lesen. Und er sprach mit allen möglichen Personen. Manchmal rief mich jemand an und fragte mich, was er da eigentlich tue. Ich sagte nur, er wolle wohl wissen, was wirklich geschehen war.«

»Und er machte sich nicht beliebt? Das sagte er mir jedenfalls.«

»Ich glaube, am Ende wurde er als nicht zuverlässig be-

trachtet. Es war tragisch. Keiner in der Marine war recht-
schaffener und gewissenhafter als er. Es muss ihn tief gekränkt haben, auch wenn er nie etwas darüber sagte.«

Sten Nordlander hob das Motorluk an und betrachtete
den Motor. »Wie ein schön pochendes Herz«, sagte er und
legte das Luk wieder auf. »Einmal arbeitete ich als Chief auf
einem unserer zwei U-Boot-Jäger der Hallandklasse, der
Småland. Es war eins der größten Erlebnisse in meinem Leben, mich in ihrem Maschinenraum zu befinden. Da standen zwei De-Laval-Dampfturbinen, die ungefähr sechzig-
tausend Pferdestärken entwickelten. Wir konnten das Schiff
mit seinen dreitausendfünfhundert Tonnen auf eine Spit-
zengeschwindigkeit von fünfunddreißig Knoten bringen.
Da ging die Post ab. Da war es eine Freude, zu leben.«

»Ich habe eine Frage«, sagte Wallander. »Und du musst
wissen, dass sie äußerst wichtig ist: Findet sich in dem, was
du gerade gesehen hast, etwas, was dort nicht sein sollte?«

»Etwas Geheimes?«, sagte Sten Nordlander und zog die
Stirn in Falten. »Nicht, soweit ich sehen konnte.«

»Hat dich etwas erstaunt?«

»Ich habe nicht jedes Detail gelesen. Seine an den Rand
geschriebenen Kommentare konnte ich fast nicht entziffern. Aber nichts hat mich stutzen lassen.«

»Könntest du mir erklären, warum er das Material versteckt hat?«

Sten Nordlander zögerte mit der Antwort. Er betrachtete
gedankenverloren ein Segelboot, das in einigem Abstand
vorbeizog. »Ich verstehe nicht, was so geheim gewesen sein
kann«, sagte er schließlich. »Vor wessen Augen hätte es verborgen werden sollen?«

Wallander hörte mit geschärfter Aufmerksamkeit zu. Etwas, was der Mann im Steuerstand neben ihm gerade gesagt hatte, war wichtig. Aber er konnte den Gedanken nicht
festhalten, bevor er sich verflüchtigte. Er merkte sich die
Wörter.

Sten Nordlander ließ das Boot wieder Fahrt aufnehmen, zehn Knoten, und hielt Kurs auf Mysingen und Hårsfjärden. Wallander stellte sich neben ihn. In den folgenden Stunden agierte Nordlander als Fremdenführer, der ihm Muskö und Hårsfjärden zeigte. Er erklärte, wo Wasserbomben abgeworfen wurden und wo die U-Boote durch nicht aktivierte Minensperren entkommen sein konnten. Auf einer Seekarte konnte Wallander die Wassertiefe und gekennzeichnete Untiefen ablesen. Er sagte sich, dass nur eine sehr gut ausgebildete Besatzung in dem Wasser unter Hårsfjärden navigieren könnte.

Als Nordlander fand, dass sie genug gesehen hatten, änderte er den Kurs und hielt auf einige kleine Inseln und Schären im Gatt zwischen Ornö und Utö zu. Dahinter lag das offene Meer. Mit sicherer Hand navigierte er in eine kleine Bucht an einer der Schären. Sanft glitt das Boot an die Felskante. »Diese Bucht kennen nicht viele«, sagte er, als er den Motor abgestellt hatte. »Hier habe ich meine Ruhe. Nimm mal!«

Wallander war mit einer Leine in der Hand an Land gesprungen, nahm den Korb entgegen und stellte ihn auf den Felsen. Es roch nach Meer und Pflanzen, die in den Felsspalten wucherten. Er fühlte sich plötzlich wie ein Kind auf Entdeckungsfahrt auf einer unbekannten Insel.

»Wie heißt die Insel?«, fragte er.

»Es ist nur eine Klippe. Sie hat keinen Namen.«

Ohne ein Wort zog Nordlander sich aus und sprang nackt ins Wasser. Wallander sah seinen Kopf auftauchen und sogleich wieder verschwinden. Er ist wie ein U-Boot, das Abtauchen und Aufsteigen übt, dachte er. Das kalte Wasser kümmert ihn nicht.

Nordlander kletterte wieder auf die Klippe und zog ein großes rotes Handtuch aus dem Korb. »Du solltest es versuchen«, sagte er. »Es ist kalt, aber es tut gut.«

»Ein andermal. Wie viel Grad mag es haben?«

»Es liegt ein Thermometer hinter dem Kompass. Während ich mich abtrockne und hier aufdecke, kannst du messen.«

Wallander fand das Thermometer, das einen kleinen Schwimmer aus Gummi hatte. Er ließ es an der Felskante entlanggleiten und las dann das Ergebnis ab. »Elf Grad«, sagte er, als er zu Nordlander zurückkam, der das Essen auspackte. »Das ist mir zu kalt. Badest du auch im Winter?«

»Nein, aber ich habe es mir überlegt. In zehn Minuten ist das Essen klar. Mach doch eine Runde um die Klippe. Vielleicht ist eine Flaschenpost von einem gekenterten russischen U-Boot angetrieben.«

Wallander fragte sich, ob diese Aufforderung einen ernsten Sinn verbarg. Doch er glaubte es nicht. Nordlander war kein Mann der dunklen Worte.

Er setzte sich auf einen Felsblock, von dem er freie Sicht zum Horizont hatte, hob ein paar flache Steine auf und ließ sie über das Wasser springen. Wann hatte er zuletzt Steine geketschert? Er erinnerte sich an einen Besuch mit Linda in Stenshuvud, als sie ein Teenager war und sich nur widerwillig zu Ausflügen verlocken ließ. Da hatten sie Steine geketschert, und Linda hatte die Kunst viel besser beherrscht als er. Und jetzt ist sie so gut wie verheiratet, dachte er. Irgendwo stand ein Mann und wartete auf sie, und es war der Richtige. Wenn es nicht so gewesen wäre, säße ich jetzt nicht hier auf einer Klippe und grübelte über seine verschwundenen Eltern nach.

Eines Tages würde er auch Klara beibringen, flache Steine übers Wasser zu werfen und sie wie Frösche hüpfen zu lassen, bevor sie versanken.

Er wollte gerade aufstehen und gehen, Sten Nordlander hatte nach ihm gerufen, als er den Stein in seiner Hand genauer betrachtete. Grau, klein, ein Splitter schwedischen Gesteins. Ihm kam ein Gedanke in den Sinn, zunächst unklar, doch dann immer deutlicher.

Er blieb so lange sitzen, bis Nordlander ein zweites Mal rief. Da ging er zum Picknick, den Gedanken in der Erinnerung gespeichert.

Als er sich am Abend vor der Haustür in der Grevgata von Sten Nordlander verabschiedet hatte, beeilte er sich, hinauf in die Wohnung zu kommen.

Es zeigte sich, dass er recht gehabt hatte. Der kleine Granitstein, der auf Håkan von Enkes Schreibtisch gelegen hatte, war verschwunden.

Er war sicher. Er irrte sich nicht. Der Stein war nicht mehr da.

14

Der Ausflug hatte Wallander müde gemacht. Gleichzeitig hatte er ihm neue Denkanstöße gegeben. Nicht nur die Frage, warum der Stein fort war. Er fragte sich auch, warum er so hellhörig geworden war, als Sten Nordlander sagte: *Vor wessen Augen hätte es verborgen werden sollen?* Håkan von Enke konnte eigentlich nur einen Grund haben, seinen Ordner zu verstecken. Es war immer noch etwas im Gange. Er wühlte nicht nur in der Vergangenheit, er versuchte nicht nur, eine eingeschlafene oder mumifizierte Wahrheit wieder zu beleben. Das Geschehen von damals hatte bis auf den heutigen Tag Brisanz.

Wallander saß reglos auf dem Sofa und suchte nach etwas, was die Mühlsteine zu zermahlen versäumt hatten. Es musste sich um Menschen handeln. Noch lebende Menschen. An einer Stelle hatte Håkan von Enke eine Liste mit Namen aufgeschrieben, die Wallander nichts gesagt hatten. Mit einer einzigen Ausnahme, einem Mann, der im Kontext der U-Boot-Jagd in den achtziger Jahren häufig in den Medien zu sehen gewesen war; er hieß Sven-Erik Håkansson und hatte einen hohen Posten in der Marine bekleidet. Hinter seinem Namen standen ein Kreuz und dazu ein Ausrufezeichen und ein Fragezeichen. Was konnte das bedeuten? Die Aufzeichnungen waren nicht zufällig gemacht worden, alles war genau berechnet, auch wenn es sich in vielfacher Weise um eine geheime Sprache handelte, die zu entschlüsseln Wallander nur zum Teil gelungen war.

Er holte die Aufzeichnungen hervor, betrachtete die Namen und fragte sich, ob es sich um Menschen handelte, die auf die eine oder andere Weise in den Kampf gegen die Eindringlinge verwickelt waren, oder ob es verdächtigte Personen waren. Und falls Letzteres zutraf, wessen verdächtig?

Er atmete heftiger. Endlich glaubte er zu verstehen. *Håkan von Enke war auf der Jagd nach einem russischen Spion gewesen.* Nach einem Mann, der die russischen U-Boote mit genügend Informationen versorgte, dass sie die schwedischen Verfolger an der Nase herumführen, ja sogar deren Waffeneinsatz lenken konnten. Ein Mann, der immer noch dort draußen war, noch nicht enttarnt. Vor ihm versteckte er seine Aufzeichnungen, vor ihm hatte er Angst.

Der Mann vor dem Zaun, dachte Wallander. War er jemand, dem es nicht gefiel, dass von Enke nach einem Spion suchte?

Wallander richtete die Stehlampe aufs Sofa und ging noch einmal den dicken Ordner durch. Er hielt bei den Aufzeichnungen inne, die Hinweise auf die Spuren eventueller Spione enthalten konnten. Vielleicht war dies auch die Antwort auf eine andere Frage, das Gefühl, dass jemand Papiere aus dem Archiv im Arbeitszimmer entfernt hatte. Derjenige, der die Dokumente herausgenommen hatte, war vermutlich kein anderer als Håkan von Enke selbst gewesen. Es war wie bei einer russischen Puppe, einer Frau, die eine andere Frau in sich hatte, die wiederum eine Frau in sich hatte. Håkan von Enke hatte seine Aufzeichnungen nicht nur versteckt, er hatte vor Unbefugten auch verborgen, was eigentlich dort stand. Er hatte einen Nebelschleier ausgelegt, oder vielleicht eher eine Minensperre, die er aktivieren konnte, wann er es wollte, etwa wenn er merkte, dass jemand in seiner Nähe wäre, der dort nicht hingehörte.

Wallander löschte schließlich das Licht und legte sich hin. Aber er konnte nicht einschlafen. Einer spontanen Eingebung folgend, zog er sich an und verließ das Haus. In früheren Jahren hatte er, wenn die Einsamkeit ihm besonders zusetzte, Linderung auf langen nächtlichen Spaziergängen gesucht. Es gab keine Straße in Ystad, die er nicht auf einer seiner Wanderungen besucht hatte. Jetzt ging er zum Strandväg hinunter und hielt sich links, um zur Brücke zu kommen, die nach Djurgården hinüberführte. Die Sommernacht war warm, es waren noch Menschen auf den Straßen, viele von ihnen laut und betrunken. Wallander fühlte sich wie ein scheuer Fremdling, als er sich dort zwischen den Schatten vorwärtsbewegte. Er ging an Gröna Lund vorbei und machte erst kehrt, als er Thielska Galleriet erreicht hatte. Er dachte an nichts Besonderes, wanderte durch die Nacht, statt zu schlafen, das war alles. Als er in die Wohnung zurückkam, schlief er auch sogleich ein, die nächtliche Wanderung hatte die beabsichtigte Wirkung gehabt.

Am nächsten Tag fuhr er nach Hause. Er war noch vor Einbruch des Abends zurück in Schonen und kaufte Lebensmittel ein, bevor er das letzte Stück fuhr und Jussi abholte. Wild vor Freude sprang der Hund an ihm hoch und hinterließ lehmige Pfotenabdrücke auf Wallanders Kleidung. Nachdem er gegessen und ein paar Stunden geschlafen hatte, setzte er sich mit dem Ordner an den Küchentisch. Er hatte sein stärkstes Vergrößerungsglas herausgeholt, ein Geschenk seines Vaters in den ersten Teenagerjahren, als er Interesse für im Gras kriechende Insekten an den Tag gelegt hatte. Es war eins der wenigen Geschenke außer dem Hund Saga, die er wie seinen Augapfel gehütet hatte. Jetzt widmete er sich den Fotos, die sich zwischen den schwarzen Deckeln befanden, und ließ Texte und Randnotizen unbeachtet.

Eins der Fotos schien nicht richtig zu den anderen zu passen. Es war ihm schon vorher aufgefallen, dass dem Bild etwas allzu Ziviles anhaftete. Er war sicher, dass nichts zufällig hier hineingeraten war. Håkan von Enke war ein vorsichtiger, aber äußerst zielbewusster Jäger.

Es war ein Schwarzweißfoto, aufgenommen an einer Art Hafenanlage. Im Hintergrund sah man ein Haus ohne Fenster, wahrscheinlich ein Lager. An der unscharfen Außen-

kante des Fotos vermochte Wallander mithilfe des Vergrö-
ßerungsglases zwei LKWs und gestapelte Fischkisten auszumachen. Der Fotograf hatte die Kamera auf zwei Männer
gerichtet, die neben einem Fischerboot standen, einem älteren Typ von Trawler. Der eine Mann war alt, der andere sehr
jung, fast noch ein Kind. Wallander vermutete, dass das Bild
in den sechziger Jahren aufgenommen worden war. Es war
die Zeit, als noch Wolle und Lederjacken, Südwester und Öl-
zeug angesagt waren. Das Boot war weiß und hatte schwarze Schrammen an der Bordwand. Hinter und zwischen den
Beinen des Mannes erkannte Wallander Buchstaben, die zur
Registriernummer des Bootes gehören mussten. Dass der
letzte Buchstabe ein G war, stand außer Zweifel, der erste
Buchstabe war fast ganz verdeckt, während der mittlere ein
R oder ein T sein konnte. Die Ziffern waren leicht zu lesen,
123. Wallander setzte sich an seinen Computer, ging ins Internet und googelte verschiedene Suchbegriffe, bis er her-
ausfand, wo der Trawler registriert war. Er konnte rasch
feststellen, dass es nur eine Möglichkeit gab. Die Buchsta-
benkombination war NRG. Der Trawler war an der Ostküste
in der Nähe von Norrköping beheimatet. Nach weiterem
Suchen fand Wallander das Seefahrtsamt und die Fischerei-
verwaltung. Er schrieb sich die Telefonnummern auf und
kehrte an den Küchentisch zurück.

Das Telefon klingelte. Es war Linda, die wissen wollte,
warum er nichts von sich hören ließ. »Du verschwindest
einfach«, sagte sie. »Mir reicht es jetzt mit Entlaufenen.«

»Um mich brauchst du dir keine Sorgen zu machen«,
sagte Wallander. »Ich bin vor ein paar Stunden angekommen. Ich hätte mich morgen gemeldet.«

»Nun«, sagte sie. »Ich und vor allem Hans wollen wissen,
was du erreicht hast.«

»Ist er zu Hause?«

»Er arbeitet. Ich habe ihn heute Morgen gescholten, weil
er nie zu Hause ist. Ich habe versucht, ihm klarzumachen,

dass ich eines Tages wieder anfange zu arbeiten. Und was machen wir dann?«

»Was macht ihr dann?«

»Er muss helfen. Erzähl jetzt!«

Wallander versuchte, seine Begegnung mit Signe zu beschreiben, dem einsamen zusammengekauerten Geschöpf mit den blonden Haaren, aber er hatte noch kaum begonnen, als Klara zu weinen anfing und Linda das Gespräch beenden musste. Er versprach, sie am nächsten Tag anzurufen.

Als er am folgenden Morgen ins Präsidium kam, suchte er als Erstes Martinsson auf, um mit ihm zu klären, ob er an Mittsommer arbeiten sollte oder nicht. Martinsson hatte von allen Kollegen den besten Überblick über die ständig wechselnden Arbeitspläne und konnte ihm nach wenigen Minuten Auskunft geben. Trotz der freien Tage, die er genommen hatte, brauchte Wallander während des Mittsommerfestes nicht zu arbeiten. Martinsson selbst wollte mit seiner jüngsten Tochter in ein Yogalager nach Dänemark fahren.

»Ich weiß nicht, was ich davon halten soll«, sagte er und verhehlte seine Besorgnis nicht. »Ist es wirklich normal, dass eine Dreizehnjährige für nichts anderes Interesse hat als für Yoga?«

»Besser Yoga als so manches andere.«

»Meine beiden anderen Kinder haben sich für Pferde interessiert. Aber unser Nachkömmling ist anders.«

»Wir sind alle anders«, antwortete Wallander kryptisch und verließ das Zimmer.

Er rief eine der Nummern an, die er am Abend zuvor notiert hatte, und brachte in Erfahrung, dass der Trawler NRG 123 einem Fischer namens Eskil Lundberg auf Bokö in den Schären südlich von Gryt gehörte. Als dort ein Anrufbeantworter ansprang, hinterließ er eine Mitteilung, in der er dringend um Rückruf bat.

Dann rief er Linda an und beendete das Gespräch vom Abend zuvor. Sie hatte mit Hans gesprochen, und sie wollten so schnell wie möglich hinauffahren, um Signe zu treffen. Wallander war nicht erstaunt, fragte sich jedoch, ob ihnen eigentlich bewusst war, was sie bei ihrem Besuch erwartete. Was hatte er selbst sich vorgestellt?

»Wir haben beschlossen, Mittsommer zu feiern«, sagte sie. »Trotz allem, was passiert ist, trotz unserer Ängste. Wir wollten dir eine Freude machen, indem wir zu dir nach Hause kommen.«

»Gern«, sagte Wallander. »Das ist eine schöne Überraschung.«

Er holte sich am Automaten, der ausnahmsweise einmal nicht streikte, Kaffee und wechselte einige Worte mit einem Kollegen von der Spurensicherung, der die Nacht in einem Sumpf verbracht hatte, wo eine verwirrte Frau sich – wie man annahm – das Leben genommen hatte. Als er in der Morgendämmerung nach Hause gekommen war, hatte er aus einer der vielen Taschen seines Overalls einen Frosch herausgeholt. Seine Frau war alles andere als begeistert gewesen.

Wallander ging in sein Zimmer zurück und suchte in seinem überquellenden Telefonbuch eine weitere Nummer. Es sollte das letzte Gespräch an diesem Morgen sein, bevor er das verschwundene Paar vorübergehend außer Acht ließ und sich seiner Arbeit als Polizeibeamter im Dienst wieder zuwendete. Am Morgen hatte er eine Nachricht auf einem Anrufbeantworter hinterlassen. Jetzt suchte er die Handynummer derselben Person. Diesmal bekam er Antwort.

»Hans-Olov?«

Wallander erkannte die dünne, beinahe kindliche Stimme des jungen Geologieprofessors, mit dem er vor einigen Jahren einmal zu tun gehabt hatte. Er hatte ihnen als Experte wertvolle Hilfe geleistet, als es darum ging, Steinstaub aus den Taschen eines Toten am Strand von Svarte zu bestimmen. Hans-Olov Uddmark hatte eine rasche und sorgfältige Analyse vorgenommen und ihnen mitgeteilt, dass es sich um drei verschiedene Sorten Staub handelte. Das war wichtig gewesen für die Bestimmung des Tatorts, der nicht der Fundort war und zur Ergreifung des Täters geführt hatte.

Wallander hörte im Hintergrund eine Lautsprecheransage für einen Abflug. »Hier ist Wallander. Bist du auf einem Flugplatz?«

»Kastrup. Ich bin gerade von einem Geologiekongress in Chile zurückgekehrt. Mein Koffer scheint verschwunden zu sein.«

»Ich brauche deine Hilfe«, sagte Wallander. »Ich möchte, dass du ein paar Steine miteinander vergleichst.«

»Gern. Aber hat es bis morgen Zeit? Diese langen Flüge bekommen mir nicht gut.«

Wallander fiel wieder ein, dass Uddmark schon fünf Kinder hatte. »Ich hoffe, deine Geschenke für die Kinder waren nicht in dem Koffer?«

»Noch schlimmer. Ich hatte so schöne Steine gesammelt.«

»Ist deine Dienstadresse noch die gleiche wie beim letzten Mal, als wir miteinander zu tun hatten? Falls ja, schicke ich dir das Material schon heute hin.«

»Was möchtest du denn wissen außer der Gesteinsart?«

»Ich möchte wissen, ob einer der Steine möglicherweise in den USA vorkommt. Kannst du das feststellen?«

»Geht es etwas genauer?«

»In der Nähe von San Diego in Kalifornien oder an der Ostküste der USA, in der Gegend um Boston.«

»Ich will sehen, was ich tun kann. Aber es hört sich nach Arbeit an. Hast du eine Ahnung, wie viele Gesteinsarten es gibt?«

Wallander sagte, er wisse es nicht, bedauerte noch einmal das Verschwinden des Koffers, beendete das Gespräch und hastete zu einer Besprechung, an der er teilnehmen sollte.

Jemand hatte ihm einen Zettel auf den Schreibtisch gelegt, dass es wichtig sei. Er betrat als Letzter den Sitzungsraum, dessen Fenster weit geöffnet waren, da es ein warmer Tag werden sollte. Er dachte an all die Male, als er selbst die Besprechungen geleitet hatte. Jetzt kam er darum herum, aber sein Gefühl war zwiespältig. Früher hatte er von dem Tag geträumt, an dem er keine Sitzungen mehr zu leiten brauchte. Jetzt, da es andere taten, kam es vor, dass ihm genau das fehlte, der Antreiber zu sein, der Pläne sortierte und Direktiven erteilte.

Heute wurde die Sitzung von Kriminalinspektor Ove Sunde geleitet. Er war erst im vergangenen Jahr aus Växjö nach Ystad gekommen. Jemand hatte Wallander gesteckt, dass eine komplizierte Scheidung und eine nicht besonders gelungene Ermittlung, die in der lokalen Zeitung Smålandsposten eine hitzige Debatte ausgelöst hatte, ihn dazu bewogen hatten, eine Versetzung zu beantragen. Er kam ursprünglich aus Göteborg und gab sich keinerlei Mühe, seinen Dialekt zu verbergen. Sunde galt als kompetent, aber ein wenig faul. Ein anderes Gerücht besagte, Sunde sei in Ystad eine neue Beziehung eingegangen, mit einer Frau, die vom Alter her seine Tochter sein könnte. Wallander misstraute Männern in seinem Alter, die sich allzu junge Frauen suchten. Es nahm selten ein gutes Ende, führte häufig sogar zu neuen aufreibenden Scheidungen.

Ob seine eigene Einsamkeit eine bessere Alternative war, blieb jedoch sehr zweifelhaft.

Sunde begann seine Darstellung. Es ging um die Tote im Sumpf. Ein Fall, bei dem es sich vermutlich um einen Selbstmord und parallel dazu um einen Mord handelte. Ihr Mann hatte tot in ihrem Haus in einem kleinen Dorf nicht weit von Marsvinsholm gelegen. Die Situation war insofern besonders heikel, als der Mann einige Tage zuvor in Ystad gewesen war und erklärt hatte, er glaube, seine Frau wolle ihn erschlagen. Aber der Polizist, der die Anzeige aufnahm, hatte sie nicht ernst genommen, weil der Mann verwirrt gewirkt und widersprüchliche Angaben gemacht hatte. Jetzt galt es, den Hergang möglichst schnell zu klären, damit nicht die Medien Wind von der Sache bekamen und sich darauf stürzten, dass einer Anzeige keine Beachtung geschenkt worden war. Wallander ärgerte sich über Sundes allzu beflissenen Tonfall. In dieser Form Angst davor zum Ausdruck zu bringen, was die Medien möglicherweise beabsichtigten, hielt er für reine Feigheit. Hatte man einen Fehler gemacht, musste man dafür geradestehen.

Er fand, dass er darauf hinweisen sollte, ruhig und sachlich, aber ohne die Gelassenheit zu verlieren. Doch er schwieg. Auf der anderen Seite des Tisches saß Martinsson und lächelte ihm zu. Er weiß, was mir durch den Kopf geht, dachte Wallander. Er ist meiner Meinung, ob ich sie nun ausspreche oder nicht.

Nach der Sitzung fuhren sie hinaus zu dem Haus, in dem der Tote gefunden worden war. Mit Fotos in den Händen und Plastikschutz an den Füßen gingen Martinsson und er mit einem Kriminaltechniker durch die Zimmer. Er hatte plötzlich ein Déjà-vu-Erlebnis, als hätte er dieses Haus schon einmal besucht und eine *Okularinspektion* des Tatorts vorgenommen – wie Lennart Mattson sagen würde. Natürlich war es nicht so, er hatte einfach Ähnliches schon so viele Male getan. Vor einigen Jahren hatte er im Ausverkauf ein Buch erstanden, das von einem Verbrechen im frühen neunzehnten Jahrhundert handelte. Als er das Buch zunächst skeptisch, dann immer engagierter las, hatte er das Gefühl, in die Erzählung eintreten und gemeinsam mit dem Landgendarm und dem Vogt den Mord an einem Kleinbauernpaar auf Värmdö bei Stockholm aufklären zu können. Der Mensch war nun einmal so: Die gewöhnlichsten Verbrechen waren nur Wiederholungen der Untaten früherer Generationen. Die Ursachen waren fast immer Streit um Geld oder Eifersucht, vielleicht auch Rachsucht. Vor ihm hatten die

Polizisten früherer Generationen, Gendarmen, Vögte oder öffentliche Ankläger, die gleichen Beobachtungen gemacht. Heute war man technisch weiter in der Sicherung von Spuren. Aber die Fähigkeit, Dinge mit eigenen Augen wahrzunehmen, war immer noch ausschlaggebend.

Wallander hielt abrupt inne und unterbrach seinen Gedankengang. Er war ins Schlafzimmer des Paares gekommen. Auf dem Fußboden und auf einer Seite des Bettes war Blut. Aber Wallanders Aufmerksamkeit war durch ein Bild abgelenkt, das über dem Kopfende des Bettes hing. Es stellte einen Birkhahn in einer Waldlandschaft dar.

Martinsson trat neben ihn. »Das Werk deines Vaters, nicht wahr?«

Wallander nickte und schüttelte gleichzeitig ungläubig den Kopf. »Ich bin jedes Mal wieder erstaunt.«

»Er brauchte jedenfalls nicht zu befürchten, gefälscht zu werden«, sagte Martinsson nachdenklich.

»Natürlich nicht«, sagte Wallander. »Aber aus künstlerischer Sicht ist es einfach Mist.«

»Sag das nicht«, protestierte Martinsson.

»Ich sage nur die Wahrheit«, erwiderte Wallander. »Wo ist die Mordwaffe?«

Sie gingen hinaus auf den Hof. Unter einem aufgespannten Plastikschutz lag eine alte Axt. Sie war blutig, auch der Stiel bis hinauf zum Griff.

»Gibt es ein denkbares Motiv? Wie lange waren sie verheiratet?«

»Letztes Jahr haben sie Goldene Hochzeit gefeiert. Sie haben vier erwachsene Kinder und eine große Anzahl Enkel. Keiner begreift irgendetwas.«

»Kann es um Geld gegangen sein?«

»Den Nachbarn zufolge waren sie sparsam und geizig. Wie viel sie haben, weiß ich noch nicht. Die Bank untersucht es. Aber wir können davon ausgehen, dass es nicht wenig ist.«

»Es sieht nach einem Kampf aus«, sagte Wallander. »Er hat sich gewehrt. Bevor wir nicht die Frau gefunden haben, können wir nicht sagen, wie stark sie verletzt war.«

»Der Sumpf ist nicht groß«, sagte Martinsson. »Sie werden sie im Laufe des Tages finden.«

Sie verließen den trostlosen und unwirtlichen Ort des Verbrechens und kehrten ins Präsidium zurück. Wallander hatte das Empfinden, als verwandelte sich die sommerliche Landschaft für einen Augenblick in ein Schwarzweißbild. Nachdem er eine Weile auf dem Stuhl gekippelt hatte, wählte er erneut Eskil Lundbergs Nummer. Diesmal meldete sich seine Frau und sagte ihm, ihr Mann sei mit dem Boot draußen. Im Hintergrund hörte Wallander kleine Kinder. Er nahm an, dass Eskil Lundberg der Junge war, den er auf dem Foto gesehen hatte.

»Ich vermute, er ist zum Fischen«, sagte er.

»Was sollte er denn sonst tun? Er hat anderthalb Kilometer Netze im Wasser. Er liefert jeden zweiten Tag nach Söderköping.«

»Aal?«

Sie klang fast gekränkt, als sie antwortete. »Wenn er Aal finge, hätte er Reusen. Aber es gibt keinen Aal. Es gibt bald überhaupt keinen Fisch mehr.«

»Hat er das Boot noch?«

»Welches?«

»Den großen Trawler. NRG 123.«

Wallander spürte, dass sie beinahe misstrauisch wurde. »Den hat er schon vor langer Zeit zu verkaufen versucht. Aber niemand wollte das Mistding haben. Er ist verrottet. Den Motor hat er für hundert Kronen verkauft. Was wollen Sie denn von ihm?«

»Reden«, sagte Wallander freundlich. »Hat er ein Handy mit?«

»Da draußen ist die Verbindung sehr schlecht. Am besten rufen Sie in zwei Stunden an, dann ist er zu Hause.«

»Dann tu ich das.«

Es gelang ihm, das Gespräch zu beenden, bevor sie noch einmal fragen konnte, was er wollte. Er lehnte sich zurück und legte die Füße auf den Tisch. Jetzt hatte er keine Besprechungen, keine Aufgaben, die seine Anwesenheit erforderlich machten. Er nahm seine Jacke und verließ das Polizeipräsidium, sicherheitshalber nahm er den Weg durch die Garage, damit ihn keiner im letzten Moment noch abfangen konnte. Er spazierte zur Stadt hinunter und fühlte plötzlich eine Leichtigkeit in seinen Bewegungen. Er war trotz allem noch nicht so alt, dass alles vorbei war. Die Sonne und die Wärme machten alles erträglicher.

Nicht weit vom Marktplatz aß er zu Mittag, las Ystads Allehanda und eine Abendzeitung. Dann setzte er sich auf eine Bank am Marktplatz. Es war noch eine Viertelstunde bis zum Ende der Wartezeit. Er fragte sich, wo Håkan und Louise sich gerade befanden. Lebten sie, oder waren sie tot? Hatten sie sich abgesprochen und gemeinsam ihr Verschwinden inszeniert? Er dachte zurück an den Fall des Spions Bergling, aber es fiel ihm schwer, Ähnlichkeiten zwischen dem ernsten Korvettenkapitän und dem eitlen Bergling zu finden.

Wallander ließ auch einem anderen Gedanken freien Lauf, der, wie er widerwillig einsehen musste, entscheidende Bedeutung haben konnte. Håkan von Enke hatte regelmäßig seine Tochter besucht. War er wirklich bereit, sie zu verraten, indem er abtauchte? Die Schlussfolgerung war, dass von Enke tot war.

Es gab natürlich auch eine andere Möglichkeit, dachte Wallander, während er abwesend den Menschen zusah, die an einem Marktstand zwischen Langspielplatten wühlten. Von Enke hatte Angst gehabt. Konnte es sein, dass derjenige oder diejenigen, vor denen er sich fürchtete, ihn eingeholt hatten? Es gab keine Antworten, nur Fragen, die er so deutlich und exakt wie möglich formulieren musste.

Als die zwei Stunden um waren, rief er in Bokö an. Während er wählte, setzte sich ein leicht betrunkener Mann auf das andere Ende der Bank. Nach mehrmaligem Klingeln meldete sich eine Männerstimme. Wallander hatte sich vorgenommen, ganz deutlich zu sein. Er sagte seinen Namen und dass er Polizist sei.

»Ich habe in einer Mappe, die einem Mann namens Håkan von Enke gehört, eine Fotografie gefunden. Kennen Sie den Mann?«

»Nein.«

Die Antwort kam prompt und bestimmt. Wallander hatte den Eindruck, dass Lundberg auf der Hut war.

»Kennen Sie seine Frau? Louise?«

»Nein.«

»Irgendwie müssen Ihre Wege sich dennoch gekreuzt haben. Warum hätte er sonst ein Foto von Ihnen und einem anderen Mann, ich nehme an, es ist Ihr Vater? Und das Boot, NRG 123? Ist das nicht Ihres?«

»Mein Vater hat es irgendwann in den frühen sechziger Jahren in Göteborg gekauft. Als sie anfingen, größere Boote zu bauen und anderes Material zu benutzen als Holz. Er hat es billig gekauft. Und damals gab es reichlich Strömling.«

Wallander beschrieb das Foto und fragte, wo es aufgenommen war.

»Fyrudden«, sagte Lundberg. »Da lag das Boot. Es hieß Helga und war auf einer Werft in Südnorwegen gebaut worden. Ich glaube, die Stadt hieß Tönsberg.«

»Wer hat das Bild aufgenommen?«

»Das muss Gustav Holmqvist gewesen sein. Er hatte eine Bootsbauerwerkstatt und hat ständig fotografiert, wenn er nicht gearbeitet hat.«

»Kann Ihr Vater Håkan von Enke gekannt haben?«

»Mein Vater ist tot. Er hat nie etwas mit solchen Leuten zu tun gehabt.«

»Wie meinen Sie das?«

»Adligen.«

»Håkan von Enke ist auch Seemann. Wie Sie und Ihr Vater.«

»Ich kenne ihn nicht. Und Vater auch nicht.«

»Aber wie ist er an dieses Foto gekommen?«

»Das weiß ich nicht.«

»Vielleicht sollte ich Gustav Holmqvist fragen? Haben Sie seine Telefonnummer?«

»Der hat kein Telefon. Er ist seit fünfzehn Jahren tot. Seine Frau ist auch tot. Ihre Tochter auch. Alle sind tot.«

Wallander schien nicht weiterzukommen. Nichts deutete darauf hin, dass Eskil Lundberg die Unwahrheit sagte. Gleichzeitig hatte Wallander das Gefühl, dass etwas nicht stimmte. Er wusste nur nicht, was es war.

Wallander entschuldigte sich für die Störung und blieb noch einen Moment mit dem Handy in der Hand sitzen. Der Betrunkene neben ihm war eingeschlafen. Wallander erkannte ihn plötzlich wieder. Vor einigen Jahren hatte er den Mann und ein paar Komplizen wegen einer Einbruchserie gefasst. Nach seiner Gefängnisstrafe hatte er Ystad verlassen. Aber jetzt war er offensichtlich wieder hier.

Wallander stand auf und ging zum Präsidium. Im Kopf ließ er das Gespräch mit Lundberg noch einmal ablaufen, Wort für Wort. Lundberg war überhaupt nicht neugierig gewesen, dachte er. War er wirklich so uninteressiert, wie es den Anschein hatte? Oder wusste er schon vorher, wonach ich fragen würde? Wallander drehte und wendete das Gespräch, bis er in sein Zimmer trat. Er war zu keinem eindeutigen Schluss gekommen.

Er wurde aus seinen Gedanken gerissen, als Martinsson in der Tür erschien. »Wir haben die Frau gefunden«, sagte er.

Wallander starrte Martinsson an. Er wusste nicht, worum es ging. »Wen?«

»Die Frau, die ihren Mann mit der Axt erschlagen hat.

Evelina Andersson. Die Frau im Sumpf. Ich wollte noch einmal hinausfahren. Kommst du mit?«

»Ich komme.«

Wallander durchforstete seine Erinnerung. Er hatte ganz einfach keine Ahnung, wovon Martinsson sprach.

Sie fuhren in Martinssons Wagen. Wallander wusste immer noch nicht, wohin es ging und warum. Er spürte Verzweiflung aufsteigen.

Martinsson warf ihm einen Blick zu. »Ist dir nicht gut?«

»Doch, es ist alles in Ordnung.«

Erst als sie die Stadt hinter sich gelassen hatten, schloss sich die Erinnerungslücke. Das ist dieser Schatten in meinem Kopf, dachte er, beinahe wütend. Jetzt war er wieder da gewesen, mit voller Kraft. »Mir ist etwas eingefallen«, sagte er. »Ich habe einen Zahnarzttermin vergessen.«

Martinsson bremste. »Soll ich umdrehen?«

»Einer von den anderen kann mich zurückfahren.«

Wallander machte sich nicht die Mühe, die Frau anzusehen, die gerade aus dem Sumpf gezogen worden war. Ein Streifenwagen fuhr ihn nach Ystad. Er stieg vor dem Präsidium aus, bedankte sich fürs Bringen und setzte sich in seinen eigenen Wagen. Er fühlte, wie ihm ganz kalt wurde vor Unbehagen. Die Erinnerungslücken machten ihm Angst.

Nach einer Weile ging er in sein Zimmer. Da hatte er den Entschluss gefasst, mit seinem Arzt über das plötzliche Dunkel zu sprechen, das in seinem Kopf zuschlug. Gerade als er sich gesetzt hatte, gab sein Handy einen Signalton von sich. Er hatte eine SMS bekommen. Sie war kurz und präzise. *Beide Steine schwedisch. Keiner von den Küsten der USA. Hans-Olov.*

Wallander saß reglos auf seinem Stuhl. Er konnte nicht sofort ermessen, was dies bedeutete. Aber er wusste jetzt mit Sicherheit, dass etwas nicht stimmte.

Er hatte das Gefühl, kurz vor einer Art Durchbruch zu

stehen. Aber was für Konsequenzen sich daraus ergaben, vermochte er nicht zu sagen.

Er konnte auch nicht sagen, ob die Eheleute von Enke sich von ihm entfernten.

Oder ob sie sich langsam näherten.

15

Einige Tage vor Mittsommer fuhr Wallander an der Ostküste entlang nach Norden. Hinter Västervik wäre er um
ein Haar mit einem Elch zusammengestoßen. Er erreichte
mit pochendem Herzen einen Parkplatz und dachte an Klara,
bevor er in der Lage war, weiterzufahren. Die Straße führte
an einem Rasthaus vorbei, in dem er vor vielen Jahren, erschöpft und übermüdet, in einem Hinterzimmer hatte schlafen dürfen. In den seitdem vergangenen Jahren hatte er
mehrmals mit wehmütiger Sehnsucht an die Frau gedacht,
die das Rasthaus betrieben hatte. Als er es erreichte, bremste
er und fuhr auf den Parkplatz. Aber er stieg nicht aus. Unschlüssig saß er da, die Hände fest ums Lenkrad geschlossen.
Dann fuhr er weiter nach Norden.

Ihm war klar, warum er floh. Er fürchtete, dass jemand
anderes dort an der Kasse und am Kaffeeautomaten stehen
würde und dass er zur Kenntnis nehmen müsste, wie auch
in diesem Café die Zeit verronnen war. Er könnte nie wieder
zurückkehren zu dem, was jetzt so weit hinter ihm lag.

Er erreichte den Hafen von Fyrudden schon gegen elf
Uhr, weil er wie üblich viel zu schnell gefahren war. Als er
aus dem Wagen stieg, sah er, dass das Lagergebäude von
dem Foto noch existierte, auch wenn es jetzt umgebaut war
und Fenster hatte. Aber die Fischkisten waren fort, ebenso
der große Trawler, der am Kai gelegen hatte. Das Hafenbecken war jetzt voller Sportboote. Wallander parkte beim roten Haus der Küstenwache, bezahlte die Parkgebühr im Laden für Schiffszubehör und wanderte zur äußersten Spitze
der Pier hinaus.

Die Reise war ein Vabanquespiel, dachte er. Er hatte Eskil Lundberg nicht vorgewarnt, dass er kommen würde. Hätte er von Schonen aus angerufen, hätte Lundberg sich ganz sicher geweigert, ihn zu treffen. Aber wenn er hier auf dem Kai stand? Er setzte sich auf eine Holzbank neben dem Schiffsausrüster und wählte die Nummer. Jetzt ging es auf Biegen oder Brechen. Hätte er ein Adelswappen mit Inschrift gehabt, hätte er ebendiese Worte, *auf Biegen oder Brechen*, zu seinem Signum und Wahlspruch gemacht. So war es in seinem Leben immer gewesen. Er wählte die Nummer und hoffte das Beste.

Lundberg meldete sich.

»Hier ist Wallander. Wir haben vor ungefähr einer Woche miteinander gesprochen.«

»Was wollen Sie?«

Falls er verwundert war, verbarg er es gut, dachte Wallander. Lundberg gehörte offenbar zu den beneidenswerten Menschen, die immer bereit waren und damit rechneten, dass alles Erdenkliche passieren konnte, dass irgendwer am anderen Ende der Leitung sein konnte, ein König oder ein Idiot, oder warum nicht ein Polizist aus Ystad.

»Ich bin in Fyrudden«, fuhr Wallander fort und nahm den Stier bei den Hörnern. »Ich hoffe, Sie haben Zeit, mich zu treffen.«

»Warum sollte ich jetzt mehr zu sagen haben als bei unserem letzten Gespräch?«

In diesem Augenblick war Wallander, mit seiner gesammelten polizeilichen Erfahrung, sicher. Lundberg hatte wirklich mehr zu erzählen.

»Ich habe das Gefühl, dass wir uns unterhalten sollten«, sagte er.

»Ist das eine Art und Weise, mir zu sagen, dass Sie mich verhören wollen?«

»Ganz und gar nicht. Ich möchte nur mit Ihnen reden, Ihnen das Foto zeigen, das ich gefunden habe.«

Lundberg überlegte. »Ich hole Sie in einer Stunde ab«, sagte er schließlich.

Die Wartezeit verbrachte Wallander in der Cafeteria, wo er eine gute Aussicht auf den Hafen, die Inseln und das dahinterliegende offene Meer hatte. Auf einer hinter Glas an der Wand der Cafeteria angebrachten Seekarte hatte er gesehen, dass Bokö im Süden lag. Auf Boote, die aus dieser Richtung kamen, achtete er besonders. Er hatte sich vorgestellt, dass das Boot eines Fischers auf jeden Fall äußerlich an Sten Nordlanders hölzernen Spitzgatter erinnern würde. Aber damit lag er völlig falsch. Eskil Lundberg kam in einem offenen Kunststoffboot mit Außenborder, das mit Plastikeimern und Netzkörben gefüllt war. Er legte am Kai an und sah sich um. Wallander suchte seinen Blick. Erst als er vorsichtig an Bord gestiegen war und beinah auf den schlüpfrigen Bodenplanken ausgeglitten und gestürzt wäre, gaben sie sich die Hand.

»Ich dachte, wir fahren nach Hause«, sagte Lundberg. »Hier sind zu viele unbekannte Leute für meinen Geschmack.«

Ohne eine Antwort abzuwarten, legte er den Rückwärtsgang ein und fuhr, Wallanders Ansicht nach viel zu schnell, aus der Hafeneinfahrt. Ein Mann in der Plicht eines vertäuten Segelboots betrachtete ihr Rasen mit deutlicher Missbilligung. Das Geräusch des Motors war so laut, dass eine Unterhaltung kaum möglich war. Wallander hatte sich ganz vorn in den Bug gesetzt und sah bewaldete Inseln und kahle Klippen vorbeigleiten. Sie fuhren durch einen Sund, dessen Namen Wallander auf der Seekarte an der Cafeteria als Halsösund ausgemacht hatte, und wandten sich schließlich nach Süden. Die Inseln lagen immer noch dicht beieinander, nur für kurze Augenblicke konnte man das offene Meer sehen. Lundberg trug abgeschnittene Hosen, Stiefel mit heruntergeklapptem Schaft und ein T-Shirt mit der etwas verblüffenden Aufschrift »Ich verbrenne meinen Abfall selbst«.

Wallander schätzte sein Alter auf fünfzig Jahre, vielleicht etwas älter. Das konnte zum Alter des Jungen auf dem Foto passen.

Sie bogen in eine Bucht mit Eichen und Birken ein und legten an einem rot gestrichenen Bootshaus an, das nach Teer duftete. Schwalben flogen ein und aus. Vor dem Bootshaus standen zwei große Räucheröfen.

»Ihre Frau hat gesagt, es gebe keinen Aal mehr«, sagte Wallander. »Ist es wirklich so schlimm?«

»Es ist schlimmer«, sagte Lundberg. »Es gibt bald überhaupt keinen Fisch mehr. Hat sie das nicht gesagt?«

Das rote Wohnhaus mit einem Obergeschoss befand sich in einer Senke ungefähr hundert Meter vom Wasser. Hier und da lag Plastikspielzeug verstreut. Lundbergs Frau Anna wirkte bei der Begrüßung ebenso reserviert, wie sie sich am Telefon angehört hatte.

Die Küche duftete nach gekochten Kartoffeln und Fisch, aus einem leise gestellten Radio klang kaum hörbare Musik. Anna Lundberg stellte eine Kaffeekanne auf den Tisch und ging nach draußen. Sie war im gleichen Alter wie ihr Mann, und irgendwie glichen sie sich auch im Aussehen.

Aus einem anderen Zimmer kam ein Hund in die Küche. Ein schöner Cockerspaniel, dachte Wallander und streichelte ihn, während Lundberg Kaffee einschenkte.

Wallander legte das Foto aufs Wachstuch. Lundberg zog eine Brille aus der Brusttasche. Er blickte kurz auf das Foto und schob es dann von sich.

»Das muss 1968 oder 1969 gewesen sein. Im Herbst, glaube ich mich zu erinnern.«

»Und jetzt finde ich es unter den Papieren Håkan von Enkes?«

Lundberg sah ihm starr in die Augen. »Ich weiß nicht, wer der Mann ist.«

»Ein hoher Offizier der schwedischen Marine. Korvettenkapitän. Kann Ihr Vater ihn gekannt haben?«

»Das ist natürlich möglich. Aber ich bezweifle es trotzdem.«

»Warum?«

»Er hatte nicht viel übrig für Militärs.«

»Sie sind mit auf dem Bild.«

»Ich kann Ihnen auf Ihre Fragen keine Antwort geben. Selbst wenn ich es wollte.«

Wallander beschloss, an einem anderen Punkt anzusetzen, und begann noch einmal von vorn. »Sind Sie hier auf der Insel geboren?«

»Ja. Und mein Vater auch. Ich bin die vierte Generation.«

»Wann starb er?«

»1994. Er erlitt einen Schlaganfall im Boot, als er bei den Netzen draußen war. Als er nicht nach Hause kam, rief ich die Küstenwache an. Lasse Åman fand ihn. Er lag im Boot und trieb auf Björkskär zu. Er lebte noch, aber danach kam er nie wieder auf die Beine, der Alte.«

Wallander bemerkte einen Tonfall, der nicht auf ein durch und durch glückliches Verhältnis zwischen Vater und Sohn schließen ließ.

»Haben Sie immer hier gewohnt? Während Ihr Vater lebte?«

»Das wäre nicht gegangen. Man kann nicht der Knecht des eigenen Vaters sein. Schon gar nicht, wenn er immer bestimmen und außerdem immer recht haben will. Selbst wenn er ganz und gar danebenliegt.«

Eskil Lundberg stieß ein Lachen aus. »Er wollte nicht nur recht haben, wenn wir zusammen fischten«, fuhr er fort. »Ich erinnere mich an einen Abend, als wir ein Fernsehprogramm sahen, eine Art Quiz. Die Frage war, an welches Land der Felsen von Gibraltar grenzte. Er sagte, es sei Italien, ich sagte, es sei Spanien. Als sich zeigte, dass ich recht hatte, machte er den Fernseher aus und ging ins Bett. So war er.«

»Sie sind also von hier fortgezogen?«

Eskil Lundberg legte den Kopf schief und schnitt eine Grimasse. »Ist das wichtig?«

»Es kann wichtig sein.«

»Erzählen Sie noch mal, damit ich verstehe. Jemand ist verschwunden?«

»Zwei Personen, Mann und Frau. Von Enke. Und ich finde dieses Foto in einem Tagebuch, das dem Mann gehört, dem Korvettenkapitän.«

»Die beiden lebten in Stockholm, sagten Sie? Und Sie selbst sind aus Ystad? Wie hängt das zusammen?«

»Meine Tochter will den Sohn der Familie heiraten. Sie haben ein gemeinsames Kind. Die Verschwundenen sind ihre zukünftigen Schwiegereltern.«

Eskil Lundberg nickte. Er schien Wallander plötzlich mit weniger Misstrauen zu betrachten. »Ich bin von der Insel fortgezogen, als ich die Schule abgeschlossen hatte. In der Nähe von Kalmar bekam ich Arbeit in einem Eisenwerk. Da wohnte ich ein Jahr. Dann kam ich wieder nach Hause und fischte. Aber mein Vater und ich kamen nicht gut miteinander aus. Wenn man nicht so wollte wie er, wurde er zornig. Ich fuhr wieder weg.«

»Zurück ins Eisenwerk?«

»Genau, nach Osten. Nach Gotland. Ich arbeitete zwanzig Jahre in der Zementfabrik in Slite, bis es meinem Vater schlechter ging. Da traf ich auch meine Frau. Wir bekamen zwei Kinder. Wir kehrten zurück, als er nicht mehr konnte. Meine Mutter war gestorben, meine Schwester lebte in Dänemark, also waren wir die Einzigen, die das hier übernehmen konnten. Wir haben einen großen Besitz, Land, Fischereigewässer, sechsunddreißig kleine Inseln, eine Unzahl von Klippen.«

»Das bedeutet, dass Sie Anfang der achtziger Jahre nicht hier waren?«

»Ein paar Wochen im Sommer, sonst nicht.«

»Ist es denkbar, dass Ihr Vater während dieser Zeit Kontakt zu einem Marineoffizier hatte? Ohne dass Sie davon wussten?«

Eskil Lundberg schüttelte energisch den Kopf. »Es passt nicht zu ihm. Er war der Meinung, dass es Abschussprämien für Angehörige der schwedischen Marine geben sollte, Wehrpflichtige wie Berufssoldaten. Besonders Kapitäne.«

»Warum das?«

»Sie waren rücksichtslos bei ihren Manövern. Wir haben eine Anlegebrücke auf der anderen Seite, wo der Trawler lag. Zwei Herbste hintereinander wurde der Anleger durch den Wellenschlag von den Militärschiffen zerstört, die Senkpontons wurden losgerissen. Und sie bezahlten nicht für die Schäden. Mein Alter schrieb Briefe und beschwerte sich, aber nichts passierte. Mehrfach warf die Besatzung Küchenabfälle in Brunnen draußen auf den Inseln. Wenn man weiß, was ein Brunnen für die Inselbewohner bedeutet, tut man so etwas nicht. Aber es gab auch noch Schlimmeres.«

Eskil Lundberg schien plötzlich wieder zu zögern. Wallander wartete und drängte ihn nicht, ganz der geduldige Fuchs, der er war.

»Kurz vor seinem Tod erzählte er mir von einem Vorfall Anfang der achtziger Jahre«, fuhr Eskil Lundberg fort. »Er war damals bettlägerig. Er war nicht mehr so bösartig, kann man sagen, hatte wohl eingesehen, dass trotz allem ich derjenige war, der nach ihm den Hof übernehmen würde.«

Eskil Lundberg stand auf und verließ das Zimmer. Wallander dachte schon, dass er doch nicht mehr sagen würde, als er mit ein paar alten Kalendern zurückkam.

»September 1982«, sagte er. »Dies sind seine Kalender. Er hat die Fangmengen und das Wetter aufgeschrieben. Aber auch, wenn etwas Besonderes passierte. Am neunzehnten September war das tatsächlich der Fall.«

Er reichte den Kalender über den Tisch und zeigte auf das Datum. Mit säuberlicher Schrift stand da: *Fast unter Wasser gezogen.*

»Was hat er damit gemeint?«

»Das erzählte er, als er da in der Kammer lag und nicht mehr lange zu leben hatte. Zuerst dachte ich, er sei senil und verwirrt. Aber es war allzu detailliert, um nicht wahr zu sein. Er hatte es sich nicht eingebildet.«

»Erzählen Sie von Anfang an«, sagte Wallander. »Genau dieser Herbst 1982 interessiert mich.«

Eskil Lundberg schob die Tasse zur Seite, als brauchte er Platz, um erzählen zu können.

»Er lag mit dem Boot östlich von Gotland und fischte, als es passierte. Plötzlich war es, als ob das Boot abrupt gestoppt würde. Es gab einen Ruck im Netz, und das Schiff bekam Schlagseite. Er begriff nicht, was passiert war, es sei denn, es hätte sich etwas im Netz verfangen. Da war er auf der Hut, weil er, als er jung gewesen war, mal Gasgranaten ins Netz bekommen hatte. Er und die beiden anderen, die an Bord waren, versuchten sich loszuschneiden. Aber da merkten sie, dass das Boot sich gedreht hatte und das Schleppnetz freigekommen war. Jetzt gelang es ihnen, es einzuholen. Sie zogen einen Stahlzylinder an Bord, der ungefähr einen Meter lang war. Es war keine Granate oder Mine, eher ein Maschinenteil von einem Schiff. Der Stahlzylinder war schwer und sah aus, als hätte er lange im Wasser gelegen. Sie versuchten herauszufinden, was es war, aber ohne Erfolg. Als sie nach Hause kamen, untersuchte mein Alter den Zylinder genauer, aber er konnte sich keinen Reim darauf machen, wozu er benutzt worden war. Er ließ ihn irgendwo liegen und machte sich daran, sein Schleppnetz zu flicken. Er war sparsam und wollte nie etwas wegwerfen. Aber die Geschichte hat noch eine Fortsetzung.«

Eskil Lundberg zog den Kalender zu sich und blätterte einige Tage weiter, bis zum siebenundzwanzigsten September. Er zeigte Wallander die aufgeschlagene Seite. *Sie suchen.* Zwei Wörter, nicht mehr.

»Er hatte den Zylinder fast vergessen, als eines Tages genau an der Stelle, wo er ihn gefunden hatte, Marineschiffe auftauchten. Er fischte häufig an derselben Stelle östlich von Gotland. Ihm war sogleich klar, dass es kein gewöhnliches Manöver war. Die Schiffe verhielten sich sonderbar. Sie lagen still oder bewegten sich langsam, in immer engeren Kreisen. Er brauchte nicht lange zu überlegen, um zu verstehen, was vor sich ging.«

Eskil Lundberg klappte den Kalender zu und sah Wallander an. »Sie suchten nach etwas, was sie verloren hatten. Nicht mehr und nicht weniger. Aber mein Alter dachte überhaupt nicht daran, den Stahlzylinder zurückzugeben. Sein Netz war zerstört worden. Er fischte ruhig weiter und tat, als gingen sie ihn nichts an.«

»Und was geschah weiter?«

»Die Marine hatte den ganzen Herbst Schiffe und Taucher da draußen, bis in den Dezember. Dann verschwanden die letzten. Es begannen Gerüchte umzugehen, dass ein U-Boot gesunken sei. Aber da, wo sie suchten, war es nicht tief genug für ein U-Boot. Das Militär bekam seinen Zylinder nie zurück, und mein Vater erfuhr nie, was es war. Aber es war ihm eine Genugtuung, sich für den zerstörten Anleger zu rächen. Dass er Kontakt mit einem Marineoffizier gehabt haben soll, kann ich mir nicht vorstellen.«

Sie schwiegen. Der Hund kratzte sich. Wallander versuchte zu verstehen, wie Håkan von Enke an dem, was er gerade gehört hatte, beteiligt sein konnte.

»Ich glaube, er ist noch da«, sagte Lundberg.

Wallander glaubte, nicht richtig gehört zu haben, aber Eskil Lundberg war schon vom Tisch aufgestanden. »Der Zylinder«, sagte er. »Ich glaube, er liegt draußen im Schuppen.«

Sie verließen das Haus, der Hund lief schnüffelnd vor ihnen her. Es hatte aufgefrischt. Anna Lundberg hängte Wäsche auf eine Leine, die zwischen zwei alten Kirschbäumen gespannt war. Weiße Kopfkissenbezüge knatterten im

Wind. Hinter dem Bootshaus stand ein Schuppen, er hielt ein heikles Gleichgewicht auf den unebenen Felsen. An der Decke leuchtete eine einzige Glühlampe. Wallander trat in einen Raum voller Gerüche ein. An einer Wand hing eine altertümliche Aalgabel. Eskil Lundberg stand gebeugt in einer Ecke des Schuppens, wo Tauknäuel, zerbrochene Pützen, alte Korkschwimmer und kaputte Netze lagen, und wühlte darin herum. Er riss und zerrte in dem Durcheinander, als ob er die Wut seines Vaters über die Rücksichtslosigkeit der Kriegsschiffe teilte. Schließlich richtete er sich auf, trat einen Schritt zur Seite und zeigte auf einen länglichen Gegenstand aus grauem Stahl, wie eine große Zigarrenhülse, mit einem Durchmesser von vielleicht zwanzig Zentimetern. Am einen Ende des Zylinders war eine teilweise geöffnete Klappe, im Inneren sah man ein Gewirr von Kabeln und Verbindungsrelais.

»Wir können das Ding nach draußen bringen«, sagte Lundberg. »Wenn Sie mit anfassen.«

Sie trugen den Zylinder zum Anlegesteg hinunter. Der Hund war sogleich zur Stelle und schnüffelte. Wallander versuchte sich vorzustellen, was für eine Funktion der Zylinder haben mochte. Dass es sich um ein Teil eines Motors handelte, bezweifelte er. Möglicherweise etwas, was mit Radar oder vielleicht Zündanordnungen für Torpedos oder Minen zu tun hatte.

Wallander ging in die Hocke und suchte nach einer Seriennummer oder einem Herstellungsort, fand aber nichts. Der Hund beschnüffelte sein Gesicht, bis Lundberg ihn wegscheuchte.

»Was glauben Sie, was es ist?«, fragte Wallander, als er sich aufrichtete.

»Ich weiß nicht. Genauso wenig, wie mein Vater es jemals verstanden hat. Das gefiel ihm nicht. Darin sind er und ich uns gleich. Wir wollen Antworten auf unsere Fragen.«

Eskil Lundberg verstummte einen Moment, bis er fortfuhr. »Ich brauche ihn nicht. Aber vielleicht kann er Ihnen nutzen?«

Es dauerte einen Augenblick, bis Wallander begriff, dass er den Stahlzylinder meinte, der vor ihren Füßen lag. »Ich nehme ihn gern«, entgegnete er und dachte, dass Sten Nordlander ihm vielleicht erklären konnte, wozu der Zylinder gebraucht worden war.

Sie legten ihn ins Boot, und Wallander machte die Leinen los. Lundberg schwenkte nach Osten und nahm Kurs auf den Sund zwischen Bokö und Björkskär. Sie fuhren an einer kleinen Insel vorbei, auf der in einem Wäldchen ein einsames Haus stand.

»Eine alte Jagdhütte«, sagte Lundberg. »Sie übernachteten dort, wenn sie Seevögel jagten. Aber mein Alter fuhr auch manchmal dahin, wenn er ein paar Tage saufen und in Ruhe gelassen werden wollte. Es ist ein gutes Versteck für jemanden, der für eine Weile abtauchen will.«

Sie legten am Kai an. Wallander fuhr den Wagen rückwärts heran. Gemeinsam hoben sie den Stahlzylinder auf die Rückbank.

»Eine Sache frage ich mich«, sagte Lundberg. »Sie sagten, dass beide verschwunden wären. Habe ich richtig verstanden, dass das nicht gleichzeitig geschah?«

»Sie haben richtig verstanden. Håkan von Enke verschwand im April, seine Frau erst vor ein paar Wochen.«

»Ist das nicht seltsam? Dass es nicht die geringste Spur gibt? Wo kann er jetzt sein? Oder sie beide?«

»Alle Möglichkeiten sind noch offen. Sie können am Leben sein oder tot. Wir wissen es nicht.«

Eskil Lundberg schüttelte den Kopf. Wallander fand, dass er etwas Scheues an sich hatte. Aber vielleicht wurden Menschen so, wenn sie auf Inseln lebten, die in harten Eiswintern von jeder Verbindung abgeschnitten sein konnten.

»Die Frage nach dem Foto ist auch noch offen«, sagte Wallander.

»Ich habe keine Antwort.«

Vielleicht war es, weil Lundbergs Worte zu schnell kamen? Wallander war nicht sicher. Aber er fragte sich plötzlich, ob Lundberg wirklich die Wahrheit sagte. Gab es doch noch etwas, was er nicht erzählen wollte?

»Sie kommen vielleicht noch drauf«, sagte Wallander. »Man kann nie wissen. Es können plötzlich Erinnerungen auftauchen.«

Wallander sah ihn rückwärts vom Kai ablegen, sie hoben die Hände noch einmal zum Gruß, und dann verschwand das kleine, schnelle Boot hinunter zum Sund bei Halsö.

Auf der Heimfahrt wählte Wallander einen anderen Weg als den, auf dem er heraufgekommen war. Er wollte nicht noch einmal an dem kleinen Rasthaus vorbeifahren.

Als er zu Hause ankam, war er müde und hungrig und ließ Jussi noch beim Nachbarn. In der Ferne hörte er Donnergrollen. Es hatte geregnet, das Gras unter seinen Füßen duftete.

Er blieb im Flur stehen, hielt den Atem an, horchte. Es war niemand da, nichts war verändert, dennoch wusste er, dass jemand während seiner Abwesenheit im Haus gewesen war. Auf Strümpfen ging er in die Küche. Kein Zettel auf dem Tisch. Wäre es Linda gewesen, hätte sie eine Nachricht hinterlassen. Er ging ins Wohnzimmer und bewegte sich langsam im Kreis.

Er hatte Besuch gehabt. Jemand war gekommen, und jemand war gegangen.

Wallander zog sich die Stiefel an und ging hinaus auf den Hof. Er ging ums Haus herum und wieder zurück.

Als er sicher war, dass niemand ihn beobachtete, ging er zum Hundezwinger und hockte sich vor Jussis Hütte.

Er fühlte mit der Hand nach. Was er dorthin gelegt hatte, lag noch da.

16

Den Blechkasten hatte er von seinem Vater geerbt. Genauer gesagt hatte er ihn zwischen verworfenen Gemälden, Farbdosen und Malerpinseln gefunden. Als Wallander nach dem Tod des Vaters im Atelier Ordnung geschaffen hatte, waren ihm die Tränen gekommen. Auf einem der ältesten Pinsel hatte er lesen können, dass dieser während des Weltkriegs 1942 hergestellt worden war. Das war das Leben seines Vaters gewesen, dachte er: eine immer weiter wachsende Anzahl von fortgeworfenen Pinseln, die sich in der Ecke anhäuften. Als er sauber gemacht und alles in große Papiersäcke geworfen und schließlich die Geduld verloren und angerufen und einen Container bestellt hatte, da hatte er den Blechkasten gefunden. Er war leer und rostig gewesen, doch Wallander konnte sich aus seiner Kindheit vage an ihn erinnern. Die Spielsachen seines Vaters aus fernen Zeiten hatten darin gelegen, gut gemachte und schön angemalte Zinnsoldaten, ein Gusslöffel und Gipsformen, auch Teile eines Stabilbaukastens.

Wohin die Spielsachen geraten waren, wusste er nicht. Er hatte jeden Winkel des Hauses und des Ateliers durchsucht, ohne sie zu finden. Er war sogar zu dem alten Müllhaufen hinterm Haus gegangen, hatte mit dem Spaten und einer Forke gegraben, doch ohne Ergebnis. Der Blechkasten war leer, und Wallander betrachtete ihn als ein Symbol, ein Erbe, das er selbst mit Inhalt füllen konnte. Er reinigte den Kasten, schliff den schlimmsten Rost ab und stellte ihn in den Keller in der Mariagata. Als er in das neu gekaufte Haus einzog, erinnerte er sich an den Kasten. Und jetzt war er zur

Anwendung gekommen, als Wallander überlegte, wo er den schwarzen Ordner aus Signes Zimmer verstecken konnte. Irgendwie war es ihr Buch, dachte er, es war Signes Buch, das vielleicht eine Erklärung für das Verschwinden ihrer Eltern enthielt.

Der freie Raum unter den Brettern, auf denen Jussi schlief, war ihm als das geeignetste Versteck für den Kasten erschienen. Er war erleichtert, dass die Aufzeichnungen noch da waren. Er beschloss, Jussi sogleich zu holen. Der Nachbarhof lag jenseits einiger ausgedehnter Rapsfelder, die in seiner Abwesenheit abgeerntet worden waren. Er ging auf einem Feldweg an den Gräben entlang, redete mit dem Nachbarn, der gerade seinen Traktor reparierte, und holte Jussi, der auf der Rückseite des Hauses angekettet war und an ihm hochsprang. Als Wallander zu seinem Haus zurückkehrte, schleppte er den Zylinder hinein, breitete Zeitungen auf dem Küchentisch aus und begann, ihn zu untersuchen. Er ging vorsichtig zu Werke, weil tief in seinem Inneren eine Alarmglocke leise bimmelte. Vielleicht steckte etwas Gefährliches in diesem länglichen Gegenstand. Behutsam fummelte er die Verbindungsrelais heraus, dünne Kabelspulen und verschiedene Stecker und Kontakte, die die Leitungen verbanden. An der Unterseite sah er, dass eine Befestigungsvorrichtung abgerissen worden war. Es gab keine Seriennummer oder einen anderen Hinweis auf den Herstellungsort des Zylinders oder auf seinen Besitzer. Wallander unterbrach die Demontage, um Essen zu machen, ein Omelett, in das er eine Dose Pilze rührte. Er aß vor dem Fernseher, in dem er uninteressiert ein Fußballspiel verfolgte, während er möglichst wenig an Zylinder oder verschwundene Menschen zu denken versuchte. Jussi legte sich vor seine Füße. Wallander ließ ihn die Reste des Omeletts aufschlecken, sah zerstreut zu, als eine der Mannschaften ein Tor schoss, wer immer da auch spielte, und ging mit Jussi nach draußen. Es war ein schöner Sommerabend. Er konnte nicht anders, als sich auf einen der weißen Gartenstühle an der Westseite des Hauses zu setzen, wo er einen freien Blick auf die Abendsonne hatte.

Er erwachte mit einem Ruck, verwundert darüber, dass er eingeschlafen war. Fast eine Stunde lang war er der Welt entrückt gewesen. Sein Mund war trocken, und er ging ins Haus und maß seine Blutzuckerwerte. Sie waren viel zu hoch, 15,2. Angst befiel ihn. Er hielt sich an alle Vorschriften, aß, wie er sollte, machte seine Spaziergänge, nahm seine Medikamente und seine Spritzen. Dennoch war der Wert viel zu hoch. Er kam auf keine andere Lösung, als dass er mehr Medizin brauchte. Wieder einmal musste er die Insulindosis erhöhen, die er in bestimmten Abständen seinem Körper zuführte.

Einen kurzen Augenblick blieb er an der Ecke des Tischs sitzen, wo er sich in den Finger gestochen hatte, um seinen Zuckerwert zu kontrollieren. Der Missmut, die Resignation, der Fluch des Alterns kamen erneut über ihn. Nicht zuletzt die Angst wegen seiner Erinnerungsverluste und seines Präsenzgefühls, das zuweilen völlig aussetzte. Ich schraube und fummle an einem Stahlzylinder herum, dachte er, während ich eigentlich bei meiner Tochter und meinem Enkelkind sein sollte.

Er tat, was er meistens tat, wenn der Missmut zuschlug. Er goss sich ein ordentliches Glas Schnaps ein und kippte es hinunter. Ein großer Schnaps, nicht mehr, nicht zwei, kein Nachfüllen. Dann ging er den Zylinder noch einmal durch, bevor er beschloss, dass es genug war, ließ sich ein Bad einlaufen und schlief vor Mitternacht ein.

Früh am nächsten Morgen rief er Sten Nordlander an.

Er war mit seinem Boot auf dem Wasser, aber binnen einer Stunde würde er an Land sein und dann zurückrufen.

»Ist etwas passiert?«, rief er durch das Rauschen hindurch.

»Ja«, rief Wallander zurück. »Wir haben die Verschwundenen nicht gefunden. Dagegen habe ich etwas anderes gefunden.«

Um halb acht meldete sich Martinsson und erinnerte an eine Besprechung, die am selben Vormittag stattfinden sollte. Eine der schwedischen Rockerbanden war im Begriff, in der Nähe von Ystad ein Haus zu kaufen. Lennart Mattson hatte die Sitzung einberufen. Wallander versprach, um zehn Uhr zur Stelle zu sein.

Wallander hatte nicht die Absicht, Sten Nordlander zu erzählen, wo genau er den Zylinder gefunden hatte. Nach dem unerwünschten Besuch in seinem Haus hatte er sich vorgenommen, niemandem mehr zu vertrauen, jedenfalls nicht vorbehaltlos. Natürlich konnte die Person, die sich Zugang zu seinem Haus verschafft hatte, einen anderen Grund gehabt haben, der nicht notwendigerweise mit Håkan und Louise von Enke zu tun hatte. Doch was für ein Grund hätte das sein können? Wallander hatte gleich nach dem Aufstehen am Morgen das Haus gründlich untersucht. Eins der Fenster auf der Ostseite, in dem Zimmer, in dem ein nie benutztes Gästebett stand, war angelehnt. Er wusste mit Sicherheit, dass er es nicht offen gelassen hatte. Ein Dieb konnte ohne weiteres dort eingedrungen und auf demselben Weg wieder verschwunden sein. Aber warum hatte er nichts mitgenommen? Nichts fehlte, davon war Wallander jetzt überzeugt. Er sah nur zwei denkbare Möglichkeiten. Entweder hatte der Dieb nicht gefunden, was er suchte, oder er hatte etwas dalassen wollen. Deshalb versuchte Wallander, nicht nur nachzusehen, ob etwas fehlte, sondern ebenso gründlich zu prüfen, ob ihm etwas auffiel, was vorher nicht da gewesen war. Er kroch herum und sah unter Stühlen, Betten und Sofas nach, drehte Bilder um und suchte zwischen seinen Büchern. Nach fast einer Stunde, kurz bevor Nordlander anrief, brach er die Suche ergebnislos ab. Er überlegte, ob er mit Nyberg, dem technischen Experten der

Polizei in Ystad, reden und ihn bitten sollte, nach versteckten Mikrofonen zu suchen. Aber er verwarf die Idee. Es würde nur zu Fragen und Gerede führen.

Sten Nordlander rief an. Er erzählte, dass er mit einer Tasse Kaffee in einem Gartencafé in Sandhamn sitze. »Ich bin auf dem Weg nach Norden«, sagte er. »Ein Urlaubstörn, der bis Härnösand hinaufführt, dann hinüber zur finnischen Küste und von dort über die Ålandsinseln zurück. Zwei Wochen allein mit Wind und Wellen.«

»Ein Seemann bekommt die See also niemals satt?«

»Nie. Was hast du gefunden?«

Wallander beschrieb den Stahlzylinder bis ins Detail. Mit einem Zollstock – dem alten farbenbekleckten von seinem Vater – hatte er die exakte Länge gemessen, mit einer Schnur den Umfang.

»Wo hast du ihn gefunden?«, fragte Sten Nordlander, nachdem Wallander geendet hatte.

»In Håkans und Louises Keller«, log Wallander. »Weißt du, was es ist?«

»Nein. Ich weiß nicht, was es sein kann. Aber ich denke darüber nach. In ihrem Keller?«

»Ja. Hast du so etwas nie gesehen?«

»Zylinder haben aerodynamische und marine Eigenschaften, die sie vielseitig anwendbar machen. Aber an einen solchen Gegenstand kann ich mich auf Anhieb nicht erinnern. Hast du die Kabel geöffnet?«

»Nein.«

»Dann tu das. Es verrät vielleicht ein bisschen mehr.«

Wallander suchte ein Teppichmesser und schnitt vorsichtig eine der schwarzen Ummantelungen auf. Dabei legte er noch dünnere, beinahe fadenähnliche Drähte frei. Er beschrieb, was er gefunden hatte.

»Dann sind es wohl keine stromführenden Kabel«, sagte Sten Nordlander. »Es hört sich eher nach Kommunikationstechnik an. Aber was es eigentlich ist, im Einzelnen, kann ich nicht sagen. Ich muss darüber nachdenken.«

»Lass mich wissen, wenn du auf etwas gekommen bist«, sagte Wallander.

»Komisch, dass nirgendwo steht, wo er hergestellt ist. Seriennummer und Herstellungsort werden ja in der Regel in den Stahl gepresst. Man kann sich fragen, wieso er zu Hause bei Håkan lag, und woher er ihn hatte.«

Wallander sah auf der Uhr, dass es Zeit war, ins Präsidium zu fahren, wenn er nicht zu spät kommen wollte. Am Ende ihres Gesprächs beschrieb Sten Nordlander voller Abscheu eine Luxusjacht, die soeben in den Hafen einlief.

Die Sitzung über die Motorradbande dauerte fast zwei Stunden. Wallander geriet ins Schwitzen über Lennart Mattsons Unvermögen, die Diskussion voranzutreiben und zu Schlussfolgerungen zu gelangen. Schließlich wurde er so ungeduldig, dass er Mattson unterbrach und sagte, es müsse doch möglich sein, den Hauskauf zu unterbinden, indem man sich direkt an den Hausbesitzer wende. Wenn das geschehen sei, könne man damit fortfahren, Strategien zu entwickeln, um die Aktivitäten der Motorradbande zu stören. Aber Mattson ließ sich nicht beeindrucken und schwafelte weiter. Wallander hatte jedoch noch eine wichtige Karte in der Hinterhand, die keiner im Raum kannte. Er hatte die Information von Linda bekommen, die sie ihrerseits von einem Kollegen in Stockholm gehört hatte.

Er bat ums Wort und erklärte den Sachverhalt. »Wir haben hier ein Problem«, begann er. »Es gibt einen berüchtigten Arzt, der es neben seinen sonstigen merkwürdigen Verdiensten geschafft hat, nicht weniger als vierzehn Personen einer dieser Lederbanden krankzuschreiben. Sie bekommen alle Krankengeld, weil sie an schweren Depressionen leiden.«

Heiterkeit breitete sich im Raum aus.

»Dieser Arzt ist jetzt pensioniert und leider hierher gezogen«, fuhr Wallander fort. »Er hat ein schönes kleines Haus in der Innenstadt gekauft. Es besteht natürlich die Gefahr, dass er diesen armen Motorradjungs, die so deprimiert sind, dass sie nicht arbeiten können, auch in Zukunft Krankheitsatteste schreibt. Die Sozialbehörde befasst sich mit dem Mann. Aber auf die ist bekanntlich kein Verlass.«

Wallander stand auf und schrieb den Namen des Arztes auf ein Flipchart. »Diesen Mann sollten wir im Auge behalten«, sagte er und verließ den Raum.

Für ihn war die Sitzung damit vorbei.

In den späten Morgenstunden hatte er weiter über den Zylinder nachgegrübelt. Jetzt fuhr er zur Bibliothek und bat, man möge ihm helfen beim Heraussuchen der Literatur über U-Boote, Kriegsschiffe allgemein und der vorhandenen Sachbücher über moderne Kriegsführung. Die Bibliothekarin, die mit Linda in eine Klasse gegangen war, trug einen großen Stapel zusammen. Zuletzt bat er sie noch um die Memoiren des Spions Wennerström. Er brachte die Bücher zu seinem Auto, fuhr hinaus nach Saltsjöbaden und aß in einem Restaurant am Meer im Freien zu Mittag. Als sein Essen gekommen war, erschien plötzlich Kristina Magnusson und fragte, ob sie sich zu ihm setzen dürfe.

Sie konnte Wallanders Auffassung von der zähen und nichtssagenden Sitzung nur bekräftigen. »Ich wäre fast verrückt geworden«, sagte sie.

»Man gewöhnt sich daran«, sagte Wallander. »Woher wusstest du, dass ich hier bin?«

»Ich wusste es nicht. Ich hatte nur das dringende Bedürfnis nach frischer Luft.«

Nach dem Essen machten sie einen Spaziergang auf dem Radfahrweg am Strand. Wallander sagte nicht viel, die meiste Zeit redete Kristina. Er hörte heraus, dass sie mit vielem im Polizeipräsidium äußerst unzufrieden war, dabei ging es vor allem um organisatorische Fragen.

Schließlich blieb er stehen und sah sie an. »Hast du vor, wegzugehen?«, fragte er.

»Nein. Aber vieles müsste sich ändern. Ich frage mich, wie es wäre, wenn du der Chef wärst.«

»Das würde eine Katastrophe bedeuten«, sagte Wallander. »Ich habe keinerlei Talent im Umgang mit Bürokraten in den zentralen Positionen und ihren Regeln und Vorschriften, auch nicht im Aufstellen von Haushalten, für die nie ausreichende Mittel da sind.«

Damit brachte er das Gespräch zum Ende. Sie gingen zurück und wechselten noch einige Worte über das bevorstehende Mittsommerfest. Kristina erzählte, dass die Wettervorhersage Regen und Wind angekündigt hatte. Vielleicht nicht das Wetter, das er Klara gern geboten hätte, dachte Wallander.

Er kehrte in sein Zimmer zurück, las eine Reihe von Vernehmungsprotokollen und technischen Berichten durch, sprach mit einem Pathologen in Lund über einen entlegenen Fall und widmete den Rest des Nachmittags dem Durchblättern der Bücher aus der Bibliothek. Um vier Uhr wurde er von einem Journalisten aus Stockholm angerufen. Wallander hatte völlig vergessen, dass er zugesagt hatte, sich an einer Umfrage in der nächsten Nummer von *Svensk Polis* über das Anlernen junger Polizisten zu beteiligen. Eigentlich hatte er gar keine Meinung, aber er antwortete, dass sie in Ystad keine Probleme hatten, weil sie seit eh und je ein informelles System mit individuellen Mentoren praktizierten, so dass Neuankömmlinge stets eine Person hatten, an die sie sich wenden konnten. Was er dagegen verschwieg, war die Tatsache, dass er sich in diesem Jahr geweigert hatte, erneut Mentor zu sein; er war es jetzt fast fünfzehn Jahre gewesen. Jetzt sollte jemand anderes die Verantwortung übernehmen.

Um fünf Uhr fuhr er nach Hause und machte unterwegs seine Einkäufe. Am Morgen hatte er beim Verlassen seines

Hauses versteckte kleine Klebstreifen an Fenstern und Türen angebracht. Alle waren noch da. Er aß sein Fischgratin und wandte sich dann den Büchern zu, die er auf dem Küchentisch aufgestapelt hatte. Er las, bis ihm die Augen zufielen. Als er gegen Mitternacht ins Bett ging, trommelte ein heftiger Regenschauer aufs Dach. Er schlief sofort ein. Das Geräusch von Regen hatte seit seiner Kindheit eine beruhigende Wirkung auf ihn.

Am folgenden Morgen kam er völlig durchnässt ins Präsidium. Er hatte sich vorgenommen, immer ein Stück zu Fuß zu gehen, und deshalb den Wagen am Bahnhof geparkt. Sein hoher Zuckerwert war eine Herausforderung. Er musste sich mehr bewegen. Auf halbem Weg war er von einem starken Schauer überrascht worden. Er hängte die nasse Hose auf und nahm eine neue aus seinem Spind. Als er sie anzog, merkte er, dass er zugenommen hatte. Wütend knallte er den Spind zu, genau in dem Moment, als Nyberg eintrat. Fragend betrachtete er Wallander. »Schlechte Laune?«

»Nasse Hosen.«

Nyberg nickte und antwortete mit der ihm eigenen Mischung aus Heiterkeit und Düsterkeit. »Ich verstehe genau, was du meinst. Wir können es alle ertragen, wenn die Füße nass werden. Aber die Hosen sind schlimmer. Es ist, als hätte man in die Hose gepisst. Es entsteht eine angenehme, aber schnell vorübergehende Wärme.«

Wallander setzte sich in sein Zimmer und rief Ytterberg an, der nicht im Hause war und keine Mitteilung hinterlassen hatte, wann er zurück wäre. Wallander hatte ihn schon vergeblich auf seinem Handy zu erreichen versucht. Auf dem Weg zum Kaffeeautomaten stieß er mit Martinsson zusammen, der an die frische Luft wollte. Sie gingen nach draußen und setzten sich vor das Präsidium. Martinsson erzählte von einem Brandstifter, der noch nicht gefasst war.

»Kriegen wir ihn diesmal?«, fragte Wallander.

»Wir kriegen ihn immer«, sagte Martinsson. »Die Frage ist nur, ob wir ihn behalten. Aber wir haben einen Zeugen, an den ich glaube. Diesmal ist es wirklich möglich, dass wir ihn einbuchten können.«

Sie gingen zurück, jeder in sein Zimmer. Wallander blieb noch ein paar Stunden. Dann fuhr er nach Hause, ohne Ytterberg erreicht zu haben. Aber er hatte die wichtigsten Punkte notiert und wollte versuchen, ihn am Abend zu kontaktieren. Schließlich leitete ja Ytterberg die Ermittlung. Wallander würde ihm das Material geben, den schwarzen Ordner und den Stahlzylinder. Dann musste Ytterberg die notwendigen und die möglichen Schlussfolgerungen ziehen. Wallander selbst hatte mit dem Fall nichts zu tun, er war nur der Vater seiner Tochter, und es gefiel ihm nicht, dass ihre zukünftigen Schwiegereltern spurlos verschwunden waren. Jetzt wollte Wallander sich darauf einstellen, Mittsommer zu feiern und anschließend Urlaub zu machen.

Aber es kam anders. Vor seinem Haus stand ein fremdes Auto, ein ziemlich mitgenommener Ford mit starken Rostschäden an den Vordertüren. Wallander kannte den Wagen nicht. Er überlegte, wem er gehören könnte, bevor er den Hof betrat. Auf dem weißen Gartenstuhl, auf dem Wallander am Abend zuvor eingeschlafen war, saß eine Frau.

Auf dem Tisch vor ihr stand eine geöffnete Flasche Wein. Wallander konnte kein Glas entdecken.

Voller Widerwillen trat er zu ihr und begrüßte sie.

17

Es war Mona, seine geschiedene Frau. Sie hatten sich zuletzt gesehen, als Linda ihre Polizeiausbildung abgeschlossen hatte, ganz kurz nur, und seitdem waren mehrere Jahre vergangen. Danach hatten sie gelegentlich miteinander telefoniert, denkbar knappe Gespräche, das war alles.

Spät an diesem Abend, als Mona im Schlafzimmer eingeschlafen war und er selbst – zum ersten Mal überhaupt – das Bett im Gästezimmer gemacht hatte, fühlte er sich elend. Monas Stimmungslage hatte ständig gewechselt, und sie hatte mehrere Gefühlsausbrüche gehabt, sentimentale und bösartige, mit denen er nicht umgehen konnte. Sie war schon bei seiner Heimkehr stark angetrunken gewesen. Als sie aufstand, um ihn zu umarmen, hatte sie geschwankt und wäre gefallen, wenn er sie nicht im letzten Moment gehalten hätte. Sie war angespannt und nervös und viel zu stark geschminkt. Das Mädchen, dem Wallander vor vierzig Jahren begegnet war und in das er sich verliebt hatte, war nahezu ungeschminkt gewesen und hatte es nicht nötig gehabt, sich hübsch zu machen.

Sie war an diesem Abend gekommen, weil sie verletzt war, jemand hatte ihr so wehgetan, dass sie nur noch ihn hatte, zu dem sie gehen konnte. Wallander hatte sich im Garten neben sie gesetzt, Schwalben waren um ihre Köpfe geflogen, und er hatte das eigentümliche Gefühl gehabt, eine vergangene Zeit sei zurückgekehrt. Von irgendwoher würde gleich eine fünfjährige Linda angehüpft kommen und ihre Aufmerksamkeit verlangen. Aber er konnte nur ein paar armselige Worte zur Begrüßung sagen, da brach sie schon in heftiges Weinen aus. Das machte ihn verlegen. So war es in ihrer letzten gemeinsamen Zeit auch gewesen. Er hatte lange an die Echtheit ihrer Gefühlausbrüche geglaubt. Sie aber wurde mehr und mehr zu einer Art Schauspielerin, als die sie in ihrer Ehe auftrat. Sie hatte sich selbst eine Rolle gegeben, die eigentlich nicht zu ihr passte. Ihr Talent lag nicht im Tragischen, vielleicht auch nicht im Komischen, sondern am ehesten in einer Normalität ohne große Gefühlsschwankungen. Jetzt saß sie wieder da und weinte, und Wallander fiel nichts Besseres ein, als eine Rolle Toilettenpapier zu holen, damit sie sich die Tränen abwischen konnte. Nach einer Weile hörte sie auf zu weinen, entschuldigte sich, hatte aber Schwierigkeiten, zu sprechen, ohne zu lallen. Er wünschte, Linda wäre da, die hatte eine ganz andere Art, mit ihr umzugehen.

Gleichzeitig war da aber auch ein anderes Gefühl, das in verbotenen Wellen kam und ging und das er sich nur schwer eingestehen konnte. Eine Lust, ihre Hand zu nehmen und sie ins Schlafzimmer zu ziehen. Ihre Gegenwart erregte ihn in einem Maße, dass nicht viel gefehlt hätte, und er hätte es darauf ankommen lassen. Aber natürlich tat er es nicht. Sie schwankte hinüber zum Hundezwinger, wo Jussi voller Erwartung am Zaun hochsprang. Wallander ging neben ihr, mehr als Leibwächter denn als Begleitung, bereit, sie aufzufangen, falls sie fiele. Bald war der Hund nicht mehr interessant, und sie gingen hinein, weil sie fror. Sie ging durchs ganze Haus, bat ihn, ihr *alles* zu *zeigen*, wie sie mit Nachdruck sagte, als besuchte sie eine Galerie. Er hatte alles *prächtig* eingerichtet, sie fand kaum Worte dafür, wie *schön* es war, auch wenn er schon längst das grässliche Sofa hätte fortwerfen sollen, das sie schon in der gemeinsamen Wohnung gehabt hatten. Als sie ihr Hochzeitsfoto auf einer Kommode sah, fing sie wieder an zu weinen. Diesmal so unecht, dass er sie am liebsten hinausgeworfen hätte. Aber er ließ sie gewähren, machte Kaffee, stellte eine Flasche Whisky fort, die auf dem Tisch gestanden hatte, und brachte sie schließlich dazu, sich an den Küchentisch zu setzen.

Und diese Frau habe ich mehr als irgendeine andere in meinem Leben geliebt, dachte Wallander, als sie mit ihren Kaffeetassen dasaßen. Auch wenn ich heute eine andere große Liebe träfe, würde Mona stets die wichtigste Frau in meinem Leben bleiben. Daran ändert sich nichts. Liebe kann vielleicht eine andere Liebe ersetzen, aber die alte Liebe existiert weiter. Man lebt sein Leben mit doppelten Böden, vermutlich damit man nicht sinkt, wenn einer der Böden ein Loch bekommt.

Mona trank ihren Kaffee und wurde auf einmal überraschend nüchtern. Auch daran erinnerte sich Wallander: Sie trat häufig betrunkener auf, als sie eigentlich war.

»Entschuldige«, sagte sie. »Wie ich mich anstelle, ich dränge mich auf. Möchtest du, dass ich gehe?«

»Überhaupt nicht. Ich möchte nur wissen, warum du gekommen bist.«

»Warum bist du so abweisend? Du kannst ja kaum behaupten, dass ich dich besonders häufig behellige.«

Wallander wich vor ihrem drohenden Angriff sofort zurück. Das letzte Jahr mit Mona war ein ständiger Kampf gewesen, in dem er versucht hatte, sich nicht in ihre Welt von Vorwürfen und Drohungen hineinziehen zu lassen. Natürlich hatte sie ihn beschuldigt, das Gleiche zu tun, und er wusste, dass sie recht hatte. Sie waren beide Täter und Opfer zugleich in dem Geflecht, das nur mit einem Schwerthieb wie der Gordische Knoten aufgelöst werden konnte. Scheidung, jeder in seine Richtung.

»Erzähl«, sagte er vorsichtig. »Warum bist du so niedergeschlagen?«

Was folgte, war ein nicht enden wollendes Klagelied, eine Moritat mit unzähligen Strophen, Monas persönliche Variante von *Das Kreuz auf Idas Grab* und *Elvira Madigan*, dachte Wallander. Sie hatte vor einem Jahr einen neuen

Mann getroffen, der im Gegensatz zum vorigen kein Golf spielender Privatier war, dem Wallander unterstellte, sein Geld mit Firmenzerschlagungen und dubiosen Abschreibungsgeschäften verdient zu haben. Nein, der Neue war etwas so Prosaisches wie ein ICA-Kaufmann in Malmö, ein Mann in ihrem Alter, auch er schon einmal geschieden. Aber es hatte nicht lange gedauert, bis Mona entdeckte, dass auch ein normaler, anständiger Lebensmittelhändler psychopathische Züge aufweisen konnte. Er hatte begonnen, sie zu kontrollieren, hatte verdeckte Drohungen ausgesprochen und sie schließlich sogar physisch misshandelt. Sie war so dumm gewesen zu glauben, dass es vorüberginge und seine Eifersucht sich legen würde. Doch das war nicht geschehen, und jetzt hatte sie mit ihm gebrochen. Da sie fürchtete, der Lebensmittelhändler würde sie verfolgen, konnte sie sich nur an ihren früheren Mann wenden. Sie hatte ganz einfach Angst, deshalb war sie zu ihm gekommen.

Wallander fragte sich, wie viel von dem, was sie erzählte, wirklich stimmte. Mona war nicht immer vertrauenswürdig, manchmal log sie, ohne es unbedingt böse zu meinen. Aber in diesem Fall musste er ihr wohl glauben, und natürlich war er empört darüber, dass sie geschlagen worden war.

Als sie zu Ende erzählt hatte, wurde ihr schlecht, und sie flüchtete auf die Toilette. Wallander stand vor der Tür und hörte, dass sie sich wirklich übergab, es war kein Spiel für ihn, den einzigen Zuschauer auf der Galerie. Später legte sie sich auf das Sofa, das ihrer Meinung nach längst hätte weggeworfen werden müssen, weinte noch ein bisschen und schlief unter einer Decke ein. Wallander setzte sich in seinen Lesesessel und machte mit den Büchern aus der Bibliothek weiter, ohne sich jedoch konzentrieren zu können.

Nach fast zwei Stunden fuhr sie mit einem Ruck hoch. Als ihr klar wurde, dass sie in Wallanders Haus war, begann sie erneut zu weinen, aber diesmal sagte er, es sei jetzt genug. Er könne ihr etwas zu essen machen, wenn sie wolle, dann könne sie bei ihm übernachten, aber am nächsten Tag solle sie mit Linda sprechen, die eine bessere Ratgeberin sei als er. Weil sie nicht hungrig war, machte er nur eine Suppe und aß selbst mehrere Scheiben Brot. Als sie beide am Tisch saßen, begann sie plötzlich davon zu reden, wie gut sie es einmal gehabt hatten. Wallander fragte sich, ob der wahre Grund ihres Besuchs der war, erneut um ihn zu werben. Hätte sie es ein paar Jahre früher versucht, wäre es ihr gelungen, dachte er. Ich habe so lange geglaubt, wir könnten eines Tages wieder zusammenleben. Bis mir klar wurde, dass es eine Illusion war, dass unsere gemeinsame Zeit hinter uns lag und dass es auch nichts gab, was ich von ihr noch erhoffte.

Nach dem Essen wollte sie etwas trinken. Er sagte, in seinem Haus würde sie keinen Tropfen bekommen. Sonst solle sie ein Taxi nach Ystad nehmen und im Hotel schlafen. Sie wollte ansetzen, mit ihm zu streiten, ließ aber davon ab, als sie spürte, dass Wallander nicht nachgeben würde.

Als sie gegen Mitternacht ins Bett ging, machte sie einen halbherzigen Versuch, ihn an sich zu ziehen. Aber er streichelte ihr nur den Kopf und verließ das Zimmer. Mehrmals horchte er vor der Tür, die nur angelehnt war. Sie lag lange wach, war aber schließlich eingeschlafen.

Wallander ging auf den Hof hinaus, ließ Jussi aus dem Zwinger und setzte sich in die Hollywoodschaukel, die früher vor dem Haus seines Vaters gestanden hatte. Die Sommernacht war hell, windstill und von Düften erfüllt. Jussi kam und legte sich an seine Füße. Ein plötzliches Unbehagen überfiel Wallander. Es gab kein Zurück im Leben, wie sehr er es in seiner Naivität auch wünschen mochte. Man konnte keinen einzigen Schritt zurück tun.

Als er sich schließlich zur Ruhe begab, nahm er eine halbe Schlaftablette, um nicht wach zu liegen. Er wollte einfach nicht mehr denken, weder an die Frau, die in seinem Bett schlief, noch an das Unbehagen, das ihn draußen im Garten überkommen hatte.

Als er am Morgen erwachte, war Mona zu seiner Verwunderung fort. Er hatte nicht gehört, dass sie leise aufgestanden war und das Haus verlassen hatte. Auf dem Küchentisch lag ein Zettel, auf den sie geschrieben hatte: »Entschuldige, dass ich da war, als du nach Hause gekommen bist.« Nichts weiter, kein Wort darüber, wofür sie sich eigentlich entschuldigen wollte. Er fragte sich, wie oft sie in ihrer Ehe solche kleinen Zettel mit Entschuldigungen hingelegt hatte. Er konnte und wollte nicht nachrechnen, wie viele es waren.

Er trank Kaffee, gab Jussi zu fressen und überlegte, ob er Linda anrufen und ihr von Monas Besuch erzählen sollte. Aber zunächst musste er mit Ytterberg sprechen.

Es war ein frischer Morgen, der Wind wehte kalt von Norden, für den Moment war der Sommer vorbei. Die Schafe des Nachbarn weideten auf ihrem eingezäunten Feld, ein paar Schwäne flogen nach Osten.

Wallander erreichte Ytterberg in seinem Büro.

»Ich habe gehört, dass du nach mir gefragt hast. Hast du die Enkes gefunden?«

»Nein. Aber ich wollte wissen, wie du weiterkommst.«

»Nichts Neues, was sich zu erzählen lohnte.«

»Nichts?«

»Nein. Hast du etwas?«

Wallander hatte sich vorgenommen, Ytterberg von seiner Reise nach Bokö und von dem merkwürdigen Zylinder zu erzählen. Aber jetzt änderte er plötzlich seine Meinung. Warum, wusste er nicht. Zumindest auf Ytterberg könnte er sich verlassen. »Eigentlich nicht.«

»Ich melde mich wieder.«

Nach dem kurzen und nichtssagenden Gespräch fuhr Wallander zum Präsidium. Er musste sich an diesem Tag mit einem trostlosen Fall von schwerer Körperverletzung beschäftigen, in dem er als Zeuge einbestellt war. Einer beschuldigte den anderen, und der Verletzte, der seit zwei Wochen im Koma lag, konnte nichts beitragen. Wallander war als erster Polizist am Tatort gewesen und sollte jetzt seine Eindrücke vor Gericht wiedergeben. Inzwischen musste er die größte Mühe aufwenden, um sich an das, was er gesehen hatte, zu erinnern. Sogar der Bericht, den er selbst verfasst hatte, kam ihm unwirklich vor.

Auf einmal stand Linda im Zimmer. Es war halb zwölf. »Ich habe gehört, dass du unerwarteten Besuch hattest«, sagte sie.

Wallander schob die aufgeschlagenen Mappen zur Seite und betrachtete seine Tochter. Sie sah fast wieder aus wie vor der Schwangerschaft, vielleicht hatte sie sogar ein paar Kilo abgenommen. »Du hattest also Mona vor der Tür?«

»Sie hat aus Malmö angerufen. Sie beklagte sich darüber, wie schofel du sie behandelt hättest.«

Wallander war sprachlos. »Was hat sie denn damit gemeint?«

»Du hättest sie kaum hereingelassen, obwohl es ihr schlecht ging. Dann hättest du ihr fast nichts zu Essen gegeben und sie im Schlafzimmer eingeschlossen.«

»Nichts davon stimmt. Verdammte Lügnerin.«

»Rede nicht in dem Ton von meiner Mutter«, sagte Linda, und ihre Miene verfinsterte sich.

»Sie lügt, ob es dir nun gefällt oder nicht. Ich habe sie aufgenommen, ich habe sie hereingelassen, ich habe ihr die Tränen abgewischt und ihr sogar das Bett frisch bezogen.«

»Was ihren neuen Mann betrifft, hat sie jedenfalls nicht gelogen. Ich habe ihn getroffen. Er ist so charmant, wie Psychopathen es im Allgemeinen sind. Mama hat ein komisches Talent, immer auf die falschen Männer hereinzufallen.«

»Danke.«

»Ich meine natürlich nicht dich. Aber dieser verrückte Golfspieler war nicht viel besser als der, mit dem sie jetzt geschlagen ist.«

»Die Frage ist nur, was ich dabei tun kann.«

Linda dachte nach, bevor sie antwortete. Dabei rieb sie mit dem Zeigefinger der linken Hand ihre Nase. Genau wie ihr Großvater, dachte Wallander plötzlich. Es war ihm noch nie aufgefallen, und er musste lachen. Sie sah ihn fragend an. Er erklärte es ihr. Jetzt konnten sie beide lachen.

»Ich habe Klara im Wagen«, sagte sie. »Ich wollte nur ein paar Worte mit dir wechseln wegen dieser Sache mit Mama. Wir können später noch reden.«

»Sitzt die Kleine allein im Wagen?«, sagte Wallander empört. »Wie kannst du sie allein lassen?«

»Eine Freundin ist bei ihr. Was dachtest du denn?«

In der Tür drehte sie sich um. »Mama braucht wohl unsere Hilfe«, sagte sie.

»Ich bin immer hier«, sagte Wallander. »Aber ich möchte, dass sie nüchtern ist, wenn sie kommt. Und vorher anruft.«

»Bist du immer nüchtern? Rufst du immer vorher an, wenn du jemanden besuchst? Ist es dir noch nie schlecht gegangen?«

Sie wartete keine Antwort ab und verschwand im Korridor.

Wallander wollte sich gerade wieder seinem Bericht zuwenden, als Ytterberg anrief. »Ich gehe in ein paar Tagen in Urlaub«, sagte der Kollege. »Ich habe vergessen, es dir zu sagen.«

»Was machst du im Urlaub?«

»Verbringe meine Zeit in einem schön gelegenen alten Bahnwärterhäuschen an einem See in der Nähe von Västerås. Aber lass mich erzählen, wie ich über die Enkes denke. Ich war ein bisschen kurz angebunden, als wir vorhin miteinander gesprochen haben.«

»Ich höre.«

»Lass es mich so sagen. Ich habe zwei Theorien über ihr Verschwinden, und meine Kollegen sind mit mir einig. Ich möchte hören, ob du so denkst wie wir. Entweder haben die beiden ihr Verschwinden gemeinsam geplant. Aus irgendeinem Grund haben sie beschlossen, zu verschiedenen Zeitpunkten abzuhauen. Dafür kann es viele Erklärungen geben. Wenn sie zum Beispiel beabsichtigten, die Identität zu wechseln, kann er an einen unbekannten Ort vorausgefahren sein, um ihre Ankunft vorzubereiten. Er wird ihr auf einem Weg mit Palmblättern und Rosen entgegenkommen, um es mit den Worten der Bibel auszudrücken. Aber es kann natürlich andere Gründe geben. Das ist eine der Richtungen, die wir verfolgen. Dann gibt es die andere denkbare Möglichkeit. Dass sie auf irgendeine Weise Opfer eines Verbrechens geworden sind. Kurz und gut, dass sie tot sind. Es ist schwierig, eine Erklärung dafür zu finden, warum diese eventuelle Gewalttat gegen sie verübt wurde. Und warum es zu zwei verschiedenen Zeitpunkten geschah. Aber außer diesen beiden Alternativen sehen wir nichts. Da ist nur ein schwarzes Loch.«

»Ich denke ähnlich wie du.«

»Ich habe unsere besten Experten für die Vermisstensuche um Rat gefragt. Sie kennen sich aus mit den Umständen, unter denen Menschen verschwinden. Unsere Aufgabe ist insofern einfach, als es für uns nur ein Ziel gibt.«

»Sie zu finden.«

»Oder zumindest zu verstehen, warum wir sie nicht finden.«

»Sind überhaupt keine neuen Details aufgetaucht?«

»Nichts. Aber es gibt natürlich eine Person, die wir in unsere Überlegungen einbeziehen müssen.«

»Du denkst an ihren Sohn?«

»Das ist unumgänglich. Wenn man davon ausgeht, dass sie ihr Verschwinden inszeniert haben, muss man sich fragen, warum sie ihrem Sohn so etwas Schreckliches antun. Es ist unmenschlich, gelinde gesagt. Unser Eindruck ist ja nicht der, dass sie grausam sind. Du weißt es ja selbst, du hast sie kennengelernt. Was wir über Håkan von Enke herausgefunden haben, deutet klar darauf hin, dass er ein beliebter Befehlshaber war, ein Offizier ohne Allüren, klug, gerecht, nicht launisch. Das Schlimmste, was wir gehört haben, ist, dass er ungeduldig werden konnte. Aber wer wird das nicht? Louise war als Lehrerin bei ihren Schülern beliebt. Still war sie, sagten viele, mit denen wir gesprochen haben. Aber es ist ja nichts Verdächtiges daran, wenn man nicht ununterbrochen redet. Jemand muss ja auch zuhören. Es wirkt auf jeden Fall kaum wahrscheinlich, dass sie ein Doppelleben gelebt haben. Wir haben sogar Experten bei Europol gefragt. Ich habe mit einer französischen Polizeibeamtin telefoniert, Mademoiselle Germain in Paris, die eine Menge kluge Dinge gesagt hat. Sie hat meinen Gedanken bekräftigt, dass man natürlich auch darüber in ganz anderer Weise nachgrübeln muss.«

Wallander verstand, was er meinte. »Welche Rolle Hans eventuell in der Sache spielt?«

»Genau. Wenn ein großes Vermögen vorhanden wäre, hätten wir dort einen Ansatzpunkt finden können. Aber das ist nicht der Fall; bestenfalls handelt es sich um ein Barvermögen von ungefähr einer Million Kronen, abgesehen vom Wohneigentum, das wohl sieben oder acht Millionen wert ist. Natürlich kann man sagen, dass das für einen normalen Sterblichen viel Geld ist. Heutzutage gilt ein Mensch ohne Schulden und mit einem solchen Vermögen doch eher als gut gestellte Person, aber nicht als reich.«

»Hast du mit Hans gesprochen?«

»Vor einer Woche war er wegen einer Besprechung mit der Finanzinspektion in Stockholm. Da hat er selbst Kontakt zu mir aufgenommen, und wir haben ein Gespräch geführt. Ich kann mir nicht helfen, aber seine Besorgnis wirkt echt, auch dass er überhaupt nicht versteht, was geschehen ist. Außerdem verdient er ja nicht gerade schlecht.«

»Das ist also der Stand der Dinge?«

»Für uns keine allzu starke Position. Wir müssen weitergraben, obwohl der Boden sehr hart zu sein scheint.«

Ytterberg legte plötzlich den Hörer ab. Wallander hörte ihn im Hintergrund fluchen. Dann kam er wieder zurück. »Ich gehe jetzt in Urlaub«, sagte Ytterberg. »Aber es ist ständig jemand in Bereitschaft.«

»Ich verspreche, dich nur anzurufen, wenn es wichtig ist«, sagte Wallander und legte auf.

Nach dem Gespräch ging Wallander hinaus und setzte sich auf eine Bank beim Eingang. Er dachte nach über das, was Ytterberg gesagt hatte.

Er blieb lange sitzen. Monas Erscheinen hatte dazu geführt, dass er sich müde fühlte. Er wollte nicht, dass sie jetzt anfing, in seinem Leben Unruhe zu stiften und neue Forderungen an ihn zu stellen. Das musste er ihr klarmachen, wenn sie das nächste Mal bei ihm aufkreuzte, und er musste Linda dazu bringen, ihn dabei zu unterstützen. Er konnte Mona helfen, das war es nicht, aber die Vergangenheit war vorbei.

Er ging die abschüssige Straße hinunter zu einem Imbissstand, der dem Krankenhaus gegenüber lag. Eine Elster war sofort zur Stelle und schnappte sich ein Kartoffelstück, das von seinem Pappteller zu Boden fiel.

Plötzlich hatte er das Gefühl, etwas vergessen zu haben. Er tastete nach seiner Dienstwaffe. Oder konnte er etwas anderes vergessen haben? Auf einmal war er auch unsicher, ob er mit dem Wagen vom Präsidium zum Kiosk gefahren oder zu Fuß gegangen war.

Er warf den halb vollen Pappteller in einen Papierkorb und blickte um sich. Kein Wagen. Langsam machte er sich auf den Weg zum Präsidium. Ungefähr auf halbem Weg kehrte die Erinnerung zurück. Der kalte Schweiß brach ihm aus, und sein Herz raste. Er musste endlich mit seinem Arzt sprechen. Es war das dritte Mal in kurzer Zeit, dass ihm das passierte, und er wollte wissen, was sich da in seinem Kopf veränderte.

Als er ins Präsidium zurückkam, rief er die Ärztin an, die er schon einmal besucht hatte. Er erhielt einen Termin einige Tage nach Mittsommer. Als er aufgelegt hatte, vergewisserte er sich, dass seine Pistole wie vorgeschrieben eingeschlossen war.

In den nächsten Stunden bereitete er sich für den Auftritt bei Gericht vor. Um sechs Uhr schlug er endlich die letzte Mappe zu und warf sie auf seinen Besucherstuhl. Er stand schon mit der Jacke in der Hand da, als ihm ein Gedanke durch den Kopf schoss. Woher er kam, vermochte er nicht zu sagen. Warum hatte von Enke das geheime Tagebuch bei seinem letzten Besuch bei Signe nicht mitgenommen? Wallander konnte nur zwei Erklärungen sehen. Entweder hatte er vor, zurückzukommen, oder es war ihm etwas zugestoßen, was es ihm unmöglich machte, zurückzukehren.

Er setzte sich wieder an den Schreibtisch und suchte die Nummer vom Niklasgård heraus. Die Frau mit der schönen, fremdartigen Stimme meldete sich.

»Ich wollte mich nur erkundigen, ob mit Signe alles in Ordnung ist«, sagte er.

»Sie lebt in einer Welt, in der sich sehr wenig verändert. Abgesehen von der unsichtbaren Bewegung, der wir alle unterworfen sind, dem Altern.«

»Ihr Vater hat sie natürlich nicht besucht?«

»War er nicht verschwunden? Ist er wieder aufgetaucht?«

»Nein. Es war nur so eine Frage.«

»Dagegen war ihr Onkel gestern hier und hat sie besucht. Ich hatte frei, aber ich habe es in unserem Besucherjournal gelesen.«

Wallander hielt den Atem an. »Ein Onkel?«

»Er hat sich hier als Gustaf von Enke eingetragen. Er kam am Nachmittag und war ungefähr eine Stunde da.«

»Sind Sie ganz sicher, dass es stimmt, was Sie da sagen?«

»Warum sollte ich es erfinden?«

»Nein, warum sollten Sie. Wenn dieser Onkel wiederkommt und Signe besucht, könnten Sie mich dann anrufen?«

Sie hörte sich plötzlich beunruhigt an. »Stimmt etwas nicht?«

»Doch doch. Vielen Dank für Ihre Hilfe.«

Wallander legte den Hörer auf und blieb sitzen. Er irrte sich nicht, er war sicher. Er hatte sich so gründlich mit der Familie von Enke beschäftigt, dass er überzeugt war: Es gab keinen Onkel.

Wer auch immer der Mann gewesen war, der Signe besucht hatte, er hatte sich unter einem falschen Namen und unter Angabe eines nicht bestehenden Verwandtschaftsverhältnisses eingetragen.

Wallander fuhr nach Hause. Die Befürchtungen, die ihm schon lange zu schaffen machten, waren jetzt verstärkt zurückgekehrt.

18

Am nächsten Morgen hatte Wallander Fieber und einen wunden Hals. Er redete sich ein, es sei Einbildung, griff aber dann doch zum Thermometer und hatte eine Temperatur von 38,9. Er rief in der Stadt an und meldete sich krank. Den größten Teil des Tages verbrachte er im Bett und in der Küche, umgeben von den Bibliotheksbüchern, die er noch nicht durchgesehen hatte.

In der Nacht hatte er von Signe geträumt. Er war im Niklasgård zu Besuch gewesen. Plötzlich hatte er entdeckt, dass es jemand anderes war, der zusammengekauert im Bett lag. Es war dunkel gewesen im Zimmer, er hatte versucht, Licht zu machen, aber es hatte nicht funktioniert. Da hatte er das Handy aus der Tasche gezogen und als Taschenlampe benutzt. In dem schwachen Lichtschein hatte er gesehen, dass es Louise war, die dort lag. Sie war eine exakte Kopie ihrer Tochter. Er war von einer Angst gepackt worden, die er nicht kontrollieren konnte. Als er den Raum verlassen wollte, war die Tür verschlossen.

Da war er wach geworden. Es war vier Uhr, schon heller Sommermorgen. Er hatte den Schmerz im Hals gespürt, er fühlte sich heiß und bemühte sich, schnell wieder einzuschlafen. Am Morgen versuchte er, den Traum zu deuten, kam aber zu keinem Ergebnis. Nur dass im Fall des Verschwindens von Louise und Håkan von Enke jedes Detail ein anderes zu verdecken schien.

Wallander stand auf, band sich ein Halstuch um, schaltete seinen Computer ein und suchte im Internet nach

Gustaf von Enke. Es gab niemanden unter diesem Namen. Als es acht geworden war, rief er Ytterberg an, der seinen letzten Arbeitstag vor dem Beginn des Urlaubs hatte. Er war auf dem Weg zu einem äußerst unangenehmen Verhör mit einem Mann, der versucht hatte, seine Frau und seine beiden Kinder zu erdrosseln, vermutlich weil er eine andere Frau gefunden hatte, mit der er leben wollte. »Aber muss man deswegen die Kinder umbringen«, fügte er in fragendem Ton hinzu. »Es ist wie in einer griechischen Tragödie.«

Wallander wusste nicht viel über die Theaterstücke, die vor mehr als zweitausend Jahren entstanden waren. Einmal hatte Linda ihn jedoch in eine Aufführung von *Medea* nach Malmö mitgeschleppt. Er war ergriffen gewesen, aber nicht so, dass er von da an regelmäßig ins Theater gegangen wäre. Sein letzter Theaterbesuch hatte seinem Interesse auch nicht gerade neue Impulse gegeben.

Er erzählte von seinem Gespräch mit dem Niklasgård am Vortag.

»Bist du ganz sicher?«

»Ja«, sagte Wallander. »Es existiert kein Onkel. Es existiert ein Cousin in England, aber sonst niemand.«

»Das klingt zweifellos sonderbar.«

»Ich weiß, dass du jetzt Urlaub machen willst. Vielleicht kannst du jemanden zum Niklasgård schicken, um eine Personenbeschreibung zu besorgen?«

»Ich habe eine gute Kollegin namens Rebecka Andersson«, sagte Ytterberg. »Sie ist phänomenal in solchen Dingen, obwohl sie noch ziemlich jung ist. Ich rede mit ihr.«

Sie glichen die Telefonnummern ab, und Wallander wollte schon auflegen, als Ytterberg ihn noch zurückhielt. »Geht es dir auch so wie mir?«, fragte er. »Dass du manchmal eine fast verzweifelte Sehnsucht verspürst, von all dem Schlamassel befreit zu sein, der einem bis zum Hals steht?«

»Das kommt vor.«

»Wieso hält man das aus?«

»Ich weiß nicht. Vielleicht eine Art Verantwortungsgefühl. Ich hatte einen Mentor, einen erfahrenen Ermittler namens Rydberg. Er hat das immer gesagt. Es sei eine Frage der Verantwortung, nichts anderes.«

Nach einer halben Stunde rief Rebecka Andersson an. Sie wiederholte die Information, die sie von Ytterberg erhalten hatte, und wollte noch am Vormittag zum Niklasgård hinausfahren.

Wallander machte Frühstück und ging dann ins Bad. Als er die Toilettenspülung betätigte, lief die Kloschüssel über. Er versuchte, den Abfluss mit einem Gummisauger frei zu machen, doch ohne Erfolg. Wütend trat er gegen das Klo und rief Jarmo an. Jarmo war betrunken, wollte aber kommen. Wallander lehnte ab und verbrachte fast zwei Stunden damit, einen anderen Klempner zu finden, der vorbeikommen und das verstopfte Klo frei machen konnte. Es war schon fast zwölf Uhr, als ein Werkstattwagen auf seinen Hof fuhr und ein fröhlicher polnischer Klempner ausstieg, der ein nahezu unverständliches Schwedisch sprach. Wallander erinnerte sich an die Debatte in den Zeitungen vor einigen Jahren, über polnische Handwerker, die Europa wie ein Heuschreckenschwarm zu überfallen schienen. Aber der Klempner benötigte nicht mehr als zwanzig Minuten, um das Problem zu beheben, und verlangte bedeutend weniger als Jarmo.

Wallander kehrte zu seinen Büchern zurück.

Gegen zwei Uhr rief Rebecka Andersson an, die noch im Niklasgård war. »Ich habe es so verstanden, dass du die Information so schnell wie möglich haben wolltest«, sagte sie. »Ich sitze auf einer Bank draußen im Garten. Es ist wunderbares Wetter. Hast du etwas zum Schreiben?«

»Ich bin bereit.«

»Ein Mann von ungefähr fünfzig, korrekt gekleidet mit Anzug und Schlips, sehr freundlich, helles krauses Haar, blaue Augen. Er sprach das, was man Reichsschwedisch nennt, also keinen besonderen Dialekt, und er hatte auch keinen ausländischen Akzent. Eins war sofort klar. Er war noch nie dort gewesen. Sie mussten ihm zeigen, wo ihr Zimmer lag. Aber darüber scheint sich niemand Gedanken gemacht zu haben.«

»Was hat er gesagt?«

»Eigentlich nichts. Er war nur sehr freundlich.«

»Und das Zimmer?«

»Ich habe zwei Angestellte gebeten, unabhängig voneinander, nachzusehen, ob sie im Zimmer irgendeine Veränderung entdecken konnten. Aber das war nicht der Fall. Ich hatte den Eindruck, dass sie ihrer Sache sehr sicher waren.«

»Und er ist zwei Stunden geblieben?«

»Das stimmt vielleicht nicht ganz. Die Angaben variierten. Sie nehmen es anscheinend nicht so genau mit den Eintragungen von Besuch und Zeiten in ihr Journal. Ich glaube, er war mindestens eine und höchstens anderthalb Stunden da.«

»Was geschah dann?«

»Er ging wieder.«

»Wie war er gekommen?«

»Mit dem Wagen. Davon gehe ich aus. Aber niemand hat ein Auto gesehen. Plötzlich war er einfach weg.«

Wallander überlegte. Aber er hatte keine Fragen mehr und dankte Rebecka für ihre Hilfe. Durchs Fenster sah er das gelbe Postauto auf dem Weg davonfahren. In Morgenmantel und Holzschuhen ging er zum Briefkasten. Ein einsamer Brief lag darin, abgestempelt in Ystad. Der Absender war ein Robert Åkerblom. Wallander meinte sich vage an den Namen zu erinnern, nicht jedoch an den Zusammenhang, in dem er ihm begegnet war. Er setzte sich an den Küchentisch und riss den Umschlag auf. Darin lag ein Foto, das einen Mann und zwei junge Frauen zeigte. Als Wallander den

Mann sah, wusste er sofort, wer er war. Eine über fünfzehn Jahre alte schmerzliche Erinnerung tauchte in seinem Inneren auf. Anfang der 1990er Jahre war Robert Åkerbloms Frau brutal ermordet worden, ein Fall, der merkwürdige Verzweigungen nach Südafrika und zu einem Mordversuch an Nelson Mandela gehabt hatte. Er wendete das Foto und las: »Eine Erinnerung an unsere Existenz und ein Dank für alles, was Sie uns in der schwersten Zeit unseres Lebens gegeben haben.«

Genau das, was ich brauchte, dachte Wallander. Eine Erinnerung daran, dass unsere Arbeit trotz allem für viele Menschen von entscheidender Bedeutung ist. Er heftete das Foto an die Wand.

Am nächsten Tag war Mittsommerabend. Obwohl es ihm noch nicht richtig gut ging, beschloss er, zum Einkaufen zu fahren. Es war ihm zuwider, sich in Geschäften zu drängeln, im Grunde kaufte er überhaupt nicht gern ein, aber jetzt hatte er sich vorgenommen, dass es auf seiner Mittsommertafel an nichts fehlen sollte. Mit Getränken hatte er sich zum Glück schon vorher eingedeckt. Nachdem er eine Einkaufsliste gemacht hatte, fuhr er los.

Am folgenden Tag war sein Hals besser, und das Fieber war weg. In der Nacht hatte es geregnet, aber jetzt war es klar geworden. Wallander blickte zum Horizont und dachte, dass sie draußen sitzen könnten.

Als Linda und ihre Familie um fünf Uhr eintrafen, war alles fertig. Sie bewunderte seine Vorbereitungen und zog ihn dann zur Seite. »Es kommt noch eine Person.«

»Wer?«

»Mama.«

»Das will ich nicht. Warum? Du weißt, wie es zuletzt geendet hat.«

»Und ich will nicht, dass sie an einem Abend wie diesem allein zu Hause sitzen muss.«

»Dann musst du sie mit zu dir nehmen.«

»Mach dir keine Sorgen. Stell dir vor, dass du eine gute Tat vollbringst, wenn du sie dabei sein lässt.«

»Wann kommt sie?«

»Ich habe halb sechs gesagt. Sie ist bald hier.«

»Du übernimmst die Verantwortung dafür, dass sie sich nicht betrinkt.«

»Das tu ich. Und vergiss nicht, dass Hans sie mag. Außerdem hat sie auch ein Anrecht darauf, ihr Enkelkind zu sehen.«

Wallander sagte nichts mehr. Aber als er einen Moment allein in der Küche war, kippte er einen Schnaps hinunter, um sich zu beruhigen.

Mona kam, und zunächst ging alles gut. Sie hatte sich herausgeputzt und war guter Stimmung. Sie aßen, tranken in Maßen, genossen das Wetter. Wallander sah, wie Mona sich mit der größten Selbstverständlichkeit ihres Enkelkinds annahm. Es war, als sähe er sie wieder mit Linda. Doch der Frieden währte nicht den ganzen Abend. Gegen elf Uhr begann Mona, von den Kränkungen vergangener Tage zu reden. Linda versuchte, sie zu beschwichtigen, aber offenbar hatte Mona mehr getrunken, als ihnen allen klar war, vielleicht hatte sie eine kleine Flasche in ihrer Handtasche versteckt. Wallander hörte sich zunächst an, was sie zu sagen hatte, doch schließlich hielt er es nicht mehr aus. Er schlug mit der Faust auf den Tisch und forderte sie auf, zu verschwinden. Linda, auch nicht mehr ganz nüchtern, schrie ihn an, er solle sich beruhigen, so schlimm sei es nun auch nicht. Aber für Wallander war es so schlimm. Als er nach all den Jahren endlich hatte sagen können, dass sie ihm nicht mehr fehlte, verwandelte sich das Gefühl in eine Anklage. Es war doch Monas Schuld, dass er keine andere Frau für ein gemeinsames Leben gefunden hatte. Er stand vom Tisch auf, holte Jussi und verließ den Hof.

Als er eine halbe Stunde später zurückkam, herrschte

Aufbruchsstimmung. Mona saß schon im Wagen. Hans, der nur ein Glas Wein getrunken hatte, sollte fahren.

»Schade, dass es so gekommen ist«, sagte Linda. »Es war ein schöner Abend. Aber mir ist jetzt klar, dass Monas Trinken immer zu so etwas führen wird.«

»Ich hatte also recht?«

»Wenn du so willst. Sie hätte vielleicht nicht kommen sollen. Aber jetzt wissen wir, dass man sich um sie kümmern muss. Komisch, es ist mir nicht früher klargeworden, dass ich eine Mutter habe, die sich praktisch zu Tode säuft.«

Sie streichelte seine Wange, und sie umarmten sich.

»Ohne dich hätte ich es nicht geschafft«, sagte er.

»Bald kann Klara mit dir hier allein sein. In ein, zwei Jahren. Das geht schnell.«

Wallander winkte ihnen nach und sammelte Geschirr und Abfall zusammen. Dann tat er etwas, was vielleicht nur ein- oder zweimal im Jahr vorkam, er suchte eine Zigarre und steckte sie sich draußen im Hof an.

Es wurde kühl. Seine Gedanken schweiften. Er dachte an seine ehemaligen Klassenkameraden aus der Schulzeit. Wie war ihr Leben verlaufen? Vor einigen Jahren hatte es ein Klassentreffen zu einem runden Jubiläum gegeben, aber er hatte keine Lust gehabt, daran teilzunehmen. Jetzt bereute er es. Es hätte sein eigenes Leben in eine neue Perspektive rücken können, zu sehen, was aus den anderen geworden war. Er legte die Zigarre zur Seite und suchte in einer Kiste ein Klassenfoto von 1962 heraus, seinem letzten Schuljahr. Er erinnerte sich an die Gesichter und fast an alle Namen. Ein Mädchen, das Siv hieß, die Schüchternste der Schüchternen, war ein mathematisches Genie gewesen. Er selbst stand in der oberen Reihe, als Vorletzter auf der linken Seite, mit kurz geschorenen Haaren und einem vagen Lächeln auf den Lippen. Er trug einen grauen Pulli und darunter ein Flanellhemd.

Jetzt sind wir sechzig, dachte er. Unser Leben gleitet langsam in sein letztes Drittel hinüber. Besonders viel Neues erwartet uns nicht mehr.

Bis halb zwei saß er draußen, hörte aus der Ferne für einen Augenblick Musik, vielleicht war es der Calle Schewens Vals, aber er war nicht sicher. Dann ging er ins Bett und schlief bis weit in den Vormittag. Im Bett liegend, blätterte er weiter in den Bibliotheksbüchern. Plötzlich setzte er sich auf. Er war in einem Buch über amerikanische U-Boote und ihr ständiges Kräftemessen mit den russischen Pendants während des Kalten Krieges auf ein paar Schwarzweißfotos gestoßen.

Er starrte auf ein Bild und merkte, wie sein Herz schneller schlug. Es bestand kein Zweifel. Auf dem Bild war genau so ein Gegenstand zu sehen, wie er ihn von Bokö mitgebracht hatte. Wallander sprang aus dem Bett und zog den großen Zylinder hinter einem Schuhregal hervor, wo er ihn versteckt hatte.

Mithilfe eines englischen Wörterbuchs vergewisserte er sich, dass er in dem Kapitel mit dem Foto nichts falsch verstand. Es handelte von James Bradley, dem Chef des U-Boot-Kommandos der amerikanischen Flotte zu Beginn der 1970-er Jahre. Er war dafür bekannt, häufig die Nächte in seinem Büro im Pentagon zu verbringen und sich neue Methoden auszudenken, um mit den Russen die Kräfte zu messen. Eines Nachts, als das riesige Gebäude nahezu verlassen dalag, abgesehen von den Wachen, die ständig in den Korridoren auf und ab wanderten, hatte er eine Idee. Sie war so kühn, dass er damit direkt zu Präsident Nixons Sicherheitsberater Henry Kissinger gehen musste. Eine Legende zu jener Zeit besagte, dass Kissinger selten länger als fünf und nie länger als zwanzig Minuten jemandem zuhörte, der etwas vorzutragen hatte. Bradley redete über fünfundvierzig Minuten. Als Bradley ins Pentagon zurückfuhr, war er überzeugt, dass man ihm das notwendige Geld und die erforderliche Ausrüstung bewilligen würde. Kissinger hatte nichts versprochen, aber Bradley hatte gesehen, dass er zutiefst fasziniert gewesen war.

Es wurde binnen kurzer Zeit beschlossen, das U-Boot *Halibut* für das höchst geheime Projekt einzusetzen. Die *Halibut* gehörte zu den größten U-Booten der amerikanischen Flotte. Wallander staunte nur, als er die Details über Gewicht, Länge, militärische Ausrüstung und Anzahl der Offiziere und Mannschaften las. Theoretisch konnte die *Halibut* ein ganzes Jahr ununterbrochen im Einsatz sein, wenn sie nur dann und wann auftauchte, um Frischluft und Proviant aufzunehmen. Proviant zu ergänzen nahm auf offener See nur eine Stunde in Anspruch. Aber um ihren Auftrag durchführen zu können, waren noch Umbauten erforderlich. Sie musste mit einer Druckkammer für die Taucher ausgestattet werden, die auf dem Meeresboden den schwierigsten Teil der Aufgabe zu bewältigen hatten.

Im Grunde war Bradleys Idee sehr einfach. Damit die Stabsmitglieder an Land untereinander und mit den Atomwaffen tragenden U-Booten kommunizieren konnten, die von der Basis in Petropawlowsk auf der Kamtschatka-Halbinsel ausliefen, hatten die Russen ein Kabel durch das Ochotskische Meer gelegt. Bradleys Plan war, eine Abhörvorrichtung an diesem Kabel anzubringen.

Es gab jedoch ein Problem. Das Ochotskische Meer war über 600000 Quadratkilometer groß. Wie sollte es möglich sein, die Lage des Kabels zu lokalisieren? Die Lösung erwies sich als ebenso unwahrscheinlich einfach wie die Idee selbst.

Eines Nachts in seinem Büro im Pentagon erinnerte Bradley sich an die Sommer seiner Jugend am Mississippi. Diese Kindheitserinnerung löste auf einen Schlag sein Problem. An den Ufern des Flusses standen in regelmäßigen Abständen Schilder mit der Aufschrift: »Ankern verboten. Unterwasserkabel«. Von Wladiwostok abgesehen, war das östliche Russland die reine Einöde. Es dürfte also nicht allzu viele Stellen geben, an denen das Unterwasserkabel liegen konnte. Auch in der Sowjetunion existierten Schilder.

Die *Halibut* lief aus und fuhr unter Wasser durch den Stillen Ozean. Nach einer abenteuerlichen Seereise mit mehrmaligem Sonarkontakt mit russischen U-Booten gelang es ihr, russische Territorialgewässer zu erreichen. Es war einer der riskantesten Momente der Operation, als das Boot durch einen Sund zwischen den Kurilen glitt. Es gelang nur dank der Tatsache, dass die *Halibut* mit den derzeit modernsten Systemen ausgestattet war, die vor Minensperren und Sonarerfassung warnten. Nach relativ kurzer Zeit wurde auch das Kabel gefunden. Jetzt stand der schwierigste Teil der Aufgabe bevor. Wie sollte man die Abhörvorrichtung an dem Kabel anbringen, ohne dass die Russen etwas merkten? Nach verschiedenen Fehlversuchen war sie schließlich am Kabel befestigt, und an Bord des U-Boots konnte man hören, wie die Russen an Land mit ihren U-Boot-Kapitänen sprachen und umgekehrt. Bradley wurde später zum Dank von Präsident Nixon empfangen, der ihm zu dem großen Erfolg gratulierte.

Wallander ging aus dem Haus und setzte sich in den Garten. Es wehte ein kühler Wind, aber in der Ecke an der Hauswand befand er sich in Lee. Er hatte Jussi von der Leine gelassen, und der Hund verschwand auf der Rückseite des Hauses. Die Fragen, die er sich jetzt stellte, waren einfach: Wie war ein solcher Zylinder in einem schwedischen Bootsschuppen gelandet? In welcher Weise hatte das mit Håkan und Louise von Enke zu tun? Dies hier ist größer, als ich mir vorgestellt habe, dachte er. Hinter dem Verschwinden der beiden steckt etwas, zu dessen Verständnis mir die Voraussetzungen fehlen. Von jetzt an bin ich auf Hilfe angewiesen.

Er zögerte noch, aber nicht lange. Dann ging er ins Haus und rief Sten Nordlander an. Die Verbindung war wie üblich schlecht, aber mit einiger Mühe konnten sie sich verständigen.

»Wo bist du?«, fragte Wallander.

»In der Gävlebucht. Schwacher Wind aus Südwest, leichte Bewölkung, ganz wunderbar mit anderen Worten. Wo bist du?«

»Zu Hause. Du musst herkommen. Ich habe eine Idee. Es geht um den Zylinder. Nimmst du das Flugzeug?«

»So wichtig ist es?«

»Ich bin mir so sicher wie selten. Auf irgendeine Weise hat es mit Håkan von Enkes Verschwinden zu tun.«

»Ich gestehe, dass ich neugierig bin.«

»Es besteht natürlich das Risiko, dass ich mich irre. Aber dann bist du morgen wieder auf deinem Boot. Ich bezahle die Reise.«

»Das ist nicht nötig. Aber rechne nicht vor dem späten Abend mit mir. Ich habe noch ein Stück bis nach Gävle hinein.«

»Ich hole dich ab, wenn ich die Ankunftszeit weiß.«

Es wurde sechs Uhr, bevor Nordlander wieder von sich hören ließ. Da war er in Arlanda und sollte eine Stunde später nach Malmö fliegen.

Wallander machte sich fertig, um ihn abzuholen. Er ließ Jussi im Haus. Der Hund würde einen eventuellen Eindringling abschrecken.

Die Maschine landete pünktlich. Wallander erwartete Sten Nordlander, als dieser durch die sich lautlos öffnenden Türen der Ankunftshalle trat. Zusammen fuhren sie zu Wallanders Haus, wo der merkwürdige Stahlzylinder auf sie wartete.

19

Sten Nordlander erkannte den Stahlzylinder, den Wallander auf den Küchentisch gehoben hatte, sofort. Er hatte zwar in der Wirklichkeit noch keinen gesehen, kannte aber Entwürfe, Zeichnungen und Bilder und hatte eine klare Vorstellung von dem, was er da betrachtete.

Er verbarg seine Verblüffung nicht. Wallander hatte entschieden, dass es nicht länger angebracht war, mit seinem Gast Katz und Maus zu spielen. War er im Leben Håkan von Enkes bester Freund gewesen, so sollte er auch, wenn es denn so schlimm stand, sein bester Freund im Tod sein können.

Wallander stellte Kaffee auf den Tisch und erzählte seinem Besucher die ganze Geschichte, wie er zu dem Zylinder gekommen war. Er ließ nichts aus, begann mit dem Foto der beiden Männer und dem Fischkutter und endete erst, als er erzählt hatte, was er aus der Dunkelheit des Bootsschuppens auf Bokö ans Licht gezogen hatte. »Ich weiß nicht, was du meinst«, sagte er zum Schluss, »ob es die Reise von Gävle herunter wert war oder nicht.«

»Das ist es absolut wert«, sagte Sten Nordlander. »Ich bin genauso verwirrt wie du. Das hier ist keine Attrappe. Möglicherweise ahne ich auch eine Art von Zusammenhang.«

Es war nach elf. Sten Nordlander lehnte eine ordentliche Mahlzeit ab und begnügte sich mit Tee und Zwieback. Wallander musste lange zwischen all seinen angebrochenen Packungen in der Speisekammer suchen, bevor er eine Tüte Haferzwieback fand, deren Inhalt weitgehend zerbröselt war.

»Es ist verlockend, schon jetzt weiterzudiskutieren«, sagte Sten Nordlander. »Aber mein Arzt verbietet mir, dass ich mir die Nächte um die Ohren schlage, ob mit Alkohol oder ohne. Deshalb müssen wir morgen weitermachen. Lass mich vor dem Einschlafen noch in dem Buch blättern, in dem du das Foto gefunden hast.«

Der nächste Tag war warm und windstill. Ein Falke rüttelte über dem Ackerrand. Jussi beobachtete den Vogel gebannt. Wallander war bereits um fünf Uhr aufgestanden, ungeduldig wartete er darauf, was Sten Nordlander zu sagen hatte.

Um halb acht kam Nordlander aus dem Gästezimmer. Er betrachtete den Garten und die Aussicht und war sehr angetan. »Der Mythos besagt, dass Schonen eine platte und ziemlich tote Landschaft ist«, sagte er. »Aber hier sehe ich etwas ganz anderes. Eine Landschaft wie eine sanfte Dünung. Kann man das so sagen? Und dahinter das Meer?«

»Mir geht es ähnlich«, sagte Wallander. »Dunkle und dichte Wälder machen mir Angst. Diese Offenheit macht es schwer, sich zu verstecken. Das ist gut. Wir müssen uns vielleicht alle von Zeit zu Zeit verstecken, vielleicht ist das so, aber es gibt Menschen, die tun es ein bisschen zu oft.«

Sten Nordlander sah Wallander nachdenklich an: »Hast du in den gleichen Bahnen gedacht wie ich? Dass Håkan und Louise sich aus Gründen, die wir nicht kennen, versteckt halten?«

»Das gehört zur Routine, wenn man nach verschwundenen Menschen sucht.«

Nach dem Frühstück schlug Sten Nordlander einen Spaziergang vor. »Ich muss mich morgens bewegen, sonst kommt meine Verdauung nicht in Gang.«

Jussi verschwand wie ein geölter Blitz zu den Wäldchen hinunter, wo wassergefüllte kleine Senken für eine witternde Hundenase viel Interessantes zu bieten hatten.

»Es gab Gelegenheiten in den frühen 1970er Jahren, da dachten wir allen Ernstes, die Russen wären militärisch so stark, wie sie uns glauben machen wollten«, begann Sten Norlander. »Die Oktoberparaden waren die Wahrheit, so sah es jedenfalls aus, und Tausende von Militärexperten betrachteten die Fernsehbilder von den Fahrzeugen, die vor dem Kreml auffuhren, und ihre wichtigste Frage lautete: Was bekommen wir *nicht* zu sehen? In jener Zeit war der Kalte Krieg noch absolut ernst, kann man sagen. Es waren die Jahre, bevor die Seifenblase platzte.«

Sie waren an einem Graben stehen geblieben, wo eine als Steg ausgelegte Planke eingebrochen war. Wallander suchte eine andere, nicht ganz so morsche Planke und schob sie so zurecht, dass sie über den Graben gelangten.

»Die Seifenblase ist geplatzt'«, wiederholte Wallander. »Mein alter Kollege Rydberg sagte das immer, wenn ein Ermittlungsansatz sich als völlig verfehlt erwies.«

»In diesem Fall war es die Erkenntnis, dass die russischen Streitkräfte nicht so stark waren, wie wir angenommen hatten. Es war eine ziemlich ernüchternde Einsicht. Sie reifte langsam heran bei all denen, die das Puzzle aus den Informationen legten, die man durch Spione, U-2-Flugzeuge oder gewöhnliche Fernsehbilder bekommen konnte. Die russische Streitmacht war auf allen Ebenen heruntergekommen und in vieler Hinsicht eine gut aussehende, aber leere Fassade. Das ist nicht so zu verstehen, dass keine reale Bedrohung durch Kernwaffen vorlag. Die Bedrohung existierte. Aber genau so, wie die ganze Wirtschaft sich in Auflösung befand, zusammen mit der untauglichen Bürokratie und der Partei, die selbst nicht mehr an das glaubte, was sie tat, ging es auch mit den Streitkräften abwärts. Und das gab den Militärführungen im Pentagon und in der Nato und selbst in Schweden zu denken. Was würde es bedeuten, wenn herauskam, dass der russische Bär nicht viel mehr war als ein kleiner streitlustiger Iltis?«

»Die Drohung des Jüngsten Tages würde natürlich abnehmen?«

Sten Nordlander schien beinahe ungeduldig zu sein, als er antwortete. »Militärs sind nie besonders philosophische Naturen. Sie sind praktisch. In jedem fähigen General oder Admiral steckt auch ein guter Ingenieur. Der Jüngste Tag war nicht die vordringlichste Frage. Was glaubst du, welche es war?«

»Die Verteidigungskosten?«

»Richtig. Warum sollte die westliche Welt weiter rüsten, wenn ihr Hauptfeind ausgefallen war? Man findet nicht so ohne weiteres einen neuen Feind der gleichen Güteklasse. China und zu einem gewissen Grad Indien standen natürlich als die Nächsten auf der Liste. Aber zu dieser Zeit war China noch ein militärisch zurückgebliebenes Land. Seine Stärke beruhte zum größten Teil darauf, dass eine scheinbar unendliche Zahl von Soldaten jederzeit in einen Konflikt geworfen werden konnte. Aber das war natürlich kein Motiv für den Westen, weiter hochmoderne Waffen zu entwickeln, die ausschließlich für das Wettrüsten mit Russland gedacht waren. Plötzlich gab es also ein ganz neues Problem. Es war nicht opportun, sogleich alles preiszugeben, was man wusste, dass also der russische Bär unter einer schwerwiegenden Lähmung litt. Es galt, die Fassade aufrechtzuerhalten.«

Sie waren zu einem kleinen Hügel gelangt, von dessen Kuppe aus sie das Meer sehen konnten. Wallander und Linda hatten im Jahr zuvor mit vereinten Kräften eine Bank heraufgetragen, die sie auf einer Auktion für einen winzigen Betrag erstanden hatten. Jetzt setzten sich die Männer, und Wallander rief Jussi, der nur widerwillig näher kam.

»Die Ereignisse, von denen wir jetzt sprechen, spielten sich zu einer Zeit ab, als Russland noch ein ganz realer Gegner war«, fuhr Sten Nordlander fort. »Nicht nur im Eishockey waren wir Schweden überzeugt, die Russen nie besiegen zu können. Wir glaubten steif und fest daran, dass der Feind wie immer aus dem Osten käme und dass wir ein wachsames Auge drauf haben müssten, was er in der Ostsee anstellte. Es war zu jener Zeit, Ende der 1960er Jahre, als das Gerücht aufkam.«

Nordlander blickte um sich, als fürchtete er, belauscht zu werden. In der Nähe der Landstraße nach Simrishamn war ein Mähdrescher bei der Arbeit. Dann und wann drang entferntes Verkehrsrauschen bis zum Hügel hinauf.

»Wir wussten, dass der große Flottenstützpunkt der Russen in Leningrad war. Außerdem hatten sie im Baltikum und in Ostdeutschland eine ganze Reihe weiterer Stützpunkte, mehr oder weniger geheim. Nicht nur wir in Schweden sprengten uns ins Felsgestein, die Deutschen hatten es schon zu Hitlers Zeit getan, und die Russen machten damit weiter, als das Hakenkreuz durch die rote Fahne ersetzt war. Es kam das Gerücht auf, dass auf dem Grund der Ostsee zwischen Leningrad und dem Baltikum ein Kommunikationskabel lag, über das ein großer Teil des wichtigsten Signalverkehrs abgewickelt wurde. Man fand es sicherer, ein eigenes Kabel auszulegen, statt zu riskieren, abgehört zu werden. Wir dürfen nicht vergessen, dass Schweden in höchstem Grad in diese Vorgänge verwickelt war. Uns wurde Anfang der 1950er Jahre ein Aufklärungsflugzeug abgeschossen, und heute zweifelt niemand mehr daran, dass die Russen abgehört wurden.«

»Du sagst, das Kabel sei ein Gerücht gewesen?«

»Es hieß, es sei Anfang der 1960er Jahre ausgerollt worden, als die Russen wirklich glaubten, ihre Kräfte mit Amerika messen und es sogar überholen zu können. Vergiss nicht, wie verdutzt wir waren, als der Sputnik im Weltraum seine Kreise zog und es zu aller Erstaunen nicht die Amerikaner waren, die ihn hochgeschickt hatten. Die russische Sichtweise hatte eine gewisse Berechtigung. Es war eine Zeit, in der sie es beinahe schafften, gleichzuziehen. Im Nachhinein könnte man, wenn man Zyniker ist, sagen, dass sie da hätten zuschlagen sollen. Wenn sie einen Krieg hätten provozieren und den Jüngsten Tag hätten herbeiführen wollen, von dem du gesprochen hast. Es soll auf jeden Fall ein Überläufer des ostdeutschen Geheimdienstes gewesen sein, der plötzlich am süßen Leben in London Geschmack gefunden hatte und seinem englischen Pendant die Existenz des Kabels verriet. Die Neuigkeit verkauften die Engländer dann zu einem hohen Preis an ihre amerikanischen Freunde, die ständig mit ausgestreckter Faust dasaßen. Das Problem war, dass man keine wirklich modernen amerikanischen U-Boote durch den Öresund bringen konnte, die die Russen nicht sofort entdeckt hätten. Deshalb musste man sich bedeutend weniger auffällige Methoden ausdenken. Mini-U-Boote und dergleichen. Man hatte also keine exakte Information. Wo lag das Kabel? Mitten in der Ostsee? Oder hatte man die kürzeste Strecke aus dem Finnischen Meerbusen und hinunter ins Baltikum gewählt? Vielleicht waren die Russen noch listiger und hatten es bei Gotland verlegt, wo niemand damit rechnen würde. Man suchte weiter, und die Absicht war natürlich, die Schwester des Abhörzylinders, den man schon bei Kamtschatka eingesetzt hatte, daran anzubringen.«

»Also den, der jetzt auf meinem Küchentisch liegt?«

»Wenn es der denn ist. Es spricht ja nichts dagegen, dass es mehrere gibt.«

»Dennoch wird das Ganze so eigentümlich. Heute existiert die russische Großmacht nicht mehr. Die baltischen Länder sind wieder frei, die Ostdeutschen mit dem Westen vereinigt. Eine solche Abhörvorrichtung sollte eigentlich in einem Museum des Kalten Krieges landen.«

»So könnte man meinen. Ich kann darauf keine Antwort geben. Ich kann dir nur sagen, was du da in deinem Besitz hast.«

Sie setzten ihren Spaziergang fort. Erst als sie sich wieder im Garten befanden, stellte Wallander die wichtigste Frage:

»Wohin bringt uns das jetzt in Bezug auf Håkan und Louise von Enke?«

»Ich weiß es nicht. Mir wird das Ganze immer unbegreiflicher. Was wolltest du mit dem Zylinder machen?«

»Ich werde Kontakt zur Stockholmer Kripo aufnehmen. Schließlich sind sie es, die in diesem Fall ermitteln. Was sie dann gemeinsam mit der Sicherheitspolizei und dem Militär beschließen, ist nicht mehr meine Sache.«

Um elf Uhr fuhr Wallander Sten Nordlander zurück zum Flugplatz Sturup. Sie trennten sich vor dem gelben Flughafengebäude. Noch einmal, und wieder vergebens, versuchte Wallander, die Reisekosten zu übernehmen.

Sten Nordlander schüttelte nur den Kopf. »Ich will wissen, was passiert ist. Vergiss nicht, dass Håkan mein bester Freund ist. Ich denke jeden Tag an ihn. Und an Louise.«

Er nahm seine Tasche und verschwand. Wallander fuhr zurück.

Zu Hause fühlte er sich wie erschlagen und fragte sich, ob die Erkältung noch einmal zurückkam. Er beschloss zu duschen.

Das Letzte, woran er sich erinnerte, war, dass es ihm schwerfiel, den Plastikvorhang zuzuziehen.

Als er aufwachte, befand er sich in einem Krankenhauszimmer. Linda stand am Fußende des Bettes. In seinem Handrücken steckte eine Kanüle, durch die ihm intravenös eine Flüssigkeit zugeführt wurde.

Er hatte keine Ahnung, warum er da lag, wo er lag. »Was ist passiert?«

Linda berichtete so sachlich, als läse sie aus einem polizeilichen Protokoll ab. Ihre Worte lösten keine Erinnerungsbilder bei ihm aus, füllten nur die Leere. Sie hatte ihn gegen sechs Uhr angerufen, ohne dass er sich meldete, danach noch ein paar Mal, bis zehn Uhr. Da war sie so beunruhigt, dass sie Klara bei Hans gelassen hatte, der ausnahmsweise zu

Hause war, und nach Löderup hinausgefahren war. Dort hatte sie ihn in der Dusche gefunden, klatschnass und bewusstlos. Sie hatte den Notarzt angerufen und ihn sogleich auf die richtige Spur gebracht. Im Krankenhaus hatte man schnell erkannt, dass er einen Insulinschock erlitten hatte. Sein Blutzucker war so stark abgesunken, dass er das Bewusstsein verlor.

»Ich weiß noch, dass ich Hunger hatte«, sagte Wallander langsam, als sie geendet hatte. »Aber ich habe nichts gegessen.«

»Du hättest sterben können«, sagte Linda.

Er sah, dass sie Tränen in den Augen hatte. Wäre sie nicht zu ihm nach Hause gefahren, hätte sie nicht eine schlimme Ahnung gehabt, hätte er sehr leicht dort in der Dusche sterben können. Ein Schütteln durchfuhr ihn. Sein Leben hätte dort enden können, nackt auf einem Kachelfußboden.

»Du lässt dich gehen, Papa«, sagte sie. »Eines Tages wird es einmal zu viel gewesen sein. Du musst schon dafür sorgen, dass Klara mindestens fünfzehn Jahre lang einen Großvater hat. Danach kannst du mit deinem Leben machen, was du willst.«

»Ich begreife nur nicht, wie das passieren konnte. Es ist nicht das erste Mal, dass mein Blutzucker zu niedrig gewesen ist.«

»Darüber musst du mit dem Arzt reden. Ich rede mit dir über deine Pflicht, weiterzuleben.«

Er nickte nur, jedes Wort, das er sprach, strengte ihn an. Eine eigentümlich hallende Müdigkeit erfüllte ihn. »Was ist das für eine Infusion?«, fragte er.

»Ich weiß nicht.«

»Wie lange muss ich hier liegen?«

»Das weiß ich auch nicht.«

Sie stand auf. Er sah, wie erschöpft sie war, und erkannte mit einer Art verschwommener Klarsicht, dass sie wohl sehr lange bei ihm gesessen hatte.

»Geh nach Hause«, sagte er. »Ich schaffe es jetzt.«

»Ja«, sagte sie. »Du schaffst es. Für diesmal.«

Sie beugte sich über ihn und sah ihm fest in die Augen.

»Ich soll von Klara grüßen. Sie findet es auch gut, dass du es geschafft hast.«

Wallander blieb allein im Zimmer. Er schloss die Augen und wollte schlafen. Am liebsten würde er mit dem Gefühl wieder aufwachen, an dem, was geschehen war, keine Schuld zu tragen.

Aber später am Tag musste Wallander sich von seinem Hausarzt, der eigentlich freihatte, aber trotzdem ins Krankenhaus gekommen war, sagen lassen, dass die Zeit vorbei war, in der er die Kontrolle seiner Zuckerwerte vernachlässigen konnte. Wallander war seit fast zwanzig Jahren Dr. Hanséns Patient, und es gab keinerlei Ausflüchte, die der unsentimentale Arzt gelten ließ. Dr. Hansén wiederholte, dass Wallander gern weitermachen könne mit seinem Tanz auf dem Seil, indem er seine Krankheit ignorierte. Dass er allerdings beim nächsten Mal mit Folgen rechnen müsse, für die er eigentlich zu jung sei.

»Ich bin sechzig«, sagte Wallander. »Ist das nicht alt genug?«

»Vor zwei Generationen war man mit sechzig Jahren alt. Aber heute nicht mehr. Der Körper altert, daran können wir nicht viel ändern. Aber normalerweise leben wir fünfzehn bis zwanzig Jahre länger.«

»Und was geschieht jetzt?«

»Sie bleiben bis morgen hier, damit meine Kollegen sehen können, ob Ihre Zuckerwerte sich wieder normalisiert haben und ob Sie keinen sonstigen Schaden davongetragen haben. Dann dürfen Sie nach Hause und weiter sündigen.«

»Ich sündige doch wohl nicht?«

Dr. Hansén war einige Jahre älter als Wallander und nicht weniger als sechsmal verheiratet gewesen. In Ystad munkelte man, dass die Unterhaltszahlungen für seine früheren

Frauen ihn zwangen, im Urlaub in norwegischen Kranken-
häusern zu arbeiten, weit im Norden in der entlegenen
Finnmark, wo kein Mensch sich gern aufhielt, wenn es nicht
unbedingt sein musste.

»Vielleicht ist es genau das, was Ihrem Leben fehlt? Eine
Prise erfrischende Sündhaftigkeit; ein Polizeibeamter, der
über die Stränge schlägt.«

Erst nachdem Dr. Hansén gegangen war, machte Wallander sich klar, wie wenig gefehlt hatte, wie knapp er dem Tod
entronnen war. Einen Moment lang überkamen ihn Panik
und Todesangst, stärker als je zuvor. Zumindest was Situationen betraf, die nichts mit seinem Beruf zu tun hatten. Die
Angst des Polizisten war eine Sache, die des Privatmannes
eine andere.

Er dachte wieder an den Augenblick, als er als junger
Streifenpolizist in Malmö durch einen Messerstich schwer
verletzt worden war. Damals hätte das endgültige Dunkel
ihn um Haaresbreite verschlungen. Jetzt hatte er den Atem
des Todes wieder im Nacken gespürt, und diesmal war er es
selbst gewesen, der dem, was sein Ende hätte bedeuten können, die Tür geöffnet hatte.

An diesem Abend im Krankenhaus fasste Wallander eine
Reihe von Vorsätzen, wohl wissend, dass er sie wahrscheinlich nicht würde einhalten können. Sie betrafen gesündere
Ernährung, mehr Bewegung, neue Interessen und einen er-
neuten Kampf gegen die Einsamkeit. Vor allem wollte er
jetzt endlich seinen Urlaub nutzen, nicht arbeiten, nicht
Lindas verschwundenen Schwiegereltern nachjagen. Sich
ausruhen, ausschlafen, lange Spaziergänge am Strand machen, mit Klara spielen.

Als er da in seinem Krankenhausbett lag, entwarf er einen Plan. In den nächsten fünf Jahren würde er zu Fuß die
gesamte schonische Küste entlangwandern, vom Ende des
Hallandsåsen bis zur Grenze von Blekinge. Im selben Augenblick, in dem der Gedanke geboren wurde, zweifelte er

schon daran, ihn je zu verwirklichen. Aber es verschaffte ihm eine gewisse Linderung, einen Traum aufblühen zu lassen, auch wenn er vielleicht wieder verblassen würde.

Vor einigen Jahren hatte er bei einem Abendessen zu Hause bei Martinsson mit einem pensionierten Studienrat gesprochen, der von seiner Wanderung auf dem klassischen Pilgerpfad nach Santiago de Compostela erzählt hatte. Wallander hatte sofort Lust bekommen, die Wanderung selbst zu machen, etappenweise, vielleicht auf fünf Jahre verteilt. Er hatte sogar angefangen zu trainieren und einen Rucksack zu tragen, den er mit Steinen beschwert hatte, worauf er sich natürlich übernommen und einen Fersensporn am linken Fuß bekommen hatte. So hatte die Pilgerfahrt ein Ende genommen, bevor sie überhaupt begonnen hatte. Jetzt war der Fersensporn geheilt, unter anderem nach einer Reihe schmerzhafter Kortisoninjektionen direkt in die Ferse. Aber vielleicht lagen ein paar gut geplante Wanderungen entlang der Küste Schonens noch im Bereich des Möglichen.

Am nächsten Tag wurde er gesundgeschrieben und konnte nach Hause fahren. Er holte Jussi ab, der wieder vom Nachbarn betreut worden war, und lehnte Lindas Vorschlag ab, zu kommen und ihm das Abendessen zuzubereiten. War er allein, dann war er es eben, erklärte er ihr. Jetzt musste er selbst die Verantwortung dafür übernehmen, dass er zumindest seinen Urlaub nicht vergeudete.

Bevor er an diesem Abend zu Bett ging, schrieb er eine lange E-Mail an Ytterberg. Er erwähnte nicht, dass er krank gewesen war, schrieb nur, dass er sich freinehmen müsse, weil er überarbeitet sei. Sein Bedürfnis nach Erholung und Ruhe erstrecke sich auch auf den Fall Håkan und Louise von Enke. *Zum ersten Mal erkenne ich meine Grenzen, was das Alter und meine Kräfte anbelangt,* schloss er seinen Brief. *Früher ist es mir nie so gegangen. Ich bin nicht mehr vierzig und muss mich also damit abfinden, dass die Zeit, die vergangen ist, nicht wiederkommt. Ich glaube, ich teile die Illu-*

sion mit den meisten Menschen, dass es trotz allem möglich ist, zweimal in den gleichen Fluss zu steigen.

Er las das Geschriebene noch einmal durch, drückte auf *Senden* und schaltete den Computer aus. Als er ins Bett ging, hörte er in der Ferne Donnergrollen.

Die Gewitterfront näherte sich. Aber noch war der Sommerhimmel hell.

20

Am nächsten Tag war die Gewitterfront abgezogen, ohne Wallanders Haus berührt zu haben. Sie war in eine östlichere Richtung geschwenkt. Als Wallander gegen acht Uhr aufstand, fühlte er sich ausgeschlafen. Obwohl der Morgen frisch war, nahm er sein Frühstück mit nach draußen und aß an dem weißen Gartentisch. Zur Feier seines ersten Urlaubstages schnitt er einige Rosen ab und legte sie auf den Tisch. Er hatte sich gerade gesetzt, als das Telefon klingelte. Linda wollte wissen, wie er sich fühle.

»Ich lasse mir das eine Warnung sein«, sagte er. »Im Moment geht es mir gut. Ich werde mein Handy immer bei mir haben.«

»Darum wollte ich dich gerade bitten.«

»Wie geht es euch?«

»Klara hat eine Sommererkältung. Hans hat sich diese Woche tatsächlich freigenommen.«

»Freiwillig oder unfreiwillig?«

»Mit *meinem* freien Willen! Er wagt nichts anderes. Ich habe ihm ein Ultimatum gestellt. Ich oder die Arbeit. Um Klara wird nicht verhandelt.«

Wallander frühstückte weiter und dachte wieder, dass Linda seinem Vater immer ähnlicher wurde. Der gleiche spitze Tonfall, die gleiche ein wenig witzelnd ironische Haltung zur Umwelt. Aber auch eine Anlage zu Zornausbrüchen, die dicht unter der Oberfläche lauerten.

Er legte die Füße auf einen Stuhl, lehnte sich zurück, gähnte und schloss die Augen. Jetzt hatte sein Urlaub endlich angefangen.

Das Telefon klingelte. Zuerst wollte er es klingeln lassen und eine eventuelle Nachricht später abhören. Aber dann richtete er sich doch auf und griff zum Handy.

»Ytterberg hier. Habe ich dich geweckt?«

»Da hättest du vor ein paar Stunden anrufen müssen.«

»Wir haben Louise von Enke gefunden. Sie ist tot.«

Wallander hielt den Atem an und stand vorsichtig auf.

»Ich wollte dich direkt anrufen«, fuhr Ytterberg fort. »Wir können die Nachricht möglicherweise noch eine Stunde zurückhalten. Aber wir müssen den Sohn und deine Tochter informieren. Weitere Angehörige außer dem Cousin in England gibt es ja nicht. Habe ich recht?«

»Du vergisst die Tochter im Niklasgård. Zumindest das Personal muss informiert werden. Aber das kann ich auch übernehmen.«

»Ich habe mir gedacht, dass du es lieber selbst tun würdest. Wenn du das aber nicht willst, was ich natürlich verstehen kann, rufe ich dort an.«

»Ich mache das«, sagte Wallander. »Gib mir nur das Wichtigste, was ich wissen muss.«

»Eigentlich ist der ganze Vorgang absurd«, sagte Ytterberg. »Gestern Abend verschwand eine senile alte Frau aus einem Altenwohnheim in Värmdö. Sie pflegte öfter herumzuwandern. Man hatte ihr eine Art GPS-Empfänger umgehängt, der die Suche nach ihr erleichtern sollte. Aber den hatte sie sich abgefummelt. Also musste die Polizei Suchtrupps losschicken. Zuerst fand man sie, die senile Alte. Sie war in guter Verfassung, wenn ich es recht verstanden habe. Aber dann hatten zwei der Suchenden sich verlaufen. Kannst du dir das vorstellen? Und sie hatten einen so schwachen Akku in ihrem Handy, dass man sich anschließend auf die Suche nach ihnen machen musste. Man fand sie, aber auf dem Rückweg entdeckte man noch jemanden.«

»Louise?«

»Ja. Sie lag neben einem Waldpfad, ungefähr drei Kilo-

275

meter von der nächsten Straße entfernt. Der Pfad führt durch einen Kahlschlag. Ich bin gerade von dort zurückgekommen.«

»Ist sie ermordet worden?«

»Nein. Sie hat aller Wahrscheinlichkeit nach Selbstmord begangen. Keine Spuren von Gewaltanwendung, sie hat eine Überdosis genommen. Wir haben eine leere Pillenschachtel für Schlaftabletten gefunden. Wenn die Schachtel voll gewesen ist, muss sie ungefähr hundert Tabletten geschluckt haben.«

»Es besteht also kein Zweifel an einem Selbstmord?«

»Nein, bisher nicht. Aber wir müssen natürlich die gerichtsmedizinische Untersuchung abwarten.«

»Wie sah sie aus?«

»Sie lag auf der Seite. Leicht gekrümmt. Rock, graue Bluse, Mantel, die Schuhe standen neben ihrem Körper. Außerdem lag eine Handtasche mit Papieren und Schlüsseln neben ihr. Irgendein Tier hat sie beschnüffelt, aber der Körper war unversehrt.«

»Kannst du sagen, wo genau auf Värmdö?«

Ytterberg erklärte es und wollte eine Skizze mailen. »Ich schicke sie sofort.«

»Keine Spur von Håkan?«

»Nichts.«

»Warum hat sie diese Stelle gewählt? Einen Kahlschlag?«

»Ich weiß es nicht. Von einem Tod in Schönheit kann man wirklich nicht sprechen. Umgeben von trockenem Geäst und Baumstümpfen. Ich schicke dir die Karte. Ruf mich an, wenn was ist.«

»Was ist mit deinem Urlaub?«

»Es ist nicht das erste Mal, dass ich einen verschiebe.«

Die Kartenskizze kam nach wenigen Minuten. Mit der Hand am Telefonhörer, zögerte Wallander. Alle Polizisten, die er kannte, spürten diese Beklemmung, wenn sie eine Todesnachricht überbringen mussten. *Das* wurde nie Routine.

Der Tod störte immer, wann er auch kam.

Er wählte die Nummer und spürte, wie seine Hand zitterte.

Linda meldete sich. »Du schon wieder? Haben wir nicht gerade telefoniert? Ist alles in Ordnung?«

»Bei mir ja. Bist du allein?«

»Hans wechselt Klara gerade die Windeln. Habe ich nicht gesagt, dass ich ihm ein Ultimatum gestellt habe?«

»Das hast du. Setz dich jetzt lieber und hör mir zu.«

Sie merkte an seiner Stimme, dass es etwas Ernstes war, und sie wusste, dass er nie übertrieb.

»Louise ist tot. Sie hat vor ein paar Tagen Selbstmord begangen. Man hat sie heute Nacht oder am frühen Morgen auf einem Kahlschlag in den Wäldern auf Värmdö gefunden.«

Sie schwieg.

»Ist das wirklich wahr?«, sagte sie schließlich.

»Es scheint kein Zweifel zu bestehen. Aber von Håkan gibt es keine Spur.«

»Das ist ja entsetzlich.«

»Wie wird Hans es aufnehmen?«

»Ich weiß nicht. Ist es wirklich sicher?«

»Ich würde ja nicht anrufen, wenn Louise nicht identifiziert worden wäre.«

»Ich meine, dass sie Selbstmord begangen hat? Das passt nicht zu ihr. So war sie nicht.«

»Geh jetzt und rede mit Hans. Wenn er mit mir direkt sprechen will, kann er mich zu Hause anrufen. Ich kann ihm auch die Nummer der Polizei in Stockholm geben.«

Wallander wollte das Gespräch beenden, doch Linda hielt ihn noch zurück. »Wo ist sie die ganze Zeit gewesen? Warum nimmt sie sich gerade jetzt das Leben?«

»Darauf kann ich ebenso wenig antworten wie du. Lass uns hoffen, bei aller Tragik, dass dies uns helfen kann, Håkan zu finden. Aber darüber sprechen wir später.«

Wallander beendete das Gespräch und rief im Niklasgård an. Artur Källberg hatte Urlaub, die Frau in der Anmeldung ebenso, aber schließlich bekam Wallander eine Ferienvertretung an den Apparat. Sie wusste überhaupt nichts von Signe von Enkes langer Geschichte, und er hatte das unangenehme Gefühl, mit einer Wand zu sprechen. Aber vielleicht war das gerade in diesem Zusammenhang ein Vorteil, dachte er.

Wallander hatte kaum aufgelegt, als Hans anrief. Er war erschüttert und den Tränen nahe. Wallander antwortete geduldig auf seine Fragen und versprach, sich zu melden, sobald es etwas Neues gebe.

Linda übernahm den Hörer. »Ich glaube, er versteht es noch nicht«, sagte sie mit gesenkter Stimme.

»Das tut keiner von uns.«

»Was hat sie genommen?«

»Schlafmittel. Ytterberg hat den Namen nicht erwähnt. Rohypnol vielleicht? Heißt es nicht so?«

»Sie hat nie Schlaftabletten genommen.«

»Die meisten Frauen, die Selbstmord begehen wollen, nehmen Schlaftabletten.«

»Du hast eben etwas gesagt, was mich stutzig macht.«

»Was denn?«

»Hatte sie wirklich die Schuhe ausgezogen?«

»Ytterberg zufolge ja.«

»Ist das nicht seltsam? Wäre sie zu Hause gewesen, könnte ich es verstehen. Aber warum zieht man die Schuhe aus, wenn man sich im Freien hinlegt, um zu sterben?«

»Ich weiß es nicht.«

»Hat er gesagt, was für Schuhe es waren?«

»Nein. Aber ich habe auch nicht danach gefragt.«

»Du musst uns alles sagen«, meinte sie schließlich.

»Warum sollte ich euch etwas vorenthalten?«

»Du vergisst manchmal, etwas zu sagen. Vielleicht ist es auch falsch verstandene Rücksicht. Wann werden die Zeitungen davon erfahren?«

»Das kann jeden Augenblick sein. Sieh im Teletext nach. Die sind meistens die Ersten.«

Wallander wartete mit dem Hörer in der Hand.

Nach einer Minute war sie zurück. »Es steht schon da. ›Louise von Enke tot aufgefunden. Keine Spur des Mannes.‹«

»Wir reden später weiter.«

Wallander schaltete seinen Fernseher ein und musste feststellen, dass die Neuigkeit groß aufgemacht war. Aber wenn nichts eintraf, was das Bild veränderte oder vertiefte, würde Louise von Enkes Tod bald wieder in den Hintergrund rücken.

In den nächsten Stunden widmete sich Wallander seinem Garten. Er hatte in einem Baumarkt eine im Preis herabgesetzte Heckenschere gekauft, merkte aber bald, dass das Gerät nahezu unbrauchbar war. Er trimmte Büsche und schnitt einige der teilweise vertrockneten alten Obstbäume zurück, obwohl er sehr wohl wusste, dass man das nicht im Sommer tun sollte. Seine Gedanken waren bei Louise. Er hatte sie nicht wirklich kennengelernt. Was wusste er eigentlich von ihr? Von der Frau, die mit einem schwachen Lächeln den Gesprächen lauschte, die bei Tisch geführt wurden, aber äußerst selten selbst etwas sagte? Sie war Deutschlehrerin gewesen, vielleicht auch Lehrerin für andere Sprachen. Er erinnerte sich im Moment nicht und wollte nicht ins Haus gehen, um in seinen Notizen nachzusehen.

Sie hat eine Tochter zur Welt gebracht, dachte er. Schon auf der Geburtsstation hat sie von der schweren Behinderung ihres Kindes erfahren, der Tochter, der sie den Namen Signe gaben und die niemals ein normales Leben würde führen können. Es war ihr erstes Kind. Wie wirkt sich eine solche Erfahrung auf eine Mutter aus? Er ging mit seiner untauglichen Heckenschere umher und fand keine Antworten. Aber er spürte auch keine tiefere Trauer. Die Toten konnte man nicht bedauern. Was Hans und Linda fühlten, ahnte er. Und da war auch Klara, die diese Großmutter nicht mehr kennenlernen würde.

Jussi kam und lahmte, er hatte einen Dorn in der linken Vorderpfote. Wallander holte eine Pinzette, setzte die Brille auf und zog den Dorn heraus. Jussi zeigte seine Dankbarkeit, indem er wie ein schwarzer Strich am Ackerrand entlangschoss. Ein Segelflugzeug schwebte in geringer Höhe über Wallanders Haus. Er folgte ihm mit blinzelndem Blick. Das Urlaubsgefühl wollte sich nicht einstellen. Die ganze Zeit sah er Louise vor sich, neben einem Pfad liegend, der sich durch einen Kahlschlag schlängelte. Und neben ihr ein Paar Schuhe, ordentlich hingestellt.

Er warf die Heckenschere in den Schuppen und legte sich in die Hollywoodschaukel. Das Segelflugzeug verschwand. In einiger Entfernung arbeiteten Traktoren. Autogeräusche von der Landstraße kamen und gingen in Wellen. Er setzte sich auf. Es war sinnlos. Es gab keinen Urlaub, bevor er nicht mit eigenen Augen nachgesehen hatte. Noch einmal musste er nach Stockholm reisen.

Wallander flog noch am selben Abend, nachdem er Jussi wieder zum Nachbarn gebracht hatte, der freundlich, aber nicht ohne Ironie fragte, ob er den Hund inzwischen leid sei. Vom Flugplatz rief er Linda an, die nicht erstaunt war. Sie habe das von ihm erwartet.

»Mach viele Fotos«, sagte sie. »Etwas stimmt an der Sache nicht.«

»Nichts stimmt«, sagte Wallander. »Deshalb fliege ich hin.«

Während des Flugs quälten ihn schreiende Kinder in der Reihe hinter ihm. Er hielt sich die Ohren zu. In einem kleineren Hotel in der Nähe des Hauptbahnhofs bekam er ein freies Zimmer. Als er eintrat, setzte ein heftiger Platzregen ein. Durchs Fenster sah er, wie die Menschen eilig Schutz suchten. Kann Einsamkeit größer sein?, ging es ihm durch den Kopf. Regen, Hotelzimmer, hier bin ich, sechzig Jahre alt. Wenn ich mich umdrehe, ist keiner da. Er fragte sich, wie es Mona ging. Wahrscheinlich ist ihre Einsamkeit ebenso groß wie meine, dachte er. Vermutlich schwerer zu ertragen, weil sie es nicht lassen kann, sie mit allem, was sie in sich hineinschüttet, zu verbergen.

Als der Regen aufhörte, ging er hinüber zum Bahnhof und kaufte eine detaillierte Stockholm-Karte. Telefonisch bestellte er einen Mietwagen für den nächsten Tag. Jetzt im Sommer war die Nachfrage nach Mietwagen groß, und er konnte nur einen ziemlich teuren bekommen. Aber er sagte zu. In Gamla Stan aß er zu Abend. Er trank Rotwein und erinnerte sich plötzlich an einen Sommer vor vielen Jahren, als er eine Frau getroffen hatte, kurz nach der Scheidung von Mona. Sie hieß Monika und war bei Freunden in Ystad zu Besuch. Sie waren sich auf einer trostlosen Tanzveranstaltung begegnet. Sie hatten beschlossen, sich in Stockholm wiederzutreffen und gemeinsam essen zu gehen. Schon während der Vorspeise war ihm klargeworden, dass es ein Irrtum war. Sie hatten sich nichts, absolut nichts zu sagen, die Gesprächspausen wurden immer länger, und er hatte sich einen kräftigen Schwips angetrunken. Jetzt trank er still auf die Erinnerung an sie und hoffte, dass es ihr im Leben gut ergangen war. Er war angesäuselt, als er das Restaurant verließ, streifte durch die Gassen, kam auf Skeppsbron heraus und kehrte zu seinem Hotel zurück. In der Nacht träumte er wieder von Pferden, die ins Meer hinausgaloppierten. Als er am Morgen erwachte, suchte er sein Blutzuckermessgerät und stach sich in den Finger. 5,5. Der Wert war in Ordnung. Der Tag hatte gut angefangen.

Als er gegen zehn Uhr die Stelle auf Värmdö suchte, an der Louise von Enkes Körper gefunden worden war, lastete eine schwere Wolkendecke über Stockholm und der Umgebung. Es lagen noch Reste von Absperrband herum, als er schließlich an den Fundort gelangte. Der Boden war vom Regen durchweicht, aber Wallander erkannte noch Spuren der Markierungen, mit denen die Polizei die Lage der Leiche gekennzeichnet hatte.

Wallander stand reglos da, hielt den Atem an, lauschte. Der erste Eindruck war immer der wichtigste. Mit einer langsamen Kreisbewegung blickte er sich um. Der Fundort lag in einer flachen Senke, die von Felsblöcken und leichten Bodenerhebungen umgeben war. Wenn sie sich hierhin gelegt hatte, um nicht gesehen zu werden, dann hatte sie den richtigen Platz gewählt.

Er dachte an die Rosen. Lindas Worte, als sie ihm zum ersten Mal von ihrer zukünftigen Schwiegermutter erzählt hatte. *Eine Frau, die Blumen liebt, die immer von einem schönen Garten geträumt hat, eine Frau mit grünem Daumen.* Das hatte Linda gesagt. Er erinnerte sich deutlich. Dies hier war sehr weit entfernt von einem schönen Garten. Hatte sie deshalb diesen Platz gewählt? Weil der Tod nicht schön war, nichts, was mit Rosen und einem gepflegten Garten zu tun hatte? Er umkreiste den Fundort und betrachtete ihn von verschiedenen Seiten. Das letzte Stück muss sie gegangen sein, dachte er. Von da, wo mein Auto steht. Aber wie kam sie dahin? Mit dem Bus? Einem Taxi? Hat jemand sie hergefahren?

Er ging zu einem alten Hochsitz mitten im Kahlschlag. Die Sprossen waren morsch. Er kletterte vorsichtig hinauf. Zigarettenkippen, eine tote Maus und ein paar leere Bierdosen lagen herum. Er kletterte wieder hinunter und setzte seine Wanderung fort. Versuchte sich vorzustellen, es wäre sein eigener Selbstmord. Ein einsamer Platz, voller Gestrüpp, hässlich, eine Schachtel Schlaftabletten. Er hielt inne. *Hundert Schlaftabletten.* Ytterberg hatte nichts von einer Wasserflasche gesagt. Konnte man so viele Tabletten schlucken, ohne zu trinken? Er ging noch einmal den Weg zurück, auf dem er gekommen war, trat in seine eigenen

Fußspuren und kontrollierte, ob er beim ersten Mal etwas übersehen hatte. Ebenso intensiv, wie er den Boden absuchte, versuchte er in seine eigenen, doch vor allem in Louises Gedanken einzudringen, in die Gedanken der stillen Frau, die freundlich und wohlwollend zuhörte, wenn andere Menschen sprachen.

In diesem Moment wurde Wallander erst richtig klar, dass er sich nur in den Randbezirken einer Welt befand, von der er eigentlich nichts wusste. Es war die Welt von Håkan und Louise, nicht seine. Was er während dieses Augenblicks in dem Kahlschlag sah und empfand, war nichts Greifbares, erst recht keine Offenbarung. Es war das Gefühl, sich in der Nähe von etwas zu befinden, was er nicht verstand, weil ihm die Voraussetzungen fehlten.

Er fuhr zurück in die Stadt, parkte in der Grevgata und ging in die Wohnung hinauf. Still wanderte er durch die verlassenen Räume, hob die Post auf, die sich unter dem Briefschlitz in der Eingangstür angesammelt hatte, und suchte die Rechnungen heraus, die Hans bezahlen würde. Noch funktionierte die Nachsendung der Post nicht. Er ging die Briefe durch, um zu sehen, ob etwas Überraschendes dabei war, fand jedoch nichts. Da die Wohnung nach abgestandener Luft roch und Wallander Kopfschmerzen hatte, vermutlich von dem billigen Rotwein, den er am Abend zuvor getrunken hatte, öffnete er vorsichtig ein Fenster zur Straße. Er warf einen Blick auf den Anrufbeantworter. Das rote Licht, das eingegangene Gespräche anzeigte, blinkte. Er hörte das Band ab. *Märta Hörnelius möchte wissen, ob Louise von Enke an einem Literaturkreis über deutsche Klassiker interessiert ist, der im Herbst beginnt.* Das war alles. Louise von Enke wird an keinem Literaturkreis mehr teilnehmen, dachte Wallander.

Er machte Kaffee in der Küche, sah nach, ob etwas im Kühlschrank lag, was verdorben roch, und betrat dann das Zimmer von Louise mit den beiden großen Kleiderschränken. Er nahm alle Schuhe heraus, die dort aufgereiht waren, trug sie in die Küche und stellte sie auf den Küchentisch. Am Ende waren es zweiundzwanzig Paar, dazu zwei Paar Gummistiefel. Um für alle Schuhe Platz zu haben, musste er auch die Arbeitsplatte und die Spüle benutzen. Er setzte die Brille auf und untersuchte methodisch Schuh für Schuh. Auffallend waren die Schuhgröße und die Tatsache, dass sie nur exklusive Marken gekauft hatte. Selbst die Gummistiefel waren von einer italienischen Marke, die Wallander für teuer hielt. Wonach er suchte, wusste er nicht. Aber nicht nur er, sondern auch Linda hatte darauf reagiert, dass sie die Schuhe ausgezogen und neben sich gestellt hatte, bevor sie starb. Es sollte ordentlich aussehen, dachte Wallander. Aber warum?

Er brauchte eine halbe Stunde für die Schuhe. Dann rief er Linda auf ihrem Handy an. Er erzählte von seinem Besuch auf Värmdö. »Wie viele Paar Schuhe hast du?«, fragte er.

»Das weiß ich nicht.«

»Louise hat zweiundzwanzig Paar, abgesehen von dem, das bei der Polizei ist. Ist das viel oder wenig?«

»Es klingt angemessen. Louise achtete auf ihre Kleidung.«

»Das wollte ich nur wissen.«

»Gibt es sonst nichts, was du erzählen kannst?«

»Nicht im Moment.«

Trotz ihrer Proteste beendete er das Gespräch und rief Ytterberg an. Zu Wallanders Verwunderung meldete sich ein kleines Kind.

Danach kam Ytterberg. »Meine Enkeltochter liebt es, ans Telefon zu gehen. Ich habe sie heute mit ins Büro genommen.«

»Ich will dich nicht stören, aber ich habe eine Frage, die mir nicht aus dem Kopf geht.«

»Du störst nicht. Aber hattest du nicht auch Urlaub? Oder habe ich etwas missverstanden?«

»Ich habe Urlaub.«

»Was willst du wissen? Etwas, was neues Licht auf Louise von Enkes Tod wirft, habe ich nicht. Wir warten darauf, was die Ärzte zu sagen haben.«

Wallander fiel plötzlich das Wasser ein, über das er nachgedacht hatte. »Eigentlich habe ich zwei Fragen. Die erste ist einfach. Wenn sie so viele Tabletten geschluckt hat, muss sie da nicht etwas getrunken haben?«

»Es lag eine halbleere Literflasche Mineralwasser neben ihr. Habe ich das nicht gesagt?«

»Das hast du bestimmt. Aber ich habe vielleicht nicht aufmerksam genug zugehört. War es Ramlösa?«

»Loka, glaube ich. Aber ich bin nicht sicher. Ist es wichtig?«

»Überhaupt nicht. Dann habe ich noch eine Frage wegen der Schuhe.«

»Sie waren ordentlich hingestellt.«

»Kannst du sie beschreiben?«

»Braun, flacher Absatz, neu, glaube ich.«

»Wirkt es wahrscheinlich, dass sie diese Schuhe trug, um an diese Stelle zu gehen?«

»Es waren nicht gerade Ballschuhe, die da standen.«

»Aber sie waren neu?«

»Ja. So sah es aus.«

»Dann habe ich keine Fragen mehr.«

»Ich melde mich, sobald der Gerichtsmediziner sich geäußert hat. Aber das kann dauern, jetzt im Sommer.«

»Habt ihr übrigens eine Ahnung, wie sie dort hinausgekommen ist?«

»Nein«, sagte Ytterberg. »Darauf haben wir noch keine Antwort.«

»Es war auch nur so eine Frage. Vielen Dank noch einmal.«

Wallander saß in der stillen Wohnung und hielt den Hörer umklammert, als wäre er sein letzter Halt im Leben.

Braune Schuhe, neu. Keine Ballschuhe. Langsam und nachdenklich begann er, die Schuhe in den Kleiderschrank zurückzutragen.

Früh am nächsten Tag fuhr er wieder nach Ystad. Am Nachmittag brachte er die Heckenschere in den Baumarkt zurück und erklärte, sie sei unbrauchbar. Weil er dabei, was sonst nicht seine Art war, aufbrausend wurde und weil einer der Chefs wusste, wer er war, gab man ihm eine bessere Schere, ohne dass er nachzahlen musste.

Als er nach Hause kam, hatte Ytterberg angerufen. Wallander rief zurück.

»Du hast mich nachdenklich gemacht«, sagte Ytterberg. »Ich habe mir diese Schuhe noch einmal angesehen. Es ist so, wie ich gesagt habe. Sie waren fast ungetragen.«

»Du hättest dir meinetwegen nicht solche Mühe zu machen brauchen.«

»Eigentlich habe ich auch nicht der Schuhe wegen angerufen«, fuhr Ytterberg ungerührt fort. »Aber weil ich gerade dabei war, habe ich mir ihre Handtasche noch einmal genauer angesehen. Und da habe ich entdeckt, dass sie noch eine Innentasche hatte, beinahe wie ein Geheimfach. Und darin steckte etwas äußerst Interessantes.«

Wallander hielt den Atem an.

»Papiere«, sagte Ytterberg. »Dokumente. In Russisch. Außerdem Material auf Mikrofilm. Worum es sich dabei handelt, kann ich nicht sagen. Aber es war Grund genug, zum Telefon zu greifen und unsere geheimen Kollegen anzurufen.«

Wallander fiel es schwer, zu begreifen, was er gerade gehört hatte. »Das würde bedeuten, dass sie geheimes Material bei sich hatte?«

»Das wissen wir nicht. Aber Mikrofilm ist Mikrofilm, Geheimfächer sind Geheimfächer. Und Russisch ist Russisch. Ich wollte nur, dass du es weißt. Es sollte vielleicht vorläufig unter uns bleiben. Bis wir wissen, worum es sich wirklich

286

handelt. Ich rufe wieder an, wenn es Neues zu berichten gibt.«

Nachdem er aufgelegt hatte, ging Wallander hinaus und setzte sich in den Garten. Es war wieder warm geworden. Ein schöner Sommerabend stand bevor.

Er selbst jedoch fröstelte.

TEIL 3

Dornröschenschlaf

21

Wallander hatte keineswegs vor, sein Versprechen zu halten. Er beschloss vielmehr, sofort mit Linda und Hans zu sprechen. Vor der Wahl, entweder den schwedischen Sicherheitsdienst oder seine Familie zu respektieren, zögerte er keinen Moment. Er würde Linda und Hans Wort für Wort erzählen, was er gehört hatte. Das war er ihnen schuldig.

Wallander blieb lange sitzen. Seine erste Reaktion war gewesen, dass etwas an der Sache nicht stimmen konnte. Der Gedanke war absurd. Louise von Enke eine Spionin für Russland? Auch wenn die Polizei sonderbare Dokumente in ihrer Tasche gefunden hatte, noch dazu in einem Geheimfach, konnte er es nicht glauben.

Aber warum sollte Ytterberg anrufen und ihm etwas erzählen, was nicht stimmte? Wallander hatte nach ihrem kurzen Treffen Vertrauen zu ihm gefasst. Er hätte ihn nicht angerufen, wenn er seiner Sache nicht sicher wäre.

Wallander sah, was er tun musste. Es würde Louise nicht helfen, wenn er sie zu schützen versuchte, indem er Fakten abstritt. Er musste Ytterbergs Bericht ernst nehmen. Was auch später als Erklärung für diese Fakten auftauchte, es würde nicht bedeuten, dass Ytterbergs Darlegung falsch war, eher sollten – oder mussten – andere Schlüsse daraus gezogen werden.

Er fuhr im Auto zu Linda und Hans. Der Kinderwagen stand im Schatten unter einem Baum, die Eltern saßen mit Kaffeetassen in der schwingenden Hollywoodschaukel.

Wallander setzte sich auf einen der Gartenstühle und erzählte, was er erfahren hatte. Hans und Linda reagierten mit ungläubigem Gesichtsausdruck. Während Wallander sprach, tauchte plötzlich der Name Wennerström in seinen Gedanken auf. Der Oberst, der vor nahezu fünfzig Jahren große Teile der schwedischen Streitkräfte für die Russen ausspioniert hatte. Aber es war ihm unmöglich, zwischen Louise von Enke und diesem verschlagenen Mann, der viele Jahre lang aus kalter Gier Spionage betrieben hatte, irgendeine Verbindung herzustellen. »Ich zweifle nicht an dem, was ich gehört habe«, beendete er seinen Bericht. »Aber ich zweifle auch nicht daran, dass es eine plausible Erklärung dafür gibt, dass diese Dinge in ihrer Handtasche waren.«

Linda schüttelte den Kopf, sah ihren Mann an und dann ihrem Vater direkt in die Augen. »Ist das wirklich wahr?«

»Ich würde doch nicht herkommen und euch etwas erzählen, was nicht dem entspricht, was ich gerade erfahren habe.«

»Du brauchst nicht gleich gereizt zu sein. Man muss doch fragen dürfen.«

»Ich bin nicht gereizt, aber solche Fragen bringen uns nicht weiter.«

Beide spürten, dass ein unnötiger Streit auszubrechen drohte, und es gelang ihnen, sich zu beherrschen. Hans dagegen schien nichts bemerkt zu haben.

Wallander wandte sich ihm zu und sah die Ratlosigkeit in seinem Gesicht. »Fällt dir dabei irgendetwas ein?«, fragte er vorsichtig. »Immerhin bist du derjenige von uns, der sie am besten kannte.«

»Nein. Vor kurzem habe ich erfahren, dass ich eine Schwester habe. Und jetzt das. Es kommt mir so vor, als würden meine Eltern mir immer fremder. Ich halte das Fernglas falsch herum. Sie verschwinden.«

»Nichts, was dir in den Sinn kommt? Entlegene Erinnerungen? Etwas, was du aufgeschnappt hast? Menschen, die zu Besuch kamen?«

»Nein. Mir wird nur übel.«

Linda nahm seine Hand. Wallander stand auf und ging

zum Kinderwagen unter dem Apfelbaum. Eine Hummel summte vor dem Mückennetz. Er hob es behutsam an und betrachtete das schlafende Bündel. Erinnerte sich an Linda in ihrem Wagen. Monas ständige Angst und seine eigene Freude über ein Kind.

Er kehrte zu seinem Platz zurück. »Sie schläft.«

»Mona hat erzählt, dass ich nachts geschrien hätte.«

»Das hast du. Meistens bin ich aufgestanden und habe dich beruhigt.«

»Monas Erinnerung ist eine andere.«

»Sie hat sich nie viel um die Wahrheit geschert. Sie glaubt, sich an etwas zu erinnern, was sie eigentlich vergessen hat. Ich habe dich nachts herumgetragen, während sie schlief. Es gab Nächte, da bekam ich kaum mehr als ein, zwei Stunden Schlaf. Und dann musste ich raus und zur Arbeit.«

»Klara weckt uns fast nie.«

»Das ist ein Segen. Es waren manchmal ziemlich schlimme Nächte mit dir und deinem Schreien.«

»Und du hast mich getragen?«

»Manchmal hatte ich Watte in den Ohren. Aber ich bin mit dir herumgewandert. Alles andere ist unwahr, was Mona auch sagen mag.«

Hans stellte die Kaffeetasse so heftig auf den Tisch, dass Kaffee überschwappte. Er schien ihr Gespräch gar nicht mitbekommen zu haben. »Wo ist Mama die ganze Zeit gewesen? Und wo ist Håkan?«

»Was glaubst du selbst? Was ist dein erster Gedanke? Jetzt, wo alles ganz anders aussieht?«

Linda hatte die Fragen gestellt. Wallander sah sie verwundert an. Er hatte genau diese Worte im Kopf formuliert. Aber sie war schneller gewesen.

»Ich habe keine Antwort. Etwas sagt mir, dass mein Vater lebt. Seltsamerweise bekomme ich im selben Augenblick, in dem ich erfahre, dass meine Mutter tot aufgefunden wurde, das starke Gefühl, dass er lebt.«

Wallander übernahm und stellte die nächsten Fragen.

»Warum? Was bringt dich dazu, so zu denken?«

»Ich weiß nicht.«

Wallander hatte nicht damit gerechnet, dass Hans spontan besonders viel zu sagen hätte. Es war klar, dass die Distanz zwischen den Mitgliedern der Familie von Enke beträchtlich war.

Wallander hielt bei diesem Gedanken inne und sagte sich, dass dies auch ein Ansatzpunkt war. Was hatten die Eheleute von Enke voneinander gewusst? Hatte es zwischen ihnen ebenso viele Geheimnisse gegeben wie in den anderen Familienbeziehungen? Oder war es umgekehrt? Hatte zwischen Louise und Håkan von Enke ein sehr enges Verhältnis bestanden?

Er kam im Moment nicht weiter. Hans stand auf und ging ins Haus.

»Er muss in Kopenhagen anrufen«, sagte Linda. »Wir hatten uns gerade darauf geeinigt, als du kamst.«

»Worauf geeinigt?«

»Dass er heute zu Hause bleibt.«

»Hat der Mann nie frei?«

»Es herrscht weltweit große Unruhe an den Börsen. Hans macht sich Sorgen. Deshalb arbeitet er ständig.«

»Mit Isländern?«

Sie betrachtete ihn abwartend. »Meinst du das ironisch? Vergiss nicht, dass du vom Vater meines Kindes sprichst.«

»Als er mir sein Büro zeigte, saßen Isländer da. Warum sollte es ironisch sein, wenn ich davon spreche?«

Linda machte eine abwehrende Handbewegung. Hans kam zurück und setzte sich wieder in die Hollywoodschaukel. Sie sprachen eine Weile über Louises Beerdigung. Wallander konnte nicht sagen, wann der Leichnam von der Gerichtsmedizin freigegeben werden würde.

»Komisch«, sagte Hans. »Gestern habe ich einen dicken Umschlag mit Fotos von Håkans Geburtstagsfeier bekommen. Sie wurden von jemandem aufgenommen, der erst jetzt daran gedacht hat, sie zu schicken. Es sind mindestens hundert.«

»Möchtest du, dass wir sie uns ansehen?«, fragte Linda.

Hans antwortete mit einem Achselzucken. »Ich habe sie zu den Gästelisten und den anderen Papieren gelegt, die mit dem Fest zu tun haben. Vor allem sind es Kopien von Rechnungen.«

Wallander war in eigene Gedanken versunken und hörte nur wie von fern, was Hans zu Linda sagte. Plötzlich war er wieder hellwach. »Habe ich richtig gehört? Hast du Gästeliste gesagt?«

»Alles war penibel geordnet. Mein Vater war nicht umsonst Offizier. Er hat jeweils angemerkt, wer da war, wer abgesagt hatte und wer gegen jede Regel verstoßen hat und weder erschienen ist noch eine Erklärung für sein Fernbleiben gegeben hat.«

»Warum hast du die Listen hier?«

»Weil weder mein Vater noch meine Mutter mit einem Computer umgehen konnten. Deshalb habe ich die Listen für sie ausgedruckt. Vater hat wohl gemeint, dass ich seine Kommentare noch hinzufügen sollte. Gott weiß, warum. Aber es kam nicht dazu.«

Wallander biss sich auf die Lippen, während er überlegte. Dann stand er auf. »Ich würde diese Listen gern sehen. Auch die Fotos. Ich kann alles mit nach Hause nehmen, wenn ihr andere Pläne habt.«

»Die hat man nicht, wenn man ein kleines Kind hat«, antwortete Linda. »Hast du das vergessen? Bald wacht sie auf. Dann ist diese himmlische Ruhe vorbei. Wie ich dich kenne, ist es für dich besser, du fährst nach Hause. Ich glaube, da hast du mehr Ruhe.«

Hans ging ins Haus und kam mit einigen Plastiktüten voller Papiere und Fotos zurück.

Linda begleitete Wallander zum Auto. In der Ferne war

jetzt Donner zu hören. Sie stellte sich vor die Fahrertür, als er diese öffnen wollte. »Können sie sich geirrt haben? Kann es Mord gewesen sein?«

»Nichts spricht dafür. Ytterberg ist ein guter und erfahrener Polizist. Er sieht, was er sieht. Beim geringsten Verdacht würde er reagieren.«

»Sag mir noch einmal, wie sie aussah, als sie gefunden wurde.«

»Die Schuhe standen neben dem Körper, ordentlich hingestellt. Sie lag auf der Seite, in Strümpfen. Die Kleider nicht in Unordnung. Sie war also nicht gefallen, sondern hatte sich selbst hingelegt.«

»Aber die Schuhe?«

»Gibt es nicht eine Redensart, die heutzutage verschwunden ist? Dass man die Schuhe abstellt, wenn man stirbt?«

Linda schüttelte ungeduldig den Kopf. »Was für Kleider trug sie?«

Wallander versuchte, sich daran zu erinnern, was Ytterberg auf seine Frage geantwortet hatte. »Schwarzer Rock, graue Bluse, Mantel, BH, Slip, Kniestrümpfe.«

Linda schüttelte wieder den Kopf. »Ich habe nie gesehen, dass sie Kniestrümpfe trug. Entweder zog sie Strumpfhosen an oder gar keine Strümpfe.«

»Bist du sicher?«

»Ganz sicher. Sie trug Wollsocken, wenn sie mal Ski fuhr. Aber das hat hiermit nichts zu tun.«

Wallander stellte sich vor, was das bedeuten konnte. Er zweifelte nicht daran, dass Linda wusste, wovon sie sprach. Wenn sie so bestimmt war wie jetzt, hatte sie meistens recht.

»Ich kann dir keine gute Antwort geben. Ich leite deine Bedenken weiter an die Kripo in Stockholm.«

Sie trat zur Seite und schlug die Tür zu, als er eingestiegen war. »Louise war keine Frau, die Selbstmord begeht«, sagte sie.

»Und doch hat sie es getan.«

Linda schüttelte den Kopf. Wallander war klar, dass sie ihm etwas sagen wollte, worüber er sich Gedanken machen sollte. Es war nichts, was sie im Moment diskutieren mussten. Er ließ den Wagen an und fuhr los. Als er zur Hauptstraße kam, bog er in die entgegengesetzte Richtung ab, ließ Ystad hinter sich und fuhr am Meer entlang in Richtung Trelleborg. Er hatte das Bedürfnis, sich zu bewegen. Bei Mossby Strand standen ein paar Wohnmobile und Wohnwagen. Er parkte am Straßenrand und ging zum Strand hinunter. Jedes Mal, wenn er hierher zurückkehrte, hatte er das Gefühl, dass gerade dieses Stück Strand, das nicht besonders bemerkenswert und nicht unbedingt schön war, einer der zentralen Punkte in seinem Leben war. Hier war er mit Linda spazieren gegangen, als sie klein war, hier hatte er versucht, sich mit Mona zu versöhnen, als sie ihm erklärt hatte, sie wolle sich scheiden lassen. An diesem Strand hatte ihm Linda auch vor fast zehn Jahren mitgeteilt, dass sie Polizistin werden wolle und schon an der Polizeihochschule in Stockholm angenommen worden sei. Hier hatte sie ihm gesagt, dass sie schwanger war.

Und hier war vor zwanzig Jahren ein Schlauchboot mit zwei Toten angetrieben, gefolterten und namenlosen Männern, die erst viel später als lettische Staatsangehörige identifiziert worden waren. Er wusste noch genau, wo das Schlauchboot an Land getrieben war, er konnte seine Kollegen vor sich sehen, wie sie im schneidend kalten Wind um das rote Boot herumstanden, und Nyberg, der mit grimmiger Miene herauszufinden versuchte, was mit den beiden Männern geschehen war, über das Augenscheinliche hinaus, dass sie tot waren, erschossen und nicht ertrunken.

Wallander ging am Strand entlang, vertrieb nach der langen Bewegungslosigkeit die Steifheit aus den Gliedern. Er dachte an das, was Linda gesagt hatte. Aber Menschen begehen Selbstmord, ob wir es von ihnen glauben oder nicht, dachte er. Eine Reihe von Menschen, denen ich nie zugetraut hätte, sie würden ihrem Leben selbst ein Ende setzen, taten es ohne zu zögern, in den meisten Fällen nach sorgfältiger Planung. Wie oft war ich dabei, wenn Menschen von dem Strick losgemacht wurden, an dem sie sich erhängt hatten, wie oft habe ich die Reste zusammengeklaubt, nachdem sie sich mit der Schrotflinte in den Kopf geschossen hatten. Aber die Angehörigen, die erklärten, sie seien *nicht* erstaunt über den Selbstmord, kann ich an einer Hand abzählen.

Wallander dehnte seinen Spaziergang so weit aus, dass er müde war, als er wieder bei seinem Auto anlangte. Er setzte sich in den Wagen und öffnete eine der Plastiktüten. Er griff wahllos ein paar Fotos heraus. Viele Gesichter glaubte er wiederzuerkennen, an andere konnte er sich überhaupt nicht erinnern. Er steckte die Fotos zurück und fuhr nach Hause. Wenn es einen Sinn haben sollte, musste er das Material gründlich durchgehen, nicht oberflächlich wie jetzt, hinter dem Lenkrad seines Wagens.

Erst gegen Abend setzte er sich an den Küchentisch. Hier werde ich anfangen, dachte er. Bei den Fotos von einem gut organisierten großen Familienfest mit einem Geburtstagskind und seiner Frau. Er sah sich ein Foto nach dem anderen an. Fast immer waren die Esstische im Hintergrund zu sehen, so dass er ungefähr beurteilen konnte, ob die Bilder vor dem Essen, während des Essens oder danach aufgenommen waren. Es waren insgesamt einhundertvier Fotos, viele unscharf und ohne eigentliches Zentrum. Auf vierundsechzig Bildern waren entweder Håkan oder Louise zu sehen, auf zwölf Fotos beide. Auf zwei Fotos hatten sie Augenkontakt, Louise lächelte, Håkan war ernst. Wallander legte die Fotos nebeneinander, in der Reihenfolge, in der sie, wie er vermutete, aufgenommen worden waren. Auf allen Bildern fiel ihm auf, wie ernst Håkan von Enke war. Ist er nur durch und durch Offizier, oder spiegeln die Bilder seine Unruhe wider, von der er mir gleich erzählen wird?, dachte Wallander. Ich kann es nicht entscheiden. Aber es wirkt so, als wäre er schon hier beunruhigt.

Louise lächelte dagegen immer. Er fand nur eine Ausnahme. Aber da war sie sich nicht bewusst gewesen, dass der Fotograf sie im Sucher hatte. Ein einziges Bild, das die Wahrheit sagt? Oder ein Zufall? Er ging über zu den Fotos, auf denen eine große Anzahl der anwesenden Gäste festgehalten waren. Freundliche ältere Menschen, ein Eindruck von beträchtlichem Wohlstand. Es waren keine armen Schlucker gekommen, um Håkan von Enke zu feiern. Diese Menschen konnten es sich erlauben, zufrieden und entspannt auszusehen.

Wallander schob die Fotos zur Seite und wandte sich den beiden Gästelisten zu. Er zählte einhundertzwei Gäste. Die Namen waren alphabetisch geordnet. Es waren viele Ehepaare darunter.

Das Telefon klingelte, während er die erste Liste studierte. Es war Linda. »Ich bin neugierig«, sagte sie. »Hast du etwas gefunden?«

»Nichts, was ich nicht schon gewusst hätte. Louise lächelt. Håkan ist ernst. Hat er nie gelacht?«

»Nicht besonders oft. Aber Louises Lächeln ist echt. Sie hat nie eine Maske aufgesetzt. Ich glaube, sie war gut darin, Menschen zu durchschauen, die sich aufspielten.«

»Ich habe gerade angefangen, die Gästelisten anzusehen. Einhundertzwei Namen. Mir fast alle unbekannt. Alvén, Alm, Appelgren, Berntsius ...«

»Der sagt mir etwas«, unterbrach Linda. »Sten Berntsius. Hoher Offizier bei der Marine. Ich war einmal bei einem unerfreulichen Essen zu Hause bei Håkan und Louise, zu dem er auch eingeladen war. Er war mit seiner Frau gekommen, einem eingeschüchterten kleinen Wesen, das die meiste Zeit dasaß und rot wurde und außerdem zu viel Wein trank. Aber Sten Berntsius war grässlich.«

»In welcher Weise?«

»Der Palme-Hass.«

Wallander zog die Stirn in Falten. »Wie lange kennst du Hans schon? Zwei Jahre? Seit 2006? Wenn ich mich nicht irre, lag der Mord an Palme da zwanzig Jahre zurück.«

»Hass lebt lange.«

»Du willst mir doch nicht erzählen, dass du vor zwei Jahren bei einem Essen gewesen bist, wo die Gäste schlecht von einem Ministerpräsidenten redeten, der zwanzig Jahre zuvor ermordet wurde?«

»Ich meine genau das, was ich sage. Sten Berntsius fing an, davon zu reden, dass Palme ein Spion für die Sowjetunion gewesen sei, ein Kryptokommunist, Landesverräter und Gott weiß was noch.«

»Waren Louise und Håkan auch dieser Meinung?«

»Ich glaube, dass Håkan leider der gleichen Ansicht war. Louise sagte nicht viel, versuchte abzuwiegeln. Aber es war eine unschöne Stimmung.«

Wallander versuchte nachzudenken. Für ihn war Olof Palme vor allem ein Beispiel für das dramatische Scheitern der schwedischen Polizei. Er hatte kaum eine Erinnerung an Palme als Politiker. Ein Mann mit scharfer Stimme und einem nicht immer freundlichen Lächeln? Er konnte nicht sagen, welche der Bilder in seinem Kopf echt waren. Zu Palmes Zeit hatte er sich für Politik am allerwenigsten interessiert. Es waren die Jahre, in denen er versucht hatte, Ordnung in sein eigenes Leben zu bringen. Außerdem musste er mit seinem aufsässigen Vater zurechtkommen.

»Palme war Ministerpräsident, als damals die U-Boote in unseren Gewässern gründelten«, sagte er. »Ich vermute, dass in diesem Zusammenhang die Rede auf ihn kam?«

»Eigentlich nicht. Wenn ich es richtig mitbekommen habe, handelte es sich vor allem um den Niedergang der schwedischen Streitkräfte, der angeblich in seiner Zeit einsetzte. Ihn allein machte man dafür verantwortlich, dass Schweden sich nicht mehr würde verteidigen können. Berntsius erklärte, es sei ein großer Irrtum, zu glauben, Russland würde immer so friedlich sein wie im Moment.«

»Wo standen die von Enkes eigentlich politisch?«

»Sie waren beide äußerst konservativ. Aber Louise versuchte den Eindruck zu vermitteln, als lehnte sie alles ab, was mit Politik zu tun hatte. Doch das stimmte nicht.«

»Sie hatte also doch eine Maske?«

»Vielleicht. Lass von dir hören, wenn du auf etwas Wichtiges stößt.«

Wallander ging nach draußen und gab Jussi Futter. Der Hund sah zottelig und müde aus. Wallander fragte sich, ob es stimmte, dass Hunde und ihre Besitzer einander immer ähnlicher wurden. Falls es so war – hatte das Alter jetzt schon zugeschlagen? War er schon in der Nähe des Greisenalters und wurde immer kraftloser? Er schüttelte den Gedanken ab und ging wieder hinein. Aber als er sich an den Küchentisch setzte, überkam ihn ein Gefühl der Sinnlosigkeit. Es gab nichts in den Gästelisten oder unter den Fotos, was ein Licht auf die Verschwundenen werfen könnte. Absolut nichts. Was auch geschehen war, es musste andere Erklärungen geben. Sein Suchen war sinnlos. Er suchte nicht nach einer Nadel, sondern nach einem Heuhaufen.

Wallander sammelte alles zusammen, was auf dem Tisch verstreut war, und legte es auf den Tisch im Flur. Er würde die Tüten am nächsten Tag zurückbringen und danach versuchen, nicht mehr an die tote Louise und den verschwundenen Håkan zu denken. Sie würden zu gegebener Zeit nach Östergötland hinauffahren zur Kristbergs Kyrka, die schön über dem See Boren gelegen war. Dort hatten die von Enkes seit hundert Jahren ein Familiengrab, in dem Louise beigesetzt werden würde. Hans hatte ihm erzählt, dass seine Eltern in einem gemeinsam aufgesetzten Testament verfügt hatten, nicht eingeäschert zu werden. Wallander setzte sich in seinen Lesesessel und schloss die Augen. Was wollte er selbst? Er hatte kein Familiengrab und keine Grabzugehörigkeit. Seine Mutter lag in einem Gedenkhain in Malmö, sein Vater auf einem Friedhof in Ystad. Welche Pläne seine Schwester Kristina in Stockholm hatte, wusste er nicht.

Er nickte im Sessel ein und wachte mit einem Ruck wieder auf. Horchte hinaus in die Sommernacht. Das Bellen des Hundes hatte ihn geweckt. Er stand auf. Sein Hemd war durchgeschwitzt, er musste geträumt haben. Jussi bellte selten ohne Grund. Als er sich zu bewegen begann, merkte er, dass seine Beine steif geworden waren. Er schüttelte sie und horchte weiter in die Sommernacht hinaus. Jussi war wieder still. Wallander trat auf die Haustreppe. Jussi sprang sogleich am Gitter hoch und winselte. Wallander blickte sich um. Vielleicht ein streunender Fuchs, dachte er. Er ging über den Hof. Das Gras duftete. Windstille. Er kraulte Jussi hinter den Ohren. Was hat dich bellen lassen, sagte er mit leiser Stimme. Ein Tier? Oder können Hunde auch Alpträume haben? Er ging vor zum Ackerrand und spähte über die Felder. Überall Schatten, im Osten ein schwacher Glanz von Morgenlicht. Er sah auf die Uhr. Viertel vor zwei. Er hatte fast vier Stunden in seinem Sessel geschlafen. Das schweißnasse Hemd ließ ihn frösteln, er kehrte ins Haus zurück und legte sich ins Bett. Aber er konnte nicht einschlafen. Kurt Wallander liegt in seinem Bett und denkt an den Tod, sagte er laut zu sich selbst. Es war wahr. Er dachte wirklich an den Tod. Doch das tat er oft. Seit dem Tag, an dem er als junger Polizist von einem Messerstecher nur ein paar armselige Zentimeter vom Herzen entfernt getroffen worden war, hatte der Tod ihn durchs Leben begleitet. Jeden Morgen sah er ihn im Spiegel. Aber jetzt war er ihm plötzlich ganz nah gekommen. Er war sechzig Jahre alt, Diabetiker, mit leichtem Übergewicht, er vernachlässigte seine Gesundheit, bewegte sich zu wenig, trank zu viel, aß ungesund und hielt sich nicht an feste Zeiten. In regelmäßigen Abständen zwang er sich zur Disziplin, die jedoch bald wieder zusammenbrach. Er lag dort im Dunkeln und bekam Panik. Es gab keine Spielräume mehr. Er hatte keine Wahl. Entweder von Grund auf sein Leben ändern oder frühzeitig sterben. Entweder zumindest versuchen, siebzig Jahre alt zu werden, oder sich darauf einstellen, dass der Tod jeden Augenblick zuschlagen konnte. Dann würde Klara ohne ihren Großvater mütterlicherseits aufwachsen, ebenso wie sie aus noch unbekannter Ursache ihrer Großmutter väterlicherseits beraubt worden war.

Bis vier lag er wach. Die Angst kam und ging in Wellen. Als er schließlich einschlief, war sein Herz schwer von Trauer darüber, dass ein so großer Teil seines Lebens unwiderruflich vorbei war.

Er war gerade wach geworden, kurz nach sieben, unausgeschlafen und mit Kopfschmerzen, als das Telefon klingelte. Zuerst wollte er es klingeln lassen. Vermutlich war es Linda, die nur ihre Neugier stillen wollte. Sie konnte warten. Sie wusste, dass er schlief, wenn er sich nicht meldete. Aber beim vierten Klingeln sprang er doch aus dem Bett und riss den Hörer an sich.

Es war Ytterberg, der sich frisch und energisch anhörte. »Habe ich dich geweckt?«

»Beinahe. Ich versuche, Urlaub zu machen«, sagte Wallander. »Es gelingt mir nur nicht besonders gut.«

»Ich will mich kurzfassen. Aber ich nehme an, du willst wissen, was ich hier in der Hand habe. Ein Papier aus der Gerichtsmedizin. Von Doktor Anahit Indoyan. Ich habe einige Zeit gebraucht, um herauszufinden, dass es sich um eine Frau handelt.«

»Ein eigentümlicher Name«, sagte Wallander.

»Unser ganzes Land füllt sich allmählich mit eigentümlichen Namen«, sagte Ytterberg finster. »Aber ich meine das natürlich nicht negativ. Es ist eine schlechte Angewohnheit, sich darüber zu wundern, dass nicht mehr alle Andersson heißen.«

»Wallander und Ytterberg schneiden ganz gut ab«, sagte Wallander. »Mehr als ein paar Tausend gibt es von uns wohl nicht.«

»Anahit Indoyan«, sagte Ytterberg. »Den Personalangaben zufolge, die ich aus reiner Neugier abgefragt habe, ist sie Armenierin. Sie schreibt ein fehlerfreies Schwedisch. Sie hat eine Analyse der chemischen Substanzen erstellt, die in Louise von Enkes Körper gefunden wurden. Sie ist dabei auf etwas gestoßen, was ihr Kopfzerbrechen bereitet.«

Wallander hielt den Atem an, während er auf die Fortsetzung wartete.

Er hörte Ytterberg in den Papieren blättern. »Ohne Zweifel handelt es sich um Substanzen, die man etwas vereinfacht als Schlafmittel bezeichnen kann«, fuhr Ytterberg fort. »Einen Teil der chemischen Bestandteile kann sie identifizieren. Aber es gibt andere, die sie nicht kennt. Genauer gesagt, sie kann nicht benennen, um welche Substanzen es sich handelt. Sie denkt natürlich nicht daran, aufzugeben. Aber sie erlaubt sich eine sehr interessante Beobachtung am Ende ihres vorläufigen Berichts. Sie meint, vage Ähnlichkeiten mit bestimmten Präparaten zu sehen, die seinerzeit in der DDR benutzt wurden.«

»In der DDR?«

»Du bist wohl doch noch nicht richtig wach?«

Wallander begriff den Zusammenhang nicht.

»Ostdeutschland. Das Sportwunder. Erinnerst du dich? All die souveränen Schwimmer und Leichtathleten. Heute wissen wir, dass sie in einem beispiellosen Ausmaß der Behandlung mit chemischen Mitteln ausgesetzt waren. Die ostdeutschen Wundersportler waren eigentlich nichts anderes als narkotisierte Monster. Es herrscht kein Zweifel, dass alles zusammenhing. Was die Stasi machte, ging Hand in Hand mit dem, womit man sich in den Sportlaboratorien beschäftigte. Sie haben ihre Erfahrungen ausgetauscht. Deshalb«, schloss Ytterberg, »erlaubt sich die gute Anahit, die

Ahnung auszusprechen, dass die Substanzen, die sie gefunden hat, mit der früheren DDR in Verbindung gebracht werden können.«

»Die seit zwanzig Jahren nicht mehr existiert?«

»Nicht ganz zwanzig, aber bald. 1989 wurde die Berliner Mauer zerschlagen. An das Datum erinnere ich mich, weil ich in dem Jahr geheiratet habe.«

Ytterberg verstummte.

Wallander versuchte nachzudenken. »Das klingt sonderbar«, sagte er schließlich.

»Nicht wahr? Ich dachte mir doch, dass es dich interessiert. Soll ich dir eine Kopie ins Präsidium schicken?«

»Ich habe Ferien. Aber ich hole sie mir ab.«

»Fortsetzung folgt«, sagte Ytterberg. »Jetzt gehe ich mit meiner Frau in den Wald.«

Wallander legte auf. Ytterbergs Bericht hatte ihn auf eine Idee gebracht. Er wusste, was er tun würde.

Kurz nach acht setzte er sich in seinen Wagen, und nachdem er den Bericht im Polizeipräsidium abgeholt hatte, fuhr er in Richtung Nordosten. Sein Ziel war ein kleines Haus in der Nähe von Höör, das schon vor vielen Jahren seine besten Tage gesehen hatte.

22

Auf dem Weg nach Höör tat Wallander etwas, was er sich nur selten gestattete. Er bremste nördlich von Ystad und nahm eine Anhalterin mit. Die Frau war um die dreißig und hatte langes dunkles Haar. Sie trug einen kleinen Rucksack über der einen Schulter. Warum er anhielt, hätte er nicht sagen können, vielleicht war es reine Neugier. Im Laufe der Jahre waren fast alle Anhalter von den Einfahrten in die Städte und von den Landstraßen verschwunden. Billige Busfahrten und Flüge hatten diese Art des Reisens veralten lassen.

Er selbst war in seiner Jugend, im Alter von siebzehn und achtzehn Jahren, zweimal per Anhalter nach Europa gefahren, obwohl sein Vater ein entschiedener Gegner derartiger Abenteuer war. Beide Male hatte er es nach Paris und anschließend wieder nach Hause geschafft. Trostloses Warten an nassen Straßenrändern, der viel zu schwere Rucksack und Fahrer, die ihn langweilten, waren ihm in Erinnerung geblieben. Aber auch zwei positive Erlebnisse. Das eine Mal hatte er in Belgien in der Nähe von Gent im Regen gestanden, er hatte kaum noch Geld und war auf dem Weg nach Hause. Da hatte ein Wagen angehalten und ihn bis Helsingborg mitgenommen. Das Glücksgefühl, in einem Rutsch bis nach Schweden zu kommen, hatte er nie vergessen. Die zweite Erinnerung hatte auch mit Belgien zu tun. An einem Samstagabend, diesmal auf dem Weg nach Paris, war er in einer abgelegenen kleinen Ortschaft an einer Nebenstraße gestrandet. Er hatte sich in einem billigen Restaurant einen Teller Suppe geleistet und war danach losgezogen, um eine

Brücke zu finden, unter der er schlafen konnte. Plötzlich hatte er an der Straße einen Mann gesehen, der vor einem Monument eine Trompete an den Mund hob und ein trauriges Tattoo spielte. Er hatte verstanden, dass es ein Akt des Gedenkens an die Soldaten war, die in den beiden Weltkriegen gefallen waren. Er vergaß den ergreifenden Moment nie.

Aber an diesem frühen Morgen stand eine Frau am Straßenrand und streckte den Daumen in die Höhe. Es kam ihm vor, als wäre sie einer anderen Zeit entsprungen. Sie lief dem Wagen nach, als er anhielt, und setzte sich neben ihn. Sie schien zufrieden zu sein, nach Höör zu kommen, und wollte dann weiter nach Småland. Sie roch stark nach Parfüm und wirkte sehr müde. Auf ihrem Rock, den sie über die Knie zog, ahnte er Flecken irgendeiner Flüssigkeit. Schon als er bremste, hatte er es bereut. Warum sollte er einen wildfremden Menschen mitnehmen? Worüber sollte er mit der Frau reden? Sie schwieg, Wallander ebenso. Es klingelte in ihrem Rucksack. Sie holte ihr Handy heraus, blickte aufs Display, nahm das Gespräch aber nicht an.

»Sie stören«, sagte Wallander, »die Handys.«

»Man muss ja nicht antworten, wenn man nicht will.«

Sie sprach ein breites Schonisch. Wallander tippte auf Malmö, Arbeitermilieu. Er versuchte, sich ihre Arbeit vorzustellen, ihr Leben. Sie trug keinen Ring an der linken Hand. Der schnelle Blick auf ihre Hände zeigte bis aufs Nagelbett abgekaute Nägel. Wallander verwarf den Gedanken, dass sie in der Krankenpflege oder als Friseuse arbeitete. Kellnerin war sie wohl auch nicht. Sie wirkte unruhig, biss sich auf die Unterlippe.

»Haben Sie lange gewartet?«, fragte er.

»Vielleicht eine Viertelstunde. Aus dem vorigen Wagen musste ich aussteigen. Der Fahrer wurde zudringlich.«

Sie hörte sich sachlich an, abwesend, als hätte sie keine Lust, sich zu unterhalten. Wallander beschloss, sie in Ruhe zu lassen. In Höör würde sie aussteigen, und sie würden sich nie wiedersehen. Er spielte in Gedanken mit verschiedenen Namen und entschied sich dafür, sie in der Erinnerung Carola zu nennen, eine, die aus dem Nirgendwo gekommen war und die er ein letztes Mal im Rückspiegel sehen würde.

Er fragte, wo er sie absetzen solle.

»Ich habe Hunger«, sagte sie. »Irgendwo in der Nähe eines Cafés.«

Er schwenkte vor einer Raststätte ein. Sie lächelte ein wenig scheu, bedankte sich und verschwand. Wallander legte den Gang ein, setzte zurück und wusste auf einmal nicht mehr, wohin er unterwegs war. In seinem Kopf war völlige Leere. Er war in Höör, er hatte eine Anhalterin abgesetzt. Aber warum war er hier? Panik stieg in ihm auf. Er versuchte, sich zu beruhigen, schloss die Augen und wartete darauf, dass alles wieder normal wurde.

Es dauerte über eine Minute, bis ihm wieder einfiel, wohin er wollte. Woher kam diese Leere, die ihn plötzlich überfiel? Was war es, das in seinem Kopf den Strom abschaltete? Warum konnten die Ärzte ihm nicht sagen, was mit ihm los war?

Er setzte die Fahrt fort. Obwohl es fünf oder sechs Jahre her war, seit er den Mann, der das Ziel seiner Reise war, zuletzt besucht hatte, kannte er den Weg noch. Eine kleine Straße schlängelte sich durch ein Waldgelände, vorbei an ein paar Koppeln, auf denen Islandpferde weideten, und verschwand dann in einer Senke. Dort lag das rote Backsteinhaus, genauso verfallen, wie er es von seinem letzten Besuch her in Erinnerung hatte. Das Einzige, was auf eine Veränderung hinwies, war ein nagelneuer Briefkasten vor dem offenen Tor, wo es auch einen Wendeplatz für Post- und Müllautos gab. Mit großen roten Druckbuchstaben war der Name »Eber« auf den Briefkasten geschrieben. Wallander schaltete den Motor ab und blieb hinterm Lenkrad sitzen. Er erinnerte sich an das erste Mal, als er Herman Eber begegnet war. Es war über zwanzig Jahre her, 1985 oder 1986, eine

Polizeiangelegenheit. Eber war illegal von Ostdeutschland nach Schweden eingereist. Er hatte politisches Asyl beantragt, das ihm auch nach einiger Zeit gewährt wurde. Als Eber eines Tages im Polizeipräsidium in Ystad erschienen war und sich als Asylsuchender bezeichnet hatte, war es Wallander gewesen, der eine erste Vernehmung mit ihm durchgeführt hatte. Er erinnerte sich an ihr Gespräch in holprigem Englisch und an sein Misstrauen, als Herman Eber erzählte, er gehöre der Stasi an und fürchte um sein Leben, falls seinem Asylantrag nicht stattgegeben würde. Die Sache war von Wallanders Tisch verschwunden. Erst später, nachdem Eber eine Aufenthaltsgenehmigung in Schweden erhalten hatte, nahm er selbst Kontakt zu Wallander auf. Er hatte in verblüffend kurzer Zeit fließend Schwedisch gelernt und besuchte Wallander nun in seinem Büro, um sich zu bedanken. Wofür bedanken, hatte Wallander gefragt. Eber hatte ihm daraufhin erzählt, wie erstaunt er gewesen sei, dass ein Polizeibeamter sich gegenüber einem Mann aus Feindesland so freundlich verhielt wie Wallander. Ihm war inzwischen klargeworden, dass die böswillige Propaganda, die Ostdeutschland über andere Länder verbreitete, in diesem Land hier kaum eine Entsprechung hatte. Jemandem musste er danken, hatte er gesagt. Und seine Wahl war symbolisch auf Wallander gefallen. Dann hatten sie sich einander vorsichtig angenähert, weil Herman Ebers große Passion die italienische Oper war. Als die Berliner Mauer fiel, hatte Eber mit Tränen in den Augen bei Wallander in der Mariagata gesessen und das historische Geschehen am Fernseher mitverfolgt. In langen Gesprächen hatte er Wallander erzählt, dass er zunächst ein leidenschaftlicher Anhänger des politischen Systems gewesen, aber nach und nach von immer größerem und tieferem Misstrauen erfasst worden war. Ja, er hatte sich schließlich selbst verabscheut. Er war einer der vielen gewesen, die andere Bürger belauscht, verfolgt und gequält hatten. Er selbst war privilegiert gewesen und hatte bei einem Bankett sogar Erich Honecker die Hand schütteln dürfen. Damals war er stolz gewesen. Dem großen Führer die Hand geschüttelt. Später hätte er es am liebsten ungeschehen gemacht. Am Ende waren seine Zweifel daran, was er da eigentlich tat, und das wachsende Gefühl, die DDR sei ein todgeweihtes politisches Projekt, so stark geworden, dass er sich zur Flucht entschlossen hatte. Er war nach Schweden gekommen, weil er die Chance, seine Flucht dorthin könnte gelingen, als gut einschätzte. Unter falscher Identität war er an Bord einer Fähre nach Trelleborg gelangt.

Wallander wusste, dass Ebers Befürchtungen, von der Vergangenheit eines Tages eingeholt zu werden, immer noch sehr stark waren. Die DDR existierte nicht mehr, aber die Opfer gab es noch. Wallander hatte sich gesagt, dass niemand ihm seine Angst würde nehmen können, sie war da und würde wohl nie ganz verschwinden. Mit den Jahren wurde Eber immer scheuer, zog sich immer mehr zurück, und ihre Treffen waren immer seltener geworden, um schließlich ganz aufzuhören.

Die Ursache ihres letzten Treffens war ein Gerücht gewesen, das Wallander zu Ohren gekommen war: Eber sei krank. Eines Sonntagnachmittags war er nach Höör hinausgefahren, um zu sehen, wie es ihm ginge. Eber war wie immer gewesen, vielleicht ein wenig magerer. Er war nur wenige Jahre älter als Wallander, schien aber rascher zu altern. Wallander hatte auf der Heimfahrt nach dem misslungenen Besuch, bei dem sie einander stumm gegenübergesessen hatten, viel über Ebers Schicksal nachgedacht.

Die Haustür des roten Backsteinhauses war jetzt einen Spalt weit geöffnet worden.

Wallander stieg aus dem Wagen. »Ich bin es«, rief er. »Dein alter Freund aus Ystad.«

Herman Eber trat auf die Haustreppe. Er trug einen alten Trainingsanzug, wahrscheinlich eins der wenigen Kleidungsstücke, die er bei seiner Flucht aus der DDR mitgenommen hatte. Der Hofplatz war voller Schrott. Wallander fragte sich, ob Herman Eber listig ausgedachte Fallen um sein Haus aufgestellt hatte.

Eber blinzelte Wallander an, als hätte er lange kein Tageslicht gesehen. »Du«, sagte er. »Wie lange ist es her, seit du mich zuletzt besucht hast?«

»Viele Jahre. Aber hast du mich denn besucht? Weißt du überhaupt, dass ich aufs Land gezogen bin?«

Herman Eber schüttelte den Kopf. Er war fast kahl. Seine flackernden Augen überzeugten Wallander davon, dass Ebers Furcht vor Rache nicht geschwunden war.

Eber zeigte auf einen morschen Gartentisch und ein paar hinfällige Stühle. Wallander sah ein, dass er ihn nicht ins Haus lassen wollte. Bei Herman Eber war auch früher nicht aufgeräumt gewesen, aber bislang hatte er ihm den Zutritt zum Haus nicht verweigert. Vielleicht ist es jetzt zu schlimm geworden, dachte Wallander. Vielleicht lebt er in einer Müllhalde? Vorsichtig setzte er sich auf den Stuhl, der ihm am vertrauenswürdigsten schien. Herman Eber lehnte sich an die Hauswand. Wallander fragte sich, ob er noch die geistige Schärfe besaß, die sein herausragendstes Merkmal gewesen war. Eber war ein intelligenter Mann, auch wenn er ein Leben führte, das in jeder Hinsicht im Gegensatz zu seiner intellektuellen Kapazität stand. Mehr als einmal hatte er Wallander damit verblüfft, dass er sich zu Verabredungen ungewaschen und direkt übelriechend eingefunden hatte. Er kleidete sich absonderlich und war manchmal mitten im Winter in Sommersachen erschienen. Doch hinter dieser Fassade, die verwirrend, sogar abstoßend wirken konnte, verbarg sich ein klarer Kopf, das hatte Wallander schnell erkannt. Seine Analyse dessen, was inzwischen kein ostdeutsches Wunder mehr war, hatte Wallander Einblicke in ein Gesellschaftssystem und eine Sichtweise von Politik vermittelt, die ihm zuvor fremd gewesen waren.

Herman Eber hatte oft widerwillig und empfindlich reagiert, wenn Wallander ihm Fragen nach seiner Tätigkeit bei der Stasi stellte. Es war immer noch eine offene Wunde, ein Schmerz, von dem Eber sich nicht hatte befreien können. Aber in Stunden, in denen Wallander genügend Geduld aufbrachte, hatte er schließlich zu erzählen begonnen. Eines Tages hatte Eber unvermittelt enthüllt, vorübergehend einer geheimen Abteilung angehört zu haben, deren Aufgabe es war, Menschen umzubringen. Das war der Grund, warum Ebers Name sogleich in Wallanders Kopf aufgetaucht war, als Ytterberg anrief und von dem gerichtsmedizinischen Protokoll erzählte.

Eber setzte sich. Wallander registrierte, dass er heute nicht stank. Inmitten des mit Gerümpel übersäten Hausvorplatzes stand ein mit Wasser gefülltes Kinderplanschbecken. Auf einem Tisch daneben lagen ein Handtuch, Seife, Nagelfeilen und andere Werkzeuge, die in Wallanders Vorstellungswelt eher an Folterinstrumente erinnerten. Aber es war anzunehmen, dass Eber das Planschbecken benutzte, um sich sauber zu halten.

Er hatte Papiere in den Händen gehalten, als er auf die Haustreppe getreten war. Hinter beiden Ohren steckten Bleistifte mit Radiergummis an den Enden. Während seiner Jahre in Schweden hatte Eber seinen Lebensunterhalt damit bestritten, für verschiedene deutsche Zeitungen Kreuzworträtsel zu konstruieren. Sie waren seine Spezialität, vor allem die richtig schweren Rätsel für Fortgeschrittene. Ein Kreuzworträtsel zu konstruieren war eine große Kunst. Es ging ja nicht nur darum, Wörter mit so wenig schwarzen Kästchen wie möglich zusammenzusetzen, es musste immer auch um ein Thema gehen, vielleicht um Verbindungen zwischen verschiedenen historischen Gestalten. So hatte er Wallander seine Arbeit beschrieben.

Wallander nickte in Richtung der Papiere, die Eber in der Hand hielt. »Neue Schwierigkeiten?«

»Das schwerste, was ich je gemacht habe. Ein Kreuzworträtsel, dessen eleganteste Leitfäden aus der klassischen Philosophie stammen.«

»Aber der Sinn liegt doch wohl trotz allem darin, dass die Menschen deine Rätsel lösen können?«

Herman Eber antwortete nicht. Wallander ahnte auf einmal, dass der Mann, der in seinem verschlissenen Trainingsanzug neben ihm saß, davon träumte, ein unlösbares Kreuzworträtsel zu konstruieren. Ob Eber zu guter Letzt wahnsinnig geworden war von seiner Angst? Oder davon, in dieser Senke zu leben, in der die umgebenden Hügel wie Wände empfunden werden konnten, die immer näher rückten?

Er wusste es nicht. Herman Eber war ihm im Grunde immer noch vollständig fremd.

»Ich benötige deine Hilfe«, sagte er und legte das gerichtsmedizinische Protokoll auf den Tisch. Dann berichtete er ruhig und methodisch von allem, was geschehen war.

Herman Eber setzte eine schmutzige Brille auf. Er studierte die Papiere einige Minuten lang, stand dann plötzlich auf und verschwand im Haus. Wallander wartete. Nach einer Viertelstunde war Eber noch nicht zurückgekommen. Wallander fragte sich, ob er sich vielleicht hingelegt und seinen Gast draußen auf dem wackeligen Gartenstuhl vergessen hatte. Er wartete weiter. Seine Ungeduld wuchs und war nur schwer auszuhalten. Wallander beschloss, ihm noch fünf Minuten Zeit zu geben.

Im selben Moment kam Eber zurück. Er hielt ein paar vergilbte Dokumente in der Hand und hatte ein dickes Buch unter dem Arm. »Das gehört zu einer anderen Welt«, sagte er. »Ich musste danach suchen.«

»Aber du scheinst etwas gefunden zu haben.«

»Du bist ein kluger Mann, dass du zu mir gekommen bist. Ich bin wahrscheinlich der Einzige, der dir helfen kann. Aber du musst auch wissen, dass dies hier schlimme Erinnerungen weckt. Ich habe beim Suchen geweint. Hat man es gehört?«

Wallander schüttelte den Kopf. Er glaubte, dass Eber übertrieb. Auf seinem Gesicht waren keine Spuren von Tränen.

»Ich kenne die Substanzen«, fuhr Eber fort. »Sie wecken mich aus einem Dornröschenschlaf, aus dem ich lieber niemals gerissen worden wäre.«

»Du weißt also, worum es sich handelt?«

»Vermutlich. Die Ingredienzien, die synthetisch hergestellten chemischen Substanzen, gehören zu denen, mit denen ich damals gearbeitet habe.«

Er verstummte. Wallander wartete ab. Herman Eber mochte es nicht, wenn man ihn unterbrach. Einmal hatte er Wallander unter dem Einfluss von ein paar Gläsern Whisky gestanden, dass es mit der Macht zusammenhing, die er als hoher Stasioffizier gehabt hatte. Niemand hatte ihm zu widersprechen gewagt.

Eber hielt das dicke Buch in seinen Händen, als wäre es die Heilige Schrift. Er schien zu zögern. Das machte Wallander vorsichtig. Eine Drossel setzte sich auf den Rand des Planschbeckens. Sofort knallte Eber das Buch auf den Tisch. Der Vogel flog davon. Wallander erinnerte sich, dass Eber an einer rätselhaften, schwer erklärbaren Vogelphobie litt.

»Bitte erzähle«, sagte Wallander. »Was sind das für Substanzen, die du identifizieren kannst?«

»Ich hatte vor tausend Jahren damit zu tun. Ich glaubte, sie wären aus meinem Leben verschwunden. Und jetzt kommst du an einem schönen Sommertag und erinnerst mich an etwas, was ich am liebsten vergessen hätte.«

»Was willst du vergessen?«

Herman Eber seufzte und rieb sich den kahlen Schädel. Nicht lockerlassen jetzt, dachte Wallander. Sonst könnte er sich neue Eingänge in seinen Fuchsbau graben, könnte sich in endlose Auslassungen über Kreuzworträtsel verlieren.

»Was willst du vergessen?«, wiederholte Wallander.

Herman Eber begann auf seinem Stuhl zu schaukeln, ohne zu antworten.

Wallander war drauf und dran, die Geduld zu verlieren. »Wer die gestorbene Person ist, spielt im Augenblick gar keine Rolle«, sagte er mit einer gewissen Schärfe. »Ich möchte nur wissen, ob du diese Substanzen identifizieren kannst.«

»Sie sind mir schon einmal begegnet.«

»Die Antwort reicht mir nicht. Du musst dich klarer ausdrücken. Vergiss nicht, dass du mir versprochen hast, mir einen Gefallen zu tun, wenn ich einmal darum bäte.«

»Das habe ich nicht vergessen.«

Eber schüttelte den Kopf.

Wallander sah, dass die Situation ihn quälte. »Lass dir Zeit«, sagte er. »Ich brauche deine Antwort, deine Meinung und deine Gedanken dazu. Aber ich habe es nicht eilig. Wenn du willst, kann ich später wiederkommen.«

»Nein, nein, bleib! Ich muss mich nur in die Vergangenheit zurückversetzen. Es ist, als müsste ich einen Tunnel aufgraben, den ich sorgfältig zugeschüttet hatte.«

Wallander stand auf. »Ich mache einen Spaziergang. Ich sehe mir die Islandpferde an.«

»Eine halbe Stunde, mehr brauche ich nicht.« Herman Eber wischte sich den Schweiß von der Stirn.

Wallander wanderte aus der Talsenke hinaus und ging zur nächstgelegenen Koppel. Die Pferde kamen an den Zaun und schnupperten an seinen Händen. Eine Erinnerung an Linda ging ihm durch den Kopf. Als sie zwölf Jahre alt war, kam sie eines Tages aus der Schule und erklärte, sie wolle ein Pferd haben. Es war in der schwierigsten Phase, die Mona und er miteinander erlebt hatten und die später auch zu Monas endgültigem Aufbruch führte. Wallander hatte sogleich an seinen Freund Sten Widén gedacht, den Trabertrainer. Er hielt immer ein paar Reitpferde in seinem großen Stall und würde es sicher erlauben, dass Linda sich dort aufhielt. Aber Mona hatte nein gesagt. Es hatte damit geendet, dass Linda sich in ihrem Zimmer einschloss. Was weiter geschah, wusste er nicht mehr genau. Aber Linda hatte nie wieder von Pferden gesprochen, nie mehr.

Wallander ging zurück, als eine halbe Stunde vergangen war. Es war windig geworden, von Süden zog eine Wolkenbank heran. Herman Eber saß reglos auf seinem Gartenstuhl, als Wallander das morsche Tor öffnete. Jetzt lag ein weiteres Buch auf dem Tisch, ein alter Taschenkalender mit braunem Deckel. Eber begann zu sprechen, sobald Wallander sich gesetzt hatte. Wenn er erregt war wie jetzt, konnte seine Stimme schrill werden, fast kreischend. Wallander hatte sich bei mehreren Gelegenheiten mit einem Gefühl der Beklemmung vorgestellt, wie es gewesen wäre, von Herman Eber verhört zu werden, als der Mann noch fest davon überzeugt war, die DDR sei das Paradies auf Erden.

»Igor Kirov«, begann Eber. »Auch ›Boris‹ genannt. Das war sein Künstlername, sein Pseudonym. Ein Russe, verantwortlicher V-Mann zu einer der Spezialabteilungen des KGB in Moskau. Er kam einige Monate vor dem Bau der Mauer nach Ostberlin. Ich bin ihm ein paar Mal begegnet, hatte aber nicht direkt mit ihm zu tun. Das Gerücht sprach eine eindeutige Sprache: ›Boris‹ beherrschte sein Metier. Er duldete in seiner Nähe keine Unregelmäßigkeiten und keine Nachlässigkeit. Es dauerte nur ein paar Monate, bis einige der höchsten Stasi-Beamten versetzt oder degradiert waren. Er war der russische Star, könnte man sagen, der gefürchtete zentrale Mann des KGB in Ostberlin. Er war noch kein halbes Jahr bei uns, da hatte er schon eins der besten Agentennetze der Briten gesprengt. Drei oder vier ihrer Agenten wurden nach geheimen und pauschalen Prozessen hingerichtet. Im Normalfall hätte man sowjetische oder ostdeutsche Agenten, die in London inhaftiert waren, gegen sie ausgetauscht. Aber ›Boris‹ ging direkt zu Ulbricht und verlangte die Hinrichtung der englischen Agenten. Es sollte ein deutliches Warnsignal sein, sowohl ans Ausland als auch an jene, die möglicherweise in Ostdeutschland daran dachten, Landesverrat zu begehen. Schon vor Ablauf eines Jahres war ›Boris‹ in Ostberlin eine gefürchtete Legende. Es hieß, dass er ein einfaches Leben führte. Niemand wusste, ob er verheiratet war, ob er Kinder hatte, ob er trank oder auch nur, ob er Schach spielte. Das Einzige, was sich mit Sicherheit sagen ließ, war, dass er die hervorragende Fähigkeit besaß, eine effektive organisatorische Zusammenarbeit zwischen der Stasi und dem KGB zu schaffen. Als das Ende kam, standen alle mit offenen Mündern da. Ganz Ostdeutschland hätte den nationalen Mund aufgerissen, wenn man die Öffentlichkeit informiert hätte über das, was geschehen war. Aber es wurde natürlich vertuscht.«

»Und was war passiert?«

»Eines Tages war er weg. Ein Zauberer, der sich ein Tuch über den Kopf zog, und wupps, war er verschwunden. Doch niemand klatschte Beifall. Der große Held hatte seine Seele den Engländern verkauft, und natürlich auch den Amerikanern. Wie es ihm gelang, seine Verantwortung für die Hinrichtung englischer Agenten zu verbergen, weiß ich nicht. Vielleicht war es gar nicht nötig. Sicherheitsdienste müssen zynisch sein, um zu funktionieren. Es war ein schmählicher Nasenstüber für den KGB und die Stasi. Eine Menge Köpfe rollten. Ulbricht fuhr nach Moskau und kehrte kleinlaut zurück, obwohl ihn kaum die Schuld daran traf, dass ›Boris‹ nicht enttarnt worden war. Damals hätte nicht viel gefehlt, und Stasiboss Markus Wolf wäre in die Wüste geschickt worden. Und das wäre auch geschehen, wenn er nicht einen Befehl erlassen hätte, der uns zurückbringt zu dem Thema, das dich heute hergeführt hat. Es war ein Befehl, dem höchste Priorität zukam.«

Wallander ahnte den Zusammenhang. »Dass ›Boris‹ sterben sollte?«

»Genau. Aber er sollte nicht einfach sterben, es sollte

so aussehen, als hätte ihn die Reue gepackt. Er sollte sich das Leben nehmen und einen Brief hinterlassen, in dem er seinen Verrat unverzeihlich nannte. Er sollte die Sowjetunion und die DDR preisen und sich mit einer großen Dosis Selbstverachtung und einer ebenso großen Dosis unseres eigens dafür präparierten Schlafmittels zum Sterben niederlegen.«

»Und wie ging das zu?«

»Ich arbeitete damals in einem Laboratorium bei Berlin, an einem Ort, der eigentümlicherweise nicht weit von Wannsee entfernt war, wo die Nazis einst die Lösung der Judenfrage beschlossen hatten. Plötzlich bekamen wir dort einen neuen Kollegen.«

Herman Eber unterbrach sich und zeigte auf den Kalender mit dem braunen Umschlagdeckel. »Ich habe gesehen, dass du den Kalender bemerkt hast. Ich musste den Namen nachschlagen. Mein Gedächtnis hat mich im Stich gelassen, was es normalerweise nicht tut. Und du, wie ist dein Gedächtnis?«

»Gut«, sagte Wallander ausweichend. »Erzähl weiter.«

Herman Eber schien seinen Widerwillen zu bemerken, über das Gedächtnis zu reden. Wallander dachte, dass die Sensibilität für Tonlagen und Untertöne bei Menschen, die in einem Sicherheitsdienst gearbeitet hatten, besonders gut ausgebildet sein musste. Konnte doch ein falscher Schritt oder eine Fehleinschätzung bedeuten, dass man vor einem Hinrichtungskommando endete.

»Klaus Dietmar«, sagte Eber. »Er kam direkt von den Schwimmerinnen, das weiß ich mit Sicherheit, auch wenn er offiziell nie ihr Trainer war. Er gehörte zu denen, die hinter dem großen Sportwunder gesteckt und es durchgeführt hatten. Ein kleiner dünner Mann, der sich lautlos bewegte und mädchenhafte Hände hatte. Wer ihn falsch einschätzte, konnte sein Auftreten so verstehen, als entschuldigte er sich dafür, überhaupt zu existieren. Aber er war ein fanatischer

Kommunist und betete ganz sicher jeden Abend, bevor er das Licht ausmachte, für Walter Ulbrichts Ehre und Ansehen. Er leitete eine Gruppe, der ich auch angehörte. Unsere Aufgabe bestand darin, ein Präparat zu entwickeln, das Igor Kirov töten, aber keine anderen Spuren hinterlassen sollte als ein gewöhnliches Schlafmittel.«

Herman Eber stand auf und verschwand im Haus. Wallander konnte der Versuchung nicht widerstehen, durch ein Fenster auf der Giebelseite ins Hausinnere zu spähen. Er hatte richtig vermutet. Im Zimmer herrschte unsägliches Chaos. Zeitungen, Kleidungsstücke, Abfall, Teller und Essensreste füllten den Raum. Zwischen all dem Unrat verlief eine Art ausgetretener Pfad. Wallander nahm den Gestank wahr, der durch die Fensterritzen nach außen drang. Die Sonne war hinter ein paar Wolken verschwunden. Eber kam zurück und zog noch die Trainingshose zurecht. Er setzte sich wieder und rieb sich das Kinn, als hätte ihn ein plötzlicher Juckreiz befallen. Wallander kam blitzartig der Gedanke, dass er einen Menschen vor sich hatte, mit dem er nicht die Identität würde tauschen wollen. In diesem Augenblick war er unendlich dankbar dafür, der zu sein, der er war.

»Es dauerte ungefähr zwei Jahre«, sagte Eber und betrachtete seine schmutzigen Fingernägel. »Viele von uns waren der Meinung, dass die Stasi allzu viele Mittel dafür einsetzte, Igor Kirov zu erledigen. Aber in Kirovs Fall ging es ums Prestige. Er hatte in der heiligen kommunistischen Kirche geflucht und sollte nicht in Sünde sterben dürfen. Nach kurzer Zeit hatten wir eine chemische Kombination gefunden, die den auf Rezept erhältlichen Schlafmitteln in England glich. Das Problem war, den richtigen Augenblick zu finden, um sich durch die ihn schützenden Sicherheitsvorkehrungen zu schleusen. Am schwersten zu überwinden war natürlich seine eigene Wachsamkeit. Er wusste, welche Hunde in seiner Spur hechelten.«

Herman Eber bekam einen Hustenanfall. Es schepperte in seiner Luftröhre. Wallander wartete. Der Wind, der aufgekommen war, wehte kühl in seinem Nacken.

»Ein Agent weiß, dass es lebenswichtig ist, ständig seine Routine zu ändern«, sagte Eber, nachdem der Hustenanfall sich gelegt hatte. »Das tat Kirov auch. Aber er übersah ein kleines Detail. Dieser Fehler kostete ihn das Leben. Samstags um drei Uhr ging er in ein Pub in Notting Hill und schaute sich Fußball im Fernsehen an. Er saß stets am selben Tisch und trank seinen russischen Tee. Er kam um zehn vor drei und verließ das Pub, wenn das Spiel vorbei war. Unsere Fassadenkletterer, die sich überall Zugang verschaffen konnten, beobachteten ihn über längere Zeit und kamen schließlich auf eine Idee, wie man Igor Kirov aus dem Spiel nehmen konnte. Die Schwachstelle waren zwei Kellnerinnen, die manchmal von Aushilfen ersetzt wurden. Da konnten wir unsere Leute einschleusen. Es war ein Samstag im Dezember 1972, als die Hinrichtung stattfand. Die falschen Kellnerinnen servierten den vergifteten Tee. In dem Bericht, den ich gelesen habe, war genau verzeichnet, dass das letzte Match, das Kirov sah, das Spiel Birmingham gegen Leicester war. Es endete 1:1. Er kehrte in seine Wohnung zurück, wo er einige Stunden später in seinem Bett starb. Der britische Geheimdienst zweifelte anfangs nicht daran, dass es sich um Selbstmord handelte, dafür war der Brief mit seinen Fingerabdrücken und in seiner Handschrift allzu überzeugend. Igor Kirov war am Ende von seinem Schicksal eingeholt worden.«

Herman Eber stellte ein paar Fragen nach der toten Frau, und Wallander beantwortete sie so ausführlich wie möglich. Aber die Ungeduld in ihm wuchs. Er wollte hier nicht länger sitzen und Ebers Fragen beantworten. Eber schien seine Irritation zu bemerken und verstummte.

»Du meinst also, dass Louise an dem gleichen Präparat starb, mit dem Igor Kirov damals getötet wurde?«

»So sieht es aus.«

»Was bedeuten würde, dass sie ermordet wurde. Ein vorgetäuschter Selbstmord?«

»Wenn der gerichtsmedizinische Bericht stimmt, könnte es so sein.«

Wallander schüttelte ungläubig den Kopf. In seiner Vorstellungswelt konnte es ganz einfach nicht stimmen. »Wer stellt heute solche Präparate her? Die DDR und die Stasi existieren nicht mehr. Du sitzt hier in Schweden und konstruierst Kreuzworträtsel.«

»Geheimdienste existieren immer. Sie ändern den Namen, aber sie sind immer da. Wer glaubt, Spionage hätte heutzutage nachgelassen, hat nichts begriffen. Und vergiss nicht, dass viele der alten Meister noch leben.«

»Der Meister?«

Herman Eber wirkte nahezu gekränkt, als er antwortete. »Was wir auch getan haben, was auch immer Menschen über uns sagen können, wir waren Spezialisten. Wir wussten, womit wir uns abgaben.«

»Warum sollte ausgerechnet Louise von Enke das Opfer eines solchen Giftanschlags geworden sein?«

»Die Frage kann ich natürlich nicht beantworten.«

»Und du bist dir sicher?«

»So sicher, wie man aufgrund der Informationen sein kann, die du mir gegeben hast.«

Wallander war plötzlich müde und beunruhigt. Er stand auf und gab Herman Eber die Hand. »Ich komme bestimmt wieder«, sagte er zum Abschied.

»Das ist mir klar«, gab Herman Eber zurück. »In unserer Welt begegnet man sich zu den sonderbarsten Zeitpunkten wieder.«

Wallander stieg in seinen Wagen und fuhr nach Hause. Als er den Kreisverkehr bei der Einfahrt nach Ystad erreichte, begann es zu regnen. Es goss in Strömen, als er vom Wagen zum Haus lief und die Haustür aufschloss. Jussi bellte in seinem Zwinger. Wallander setzte sich an den Küchentisch und blickte auf den Regen, der ans Fenster trommelte. Wasser tropfte aus seinen Haaren.

Er zweifelte nicht daran, dass Herman Eber recht hatte. Louise von Enke hatte nicht Selbstmord begangen. Sie war ermordet worden.

23

Wallander nahm ein Stück Fleisch aus dem Kühlschrank. Zusammen mit einem halben Blumenkohl musste dies seine Mahlzeit werden. Als er sich an den Tisch setzte und die Zeitung aufschlug, die er auf dem Heimweg gekauft hatte, sagte er sich, dass er, solange er in seinem Leben zurückdenken konnte, immer eine tiefe Befriedigung dabei empfunden hatte, ungestört zu essen und dabei eine Zeitung durchzublättern. Doch diesmal hatte er kaum die Zeitung aufgeschlagen, als ihm unter einer dramatischen Überschrift die vergrößerte Fotografie eines Gesichts entgegensprang. Er glaubte, nicht richtig zu sehen. Aber er hatte ein Bild der Anhalterin vor sich. Mit wachsender Entgeisterung las er, dass sie am Tag zuvor in einer Wohnung an der Södra Förstadsgata in Malmö ihre Eltern erschlagen hatte und seitdem flüchtig war. Über das Tatmotiv konnte die Polizei keine Angaben machen. Aber es bestand kein Zweifel daran, dass sie den brutalen Mord begangen hatte, und sie hieß mitnichten Carola, sondern Anna-Lena. Ein Polizeibeamter, an dessen Namen Wallander sich vage zu erinnern meinte, beschrieb das Geschehene als eine beispiellose Gewalttat, eine Wut, die außer Kontrolle geraten war, ein Blutbad in einer kleinen Wohnung, in der die Familie gelebt hatte. Jetzt fahndete die Polizei landesweit nach der Frau. Wallander schob die Zeitung und den Teller von sich. Versuchte noch einmal zu denken, dass er sich etwas einbildete. Es konnte nicht dieselbe Frau sein.

Dann griff er zum Telefon und wählte Martinssons private Nummer. »Komm her«, sagte er. »Zu mir nach Hause.«

»Ich bade gerade mit meinen Enkelkindern«, sagte Martinsson. »Kann es nicht warten?«

»Nein. Kann es nicht.«

Exakt dreißig Minuten später fuhr Martinsson vor dem Haus vor. Wallander stand schon am Gartentor und erwartete ihn. Nach dem Regen hatte es sich aufgeklärt. Martinsson, der Wallanders Verhaltensweisen gut kannte, zweifelte nicht daran, dass etwas Ernstes geschehen war. Jussi sprang um Martinssons Beine. Es kostete Wallander einige Mühe, den Hund dazu zu bewegen, »Platz« zu machen.

»Endlich hast du ihn ja so weit, dass er gehorcht«, sagte Martinsson.

»Nicht unbedingt. Setzen wir uns in die Küche.«

Sie gingen hinein. Wallander zeigte auf das Bild in der Zeitung. »Diese Frau habe ich vor ein paar Stunden nach Höör mitgenommen«, sagte er. »Sie sei auf dem Weg nach Småland, hat sie gesagt. Aber das muss ja nicht stimmen. Aufgrund der Bilder in dieser Zeitung ist sie mit ziemlich hoher Wahrscheinlichkeit schon erkannt worden. Aber die Polizei muss bei ihrer Suche von Höör ausgehen.«

Martinsson starrte Wallander an. »Ich meine mich ziemlich gut zu erinnern, erst letztes Jahr mit dir darüber gesprochen zu haben, dass wir nie Anhalter mitnehmen, weder du noch ich.«

»Ich habe heute Morgen eine Ausnahme gemacht.«

»Auf dem Weg nach Höör?«

»Ich habe da einen alten Freund.«

»In Höör?«

»Du weißt vielleicht nicht alles darüber, wo ich Freunde habe. Warum sollte ich keinen Freund in Höör haben? Hast du nicht einen guten Freund auf den Hebriden? Jedes Wort, das ich sage, ist wahr.«

Martinsson nickte. Er zog einen Notizblock aus der Tasche. Sein Kugelschreiber funktionierte nicht. Wallander gab ihm einen anderen und legte ein Handtuch über das

Essen, auf das sich eine Fliege gesetzt hatte. Martinsson schrieb auf, wie die Frau gekleidet war, was sie gesagt hatte, die genauen Zeiten.

Er hielt schon das Telefon in der Hand, als Wallander ihn bremste. »Vielleicht kann man sagen, dass du den Tipp anonym bekommen hast.«

»So viel habe ich mir auch schon gedacht. Nicht dass es ein bekannter Polizeibeamter war, der einer Anhalterin auf der Flucht geholfen hat.«

»Ich wusste nicht, wer sie war.«

»Aber du weißt genauso gut wie ich, was die Zeitungen schreiben werden. Wenn die Wahrheit ans Licht kommt. Du bist dann eine willkommene Neuigkeit in der Sauregurkenzeit.«

Wallander hörte zu, als Martinsson im Präsidium anrief.

»Es war ein anonymer Anruf«, schloss Martinsson. »Wie er meine Privatnummer bekommen hat, weiß ich nicht. Aber der Mann wirkte nüchtern und durchaus glaubwürdig.«

Das Gespräch war beendet.

»Wer ist um die Mittagszeit nicht nüchtern?«, sagte Wallander säuerlich. »War das nötig?«

»Wenn wir die Frau schnappen, gibt sie an, dass sie von einem unbekannten Mann mitgenommen wurde. Das ist alles. Sie wird nicht erfahren, dass du es warst. Und sonst auch keiner.«

Wallander fiel plötzlich noch etwas ein, was die Anhalterin gesagt hatte. »Sie sagte, sie sei bis zu dem Punkt, von wo ich sie mitgenommen habe, mit einem Auto gefahren, dessen Fahrer aufdringlich geworden sei. Das habe ich vergessen zu erwähnen.«

Martinsson zeigte auf das Zeitungsfoto. »Sie sieht ja gut aus, Mörderin oder nicht. Hast du nicht gesagt, sie hätte einen kurzen gelben Rock getragen?«

»Sie war sehr attraktiv«, sagte Wallander. »Bis auf die abgekauten Fingernägel. Ich wüsste nicht, was dem Erscheinungsbild einer Frau abträglicher ist.«

Martinsson betrachtete Wallander mit einem erstaunten Lächeln. »Wir haben fast aufgehört mit so etwas. Also über Frauen zu reden, die uns über den Weg laufen. Früher haben wir das oft getan.«

Wallander bot Kaffee an, aber Martinsson lehnte ab. Wallander winkte ihm nach und kehrte zu seiner unterbrochenen Mahlzeit zurück. Es schmeckte nicht, aber er wurde satt. Nach dem Essen machte er einen langen Spaziergang mit Jussi, schnitt eine Hecke auf der Rückseite des Hauses zurück und nagelte seinen Briefkasten fest, der schief hing. Die ganze Zeit dachte er an das, was Herman Eber ihm erzählt hatte. Er war versucht, Ytterberg anzurufen, beschloss jedoch, bis zum nächsten Tag damit zu warten. Er brauchte Zeit zum Nachdenken. Ein Selbstmord war im Begriff, sich in einen Mord zu verwandeln, und dieser Mord war auf eine Art und Weise geschehen, die er nicht verstand. Gleichzeitig begann wieder das Gefühl an ihm zu nagen, etwas übersehen zu haben. Und nicht nur er, sondern alle, die an der Ermittlung beteiligt waren. Es war die vertraute Intuition, an deren Treffsicherheit er immer mehr zweifelte.

Gegen fünf Uhr am Nachmittag wurde Wallander plötzlich krank. Binnen weniger als einer halben Stunde bekam er Fieber und musste sich mehrfach übergeben. Er vermutete, dass das Fleisch nicht gut gebraten war, nachdem er es am Tag zuvor lange in der Plastiktüte aus dem Laden im heißen Kofferraum hatte liegen lassen. Er warf sich aufs Sofa vor den Fernseher und zappte durch die Kanäle, musste aber immer wieder fluchtartige Sprints zur Toilette einlegen. Als um neun Uhr das Telefon klingelte, hatte er gerade einen heftigen Brechanfall hinter sich. Er nahm den Hörer ab. Es war Linda.

Sie war sofort besorgt, beruhigte sich aber schnell, als ihr klar wurde, dass es nichts mit dem Insulin zu tun hatte.

»Morgen geht es dir wieder besser. Trink Tee.«

»Das kann ich nicht. Er kommt wieder hoch.«

»Dann trink Wasser.«

»Was meinst du, was ich tue?«

»Du isst zu wenig Gemüse.«

»Was hat das mit meiner Übelkeit zu tun?«

»Ich komme morgen früh und sehe nach dir. Du wirst genauso unausstehlich wie Großvater.«

Wallander krümmte sich wieder auf dem Sofa zusammen, erbrach sich aber kurz danach wieder, schlief eine Stunde, glaubte, sich besser zu fühlen, rannte aber aufs Neue zur Toilette. Danach zappte er weiter saft- und kraftlos durch die Kanäle. Er brachte nicht die Energie auf, sich auf irgendetwas einzulassen. Am Ende blieb er an einem Kanal hängen, auf dem Kickboxen gezeigt wurde. Ein schmächtiger kleiner Thai beförderte einen großen Holländer mit einem perfekten Tritt gegen den Kopf auf die Bretter. Wallander meinte den Schmerz im eigenen Körper zu spüren. Gegen Mitternacht schlief er ein und wachte irgendwann davon auf, dass er von Herman Eber und Louise von Enke geträumt hatte. Es war fünf Uhr am Morgen, seinem Magen ging es besser, aber er fühlte sich matt und hatte Kopfschmerzen. Er machte sich Tee, der diesmal blieb, wo er bleiben sollte. Durchs Fenster sah er Jussi, der reglos in seinem Zwinger stand, eine Pfote angehoben, und nach etwas draußen auf einem Acker spähte. Wallander konnte nicht sehen, was es war. Vielleicht ein Reh, das im Morgengrauen aus einem Wäldchen gekommen war? Das Bild hätte sein Vater in ein ewig wiederholtes Motiv verwandeln können. *Witternder Hund im Morgengrauen.* Aber er hatte eine Landschaft gewählt, in die er mit monotoner Präzision einen Auerhahn einfügte.

Wallander dachte an seinen Traum. Er hatte sich in Ebers mit Müll vollgestopftem Haus befunden. Louise balancierte auf einer Leiter und hängte gelbe Gardinen auf. Er hatte sie gefragt, wo sie sich seit ihrem Verschwinden aufgehalten habe. In diesem Moment war sie von der Leiter gefallen und sofort tot gewesen. Herman Eber war durch den Müll eingetreten, in einer grünen deutschen Militäruniform, er war sehr jung, und sein Mund war wie ein großes Loch, ohne Zähne. Er hatte etwas zu sagen versucht, doch Wallander hatte seine Worte nicht verstanden. Das war der Moment, in dem er mit einem Gefühl von Angst und Ohnmacht aufgewacht war. Es war nicht mehr der Magen, der ihm zu schaffen machte, sondern es waren Louise und ihr Mann. Etwas war im Begriff, sich zu verändern, dachte er. Bisher war er davon ausgegangen, dass Håkan von Enke die Hauptperson war. Aber wenn es Louise war? Dort werde ich anfangen, dachte er. Ich werde alles noch einmal durchgehen, ich werde den Blickwinkel ändern, meine eigene Sehweise. Zuvor musste er jedoch ein paar Stunden schlafen, um klar denken zu können. Er zog sich aus und kroch ins Bett. Eine Spinne lief an einem Balken an der Decke. Wenig später schlief er.

Als Linda gegen acht Uhr beim Briefkasten ihr Auto abstellte, hatte er schon ein leichtes Frühstück zu sich genommen. Sie hatte Klara bei sich und rief Wallander zu, ihr nur ja nicht nahe zu kommen, um sie nicht anzustecken. Er sollte mindestens zwei Meter Abstand halten. Es ärgerte Wallander, dass sie so früh kam. Wenn er schon einmal frei hatte, wollte er am Morgen seine Ruhe haben.

Sie setzten sich nach draußen.

»Geht es dir besser?«

»Viel besser.«

»Was habe ich gesagt?«

»Ja. Was hast du gesagt? Dass ich zu wenig Gemüse esse! Woher weißt du eigentlich, was ich esse und was nicht?«

Linda seufzte und sparte sich die Antwort.

Wallander bemerkte, dass sie blaue Strähnen im Haar hatte. »Warum blaue Strähnen?«

»Ich finde, es sieht gut aus.«

»Was sagt denn Hans dazu?«

»Er findet es auch schön.«

»Wenn du gestattest, bezweifle ich das. Warum kann er sich nicht um das Kind kümmern, wenn du solche Angst hast, dass ich sie mit der Kotzerei anstecke?«

»Er musste heute unbedingt arbeiten.«

Sie sah plötzlich bedrückt aus, ein Schatten huschte über ihr Gesicht.

»Warum macht er sich Sorgen?«

»Es sind Bewegungen im globalen Finanzsektor im Gange, auf die er sich nicht versteht.«

»Ich meinerseits verstehe nicht mal, was du sagst. ›Bewegungen im globalen Finanzsektor‹? Ich dachte, er handelt mit Aktien.«

»Das tut er auch. Aber auch mit anderen Sachen. Derivaten, Optionen, Hedgefonds.«

Wallander hob abwehrend die Hände. »Lass gut sein, ich begreife es sowieso nicht.«

Wallander holte ein Glas Wasser. Klara krabbelte glücklich auf dem Hof herum. »Wie geht es mit Mona?«

»Sie macht sich rar. Geht nicht ans Telefon, und wenn ich an der Tür klingle und weiß, sie ist zu Hause, macht sie nicht auf.«

»Sie trinkt also weiter?«

»Ich weiß nicht. Im Moment habe ich das Gefühl, dass ich mir nicht noch die Verantwortung für ein weiteres Kind aufhalsen kann. Dies hier reicht mir vollkommen.«

Ein Flugzeug dröhnte in geringer Höhe auf dem Landeanflug nach Sturup über sie hinweg. Als der Lärm nachgelassen hatte, erzählte Wallander von seinem Besuch bei Herman Eber. Er gab ihr Gespräch und die Gedanken, die er sich dazu gemacht hatte, bis in alle Einzelheiten wieder. Während es ihm immer sicherer erschien, dass Louise ermordet worden war, hatte er den Eindruck, dass der zweite Teil des Rätsels immer unergründlicher wurde. Warum sollte jemand die Absicht gehabt haben, sie umzubringen? Auf welche Art und Weise konnte diese friedliche Frau mit einem Land wie der DDR in Verbindung gestanden haben, einem Land, das tot und begraben war? Wenn denn überhaupt eine Verbindung bestanden hatte.

Wallander verstummte. Klara krabbelte zu Lindas Füßen. Sie schüttelte langsam den Kopf. »Ich zweifle nicht an dem, was du erzählst. Aber was hat es zu bedeuten?«

»Das weiß ich nicht. Gerade im Moment bewegt mich nur eine einzige Frage. Wer war Louise von Enke? Was weiß ich nicht über sie?«

»Was weiß man überhaupt von einem Menschen? Hältst du mir das nicht ständig vor? Mich nicht zu wundern? Es besteht außerdem eine Verbindung zur ehemaligen DDR«, sagte Linda nachdenklich. »Habe ich davon nichts erwähnt?«

»Nur, dass sie sich für klassische deutsche Kultur interessierte und Deutsch unterrichtete.«

»Das, woran ich denke, liegt weit zurück«, fuhr Linda fort. »Fast fünfzig Jahre. Vor Hans, vor Signe. Eigentlich müsstest du mit Hans darüber reden.«

»Fangen wir mit dem an, was du weißt.«

»Das ist nicht viel. Aber Louise war Anfang der sechziger Jahre zusammen mit einigen vielversprechenden schwedischen Wasserspringerinnen in Ostdeutschland. Es war eine Art von sportlichem Austausch. Louise trainierte diese Mädchen. Sie war in ihrer Jugend wohl selbst eine gute Springerin. Aber darüber weiß ich nicht besonders viel. Ich glaube, sie war ein paar Mal innerhalb weniger Jahre in Leipzig und in Ostberlin. Dann war auf einmal Schluss. Hans glaubt, dass es eine bestimmte Erklärung dafür gibt.«

»Und welche?«

»Håkan machte ihr ganz einfach klar, dass die Reisen nach Ostdeutschland aufhören mussten. Es war seiner militärischen Karriere nicht förderlich, dass seine Frau Reisen in ein Land unternahm, das als Feindesland galt. Ostdeutschland zählte wohl beim schwedischen Militär und bei den Politikern zu den abscheulichsten Vasallen Russlands.«

»Aber was du da sagst, weißt du nicht mit Sicherheit?«

»Louise hat sich ihrem Mann immer untergeordnet. Ich glaube ganz einfach, dass die Situation damals, Anfang der sechziger Jahre, unhaltbar wurde. Håkan hatte eine hohe Position bei der Marine in Aussicht.«

»Weißt du, wie Louise reagierte?«

»Nein. Das weiß ich nicht.«

Klara piekte sich an etwas, was auf der Erde lag, und fing an zu schreien. Wallander, der mit gellendem Kindergeschrei schwer zurechtkam, ging zu Jussi und streichelte ihn. Er blieb am Zwinger stehen, bis Klara aufhörte.

»Was hast du gemacht, wenn ich geschrien habe?«, fragte Linda.

»Ich hatte damals nicht so empfindliche Ohren.«

Klara untersuchte jetzt ein Gänseblümchen, das zwischen ein paar Steinen wuchs.

»Ich habe natürlich in dieser ganzen Zeit nachgedacht«, sagte Linda. »Seit sie verschwunden sind. Ich habe versucht, mich zu erinnern, an Gesprächsdetails und an die Art, wie sie miteinander und mit anderen umgegangen sind. Ich habe versucht, alles aus Hans herauszuholen, was er weiß, alles, was für ihn selbstverständlich war und was auch ich hätte wissen sollen. Erst vor ein paar Tagen hatte ich das Gefühl, dass etwas nicht stimmte, dass er mir nicht die ganze Wahrheit gesagt hat.«

»Worüber?«

»Über das Geld.«

»Welches Geld?«

»Die Tatsache, dass sie vermutlich wesentlich mehr hinterlassen haben, als ich wusste. Håkan und Louise haben gut gelebt. Es gab nie auffälligen Luxus, keine Extravaganzen. Aber sie hätten auf wesentlich größerem Fuß leben können, wenn sie gewollt hätten.«

»Um welche Summen geht es?«

»Lass mich ausreden«, sagte sie brüsk. »Ich komme schon dazu, aber ich erzähle in meinem eigenen Takt. Es ist natürlich ein Problem, dass Hans mir nicht alles gesagt hat. Das ärgert mich, und ich weiß, dass ich früher oder später mit ihm darüber reden muss.«

»Willst du damit sagen, dass das Geld inzwischen eine entscheidende Rolle spielt?«

»Nein, aber ich mag es nicht, wenn Hans undeutlich ist. Darüber müssen wir im Moment nicht reden.«

Wallander hob die Hände zu einer abbittenden Geste und fragte nicht weiter. Linda sah plötzlich, dass Klara dabei war, das Gänseblümchen zu essen, und wischte ihr den Mund sauber, was den nächsten Schreianfall zur Folge hatte. Wallander beherrschte sich und blieb sitzen. Jussi trottete hinter seinem Gitter auf und ab und betrachtete die Szene. Meine Familie, dachte Wallander. Alle sind da, außer meiner Schwester Kristina und meiner früheren Frau, die sich zu Tode säuft.

Der Aufstand war bald vorüber, Klara krabbelte weiter auf der Suche nach neuen Entdeckungen, Linda schaukelte mit ihrem Stuhl.

»Ich kann nicht garantieren, dass er hält«, sagte Wallander.

»Großvaters alte Möbel«, sagte sie. »Geht der Stuhl kaputt, werde ich's überleben. Ich falle nur in dein schlecht gepflegtes Beet.«

Wallander erwiderte nichts. Es ärgerte ihn, dass sie ständig alles, was er tat, beäugte und ihm sofort jeden Makel, den sie entdecken konnte, vorhielt.

»Als ich heute Morgen wach wurde, ging mir eine Frage

nicht aus dem Kopf«, sagte sie. »Die kann nicht warten, so wichtig dies alles mit Håkan und Louise auch sein mag. Ich begreife nicht, wieso ich es all die Jahre vermieden habe, sie dir oder Mama zu stellen. Vielleicht habe ich die Antwort gefürchtet. Niemand möchte ja aus Zufall gezeugt worden sein.«

Wallander war sofort auf der Hut. Sie benutzte äußerst selten das Wort Mama, wenn sie von Mona sprach. Er konnte sich auch nicht erinnern, wann sie zuletzt Papa zu ihm gesagt hatte, außer wenn sie wütend oder ironisch war.

»Du brauchst nicht zu erschrecken«, fuhr sie fort. »Ich merke dir an, dass du schon unruhig bist. Ich will nur wissen, wie ihr euch getroffen habt. Die erste Begegnung meiner Eltern. Darüber weiß ich praktisch nichts.«

»Mein Gedächtnis ist schlecht«, antwortete Wallander. »Aber auch nicht so schlecht. Wir sind uns 1968 auf einer Fähre zwischen Kopenhagen und Malmö begegnet. Eine der langsamen Fähren, kein Flugboot. Eines späten Abends.«

»Vor vierzig Jahren?«

»Wir waren beide sehr jung. Sie saß an einem Tisch, es war eng, ich fragte, ob ich mich setzen dürfe, und das durfte ich. Ich erzähl dir ein andermal gern mehr. Im Moment bin ich nicht darauf vorbereitet, in der Vergangenheit zu graben. Lass uns noch einmal auf das Geld zurückkommen. Um welche Summen geht es?«

»Ein paar Millionen. Aber du musst mir trotzdem erzählen, was passierte, nachdem die Fähre in Malmö angelegt hatte.«

»Da passierte erst einmal nichts. Ich verspreche dir, später davon zu erzählen. Du meinst also, sie hätten einen Millionenbetrag beiseitegelegt? Woher kommt das Geld?«

»Sparsamkeit.«

Er zog die Stirn in Falten. Es war viel Geld dafür, dass es erspart und beiseitegelegt war. Er selbst konnte nicht einmal davon träumen, ähnliche Summen zusammenzusparen.

»Ist das wirklich möglich? Könnte es sein, dass sie Steuern hinterzogen haben oder dass andere zwielichtige Geldgeschichten dahinterstecken?«

»Hans zufolge nicht.«

»Aber du sagst, er sei nicht eindeutig gewesen, was diese Gelder angeht?«

»Was er ja auch nicht nötig gehabt hat. Bis vor ein paar Monaten war es doch ausschließlich ihre Angelegenheit, was sie mit ihrem Ersparten machten.«

»Und was machten sie damit?«

»Sie baten Hans, das Geld anzulegen. Vorsichtig, keine abenteuerlichen Spekulationen.«

Wallander überlegte. Etwas sagte ihm, dass das gerade Gehörte von großer Bedeutung sein konnte. In seinem Leben als Polizist war er immer wieder daran erinnert worden, dass Geld die Ursache der schlimmsten und gröbsten Verbrechen war, die Menschen gegeneinander verüben konnten. Kein anderes Tatmotiv wurde so oft wiederholt und variiert. »Wer hat sich um die Geschäfte gekümmert? Beide oder nur Håkan?«

»Das weiß Hans.«

»Dann müssen wir mit ihm reden.«

»Nicht wir. Ich. Wenn etwas Neues herauskommt, sage ich dir Bescheid.«

Klara saß auf der Erde und gähnte. Linda nickte Wallander zu. Er nahm das Kind auf und legte es behutsam in die Hollywoodschaukel. Es lächelte ihm zu.

»Ich versuche, mich selbst auf deinen Armen zu sehen«, sagte sie. »Aber es fällt mir schwer.«

»Wie kommt das?«

»Ich weiß nicht. Aber das sollte keine boshafte Spitze sein.«

Ein Schwanenpaar kam über die Äcker geflogen. Wallander und Linda verfolgten die weißen Striche und das pfeifende Geräusch.

»Kann es wirklich stimmen?«, sagte Linda. »Dass Louise ermordet worden ist?«

»Die Ermittlung muss weitergehen. Aber es spricht vieles dafür.«

»Aber warum? Und von wem? Und all dieses Gerede, dass sie russische Geheimunterlagen in der Tasche hatte? Das kann doch nur Nonsens sein.«

»Sie hatte schwedische Geheimunterlagen in der Tasche. Die für Russland gedacht waren. Du musst genau zuhören, wenn ich etwas sage.«

Er erwartete, dass sie wütend wurde, doch sie nickte nur.

»Es bleibt *eine* Frage«, sagte Wallander. »Wo ist Håkan?«

»Tot oder lebendig?«

»Ich habe das Gefühl, dass er für mich immer lebendiger geworden ist, seit Louise tot aufgefunden wurde. Ich weiß, dass es nicht logisch ist, ich habe keine plausible Erklärung für meine Reaktion. Möglicherweise meine polizeiliche Erfahrung, die mit den Jahren ziemlich groß geworden ist. Aber auch da sind meine Erlebnisse von früher nicht eindeutig. Trotzdem glaube ich, dass er lebt.«

»Hat er Louise getötet?«

»Es gibt natürlich nichts, was dafür spricht.«

»Aber auch nichts, was dagegen spricht?«

Wallander nickte stumm. Genauso hatte er auch gedacht. Sie folgte der Schnitzelspur seiner Gedanken.

Eine halbe Stunde später fuhr Linda nach Hause.

Am Abend machte Wallander einen Gang mit Jussi. Er stellte sich an einen Grabenrand und pisste. Von einer frisch gemähten Wiese kam ein starker Duft.

Plötzlich war ihm, als sähe er zumindest eins ganz klar. Was auch geschehen war, es hatte mit Håkan von Enke begonnen. Und mit ihm würde das Ganze auch enden. Louise war ein Zwischenglied. Auch wenn er bis vor kurzem noch daran gezweifelt hatte.

Aber was das eigentlich besagte, wusste er nicht. Er ging zum Haus zurück, bedrückter als vorher. Das Einzige, was ihm in diesem Augenblick als unbestreitbare Tatsache erschien, war, dass Håkan von Enke in einem Festsaal in Djursholm vor ihm gestanden hatte und besorgt gewirkt hatte.

Da fängt es an, dachte Wallander. Es fängt mit dem besorgten Mann an.

So musste es sein. Ganz einfach: musste.

24

Eine Nacht im Juli.

Wallander blieb mit dem Stift in der Hand sitzen. Er fand, dass die Einleitung des Briefs, den er zu schreiben begonnen hatte, wie der Titel eines schlechten Films aus den fünfziger Jahren klang. Oder vielleicht eines bedeutend besseren Romans, der einige Jahrzehnte älter war. So einen Roman hatte es in seinem Elternhaus gegeben. In der Büchersammlung des Großvaters, der lange vor seiner Geburt gestorben war.

Ansonsten stimmte die Beschreibung. Es war Juli geworden, und es war Nacht. Wallander war schon im Bett gewesen, als ihm einfiel, dass seine Schwester Kristina in einigen Tagen Geburtstag hatte. Es war Wallander zur Gewohnheit geworden, ihr zu diesem Tag mit seiner Gratulation den einzigen Brief des Jahres zu schreiben. Also stand er wieder auf, da er sowieso noch nicht müde war, und warum sollte er dann im Bett liegen und sich von einer Seite auf die andere werfen? Er holte Papier und den Füller, den Linda ihm zum fünfzigsten Geburtstag geschenkt hatte, und setzte sich an den Küchentisch. Die ersten Wörter sollten so bleiben, wie sie da standen, *eine Nacht im Juli*, er änderte nichts. Es wurde ein kurzer Brief. Nachdem er geschildert hatte, wie viel Freude Klara ihm bereitete, fand er, dass es sonst nicht viel zu berichten gab. Die Briefe wurden von Jahr zu Jahr kürzer. Er fragte sich finster, wo es enden würde. Er las das Geschriebene durch, fand es dürftig, hatte aber nichts hinzuzufügen. Der Kontakt mit Kristina war in den letzten Lebensjahren seines Vaters am engsten gewesen. Danach hatten sie sich fast nie mehr getroffen, außer wenn Wallander in

Stockholm war und es ihm einfiel, sich bei ihr zu melden. Sie waren einander überhaupt nicht ähnlich und hatten ganz unterschiedliche Erinnerungsbilder an ihre Jugend. Wenn sie sich trafen, verstummten sie schon nach kurzer Zeit und sahen sich an, als wollten sie fragen: Haben wir uns wirklich nicht mehr zu sagen?

Wallander klebte den Umschlag zu und legte sich wieder hin. Das Fenster war angelehnt. Aus der Ferne klangen die schwachen Geräusche von Musik und einem Fest herüber. Es raschelte im Gras vor dem Fenster. Er hatte recht daran getan, die Mariagata zu verlassen, dachte er. Hier draußen auf dem Land nahm er Geräusche wahr, die er früher nie gehört hatte. Von Düften ganz zu schweigen.

Er blieb wach liegen und dachte an seinen Besuch im Polizeipräsidium am selben Abend. Er hatte ihn nicht geplant. Aber da sein Computer defekt war, fuhr er gegen neun Uhr hinein. Um nicht unnötig mit Kollegen von der Abend- und Nachtschicht zusammenzutreffen, ging er durch den Keller, tippte den Türcode ein und gelangte in sein Zimmer, ohne jemandem begegnet zu sein. In einem der Räume, an denen er vorüberschlich, wurde ein Gespräch geführt. Einer der Sprechenden war stark betrunken. Wallander war froh, dass er die Vernehmung nicht durchführen musste.

Bevor er in Urlaub gegangen war, hatte er eine Kraftanstrengung unternommen und die Papierstapel auf seinem Schreibtisch abgearbeitet. Jetzt sah der Schreibtisch beinahe einladend aus. Er warf die Jacke auf seinen Besucherstuhl und schaltete den Computer an. Während er wartete, dass der Computer summend in Gang kam, holte er die beiden Mappen hervor, die er in einer Schreibtischschublade eingeschlossen hatte. Auf der einen stand »Louise«, auf der anderen »Håkan«. Die Buchstaben waren verschmiert. Er legte die erste Mappe zur Seite und konzentrierte sich auf die zweite. Ein Gespräch, das er vor wenigen Stunden mit Linda geführt hatte, ging ihm nicht aus dem Kopf. Sie hatte ange-

rufen, als Klara schlief und Hans noch zu einem Laden mit
verlängerten Öffnungszeiten gefahren war, um Windeln zu
kaufen. Ohne überflüssige Worte hatte sie berichtet, was
Hans erzählt hatte, nachdem sie ihm Fragen nach dem Geld
seiner Eltern und nach der Beziehung seiner Mutter zu Ostdeutschland gestellt hatte. Außerdem hatte sie ihn gefragt,
ob da noch etwas sei, was er ihr nicht erzählt habe. Zuerst
war er gekränkt gewesen, und sie hatte lange gebraucht, ihn
davon zu überzeugen, dass es um nichts anderes ging als um
das, was seinen Eltern widerfahren war. Immerhin bewegten
sie sich am Rande von etwas, was vielleicht Mord war. Hans
hatte sich beruhigt, ihre Absicht verstanden und geantwortet, so gut er konnte.

Wallander zog ein gefaltetes Stück Papier aus der Gesäß-
tasche und glättete es. Hier hatte er das Wichtigste von dem
notiert, was sie gesagt hatte.

Erst als Hans seine jetzige Stelle angetreten hatte, waren
die Eltern mit der Bitte zu ihm gekommen, für sie als privater Bankier zu agieren. Es ging um eine Summe von knapp
zwei Millionen Kronen, die inzwischen auf gut zweieinhalb
Millionen angewachsen war. Sie erklärten, es sei ihr Erspar-
tes, dazu noch ein Erbe von einer Verwandten Louises. Wie
viel von dem Geld geerbt und wie viel gespart war, wusste
Hans nicht. Die Verwandte hieß Hanna Edling und war 1976
verstorben. Sie hatte eine Reihe von Modegeschäften in
Westschweden besessen. Steuerliche Unregelmäßigkeiten
lagen nicht vor, auch wenn vor allem Håkan jedes Jahr seinem Ärger über die Vermögenssteuer der Sozialdemokraten Luft machte, die er Enteignung nannte. Jetzt war diese
Steuer abgeschafft, und es erfüllte Hans mit Trauer, dass er
nicht mehr die Möglichkeit gehabt hatte, mit Håkan darüber zu sprechen.

»Hans hat gesagt, seine Eltern hätten eine ganz spezielle
Einstellung gehabt, was Geld betraf«, hatte Linda erklärt.
»*Über Geld redet man nicht, man hat es.*«

»Wenn es so einfach wäre«, hatte Wallander erwidert. »Es hört sich nach solider Oberklasse an.«

»Sie *sind* Oberklasse«, sagte Linda. »Das weißt du doch, darüber brauchen wir keine Worte zu verlieren.«

Zweimal im Jahr hatte Hans ihnen Gewinne und eventuelle Verluste präsentiert. Gelegentlich las Håkan in der Zeitung von attraktiven Investitionsvorschlägen und rief ihn an. Aber er kontrollierte nie, ob Hans seine Anregung befolgte oder nicht. Louise kümmerte sich noch weniger um das angelegte Geld. Doch im Jahr zuvor hatte sie sich zweihunderttausend Kronen von dem investierten Kapital auszahlen lassen. Hans war verwundert gewesen, weil es sehr ungewöhnlich war, dass sie eine so hohe Summe benötigte. Außerdem war es in der Regel Håkan, der Geld abhob, wenn sie beispielsweise eine Kreuzfahrt machen oder sich ein paar Wochen an der französischen Riviera aufhalten wollten. Auf seine Frage, wozu sie das Geld brauche, hatte sie nicht geantwortet, nur erwidert, er solle tun, was sie sage.

»Außerdem wollte sie nicht, dass er es Håkan gegenüber erwähnte«, fügte Linda hinzu. »Das ist vielleicht das Bemerkenswerteste. Früher oder später würde er es ja doch erfahren.«

»Es braucht sich ja nicht um Geheimnistuerei zu handeln«, sagte Wallander zögernd. »Vielleicht wollte sie ihn überraschen?«

»Vielleicht. Aber Hans hat auch gesagt, es sei das einzige Mal gewesen, dass ihre Stimme ihm gegenüber einen drohenden Ton angenommen habe.«

»Hat er genau das Wort benutzt? Drohend?«

»Ja.«

»Ist das nicht ziemlich eigenartig? Ein so starkes Wort?«

»Ich glaube, dass er das Wort bewusst gewählt hat.«

Wallander notierte das Wort *drohend* auf seinem Papier. Wenn es stimmte, ließ es auf eine neue Seite der ständig lächelnden Frau schließen.

»Was hat Hans über Ostdeutschland gesagt?«

Linda hatte, wie sie betonte, auf verschiedene Weise versucht, ihn dazu zu bringen, Erinnerungsbilder wachzurufen. Aber es gab einfach keine. Er hatte nur die vage Erinnerung, dass seine Mutter ihm in seiner frühen Kindheit einmal aus Ostberlin Holzspielzeug mitgebracht hatte. Doch das war alles. Er wusste weder, wie lange sie fort gewesen war, noch warum sie die Reise gemacht hatte. Sie hatten damals eine Haushilfe gehabt, Katarina, mit der er oft mehr zusammen war als mit seinen Eltern. Håkan war auf See gewesen, und Louise hatte an der Französischen Schule und an einem Stockholmer Gymnasium, an welchem, wusste er nicht mehr, Deutsch unterrichtet. Vielleicht hatten sie manchmal Gäste gehabt, die Deutsch gesprochen hatten. Er erinnerte sich jedenfalls nur undeutlich an die Männer in Uniform, die beim Abendessen in fremden Sprachen Trinklieder gesungen hatten.

»Ich bin mir sicher«, sagte Linda am Schluss. »Er weiß wirklich nicht mehr. Was entweder bedeutet, dass es nicht mehr gab, woran er sich erinnern könnte, oder dass Louise ihre ostdeutschen Abenteuer bewusst vor ihm geheim gehalten hat. Aber warum hätte sie das tun sollen?«

»Nein«, sagte Wallander. »Es war für Schweden nie illegal, nach Ostdeutschland zu reisen. Wir haben mit denen Geschäfte gemacht wie mit allen anderen. Dagegen war es für ostdeutsche Bürger wesentlich schwerer, Schweden zu besuchen. Die Mauer in Berlin wurde gebaut, um die Menschen an der Flucht zu hindern.«

»Das war vor meiner Zeit. Ich erinnere mich daran, wie die Mauer abgerissen wurde, nicht, wie sie gebaut wurde.«

Da hatte das Gespräch geendet. Wallander hörte im Hintergrund eine Tür, die geöffnet und geschlossen wurde. Er ging methodisch das Material durch, das er über von Enkes Verschwinden gesammelt hatte, und dachte, dass er zumindest eine Schlussfolgerung ziehen konnte. Håkan von Enke war schon so lange verschwunden, dass erfahrungsgemäß davon auszugehen war, dass er tot war. Aber Wallander beschloss, ihn noch eine Zeitlang als lebendig zu betrachten.

Nach einer Weile schob er die Mappe zur Seite und lehnte sich zurück. Vielleicht wusste Håkan schon in dem fensterlosen Raum in Djursholm, dass er bald verschwunden sein würde. Hoffte er, dass ich in dem, was er mir erzählte, etwas zwischen den Zeilen lesen würde?

Wallander richtete sich mit einem ungeduldigen Ruck auf. Zu viel Stillstand, er wollte weiter. Er ging ins Internet und begann zu suchen. Was er suchte, hätte er nicht sagen können. Er suchte aufs Geratewohl, und doch auch wieder nicht. Er klickte sich durch die gesamte offizielle Information, die die Marine anbot. Schritt für Schritt verfolgte er die Spuren der Karriere von Håkan von Enke. Sie war geradlinig, aber ohne aufsehenerregende schnelle Beförderungen. Im Jahrgang des verschwundenen Korvettenkapitäns fand Wallander mehrere Beispiele von Personen, die entschieden rasanter Karriere gemacht hatten. Nachdem er ungefähr eine Stunde herumgesurft war, erschien ein Foto auf dem Monitor, bei dem Wallander innehielt. Das Bild war bei einem Empfang für ausländische Militärattachés im Außenministerium aufgenommen worden. In einer Gruppe junger Offiziere stand Håkan. Er lächelte in die Kamera. Ein selbstsicheres, offenes Lächeln. Wallander betrachtete das Bild nachdenklich. Ich versuche, an einen Punkt zu gelangen, wo ich klarer sehe, dachte er. Wo ich etwas erkenne, was mir verrät, wer der besorgte Mann war, den ich in Djursholm getroffen habe.

Er zuckte zusammen, als es an die Tür klopfte. Bevor er herein sagen konnte, ging die Tür auf. Nyberg stand da, in einer hellblauen Jacke und mit einer Schirmmütze auf dem Kopf.

Als er Wallander sah, stutzte er. »Ich dachte, hier wäre

niemand«, sagte er. »Ich mache immer das Licht aus, das unnötig brennt. Man sieht das Licht auf der Schwelle. Ich nehme an, es ist eine ziemlich sinnlose Beschäftigung. Aber man soll ja keine Energie verschwenden.«

»Warum klopfst du, wenn du glaubst, dass niemand hier ist?«

Nyberg nahm sein Käppi ab und kratzte sich am Kopf. Ständig die gleiche Bewegung, dachte Wallander. Seit ich ihn kenne, tut er das, wenn er verlegen ist. Was ich wohl mache, wenn ich unschlüssig und in Zweifel bin?

»Darauf kann ich dir wohl keine gute Antwort geben«, sagte Nyberg. »Es ist eine Angewohnheit. Man klopft an eine Tür, bevor man eintritt. Ich dachte übrigens, dass du in Urlaub wärst.«

»Das bin ich auch. Ich beschäftige mich nur mit Lindas verschwundenen Schwiegereltern.«

Nyberg nickte. Wallander hatte mehrfach mit Nyberg über das Geschehene gesprochen. Er hatte Respekt vor seiner Meinung, auch wenn mit Nyberg nicht immer leicht zusammenzuarbeiten war. Seine cholerischen Ausbrüche waren berüchtigt, allerdings blieb Wallander inzwischen weitgehend von ihnen verschont. Vor allem Gerichtsmediziner und Kriminaltechniker lebten unter Nybergs drohendem Schlagschatten.

Nyberg stand noch mit dem Käppi in der Hand da. »Weißt du eigentlich, dass ich im Juli in Pension gehe?«

»Nein, das wusste ich nicht.«

»Ich finde, es reicht jetzt.«

Wallander war aufrichtig erstaunt. Er hatte die unreflektierte Vorstellung gehabt, dass Nyberg immer da sein würde, im Dienst, Tag für Tag, bei Sonne oder kaltem Regen, ständig bei verschiedenen Ermittlungen in der lehmigen Erde auf Spurensuche. In grauer Vorzeit war Nyberg einmal verheiratet gewesen, und er hatte auch Kinder. Dennoch war er stets der einsame Mann im grünen Käppi, der seine Wutanfälle bekam, der jedoch auch der Geschickteste unter den Geschickten war, wenn es um die Arbeit ging.

»Was willst du dann machen?«, fragte Wallander lahm.

»Pensionärsdasein?«

»Ich ziehe weg von hier«, gab Nyberg zurück. »Weit, weit weg.«

»Darf man fragen, wohin? Spanien?«

Nyberg starrte ihn an, als hätte er etwas direkt Verwerfliches gesagt. Wallander fragte sich kurz, ob es jetzt vielleicht doch zu einem der berühmten Wutausbrüche kam.

»Was soll ich denn in Spanien. Schwitzen? Ich ziehe nach Norden. Ich habe mir ein schönes altes, aber stark renovierungsbedürftiges Haus gekauft, an der Grenze zwischen Härjedalen und Jämtland. Kilometerweit kein Nachbar, nur Bäume, so weit man sieht.«

»Aber du bist doch hier aus Schonen. In Hässleholm geboren, wenn ich mich recht erinnere. Was willst du da oben in den Wäldern?«

»Meine Ruhe. Außerdem soll es zwischen den Bäumen weniger windig sein.«

»Das hältst du doch nicht aus. Du bist die Weite gewohnt, das Freie.«

»Es ist ein alter Traum«, sagte Nyberg einfach. »Wälder. Als ich hinaufgefahren bin, um das Haus zu kaufen, habe ich mich sofort zu Hause gefühlt. So ist es einfach. Wie lange willst du noch weitermachen?«

Wallander zuckte mit den Schultern. »Ich weiß nicht. Es fällt mir schwer, mir ein Leben ohne dieses Büro hier vorzustellen.«

»Mir überhaupt nicht«, sagte Nyberg heiter. »Ich werde mich zum Jäger ausbilden und meine Memoiren schreiben.«

Wallander staunte nur. »Du willst ein Buch schreiben?«

»Warum denn nicht? Ich habe viel zu erzählen. Außerdem ist das Interesse für meinen Beruf heute größer denn je.«

Wallander sah, dass es Nyberg ernst war. Wahrscheinlich war er hartnäckig genug, nicht nur ein Buch zu schreiben, sondern es auch bei einem Verlag unterzubringen.

»Schreibst du auch über mich?«

»Du bleibst verschont«, sagte Nyberg verschmitzt. »Aber andere kommen nicht so gut weg. Ich werde viel über die Unsitte schreiben, Vorgesetzte zu berufen, die nicht die geringste Ahnung von regulärer Polizeiarbeit haben. Vergiss nicht, nachher das Licht auszumachen, wenn du fertig bist.«

Nyberg wandte sich zum Gehen.

Wallander hielt ihn zurück, er konnte nicht anders. »Du kratzt dich immer am Kopf, wenn du nachdenkst«, sagte er. »Was tue ich?«

Nyberg zeigte auf Wallanders Nase. »Du reibst dir die Nasenflügel«, sagte er. »Manchmal reibst du, bis sie rot sind.«

Er nickte und verschwand durch die Tür. Wallander dachte, dass er ihn vermissen würde. Außerdem sollte er sich, sehr bald und sehr ernsthaft, über seine eigene Situation Gedanken machen. Wie lange würde er denn seinen Beruf noch ausüben können? Und was würde er dann tun? Bestimmt nicht in den Wald ziehen, der Gedanke ließ ihn schaudern. Und Memoiren würde er auch nicht schreiben. Dazu fehlten ihm die Geduld und die sprachlichen Fähigkeiten.

Er ließ seine Fragen unbeantwortet, öffnete einen Spalt weit das Fenster und wandte sich wieder dem Computer und Håkan von Enkes Leben zu. Er mobilisierte seine ganze Fantasie, um auf der Suche nach Informationen ungewohnte Wege zu beschreiten, er las über Ostdeutschland und seine Flottenmanöver in der südlichen Ostsee, die Sten Nordlander und Håkan von Enke erwähnt hatten. Die größte Aufmerksamkeit widmete er den U-Boot-Vorfällen in den frühen achtziger Jahren. Hin und wieder notierte er sich einen Namen, ein Ereignis, einen Gedanken. Aber er fand keine

Schramme im Bild Håkan von Enkes. Auch bei einem Ausflug in die Französische Schule entdeckte er nichts Auffälliges über Louise. Es gab einfach nichts. Linda hatte sich wahre Prachtexemplare von ehrbaren Menschen als Schwiegereltern ausgesucht. Zumindest an der Oberfläche.

Es war fast halb zwölf geworden, als er anfing zu gähnen. Das Surfen hatte ihn weitab vom Zentrum dessen geführt, was von Interesse sein konnte. Aber plötzlich merkte er auf und beugte sich zum Bildschirm vor. Es war ein Artikel aus einer Abendzeitung vom Beginn des Jahres 1987. Ein Journalist hatte Material über ein privates Stockholmer Festlokal ausgegraben, das oft von hohen Marineoffizieren besucht wurde. Die Feste waren dem Anschein nach von viel Geheimniskrämerei umgeben, nur wenige Erwählte waren zugelassen, und keiner der Offiziere, an die der Journalist herangetreten war, hatte sich äußern wollen. Das hatte hingegen eine Kellnerin getan, eine Fanny Klarström. Sie hatte von den unschönen, von Hass auf Palme erfüllten Reden erzählt, die dort geschwungen wurden, von den arroganten Offizieren. Sie hatte ihre Arbeit aufgegeben, weil sie es nicht länger aushielt. Unter den Offizieren, die diese Zusammenkünfte regelmäßig besuchten, war auch Håkan von Enke.

Wallander druckte die beiden Zeitungsseiten mit einem Foto von Fanny Klarström aus. Wallander schätzte, dass sie damals um die fünfzig Jahre alt gewesen war. Sie konnte also durchaus noch leben. Er notierte sich auch den Namen des Journalisten und dachte, dass es das zweite Festlokal war, auf das er im Zusammenhang mit Håkan von Enke gestoßen war. Er faltete die Seiten zusammen und steckte sie ein.

Es war nichts Ungewöhnliches, dass es auch bei der Polizei zuweilen Gerüchte von geheimen Zusammenkünften in gewissen Kreisen gab. Wallander war jedoch nie zu einer solchen eingeladen worden. Rydberg hatte seinerzeit vorgeschlagen, einmal im Monat ins Schlossrestaurant Svaneholm zu gehen und gut zu essen und zu trinken; so viel zu seiner Erfahrung mit Geheimtreffen. Aber es war nie etwas daraus geworden.

Wallander schaltete den Computer aus und verließ den Raum. Als er schon auf halbem Weg den Korridor hinunter war, kehrte er um und machte das Licht aus. Er verschwand durch den Keller, wie er gekommen war. Er nahm ein paar schmutzige Handtücher und Hemden aus seinem Spind, um sie zu Hause zu waschen.

Auf dem Parkplatz blieb er stehen und sog die Sommernachtluft tief in die Lungen. Er würde noch lange leben. Noch war sein Lebenswille groß.

Er fuhr nach Hause, schlief, träumte wirr von Mona, erwachte aber ausgeruht. Er sprang aus dem Bett, um die unerwartete Energie, die ihn erfüllte, zu nutzen. Schon um acht Uhr saß er am Telefon, um den Journalisten ausfindig zu machen, der vor mehr als zwanzig Jahren den Artikel über geheime Zusammenkünfte von Marineoffizieren verfasst hatte. Nach einigen misslungenen Versuchen bei der Auskunft betrachtete er missmutig seinen nicht funktionierenden Computer und überlegte, wen er stören sollte, Linda oder Martinsson. Er entschied sich für Letzteren. Eines der Enkelkinder kam an den Apparat. Es gelang Wallander nicht, mit dem Kind am anderen Ende der Leitung ein vernünftiges Gespräch zu beginnen, bevor Martinsson den Hörer übernahm.

»Du hast gerade mit Astrid gesprochen«, sagte er. »Sie ist drei Jahre alt, hat feuerrotes Haar und liebt es, an meinen verbliebenen Haarbüscheln zu ziehen.«

»Mein Computer funktioniert nicht. Darf ich dich mit ein bisschen Fußarbeit belästigen?«

»Kann ich in ein paar Minuten zurückrufen?«

Fünf Minuten später rief er an. Wallander gab ihm den Namen des Journalisten, Torbjörn Setterwall.

Es dauerte nicht lange, bis Martinsson ihn aufgespürt hatte. »Drei Jahre zu spät«, sagte Martinsson.

»Was meinst du damit?«

»Dass der Journalist Torbjörn Setterwall nicht mehr lebt. Bei einem eigenartigen Aufzugunglück gestorben, wie es scheint. Er wurde vierundfünfzig Jahre alt, hinterließ Frau und drei Kinder. Wie kommt man in einem Aufzug ums Leben?«

»Ich nehme an, das Ding stürzt ab. Oder man wird zerquetscht?«

»Viel konnte ich dir ja nicht helfen.«

»Ich habe noch einen Namen«, sagte Wallander. »Das kann schwieriger werden. Außerdem ist die Wahrscheinlichkeit größer, dass sie auch inzwischen tot ist.«

»Wie heißt sie?«

»Fanny Klarström.«

»Journalistin?«

»Kellnerin.«

»Ich sehe mal zu. Wie du schon sagst, es kann schwieriger werden. Aber der Name ist ja keiner von den gewöhnlichen, weder Fanny noch Klarström.«

Wallander wollte warten, während Martinsson suchte. Er konnte hören, wie Martinsson vor sich hin summte, während er die Tastatur bediente. Der sonst so düstere Martinsson ist offenbar guter Laune, dachte Wallander. Hoffentlich hält es ein Weilchen.

»Ich ruf dich gleich an«, sagte Martinsson. »Das hier dauert anscheinend etwas länger.«

Martinsson benötigte weniger als zwanzig Minuten. Als er wieder anrief, konnte er berichten, dass die vierundachtzigjährige Fanny Klarström in Markaryd in Småland wohnte. Sie lebte in einer eigenen Wohnung in einer Seniorenwohnanlage mit Namen Lillgården.

»Wie machst du das?«, fragte Wallander. »Bist du sicher, dass es sich um die richtige Person handelt?«

»Vollkommen sicher.«

»Wie kannst du so sicher sein?«

»Ich habe mit ihr gesprochen«, erklärte Martinsson zu Wallanders Verblüffung. »Ich habe sie angerufen, und sie hat geantwortet, dass sie beinahe fünfzig Jahre lang Kellnerin gewesen ist.«

»Unglaublich. Irgendwann musst du mir mal erklären, was du anders machst als ich.«

»Versuch es mit *hitta.se*«, sagte Martinsson.

Wallander schrieb Fanny Klarströms Adresse und Telefonnummer auf. Martinsson zufolge hatte sie sich alt angehört, mit brüchiger Stimme, aber sie war klar im Kopf.

Nach dem Gespräch ging Wallander aus dem Haus. Die Sonne strahlte von einem klarblauen Himmel. Weihen schwebten in den Aufwinden und spähten nach Beute in den Gräben zwischen den Äckern. Wallander dachte an Nyberg und seine Sehnsucht nach dem dichten und tiefen Wald. Was wünschte er sich selbst, außer dem, was er schon hatte? Nichts, dachte er. Vielleicht, dass er es sich leisten könnte, in der kältesten Jahreszeit in den Süden zu reisen. Eine kleine Wohnung in Spanien. Aber er machte sogleich einen Rückzieher. Er würde sich nie wohl fühlen, umgeben von fremden Menschen und einer Sprache, die er nur notdürftig lernen könnte. Auf die eine oder andere Weise würde Schonen seine Endstation sein. Er würde so lange wie möglich in seinem Haus wohnen. Wenn er nicht mehr zurechtkam, würde es hoffentlich schnell gehen. Mehr als irgendetwas anderes fürchtete er sich vor einem Alter, das nur ein Warten auf das Ende war, eine Zeit, in der es ihm nicht mehr möglich war, sein normales Leben zu leben.

Er fasste einen Entschluss. Er würde nach Markaryd fahren und die Kellnerin aufsuchen. Was er sich von einem Gespräch mit ihr versprach, wusste er nicht. Aber die Neugier, die der Artikel in ihm geweckt hatte, ließ ihn nicht los. Er schlug seinen alten Schulatlas auf. Markaryd lag nur wenige Fahrstunden entfernt.

Er fuhr noch am selben Tag, nachdem er mit Linda telefoniert hatte. Sie hörte ihm aufmerksam zu und sagte schließlich, sie wolle mitfahren. Er regte sich auf und fragte, wie Klara eine solche Autofahrt bekommen würde, an einem der – wie es schien – heißesten Tage des Sommers.

»Hans ist heute zu Hause«, sagte sie. »Er soll sich einmal um sein Kind kümmern.«

»Das ist natürlich etwas ganz anderes.«

»Du möchtest aber nicht, dass ich mitkomme. Das höre ich dir an.«

»Warum sagst du das?«

»Weil es stimmt.«

Es stimmte. Wallander hatte sich auf eine Fahrt allein im Auto nach Norden in die Wälder Smålands gefreut. Es war eine seiner einfachen Freuden, allein im Auto unterwegs zu sein. Er liebte es, am Steuer eigenen Gedanken nachzuhängen, das Autoradio ausgeschaltet, mit der Möglichkeit anzuhalten, wo und wann es ihm passte.

Er sah ein, dass Linda ihn durchschaut hatte. »Bist du jetzt sauer?«, fragte er.

»Nein«, erwiderte sie. »Aber manchmal bist du für meinen Geschmack ein wenig wunderlich.«

»Man sucht sich seine Eltern nicht aus. Wenn ich wunderlich bin, dann habe ich das von deinem Großvater geerbt, der wirklich ein Kauz war.«

»Viel Glück. Erzähl, wenn du sie getroffen hast. Das eine will ich dir übrigens auch sagen, der Ehrlichkeit halber: Du gibst wahrlich nicht klein bei.«

»Tust du das?«

Sie lachte leise. »Nie. Ich weiß nicht mal, wie man das buchstabiert.«

Es war elf Uhr, als Wallander von zu Hause fortfuhr. Um eins hatte er Älmhult erreicht und aß im Gewimmel des Ikea-Restaurants zu Mittag. Die lange Schlange an der Theke machte ihn nervös und gereizt. Viel zu schnell und unbeherrscht schlang er das Essen hinunter. Danach verfuhr er sich und erreichte Markaryd eine Stunde später als berechnet. An einer Tankstelle ließ er sich den Weg zur Altenwohnanlage Lillgården erklären. Als er aus dem Wagen stieg, hatte er das Gefühl, dass sie stark dem Niklasgård glich. Er fragte sich, ob der Mann, der sich als Signe von Enkes Onkel ausgegeben hatte, sie wieder besucht hatte. Er würde sich danach erkundigen, sobald er Zeit hatte.

Ein älterer Mann in einem blauen Overall stand über einen umgedrehten Rasenmäher gebeugt. Mit einem Stock säuberte er die Klingen von großen Placken zusammengeklumpten Grases. Wallander fragte nach Fanny Klarströms Wohnung.

Der Mann richtete sich auf und streckte den Rücken. Er sprach ein ausgeprägtes Småländisch, das Wallander nur schwer verstand. »Die Wohnung ganz am Ende im Erdgeschoss.«

»Wie geht es ihr?«

Der Mann musterte Wallander mit einem prüfenden und misstrauischen Blick. »Fanny ist alt und müde. Und wer sind Sie, dass Sie danach fragen?«

Wallander zog seinen Polizeiausweis aus der Tasche und bereute es im selben Augenblick. Warum sollte er riskieren, die alte Fanny der Verbreitung des Gerüchts auszusetzen, ein Polizist habe sie besucht? Aber jetzt ließ es sich nicht mehr ändern.

Der Mann im blauen Overall studierte den Ausweis eingehend. »Sie sind aus Schonen, höre ich. Ystad?«

»Wie Sie sehen.«

»Und kommen hier herauf nach Markaryd?«

»Es ist eigentlich keine polizeiliche Angelegenheit«, sagte

Wallander so freundlich wie möglich. »Es ist eher ein persönlicher Besuch.«

»Das ist gut für Fanny. Sie bekommt fast nie Besuch.«

Wallander nickte in Richtung des Rasenmähers. »Sie sollten Ohrenschützer benutzen.«

»Ich höre den Krach nicht. Mein Gehör ist schon seit meiner Jugend als Grubenarbeiter in Mitleidenschaft gezogen.«

Wallander ging ins Haus und nahm den Gang nach links. Ein alter Mann stand an einem Fenster und starrte hinaus auf die Rückseite eines verfallenen Nebengebäudes. Wallander lief es kalt den Rücken hinunter. Er blieb vor einer Tür mit einem Namensschild stehen, es war hübsch in hellen Pastellfarben mit Blumen bemalt.

25

Fanny Klarström öffnete die Tür sofort, als hätte sie schon tausend Jahre dahinter gestanden und auf ihn gewartet. Sie sah ihn mit einem großen Lächeln an. Er war der ersehnte Besucher, konnte er noch denken, bevor sie ihn ins Zimmer zog und die Tür schloss.

Wallander hatte das Gefühl, in eine verlorene Welt einzutreten.

Fanny Klarström roch, als hätte man gerade ein Feuer aus Erlenholz neben ihr angezündet. Aus der kurzen Zeit, als er Pfadfinder gewesen war, erinnerte Wallander sich vage an den Duft. Einmal war seine Gruppe auf einem sogenannten Hike gewesen. Sie hatten am Ufer eines Sees ihr Lager aufgeschlagen, wahrscheinlich war es der Krageholmsee gewesen, mit dem Wallander in seinem späteren Leben eine Reihe düsterer Erlebnisse verband, und dort hatten sie mit frisch gesägtem Erlenholz ein Feuer gemacht. Aber wuchsen an schonischen Seen wirklich Erlen? Die Frage wäre später einmal zu klären.

Fanny Klarström hatte frisch onduliertes bläuliches Haar und war dezent geschminkt, als lebte sie in ständiger Bereitschaft für den Fall eines Besuchs. Wenn sie lächelte, entblößte sie gute Zähne, die ihn neidisch machten. Er selbst hatte mit zwölf Jahren seine ersten Plomben bekommen und danach einen ständigen Kampf gegen zahnhygienische Maßnahmen und Zahnärzte geführt, die mehr oder weniger unverblümt mit ihm schimpften. Er hatte zwar noch die meisten Zähne, aber sein Zahnarzt hatte ihn gewarnt, dass er sie bald verlieren würde, wenn er sie nicht besser pflegte.

Fanny Klarström hatte mit vierundachtzig Jahren wohl noch alle Zähne, und sie strahlten wie bei einer Zwanzigjährigen. Sie fragte nicht, wer er war und was sein Anliegen sei, sie führte ihn in ihr kleines Wohnzimmer, dessen Wände mit gerahmten Fotografien bedeckt waren. Gepflegte Kletter- und Topfpflanzen standen in den Fenstern und auf mehreren Regalen. Hier ist kein Staubkorn, dachte Wallander. Hier wohnt ein ganz und gar lebendiger Mensch. Er setzte sich in die Sofaecke, auf die sie gezeigt hatte, und bejahte ihre Frage, ob er Kaffee wolle.

Während sie sich in der kleinen Küche zu schaffen machte, ging er umher und betrachtete die gerahmten Fotografien. Darunter war ein Hochzeitsbild von 1942, Fanny Klarström mit einem Mann, der im Anzug und mit wassergekämmtem Haar feierlich steif dastand. Wallander meinte den Mann auch auf einem anderen Bild zu erkennen, dort trug er einen Blaumann und befand sich an Bord eines Schiffes, vom Kai aus fotografiert. Wallander wanderte von Bild zu Bild und sagte sich, dass Fanny Klarström nur ein Kind hatte. Als er das Kaffeegeschirr klirren hörte, setzte er sich wieder aufs Sofa.

Fanny Klarström servierte mit sicherer Hand, sie hatte ihre Fähigkeit aus einem langen Berufsleben nicht verloren, und als sie eingoss, ging kein Tropfen daneben. Sie setzte sich ihm gegenüber in einen vielbenutzten Sessel. Eine bis dahin unsichtbare Katze sprang auf ihren Schoß. Sie hob ihre Tasse. Der Kaffee war stark, Wallander verschluckte sich daran und bekam einen Hustenanfall, dass ihm die Tränen kamen. Als der Hustenanfall vorbei war, reichte sie ihm eine Serviette. Er wischte sich die Augen und bemerkte dabei den Schriftzug »Hotell Billingen« auf der Serviette.

»Ich sollte zuerst einmal erklären, warum ich hier bin«, sagte er.

»Freundliche Menschen sind immer willkommen«, sagte Fanny Klarström.

Sie sprach einen unverkennbaren Stockholmdialekt. Wallander fragte sich, was sie veranlasst haben mochte, einen so entlegenen Ort wie Markaryd zu wählen, um dort ihre alten Tage zu verbringen.

Wallander legte den Ausdruck des Zeitungsartikels auf die gestickte Tischdecke. Sie las den Text nicht, warf nur einen Blick auf die beiden Fotos. Sie erinnerte sich auch so. Wallander wollte nicht allzu direkt zur Sache kommen, sondern zeigte mit höflichem Interesse auf die Fotos an den Wänden. Und sie war nur allzu bereit, zu erzählen. Mit wenigen Sätzen fasste sie ihr Lebensschicksal zusammen.

1941 war Fanny, die damals Andersson hieß, einem jungen Seemann mit Namen Arne Klarström begegnet. »Es war eine große und mitreißende Leidenschaft«, sagte sie. »Wir sind uns auf einer der Djurgårds-Fähren begegnet, auf dem Heimweg von Gröna Lund. Als ich in Slussen an Land gehen wollte, stolperte ich. Er half mir auf. Was wäre passiert, wenn ich nicht gestolpert wäre? Man kann wirklich mit Recht behaupten, dass ich in die große Liebe hineingestolpert bin. Die genau zwei Jahre dauerte. Wir heirateten, ich wurde schwanger, und Arne zögerte bis zuletzt, ob er es wagen sollte, noch einmal auf einem Schiff, das im Konvoiverkehr lief, anzuheuern. Man vergisst leicht, wie viele schwedische Seeleute in jenen Jahren durch Minen ums Leben kamen, obwohl wir gar nicht direkt am Krieg beteiligt waren. Aber Arne fühlte sich wohl unverwundbar, und auch ich konnte mir nicht vorstellen, dass ihm etwas zustoßen würde. Unser Sohn Gunnar wurde im Januar 1943 geboren, am zwölften, um halb sieben am Morgen. Arne war damals zu Hause, er sah seinen Sohn ein einziges Mal. Neun Tage später lief sein Schiff draußen in der Nordsee auf eine Mine. Man hat nie etwas gefunden, weder vom Schiff noch von der Besatzung.«

Sie verstummte und warf einen Blick auf die Fotos an der

Wand. »Da saß ich«, fuhr sie nach einer Weile fort, »allein mit einer verlorenen Leidenschaft und einem Sohn. Ich versuchte, einen anderen Mann zu finden, ich war noch jung. Aber keiner konnte sich mit Arne vergleichen. Er war der, der er war, mein Mann, sei es tot oder lebendig. Ich konnte ihn nie ersetzen.«

Sie begann plötzlich zu weinen, ohne Aufhebens, beinahe lautlos. Wallander spürte einen Kloß im Hals. Er schob behutsam die Serviette zurück, die sie ihm gegeben hatte.

»Ich sehne mich manchmal danach, jemanden zu haben, mit dem ich trauern kann«, sagte sie, immer noch mit Tränen in den Augen. »Vielleicht kommt einem die Einsamkeit deshalb so schwer vor. Ist es nicht verrückt, dass man einen wildfremden Menschen ins Haus bitten muss, nur um jemanden zu haben, mit dem man weinen kann?«

»Ihr Sohn?«, fragte Wallander vorsichtig.

»Der lebt in Abisko. Das ist weit weg von hier. Einmal im Jahr kommt er her, manchmal allein, manchmal mit seiner Frau und ein paar von seinen Kindern. Er hat mir vorgeschlagen, dort hinaufzuziehen. Aber es ist zu weit im Norden, zu kalt. Alte Kellnerinnen haben geschwollene Beine und vertragen die Kälte nicht.«

»Was macht er in Abisko?«

»Es hat etwas mit dem Wald zu tun. Ich glaube, er zählt Bäume.«

Wallander überlegte rasch, ob Abisko weit entfernt lag von dem Wald, in dem Nyberg sich niederlassen wollte. Wahrscheinlich war es so. Lag Abisko nicht in Lappland?

»Aber Sie haben sich hier in Markaryd niedergelassen?«

»Ich habe als Kind einige Jahre hier gelebt, bevor wir nach Stockholm zogen. Ich wollte eigentlich nie hier weg. Ich bin wieder hergekommen, um zu zeigen, dass ich noch genauso starrköpfig bin. Außerdem ist es billig. Als Kellnerin häuft man kein Vermögen an.«

»Und Sie waren Ihr ganzes Leben lang Kellnerin?«

»Ja. Die ganzen Jahre. Tassen, Gläser, Teller, raus und rein, ein Fließband, das nie stillstand. Restaurants, Hotels, einmal sogar das Festessen zur Nobelpreisverleihung. Ich hatte die große Ehre, dem Schriftsteller Ernest Hemingway sein Essen zu servieren. Ein einziges Mal hat er einen Blick auf mich geworfen. Ich hätte ihm gerne gesagt, er solle ein Buch über das schreckliche Schicksal der Seeleute im Krieg schreiben. Aber natürlich habe ich es nicht getan. Ich glaube, es war 1954. Arne war auf jeden Fall schon lange tot. Gunnar kam in die Teenagerjahre.«

»Manchmal haben Sie auch in privaten Festlokalen serviert?«

»Ich habe gern gewechselt. Außerdem war ich eine, die nicht den Mund hielt, wenn der Oberkellner sich nicht so verhielt, wie es sich gehört. Ich habe es meinen Kolleginnen eingeschärft, nicht nur mir selbst, und das hatte natürlich zur Folge, dass ich häufig rausflog. In den Jahren habe ich mich auch gewerkschaftlich engagiert.«

»Lassen Sie uns von diesem Festlokal reden«, sagte Wallander, der den Augenblick für gekommen hielt. Er zeigte auf den Artikel.

Sie setzte die Brille auf, die an einer Schnur um ihren Hals hing, überflog den Artikel und legte ihn wieder zurück. »Zunächst möchte ich etwas zu meiner Verteidigung sagen«, begann sie mit einem Lachen. »Ich wurde sehr gut dafür bezahlt, diese unsympathischen Offiziere zu bedienen. Für eine arme Serviererin wie mich konnte ein Abend dort einen ganzen Monatslohn bedeuten, wenn man Glück hatte. Sie waren betrunken, wenn sie gingen, einige von ihnen warfen mit großen Scheinen nur so um sich. Da kam einiges zusammen.«

»Wo lag das Lokal?«

»Auf Östermalm. Steht das nicht in dem Artikel? Der Besitzer war ein Mann, der zuvor mit der Nazibewegung von

Per Engdahl zu tun hatte. Seine politischen Ansichten waren widerwärtig, aber er war ein guter Koch. Er hatte als privater Küchenchef für eine ganze Reihe hoher deutscher Offiziere gearbeitet, die nach Argentinien geflohen waren. Er hatte gut verdient, das Essen gekocht, nach dem sie verlangten, hatte Heil Hitler gerufen und war Ende der fünfziger Jahre nach Hause gefahren und hatte sich dieses Lokal gekauft. Alles, was ich hier sage, habe ich von Leuten gehört, die man eine sichere Quelle zu nennen pflegt.«

»Was waren das für Leute?«

Sie zögerte einen Augenblick, bevor sie antwortete. »Personen, die die Engdahl'sche Bewegung verlassen haben.«

Wallander ahnte, dass er Fanny Klarströms Hintergrund nicht ganz verstanden hatte. »Ist es richtig, wenn ich jetzt vermute, dass Sie nicht nur gewerkschaftlich aktiv, sondern auch politisch interessiert waren?«

»Ich war aktive Kommunistin. In gewisser Weise bin ich das immer noch. Die Idee einer solidarischen Welt ist noch immer die einzige, an die ich glauben kann. Die einzige politische Wahrheit, die man nicht in Frage stellen kann, meiner Meinung nach.«

»Hatte Ihre Wahl des Arbeitsplatzes damit zu tun?«

»Die Partei hatte mich gebeten. Es war nicht unwichtig zu wissen, worüber konservative Marineoffiziere redeten, wenn sie unter sich waren. Keiner rechnete damit, dass eine Kellnerin mit geschwollenen Beinen sich irgendetwas merkte von dem, was da geredet wurde.«

Wallander machte sich die Bedeutung dessen, was er gerade hörte, klar. »Gab es ein Risiko, dass das, was Sie zu hören bekamen, Unbefugten zur Kenntnis gebracht wurde?«

Ihr Tränenfluss war versiegt, sie betrachtete ihn beinahe belustigt. »›Unbefugten zur Kenntnis gebracht‹? Fanny Klarström ist nie Spionin gewesen, wenn Sie das meinen. Ich begreife nicht, warum Polizisten sich immer so geschraubt ausdrücken müssen. Ich habe mit meinen Genossen in der Parteigruppe gesprochen, das war alles. Genauso, wie andere über das Verhalten von Straßenbahnfahrern oder Verkäufern berichten konnten. In den fünfziger Jahren wurden wir nicht nur von den Bürgerlichen als potentielle Landesverräter betrachtet. Auch die Sozialdemokraten stimmten in den Chor ein. Aber das waren wir natürlich nie.«

»Dann vergessen wir die Frage. Aber ich bin Polizist, meine Frage ist nicht unbefugt.«

»Das ist über fünfzig Jahre her. Was damals gesagt und getan wurde, muss seit langem verjährt und heute ganz uninteressant sein.«

»Nicht ganz«, wandte Wallander ein. »Die Geschichte ist nicht nur etwas, was hinter uns liegt, sie ist auch etwas, was in unserer Gegenwart weiterwirkt.«

Er war nicht ganz sicher, ob sie verstanden hatte, was er meinte, und lenkte das Gespräch wieder auf den Zeitungsartikel. Er war sich darüber im Klaren, dass es bei Fanny Klarström ein aufgestautes Bedürfnis gab, mit jemandem zu reden, was das Gespräch natürlich in die Länge ziehen konnte.

Sah er in ihrer Situation seine eigene Zukunft? Der Gealterte, Einsame, der nach einem Menschen griff, der ihm über den Weg lief, und ihn festhielt, so lange es ging?

Sie hatte ein gutes Gedächtnis, die Kellnerin Fanny. Sie erinnerte sich an die meisten der Männer in Uniform mit verschiedenen Rangabzeichen, die auf dem Ausdruck zu sehen waren. Ihre Kommentare waren nadelspitz, oft boshaft. Da war zum Beispiel ein Korvettenkapitän Sunesson, der immer mit frechen Geschichten um sich geworfen hatte, die sie als »alles andere als witzig, höchstens plump« bezeichnete. Er war außerdem einer der größten Palmehasser gewesen und hatte ganz unverblümt verschiedene Arten von Liquidation für den »russischen Spion« vorgeschlagen.

»Ich habe eine grauenhafte Erinnerung an diesen Kapitän Sunesson«, sagte sie. »Zwei Tage nachdem Palme auf der Straße niedergeschossen worden war, hatten diese Offiziere ein Abendessen gebucht. Da erhob sich Sunesson und brachte einen Trinkspruch darauf aus, dass Olof Palme endlich so viel Vernunft gezeigt habe, nicht mehr unter den Lebenden zu verweilen und das Dasein aller anständigen Bürger zu verpesten. Ich erinnere mich noch genau an seine Worte, und es fehlte nicht viel, dass ich ihm etwas über den Kopf gegossen hätte. Es war ein abscheulicher Abend.«

Wallander zeigte auf von Enke. »Was wissen Sie von ihm?«

»Er gehörte zu den Angenehmeren. Er trank nicht zu viel, sagte selten etwas, hörte hauptsächlich zu. Er war auch einer der Höflichsten mir gegenüber. Er *sah* mich, um es einmal so zu sagen.«

»Aber der Hass auf Palme? Die Angst vor den Russen?«

»Die teilten sie alle. Alle fanden, dass Schweden natürlich der Nato beitreten sollte. Es war eine Schande, dass wir da herausgehalten wurden. Viele von ihnen waren außerdem der Meinung, dass Schweden so schnell wie möglich mit Atomwaffen ausgerüstet werden sollte. Wenn man ein paar U-Boote damit bestücken würde, könnte man die schwedischen Grenzen verteidigen. Bei allen diesen Gesprächen drehte es sich immer um einen Zweikampf zwischen Gott und dem Teufel.«

»Und der Teufel kam aus dem Osten?«

»Und die USA waren der Herrgott. Es wurde schon in den fünfziger Jahren oft darüber geredet, dass amerikanische Flugzeuge schwedisches Territorium überflogen, ohne dass unsere Radarstationen Alarm schlugen. Offenbar bestand ein geheimes Übereinkommen zwischen der Regierung und den Streitkräften, dass die amerikanischen Flieger unbehelligt operieren durften. Unsere Fluglotsen hatten gewisse Kodes, die die Amerikaner benutzten. Sie konnten also von

den Flugbasen in Norwegen abheben und Richtung Sowjetunion fliegen. Ich weiß noch, dass meine Genossen und ich
erregt darüber diskutierten.«

»Aber wie war das mit den U-Booten?«

»Die waren natürlich ein ständiges Gesprächsthema.«

»Das U-Boot, das vor Karlskrona auf Grund lief? Und die
in Hårsfjärden?«

Ihre Antwort überraschte ihn. »Das waren doch zwei
ganz verschiedene Dinge.«

»Wieso?«

»Vor Karlskrona lief ein russisches U-Boot auf Grund.
Aber was sich unter der Oberfläche von Hårsfjärden verbarg, dafür gab es nie irgendeinen Beweis. Und das war wohl
auch nicht beabsichtigt.«

»Was meinen Sie damit?«

»Manchmal tranken sie auf das Wohl des armen Kapitäns. Wie hieß er noch mal?«

»Guschtschin.«

»Ja, genau. Der Gusche, das arme Schwein, sagten sie. Der
so besoffen war, dass er sein U-Boot auf die schwedischen
Felsen setzte. Jetzt hatte man das russische U-Boot, das man
haben wollte. Nicht wahr? Es bestand kein Zweifel mehr daran, dass es die Russen waren, die in den schwedischen Gewässern ihr Versteckspiel trieben. Aber wenn es um Hårsfjärden ging, tranken sie nie auf das Wohl eines russischen
Kapitäns. Verstehen Sie?«

»Meinen Sie, dass es keine Russen waren, die sich dort
unter der Oberfläche der Bucht herumtrieben?«

»Es gibt kaum einen Beweis. Weder für das eine noch für
das andere.«

Fanny Klarström erzählte lebhaft und anschaulich von
Dingen, über die Wallander nicht viel wusste. Begriffe wie
»Kalter Krieg« oder »Blockfreiheit« waren für ihn immer
Wortkombinationen ohne bestimmten Inhalt gewesen. Dass
seine historischen Kenntnisse äußerst begrenzt waren,

wusste er und stritt es auch nicht ab. Auch früher in seinem Leben war er nie besonders interessiert gewesen.

Aber jetzt hörte er Fanny Klarström aufmerksam zu. »Russland war also der Feind«, sagte er.

»Keiner unserer Militärs hatte eine andere Meinung. Wenn die Offiziere sich trafen, redete man so, als lägen wir schon im Krieg mit den Russen. Der Tatsache, dass die USA eine ebenso große Bedrohung unserer Souveränität darstellten, maß man keine Bedeutung bei.«

»Was sollten diese Offiziersessen eigentlich bezwecken?«

»Gut zu essen und zu trinken und schlecht über die Politiker zu reden, die ›eine Bedrohung der nationalen Souveränität Schwedens darstellten‹. Genau diese Worte wurden immer wieder benutzt. Die Sozialdemokraten waren der Hauptfeind. Auch wenn alle wussten, dass Palme ein überzeugter Sozialdemokrat war, wurde er in diesen Kreisen stets ›Kommunist‹ genannt.«

Fanny Klarström stand auf, trotz Wallanders Protesten, und kochte frischen Kaffee. Ihm grummelte schon der Magen. Als sie zurückkam, erzählte er vom eigentlichen Grund seines Besuchs in Markaryd.

»Hat nicht etwas von diesem verschwundenen Paar in den Zeitungen gestanden?«, fragte sie, als er geendet hatte.

»Die Frau, Louise, ist vor kurzem tot in der Nähe von Stockholm aufgefunden worden.«

»Die Ärmste. Was ist passiert?«

»Wahrscheinlich ist sie ermordet worden.«

»Und warum?«

»Darauf gibt es noch keine Antwort.«

»Und ihr Mann ist also der hier auf dem Bild?«

»Håkan von Enke. Falls Sie sich an mehr erinnern können, was ihn betrifft, würde ich es gern hören.«

Sie dachte nach, betrachtete eingehend das Bild. »Er ist einer von denen, an die man sich nur schwer erinnert. Ich glaube, was ich weiß, habe ich schon gesagt. Vielleicht sagt das auch etwas über ihn. Er hat nicht viel Wesens von sich gemacht, saß oft still dabei, gehörte nicht zu den Typen, die am meisten tranken und am meisten schwadronierten. In meiner Erinnerung lächelte er ständig.«

Wallander zog die Stirn in Falten. Konnte es sein, dass ihre Erinnerung sie trog? »Sind Sie sicher, dass er lächelte? Mein Eindruck war, dass er ein sehr ernster Mann war.«

»Ich kann mich irren. Aber ich bin sicher, dass er nicht zu den schlimmsten Kriegshetzern gehörte. Im Gegenteil, ich glaube, er gehörte zu der kleinen Minderheit, die manchmal versuchte, die Sache des Friedens zu vertreten. Dass ich mich daran erinnere, liegt natürlich daran, dass mich das interessierte.«

»Was?«

»Der Frieden. Ich gehörte schon in den fünfziger Jahren zu denen, die verlangten, dass Schweden auf Atomwaffen verzichten sollte.«

»Håkan von Enke sprach also vom Frieden?«

»Soweit ich mich erinnere. Aber es ist lange her.«

»Wissen Sie sonst noch etwas?«

Wallander sah ihr an, dass sie sich bemühte. Er nippte nur noch am Kaffee und knabberte an einem Zwieback. Plötzlich löste sich eine Plombe in seinem Mund. Sofort spürte er ein Ziehen im Zahn. Er wickelte die Plombe in eine Papierserviette und steckte sie ein. Es war mitten im Sommer. Sein Zahnarzt war bestimmt im Urlaub, und Wallander würde zu einer Ambulanz weitergeschickt werden. Irritiert dachte er, dass sein Körper immer mehr zerfiel. Ein Teil nach dem anderen wurde losgeschüttelt. Wenn die wichtigsten Teile zu funktionieren aufhörten, würde eines Tages alles vorbei sein.

»Amerika«, sagte Fanny Klarström plötzlich. »Ich wusste doch, dass da noch etwas war.«

Ein Ereignis hatte sie tief beeindruckt und sich ihr deshalb auch klar eingeprägt. »Es war bei einer der letzten dieser Veranstaltungen, bei denen ich dabei war. Anscheinend waren Wünsche laut geworden, dass man jüngere Damen mit kurzen Röcken und weniger geschwollenen Beinen um sich haben wollte. Mir war es egal, weil ich es sowieso kaum noch ertrug, diesen Herren ihre Getränke und Gerichte zu servieren. Sie trafen sich am ersten Dienstag eines jeden Monats. Es muss 1987 gewesen sein, im Frühjahr. Ich weiß das, weil ich mir den kleinen Finger an der linken Hand gebrochen hatte und lange nicht arbeiten konnte. An diesem Dienstagabend arbeitete ich zum ersten Mal wieder nach meiner Krankschreibung. Es war im März. Der Kaffee mit dem Cognac wurde immer in einem düsteren Zimmer mit Ledersesseln und dunklen Bücherregalen eingenommen. Ich habe immer gern gelesen. Einmal, als ich etwas früher gekommen war, vor dem Eindecken, ging ich in dieses Zimmer und sah mir die Regale an. Da entdeckte ich zu meiner Verblüffung, dass die Bücher nur Attrappen waren, Buchrücken ohne Inhalt. Anscheinend hatte der Besitzer, oder vielleicht der Innenarchitekt, den er beauftragt hatte, diese falschen Bücher in einem Requisitenlager gekauft. Ich weiß noch, wie mein Respekt vor diesen Menschen einen weiteren gehörigen Knacks bekam.«

Sie richtete sich in ihrem Sessel auf, als müsste sie sich selbst korrigieren, um nicht den Faden zu verlieren. »Plötzlich begann einer von ihnen von Spionen zu reden«, fuhr sie fort. »Ich ging gerade mit einer Flasche teurem Cognac herum und servierte. Dass sie über Spione sprachen, war nichts Ungewöhnliches. Wennerström war ihr Lieblingsobjekt. Wenn sie genügend intus hatten, meldeten einige sich freiwillig, um ihn zu ermorden. Ich erinnere mich an einen Admiral, ich glaube, von Hartman hieß er, der fand, dass Wennerström mit der Saite einer Balalaika langsam erdrosselt werden sollte. Plötzlich begann von Enke zu sprechen. Er stellte die Frage, warum es niemanden kümmerte, dass in Schweden möglicherweise auch Spione für die USA tätig waren. Da bekam er aber Gegenfeuer. Es artete zu einem üblen Streit aus, bei dem mehrere der Offiziere seine Loyalität in Zweifel zogen. Natürlich waren alle mehr oder weniger betrunken, außer vielleicht von Enke. Er war auf jeden Fall so aufgebracht, dass er aufstand und die Versammlung verließ. Das war an all den Abenden, die ich dort bedient hatte, noch nie vorgekommen. Ob er später wieder dabei gewesen ist, weiß ich nicht, weil dann die jungen schönen Serviererinnen die Arbeit übernahmen. Dass ich mich so gut daran erinnere, hat natürlich damit zu tun, dass meine Freunde und ich genauso dachten. Wenn die Russen Spione in Schweden hatten, was bestimmt der Fall war, dann waren die Amerikaner natürlich nicht untätig. Aber das wollten diese Offiziere partout nicht einsehen. Oder sie wollten ihre Einsicht nicht wahrhaben.«

Sie stand auf, um Kaffee nachzuschenken. Wallander legte die Hand über die Tasse. Als sie sich wieder gesetzt hatte, bemerkte er ihre geschwollenen Beine und Krampfadern. Er meinte, sie dort vor sich zu sehen, zwischen den Offizieren im Festlokal.

»Das ist alles, was ich noch weiß«, sagte sie. »Kann es Ihnen weiterhelfen?«

»Ganz bestimmt«, sagte Wallander. »Jede Information, die wir bekommen, vergrößert unsere Chancen, das Geschehene aufzuklären.«

Sie nahm ihre Brille ab und betrachtete ihn forschend. »Ist er auch tot?«

»Das wissen wir nicht.«

»Kann er sie getötet haben?«

»Das wissen wir auch nicht. Aber natürlich ist alles möglich.«

»So ist es ja meistens«, seufzte sie. »Die Männer bringen ihre Frauen um. Manchmal geben sie vor, sie hätten sich anschließend selbst das Leben nehmen wollen. Aber viele wagen es nicht.«

»Ja«, sagte Wallander. »Das geschieht häufig. Wenn es drauf ankommt, erweisen viele Männer sich als ziemlich feige.«

Sie begann plötzlich wieder zu weinen, kaum merkbar liefen ihr die Tränen über die Wangen. Wallander spürte erneut den Kloß im Hals. Hier sitzt sie inmitten all ihrer schweigenden Fotografien, dachte er. Die Einsamkeit ist ihre einzige Gesellschaft.

»Früher habe ich nie geweint«, sagte sie und wischte sich die Wangen ab. »Aber er kommt immer öfter zurück zu mir, mein Mann, je älter ich werde. Ich glaube, er wartet auf mich, da unten in der Tiefe, er zieht mich. Bald folge ich ihm nach. Es kommt mir vor, als hätte ich mein Leben zu Ende gelebt. Dennoch geht es weiter, es schlägt und schlägt, das alte müde Herz. Nach dem eigenen Herbst kommt für andere der März.«

»Fast ein Gedicht«, sagte Wallander.

»Ich weiß«, sagte sie und lachte. »Eine alte Tante, die in einsamen Stunden poetischen Gedanken nachhängt.«

Wallander stand auf und bedankte sich. Sie bestand darauf, ihn zum Auto zu begleiten, obwohl er sah, dass ihr die Beine wehtaten. Der Mann mit dem Rasenmäher war verschwunden.

»Mit dem Sommer kommt die Sehnsucht«, sagte sie und griff nach seiner Hand. »Mein Mann ist seit über sechzig Jahren tot. Dennoch spüre ich manchmal eine intensive Sehnsucht nach ihm, wie damals, als wir uns gerade begegnet waren, in den wenigen Jahren, die wir zusammen hatten. Kann ein Polizist etwas Ähnliches erleben?«

»Das kann er«, sagte Wallander. »Das kann er unbedingt.«

Sie winkte, als er davonfuhr. Ein Mensch, den ich nie wiedersehen werde, dachte er. Er ließ die Ortschaft und die Wehmut, die der Besuch bei Fanny Klarström in ihm ausgelöst hatte, hinter sich. Aber er konnte nicht aufhören, daran zu denken, was sie über Männer gesagt hatte, die ihre Frauen töten und dann zu feige sind, sich selbst das Leben zu nehmen. Dass Håkan von Enke Louise getötet haben konnte, war einer der ersten Gedanken gewesen, die Wallander nach seinem Treffen mit Herman Eber gehabt hatte. Es gab kein Motiv, keine Beweise, keine Spuren. Aber es war, als hätte ihn Fanny Klarström, indem sie die Worte ausgesprochen hatte, dazu gezwungen, sich der brüchigen Hypothese wieder zuzuwenden. Während er durch die småländischen Wälder fuhr, stellte er sich eine Ereigniskette vor, an deren Ende Louise von ihrem Mann getötet wurde.

Als er zu Hause ankam, war ihm jedoch nichts wirklich klarer geworden.

An diesem Abend lag er lange wach und dachte an Fanny Klarström, bevor er einschlief.

26

Wallander hatte noch geschlafen, als das Telefon schrillte. Es war der alte Apparat seines Vaters, den er aus sentimentalen Gründen an sich genommen hatte, als das Haus seines Vaters in Löderup ausgeräumt worden war. Er wollte es klingeln lassen, stand dann aber doch auf und nahm ab. Es war eine der neuen jungen Frauen in der Anmeldung des Polizeipräsidiums. Ebba, die in all den Jahren dort gesessen hatte, war inzwischen pensioniert und mit ihrem Mann in die Nähe von Malmö gezogen, wo ihre Kinder lebten. Wallander konnte sich nie an den Namen der Neuen gewöhnen, vielleicht hieß sie Anna, er war nicht sicher.

»Hier ist eine Frau, die deine Adresse haben möchte«, sagte sie. »Ich will sie ihr aber nur geben, wenn du einverstanden bist. Sie ist Ausländerin.«

»Natürlich«, sagte Wallander. »Alle Frauen, die ich kenne, sind Ausländerinnen.«

Er blieb am Telefon und konnte beim dritten Anlauf einen Zahnarzt erreichen, der ihm noch am gleichen Vormittag einen Termin gab.

Es war beinahe zwölf, als er von seinem Zahnarztbesuch zurückkam. Er dachte schon ans Mittagessen, als es an der Haustür klopfte. Er wusste sofort, wer die Frau vor der Tür war, obwohl sie sich verändert hatte. Es waren viele Jahre vergangen, seit er sie zuletzt gesehen hatte, Baiba Liepa aus Riga in Lettland. Aber sie war es, wenn auch älter und blasser.

»Herrgott«, sagte er. »Du warst es also, die nach meiner Adresse gefragt hat?«

»Ich will nicht stören.«

»Wieso solltest du stören?«

Er zog sie an sich, umarmte sie und spürte, dass sie sehr mager geworden war. Fünfzehn Jahre waren vergangen seit ihrer kurzen und intensiven Liebesgeschichte. Und es war sicher zehn Jahre her, seit sie zuletzt voneinander gehört hatten. Da war Wallander betrunken gewesen und hatte sie mitten in der Nacht angerufen. Hinterher hatte er es natürlich bereut und sich vorgenommen, sie nie wieder zu behelligen. Aber als sie jetzt vor ihm stand, wallten die Gefühle wieder auf. Es war die größte Leidenschaft seines Lebens gewesen. Die Begegnung mit ihr hatte ihm seine lange Beziehung zu Mona in einem ganz anderen Licht erscheinen lassen. Mit Baiba hatte er eine Sinnlichkeit erlebt, wie er sie vorher nicht für möglich gehalten hatte. Damals war er bereit gewesen, ein neues Leben zu beginnen. Er hatte sie heiraten wollen, aber sie hatte nein gesagt. Sie wollte nicht noch einmal mit einem Polizisten zusammenleben und vielleicht ein zweites Mal Witwe werden.

Jetzt standen sie sich in seinem Wohnzimmer gegenüber. Er konnte kaum glauben, dass es wirklich Baiba war, die zurückgekommen war, von irgendwoher, weit entfernt in Zeit und Raum.

»Ich habe nicht geglaubt, dass wir uns einmal wiedersehen würden«, sagte er.

»Du hast nie von dir hören lassen.«

»Nein. Das stimmt. Ich habe eingesehen, dass es vorbei war.«

Er führte sie zum Sofa und setzte sich neben sie. Plötzlich befiel ihn eine Ahnung, dass mit ihr nicht alles stimmte. Sie war zu blass, zu mager, vielleicht auch zu müde und zu schwerfällig in den Bewegungen.

Sie las seine Gedanken, wie sie es immer getan hatte, und nahm seine Hand. »Ich wollte dich treffen«, sagte sie. »Man glaubt, dass Menschen für immer verschwunden sind. Aber eines Tages wacht man auf und weiß, dass nichts vorbei ist. Von Menschen, die einem viel bedeutet haben, kann man sich nie ganz und gar befreien.«

»Du hast einen besonderen Grund dafür, dass du kommst«, sagte Wallander. »Dass du überhaupt kommst und dass du jetzt kommst.«

»Ich möchte gern einen Tee«, sagte sie. »Bist du sicher, dass ich nicht störe?«

»Hier ist nur ein Hund«, sagte Wallander. »Das ist alles.«

»Wie geht es deiner Tochter?«

»Weißt du noch ihren Namen?«

Baiba sah gekränkt aus. Wallander fiel ein, wie leicht sie gekränkt war.

»Dachtest du wirklich, ich hätte Linda vergessen?«

»Ich dachte eher, dass alles, was mit mir zu tun hatte, ausgelöscht wäre.«

»Eins an dir hat mir nie gefallen. Dass du so dramatisch werden konntest, wenn es um etwas Ernstes ging. Wie sollte man einen Menschen, den man einmal geliebt hat, ›auslöschen‹ können?«

Wallander war aufgestanden und ging in die Küche, um Tee zu machen.

»Ich komme mit in die Küche«, sagte sie.

Als Wallander sah, welche Anstrengung sie das Aufstehen kostete, wusste er, dass sie krank war.

Sie nahm einen Topf und setzte Teewasser auf, als fühlte sie sich in seiner Küche sofort zu Hause. Er holte die Tassen heraus, die er von seiner Mutter geerbt hatte, das Einzige, was ihm von ihr geblieben war. Sie setzten sich an den Küchentisch.

»Du wohnst schön«, sagte sie. »Ich erinnere mich, dass du schon immer aufs Land hinausziehen wolltest. Aber ich habe dir wohl nie geglaubt.«

»Ich habe selbst nicht geglaubt, dass einmal etwas daraus würde. Oder dass ich mir einen Hund anschaffen würde.«

»Wie heißt sie?«

»Es ist ein Rüde. Er heißt Jussi.«

Das Gespräch verebbte. Er betrachtete sie verstohlen. Das kräftige Sonnenlicht, das durchs Fenster fiel, ließ ihre ausgemergelten Züge noch markanter hervortreten.

»Ich selbst habe Riga nie verlassen«, sagte sie plötzlich. »Zweimal hatte ich Glück und habe durch Tausch eine bessere Wohnung bekommen. Aber für mich ist der Gedanke, auf dem Land zu leben, beinahe unerträglich. Als Kind war ich einige Jahre lang bei den Eltern meines Vaters. Es war ein Leben in Armut, das ich immer mit dem Landleben in Lettland verbinde. Es ist vielleicht ein Bild, das heute nicht mehr stimmt, aber ich werde es nicht los.«

»Du hast damals an der Universität gearbeitet. Was machst du jetzt?«

Sie antwortete nicht direkt, trank langsam und vorsichtig ihren Tee und schob dann die Tasse zur Seite. »Ich bin eigentlich Ingenieurin«, sagte sie. »Hast du das vergessen? Als wir zusammen waren, arbeitete ich an Übersetzungen für die technische Hochschule. Aber das mache ich jetzt nicht mehr. Nicht jetzt, wo ich krank bin.«

»Was ist mit dir?«

Sie antwortete still, als wäre das, worüber sie sprach, nicht besonders ernst. »Es ist tödlich. Ich habe Krebs. Aber ich möchte nicht weiter darüber sprechen. Kann ich mich ein wenig hinlegen und mich ausruhen? Ich nehme schmerzstillende Mittel, die so stark sind, dass ich davon fast einschlafe.«

Sie ging zum Sofa, aber Wallander lotste sie ins Schlafzimmer, wo er vor einigen Tagen das Bettzeug gewechselt hatte. Er strich das Bett glatt, bevor sie sich hinlegte. Ihr Kopf verschwand fast im Kissen.

Sie lächelte schwach, wie von einer Erinnerung. »Habe ich in diesem Bett nicht schon einige Mal gelegen?«

»Du hast ganz recht. Das Bett ist alt.«

»Dann denke ich daran und schlafe eine Weile. Nur eine Stunde. Im Präsidium sagten sie, du hättest Urlaub.«

»Du kannst schlafen, so lange du willst.«

Er war nicht sicher, ob sie ihn noch hörte oder ob sie schon eingeschlafen war. Warum kommt sie zu mir?, dachte er. Mehr Tod und Elend ertrage ich nicht, Frauen, die sich totsaufen, Schwiegermütter, die ermordet werden. Er schämte sich sofort des Gedankens, setzte sich vorsichtig auf die Bettkante am Fußende und sah sie an. Die Erinnerung an die große Liebe kehrte zurück und wühlte ihn so auf, dass er beinahe bebte. Ich will nicht, dass sie stirbt, dachte er, ich will, dass sie am Leben bleibt. Vielleicht wäre sie heute bereit, noch einmal mit einem Polizisten zusammenzuleben?

Wallander ging nach draußen und setzte sich auf einen der Gartenstühle. Nach einer Weile ließ er Jussi aus seinem Zwinger. Baiba war in einem alten Citroën mit lettischem Kennzeichen gekommen. Er schaltete sein Handy ein und sah, dass Linda angerufen hatte.

Sie freute sich, seine Stimme zu hören. »Ich wollte nur erzählen, dass Hans einen Bonus bekommt. Ein paar hunderttausend Kronen. Das bedeutet, dass wir das Haus umbauen können.«

»Hat er das Geld wirklich verdient?«, fragte Wallander säuerlich.

»Warum denn nicht?«

Wallander erzählte, dass Baiba zu Besuch gekommen war. Linda hörte zu, wie er von der Frau erzählte, die jetzt in seinem Bett lag und schlief.

»Ich habe ein Foto von ihr gesehen«, sagte Linda. »Du hast von ihr erzählt, vor vielen Jahren. Aber Mama zufolge war sie nur eine lettische Prostituierte.«

Wallander wurde wütend. »Deine Mutter kann manchmal wirklich ekelhaft sein. So etwas zu behaupten ist schäbig. Baiba hat in vieler Hinsicht genau die Qualitäten, die Mona fehlen. Wann hat sie das gesagt?«

»Wie soll ich das noch wissen?«

»Ich werde sie anrufen und ihr sagen, dass sie nie wieder Kontakt zu mir aufnehmen soll.«

»Was wird denn davon besser? Sie war wahrscheinlich eifersüchtig. Dann sagt man so etwas.«

Wallander sah widerwillig ein, dass Linda recht hatte, und beruhigte sich. Jetzt erzählte er ihr auch, dass Baiba krank war.

»Ist sie gekommen, um Adieu zu sagen?«, fragte Linda. »Das klingt traurig.«

»Es war auch mein erster Gedanke. Ich war erstaunt und erfreut zugleich, sie zu sehen. Aber dann dauerte es nur ein paar Minuten, bis ich niedergeschlagen war. Ich habe im Moment das Gefühl, als wäre ich nur von Tod und Elend umgeben.«

»Das Gefühl hattest du immer«, sagte Linda. »Es war das Erste, worüber wir an der Polizeihochschule gesprochen haben. Was für ein Berufsleben würde uns in der Zukunft erwarten? Aber vergiss nicht, jetzt hast du Klara.«

»Das meine ich nicht«, sagte Wallander. »Es ist das Gefühl des Alters, das sich anschleicht und die Klauen nach meinem Nacken ausstreckt. Die Reihen der Freunde um mich her werden sich lichten. Als mein Vater starb, war ich der Nächste in der Reihe, wenn du verstehst, was ich meine. Klara ist die Allerletzte in der Lebenslinie, und ich stehe ganz vorn.«

»Wenn Baiba zu dir gekommen ist, dann bedeutest du ihr etwas. Das ist das einzig Wichtige.«

»Komm her«, sagte Wallander. »Ich möchte, dass du einmal die Frau treffen sollst, die mir wirklich etwas bedeutet hat.«

»Neben Mona?«

»Das versteht sich von selbst.«

Linda überlegte einen Moment. »Ich habe Besuch von einer Freundin«, sagte sie dann. »Rakel, erinnerst du dich an sie? Sie ist inzwischen Polizistin in Malmö. Sie und Klara kommen gut miteinander zurecht.«

»Bringst du Klara nicht mit?«

»Ich komme allein, und ziemlich bald.«

Es war drei Uhr geworden, als Linda auf den Hof schlitterte und eine Vollbremsung brauchte, um nicht auf Baibas Wagen aufzufahren. Wallander machte sich ständig Sorgen, weil sie zu schnell fuhr. Gleichzeitig war er froh, wenn sie nicht das Motorrad nahm. Das sagte er ihr auch. Sie antwortete mit einem Fauchen.

Baiba war aufgewacht und hatte etwas Wasser und noch eine Tasse Tee getrunken. Wallander hatte heimlich zugesehen, wie sie sich eine Spritze in den Schenkel gegeben hatte. Einen kurzen Augenblick lang hatte er ihre Nacktheit gesehen und Verzweiflung in sich aufwallen fühlen über all das, was vorbei war, was nie wiederholt, nie neu erlebt werden konnte.

Sie verbrachte eine lange Zeit im Badezimmer. Als sie herauskam, wirkte sie weniger müde. Es war ein großer und bemerkenswerter Augenblick für ihn, als Baiba und Linda sich begrüßten. Wallander hatte das Gefühl, jetzt die Baiba zu sehen, die er vor so vielen Jahren in Lettland getroffen hatte.

Als wäre es das Natürlichste auf der Welt, umarmte Linda sie und sagte, dass sie sich freue, endlich die große Liebe ihres Vaters kennenzulernen. Wallander war verlegen, aber gleichzeitig froh darüber, sie zusammen zu sehen. Wenn Mona da gewesen wäre, trotz seiner augenblicklichen Wut auf sie, und wenn Linda Klara auf dem Arm gehabt hätte, wären die vier wichtigsten und auf ihre Weise einzigen Frauen seines Lebens um ihn versammelt gewesen. Ein großer Tag, dachte er, mitten im Sommer, mitten in einer Zeit, da das Alter heimtückisch immer näher heranschleicht.

Als Linda hörte, dass Baiba noch nichts gegessen hatte, schickte sie Wallander in die Küche, um ein Omelett zu machen. Durch das offene Fenster hörte er Baiba lachen. Das rief noch stärkere Erinnerungen in ihm wach, Tränen traten ihm in die Augen, und er dachte, dass er im Begriff war, sentimental zu werden. Das war früher nur vorgekommen, wenn er betrunken war.

Sie aßen im Garten und wanderten mit dem Schatten. Wallander hörte hauptsächlich zu, und Linda stellte Fragen nach Lettland, das sie nicht kannte. Für einen kurzen Moment entsteht eine Familie, dachte er. Bald ist es vorbei. Und die Frage, die schwerste von allen, ist, was davon bleibt.

Nach einer guten Stunde musste Linda nach Hause. Sie hatte ein Foto von Klara mitgebracht und zeigte es Baiba.

»Sie kann ihrem Großvater ähnlich werden«, sagte Baiba.

»Um Gottes willen«, sagte Wallander.

»Glaub ihm nicht«, sagte Linda. »Er wünscht sich nichts sehnlicher, als dass Klara wird wie er. Wir sehen uns wieder«, sagte sie, als sie aufstand, um nach Hause zu fahren.

Baiba antwortete nicht. Vom Tod hatten sie nicht gesprochen.

Sie blieben vor dem Haus sitzen und begannen plötzlich, von ihrem Leben zu erzählen. Baiba stellte viele Fragen, und er antwortete, so gut er konnte. Beide lebten allein. Baiba hatte vor zehn Jahren versucht, eine Beziehung mit einem Arzt aufzubauen, aber nach einem halben Jahr aufgegeben. Sie hatte keine Kinder. Wallander wurde nicht klar, ob sie es bedauerte.

»Mein Leben ist gut gewesen«, sagte sie mit Nachdruck. »Als endlich die Grenzen geöffnet wurden, konnte ich reisen. Ich lebte sparsam, schrieb Zeitungsartikel und beriet Unternehmen, die sich in Lettland etablieren wollten. Am besten wurde ich von einer schwedischen Bank bezahlt, die jetzt die größte in Lettland ist. Zweimal im Jahr bin ich verreist, und ich weiß sehr viel mehr über die Welt, in der ich lebe, als damals, als wir zusammen waren. Ich habe ein gutes Leben gehabt, einsam, aber gut.«

»Mich hat es immer gequält, allein aufzuwachen«, sagte Wallander und fragte sich, ob das eigentlich stimmte.

Baiba lachte, als sie antwortete. »Ich habe allein gelebt, abgesehen von der kurzen Periode mit dem Arzt. Aber das heißt ja nicht, dass ich immer allein aufgewacht bin. Man muss ja nicht zölibatär leben, nur weil man keine feste Beziehung hat.«

Wallander spürte einen Stich von Eifersucht, als er sich fremde Männer an Baibas Seite in ihrem Bett vorstellte. Aber er sagte natürlich nichts.

Plötzlich begann Baiba, von ihrer Krankheit zu erzählen. Sie war, wie sie immer gewesen war, wenn es um etwas Ernstes ging, sachlich. »Es fing mit einer plötzlichen Müdigkeit an«, sagte sie. »Aber ziemlich bald ahnte ich, dass dahinter etwas Bedrohliches war. Zunächst fanden die Ärzte nichts. Ausgebranntsein, Alter, keiner hatte eine Antwort, die mich überzeugt hätte. Ich besuchte schließlich einen Spezialisten in Bonn, einen Mann, der sich auf Fälle spezialisiert hatte, bei denen andere Ärzte keine Diagnose stellen konnten. Nach tagelangen Tests und Biopsien konnte er mir sagen, dass ich einen seltenen Tumor in der Leber hatte. Ich fuhr nach Riga zurück und hatte das Todesurteil wie einen unsichtbaren Stempel in meinem Pass. Ich gebe gern zu, dass ich alle meine Beziehungen nutzte, und nach sehr kurzer Zeit bekam ich einen Operationstermin. Aber es war zu spät. Der Tumor hatte schon gestreut. Vor einigen Wochen erfuhr ich, dass ich jetzt auch Metastasen im Gehirn habe. Es ist weniger als ein Jahr vergangen. Ich werde Weihnachten nicht mehr erleben, ich sterbe irgendwann im Herbst. Die Zeit, die mir noch bleibt, versuche ich so zu nutzen, wie es mir gefällt. Ich möchte noch ein paar Orte in der Welt sehen, einige Menschen besuchen. Du bist einer von ihnen, vielleicht der, den ich am liebsten wiedersehen wollte.«

Wallander brach plötzlich in Tränen aus. Sie nahm seine Hand, was die Situation für ihn noch schwerer machte. Er stand auf und ging zur Rückseite des Hauses, bis er sich wieder gefasst hatte.

»Ich bin nicht gekommen, um dich traurig zu machen«, sagte sie. »Ich hoffe, du verstehst, warum ich herkommen musste.«

»Ich habe die Zeit nie vergessen«, sagte er. »Oft habe ich sie mir zurückgewünscht. Jetzt, wo du hier bist, muss ich dich etwas fragen. Hast du es jemals bereut?«

»Dass ich nicht ja gesagt habe, als du mich heiraten wolltest?«

»Die Frage bewegt mich ständig.«

»Nie. Was damals richtig war, muss auch heute richtig bleiben, nach all den Jahren.«

Wallander verstand sie. Warum sollte sie überhaupt darüber nachgedacht haben, einen ausländischen Polizisten zu heiraten, wo ihr Mann, der auch Polizist war, gerade ermordet worden war? Wallander erinnerte sich, wie er versucht hatte, sie zu überreden. Aber wie hätte er selbst reagiert, wenn die Rollen vertauscht gewesen wären? Welche Wahl hätte er getroffen?

Sie schwiegen lange. Schließlich stand Baiba auf, strich Wallander über den Kopf und verschwand im Haus. Weil er gesehen hatte, dass ihre Schmerzen wiederkamen, nahm er an, dass sie sich wieder eine Spritze gab. Als sie nicht zurückkam, ging er ins Haus. Sie war auf seinem Bett eingeschlafen. Spät am Nachmittag wachte sie auf, und nachdem ihre Verwirrung sich gelegt hatte, fragte sie, ob sie über Nacht bleiben könne. Sie würde am Morgen eine Fähre nach Polen nehmen und von dort aus nach Hause fahren.

»Es ist zu weit für dich mit dem Auto«, sagte Wallander erregt. »Ich bringe dich nach Hause und fliege zurück.«

Sie schüttelte den Kopf und erwiderte, sie wolle allein zurückfahren, wie sie auch gekommen sei. Als Wallander insistierte, wurde sie plötzlich ärgerlich und schrie ihn an. Doch sie verstummte sofort und entschuldigte sich. Er setzte sich auf die Bettkante und nahm ihre Hand.

»Ich weiß, was du denkst«, sagte sie. »Wie lange noch? Wann stirbt Baiba? Hätte ich die geringste Vorahnung, dass es so weit ist, würde ich nicht bleiben. Ich wäre nicht einmal gekommen. Aber ich habe wohl noch ein paar Monate. Wenn ich spüre, dass das Ende sich unwiderruflich nähert, werde ich die Qual nicht verlängern. Ich habe sowohl Tabletten als auch Injektionen. Ich will mit einer Flasche Champagner an meinem Bett sterben. Ich werde darauf trinken, dass ich dieses seltsame Abenteuer erleben durfte, geboren zu werden, zu leben und eines Tages wieder ins Dunkel zu verschwinden.«

»Hast du keine Angst?«

Wallander hätte sich sofort auf die Zunge beißen mögen. Wie konnte er einem todkranken Menschen eine solche Frage stellen? Aber sie nahm es gelassen. Er dachte mit einer Mischung aus Scham und Verzweiflung, dass sie sich wohl vor langer Zeit schon an seine ungeschickte Art gewöhnt hatte, die jedoch äußerst selten böse gemeint war.

»Nein«, sagte Baiba. »Angst habe ich nicht. Meine Zeit ist zu kurz. Ich kann sie nicht mit etwas vergeuden, was alles nur schlimmer macht.«

Sie stand auf und ging durch sein Haus. Beim Bücherregal blieb sie stehen. Sie hatte ein Buch über Lettland entdeckt, das sie ihm geschenkt hatte. »Hast du es jemals geöffnet?«, fragte sie lächelnd.

»Viele Male«, entgegnete Wallander.

Und das stimmte.

Später sollte Wallander die vierundzwanzig Stunden mit Baiba als einen Raum empfinden, in dem alle Uhren stehen geblieben zu sein schienen und alle Bewegungen aufgehört hatten. Sie aß sehr wenig, lag meistens auf dem Bett, mit einem Laken zugedeckt, gab sich ihre Spritzen und wollte ihn in der Nähe haben. Er legte sich zu ihr, sie wachten, redeten, waren ebenso oft still, wenn sie zu müde wurde für ein Gespräch oder ganz einfach eingeschlafen war. Manchmal schlief auch Wallander ein und fuhr nach ein paar Minuten mit einem Ruck hoch, nicht gewohnt, jemanden so nah bei sich zu haben.

Sie sprachen von den Jahren, die vergangen waren, von der erstaunlichen Entwicklung, die in ihrem Land stattgefunden hatte.

»Damals wussten wir nichts«, sagte sie. »Erinnerst du dich an die sowjetischen Schwarzen Baskenmützen, die bei manchen Gelegenheiten in Riga wie wild um sich schossen? Heute gestehe ich, dass ich damals nicht daran geglaubt habe, die Sowjets würden uns loslassen. Ich stellte mir vor, die Unterdrückung würde noch härter werden. Am schlimmsten war, dass niemand wusste, wem er trauen konnte. Hatten unsere Nachbarn einen Vorteil von unserer Freiheit? Oder fürchteten sie sie? Wer berichtete dem KGB, der überall präsent war – ein einziges riesiges Ohr, dem niemand entgehen konnte? Heute weiß ich, dass ich mich geirrt habe, und ich bin dankbar dafür. Allerdings weiß keiner, wohin Lettlands Weg führt. Der Kapitalismus löst nicht die Probleme des Sozialismus oder der Planwirtschaft, die Demokratie löst auch nicht alle wirtschaftlichen Krisen. Ich glaube, dass wir im Moment über unsere Verhältnisse leben.«

»Spricht man nicht von den Baltischen Tigern?«, fragte Wallander. »Staaten, die ebenso erfolgreich sind wie die Länder in Asien?«

Sie schüttelte mit finsterer Miene den Kopf. »Wir leben von geliehenem Geld. Nicht zuletzt schwedischem Geld. Ich sage nicht, dass ich besonders viel von Wirtschaft verstehe. Aber ich bin sicher, dass schwedische Banken in meinem Land große Kredite gegen unzureichende Sicherheiten vergeben. Und das kann nur auf eine Art enden.«

»Schlecht?«

»Sehr schlecht. Vor allem für die schwedischen Banken.«

Wallander dachte an die frühen neunziger Jahre, als Baiba und er sich geliebt hatten. Er erinnerte sich an die Angst, mit der offensichtlich alle kämpften. Vieles von dem, was damals geschehen war, hatte er eigentlich noch immer nicht verstanden. An der Oberfläche hatte ein umfassender politischer Prozess Europa und damit auch das Kräfteverhältnis zwischen den USA und der Sowjetunion dramatisch verändert. Wallander hatte damals, bevor er nach Lettland gefahren war, um zur Lösung des Falles der im Schlauchboot angetriebenen toten Männer beizutragen, nicht viel darüber nachgedacht, dass drei von Schwedens nächsten Nachbarn von einer fremden Macht besetzt waren. Wie war es zu erklären, dass so viele in seiner Generation, der nach dem Zweiten Weltkrieg Geborenen, nie ganz begriffen hatten, dass der Kalte Krieg wirklich ein Krieg war, in dem Länder besetzt und Völker unterdrückt wurden? In vieler Hinsicht konnte es in den sechziger Jahren so scheinen, als läge das ferne Vietnam näher an der schwedischen Grenze als das Baltikum.

»Es war auch für uns schwer zu verstehen«, sagte Baiba spät in der Nacht, als das Dämmerungslicht bereits den Himmel heller färbte. »Hinter jedem Letten stand ein Russe, sagten wir immer. Aber hinter jedem Russen stand auch jemand.«

»Wer?«

»Auch in den baltischen Staaten wurde das russische Denken davon gelenkt, was die USA in der Welt taten.«

»Hinter jedem Russen stand also ein Amerikaner?«

»So kann man es natürlich ausdrücken. Aber niemand wird es erfahren, bevor nicht russische Historiker die eigentliche Geschichte aufgearbeitet haben, was damals geschah.«

Irgendwo, in diesem tastenden Gespräch über eine lange vergangene Zeit, endete auch ihre Begegnung. Wallander schlief ein. Als er zum letzten Mal auf die Uhr gesehen hatte, war es fünf gewesen. Eine gute Stunde später war Baiba verschwunden. Er lief hinaus auf den Hof, aber ihr Wagen war nicht mehr da. Unter einen Stein auf dem Gartentisch hatte sie ein Foto gelegt. Das Bild war 1991 aufgenommen, am Freiheitsdenkmal in Riga. Wallander erinnerte sich noch an den Augenblick. Ein Passant hatte das Foto gemacht. Beide lächelten, eng beieinander, Baiba lehnte den Kopf an seine Schulter. Neben das Foto hatte sie einen Zettel gelegt, der aus einem Kalender herausgerissen war. Sie hatte nichts geschrieben, nur ein einfaches Herz gezeichnet.

Wallander wollte sofort nach Ystad zur Polenfähre fahren. Er saß schon hinterm Lenkrad und hatte den Motor angelassen, als er einsah, dass sie gerade das am wenigsten wollte. Er ging zurück ins Haus und legte sich auf das Bett, in dem er noch den Geruch ihres Körpers spüren konnte.

Er war übermüdet und schlief ein. Als er nach einigen Stunden wach wurde, dachte er an das, was sie gesagt hatte. Hinter jedem Russen stand auch jemand. Es war, als hätte sie ihn auf einen Gedanken gebracht, der mit Håkan und Louise von Enke zu tun hatte. *Hinter jedem Russen stand auch jemand.*

Wer, dachte er, stand hinter ihnen? Und wer stand hinter wem? Er fand keine Antwort, wusste aber, dass die Frage wichtig war. Er würde sie festhalten.

Er ging hinaus auf den Hof, trug die Leiter, die der Schornsteinfeger bei seinen Besuchen benutzte, ans Haus und kletterte mit einem Fernglas in der Hand aufs Dach.

Dort konnte er die weiße Fähre sehen, die mit Kurs nach Polen vorüberzog. Ein Teil der besten und glücklichsten Zeit seines Lebens war dort an Bord und würde nie wiederkehren. Die Trauer und der Schmerz, die er spürte, waren kaum zu ertragen.

Er blieb auf dem Dach sitzen, als das Müllauto kam. Aber der Mann, der den Müllsack abholte, bemerkte ihn gar nicht, wie er dort, einer verschreckten Krähe gleich, auf seinem Dach saß.

27

Wallander sah das Müllauto davonfahren. Die Fähre nach Polen war von einer Nebelbank verschluckt worden, die auf die schonische Küste zutrieb. Seine Gedanken machten ihm Angst. Nach der langen Nacht hatte Baiba sich auf den Weg gemacht, während er schlief, zur Fähre und zur Ewigkeit. Wenn es denn die Ewigkeit gab, darauf hatte keiner von ihnen eine Antwort. Aber sie war dem Abgrund näher, der geradewegs ins Ungewisse führte. Es war eine Frage von einigen Monaten, hatte sie gesagt. Nicht mehr.

Plötzlich meinte er, sich selbst ganz klar sehen zu können. Einen Mann mit großem Selbstmitleid, eine durch und durch lächerliche Figur. Er saß da auf seinem Dach und war im Grunde erleichtert, dass es Baiba war, die sterben musste, nicht er.

Schließlich kletterte er herunter und nahm Jussi mit auf einen langen Spaziergang, der einer Flucht gleichkam. Er war der, der er war, dachte er hilflos. Ein Mann, der tüchtig war, sogar scharfsinnig in seinem Beruf. Er hatte sein ganzes Leben lang versucht, zu den guten Kräften in der Welt zu gehören, und wenn ihm das nicht gelungen war, dann war er damit nicht allein. Was konnte ein Mensch anderes tun, als es versuchen?

Es hatte sich zugezogen. Er wanderte in Erwartung des Regens mit Jussi über frisch gemähte Wiesen, zwischen Brachland und reifen Feldern, die auf den Mähdrescher warteten. Bei jedem fünfzehnten Schritt versuchte er, seinen Gedanken eine völlig andere Richtung zu geben, ohne dass es ihm gelang. Es war ein Spiel, das er mit Linda gespielt hatte, als sie noch ein Kind war. Aber aus dem Spiel war viele Jahre später Ernst geworden, als er versuchte, einen unbekannten Mörder zu identifizieren, der um die Mittsommerzeit eine Gruppe von verkleideten Jugendlichen getötet hatte. Die Ermittlung hatte ihn verunsichert und ihm das wachsende Gefühl vermittelt, völlig die Fähigkeit verloren zu haben, einen Tatort und die wenigen vorliegenden Anhaltspunkte sinnvoll interpretieren zu können. Damals war das alte Spiel wieder zu Ehren gekommen, er war in verschiedenen Phasen der Ermittlungen zur Klarheit *gegangen*. Jetzt versuchte er, sich Gedanken über sich selbst zu machen, über sein Leben und über Baibas Mut angesichts des Unausweichlichen, das ihr bevorstand, und über den Mut, der ihm sicher fehlte. Er lief auf Feldwegen und an Gräben entlang, ging nicht besonders schnell und ließ Jussi frei laufen.

Wallander war vom Wandern ins Schwitzen geraten und setzte sich an einen kleinen Teich, an dem Teile verrosteter landwirtschaftlicher Geräte lagen. Jussi schnüffelte herum, trank und legte sich neben ihn. Die Bewölkung hatte sich wieder aufgelockert, es würde keinen Regen geben. In der Ferne hörte er die Sirenen eines Einsatzfahrzeugs. Feuerwehr diesmal, kein Krankenwagen oder seine Kollegen von der Polizei. Er schloss die Augen und versuchte, Baiba vor sich zu sehen. Die Sirenen kamen näher, sie waren jetzt hinter ihm, auf der Landstraße nach Simrishamn. Er drehte sich um. Das Fernglas, das er vorhin mit aufs Dach genommen hatte, hing noch um seinen Hals. Er stand auf. Konnte es bei einem seiner Nachbarn brennen? Wenn es nur nicht bei den alten Hanssons war. Elin, die Frau, war nahezu gelähmt, und Rune, der Mann, konnte sich ohne Stock kaum bewegen. Die Sirenen kamen immer näher. Er hielt das Fernglas an die Augen und erkannte entgeistert, dass zwei der Feuerwehrwagen auf seinem Hofplatz hielten. Sofort lief er los, Jussi vor ihm in der Spur. Dann und wann hielt er inne, um durchs Fernglas sein Haus zu betrachten. Jedes Mal erwartete er, Flammen aus dem Dach schlagen zu sehen, auf dem er vor kurzem noch gesessen hatte, oder Rauch, der aus zerschlagenen Fenstern quoll. Doch es geschah nichts. Da waren nur die beiden Einsatzwagen, die Sirenen, die jetzt verstummt waren, und Feuerwehrmänner, die hin und her liefen.

Als er mit wild schlagendem Herzen auf dem Hof ankam, stand der Brandmeister Peter Edler da und streichelte Jussi, der mit großem Vorsprung angekommen war. Er lachte grimmig, als Wallander angehechelt kam. Die Feuerwehrleute waren schon dabei, ihre Abfahrt vorzubereiten. Peter Edler war in Wallanders Alter, ein sommersprossiger Mann, der mit einem leichten Anstrich von Småländisch sprach. Sie begegneten sich dann und wann bei gemeinsamen Einsätzen. Wallander hatte großen Respekt vor ihm und schätzte seinen trockenen Humor.

»Einer meiner Männer wusste, dass du hier wohnst«, sagte Edler und streichelte Jussi weiter.

»Was ist denn passiert?«

»Das sollte ich dich wohl fragen.«

»Brennt es?«

»Es sieht nicht so aus. Aber es hätte leicht passieren können.«

Wallander sah Edler verständnislos an. »Ich bin doch erst vor vielleicht dreißig Minuten aus dem Haus gegangen.«

Edler nickte zum Haus hin. »Komm mit ins Haus.«

Der Gestank, der Wallander beim Betreten des Hauses entgegenschlug, war stark, fast beißend. Es roch nach verbranntem Gummi. Edler führte ihn in die Küche. Die Feuerwehrleute hatten ein Fenster geöffnet, um zu lüften. Auf einer der Platten stand eine Bratpfanne, daneben lag ein verkohlter Untersatz.

Edler schnupperte an der Pfanne. »Spiegeleier? Wurst und Bratkartoffeln?«

»Eier.«

»Und dann bist du aus dem Haus gegangen, bevor du die Platte ausgeschaltet hattest? Außerdem hast du den Untersatz auf den Herd gelegt. Wie nachlässig darf ein Kriminalkommissar eigentlich sein?«

Edler schüttelte den Kopf. Sie gingen wieder auf den Hof. Die Feuerwehrmänner saßen in ihren Autos und warteten auf ihren Chef.

»Das ist mir noch nie passiert«, sagte Wallander.

»Und am besten, es passiert nicht wieder.«

Edler blickte sich um und betrachtete die Aussicht. »Du bist ja am Ende aufs Land gekommen. Ehrlich gesagt, ich hätte nie gedacht, dass du es wirklich schaffst. Du hast es schön hier.«

»Und du wohnst noch in der Stadt?«

»Das gleiche Haus im Zentrum. Gunnel möchte aufs Land, aber ich weigere mich. Zumindest, solange ich arbeite.«

»Wie lange ist das noch?«

Edler schüttelte sich vor Unbehagen. Er schlug sich mit dem blanken Helm, den er in der Hand hielt, gegen einen Schenkel, als wäre der Helm eine Waffe. »So lang, wie ich noch kann, oder darf. Noch drei, vier Jahre. Was ich dann mache, weiß ich noch nicht. Ich kann nicht zu Hause sitzen und Kreuzworträtsel lösen.«

»Du kannst vielleicht welche konstruieren«, sagte Wallander und dachte an Herman Eber.

Edler sah ihn erstaunt an, fragte jedoch nicht, was er damit meinte. Dagegen interessierte er sich für Wallanders Zukunft. Es schien beinahe so, als hoffte er, dass sie sich ebenso düster ausnahm wie seine eigene.

»Ich halte mich vielleicht noch ein paar Jahre. Dann ist es mit mir auch vorbei. Wir können uns vielleicht zusammentun? Bilden ein kleines Team, reisen herum und erklären den Leuten, wie man sich gegen Einbruch und Feuer schützt? ›Firma Bruch und Brand‹.«

»Kann man sich gegen Einbruch schützen?«

»Kaum. Aber man kann den Menschen einfache Methoden beibringen, wie man es Dieben verleiden kann, sich für gewisse Häuser und Wohnungen zu interessieren.«

Edler sah ihn skeptisch an. »Glaubst du wirklich selbst, was du da sagst?«

»Ich versuche es. Aber Diebe sind wie Kinder. Sie lernen schnell.«

Edler schüttelte den Kopf über Wallanders gelinde gesagt fragwürdigen Vergleich und kletterte in sein Auto. »Schalte künftig die Kochplatten aus«, sagte er zum Abschied. »Aber es war klug von dir, einen ordentlichen Brandmelder zu installieren, der direkt mit uns verbunden ist. Das hätte sich leicht zu einem gefährlichen Brand ausweiten können, der aufs ganze Haus übergegriffen hätte. Dann hättest du den Alptraum einer rauchenden Ruine mitten im Sommer erlebt.«

Wallander erwiderte nichts. Es war Linda gewesen, die auf dem Brandmelder bestanden hatte. Es war ein Weihnachtsgeschenk von ihr, und sie hatte dafür gesorgt, dass er installiert wurde.

Er gab Jussi sein Fressen und wollte gerade den Rasenmäher anwerfen, als Linda auf den Hof fuhr. Sie hatte Klara nicht bei sich. Er sah, dass sie aufgebracht war, und nahm an, dass sie auf die Einsatzfahrzeuge gestoßen war.

»Was hat denn die Feuerwehr bei dir gewollt?«, fragte sie.

»Die hatten sich verfahren«, log er. »Es hat bei einem der Nachbarn im Stall einen Kurzschluss gegeben.«

»In welchem Stall?«

»Bei Hanssons.«

»Wer sind die?«

»Warum soll ich dir das erklären? Du weißt sowieso nicht, wo ihr Hof liegt.«

Sie hielt ihren üblichen kleinen Rucksack in der Hand.

Plötzlich warf sie mit voller Kraft damit nach ihm. Wallander konnte sich wegdrehen und wurde nur an der Schulter getroffen.

Er hob ihn wütend auf. »Was soll das?«

»Dass ich es tatsächlich erleben muss, wie du mir offen ins Gesicht lügst!«

»Ich lüge nicht.«

»Die Feuerwehr war hier! Ich habe angehalten und mit deinem Nachbarn gesprochen. Er hat gesehen, wie du hier bei den zwei Einsatzfahrzeugen auf dem Hof gestanden hast.«

»Ich hatte vergessen, eine Kochplatte auszuschalten.«

»Hast du geschlafen?«

Wallander machte eine Bewegung zu den Feldern hin, über die er vor kurzem noch fast gerannt war, so dass ihm noch immer die Beine zitterten. »Ich war mit Jussi draußen.«

Ohne ein Wort riss Linda ihm ihren Rucksack aus der Hand und ging ins Haus. Wallander überlegte, ob er sich ins Auto setzen und wegfahren sollte. Linda würde fürs Erste nicht aufhören, von seiner Lüge und seiner unfassbaren Nachlässigkeit zu reden. Sie würde sich weiter aufregen, was unfehlbar dazu führen würde, dass er selbst zornig wurde. Er war schon auf dem besten Weg dazu. Er wusste nicht, was sie in ihrem Rucksack hatte. Aber er war schwer gewesen, und seine Schulter schmerzte. Er dachte, von Moment zu Moment aufgebrachter, dass sie noch nie so etwas wie physische Gewalt gegen ihn angewandt hatte.

Linda kam wieder heraus. »Erinnerst du dich, worüber wir vor ein paar Wochen gesprochen haben? An dem Tag, als es in Strömen goss und ich mit Klara hier war?«

»Wie soll ich mich an alles erinnern können, worüber wir sprechen?«

»Wir haben davon gesprochen, dass sie, wenn sie erst ein bisschen größer wäre, auch mal hier bei dir sein könnte.«

»Lass uns ganz in Ruhe miteinander reden«, sagte Wallander. »Du hast einen Feuermelder installieren lassen. Jetzt wissen wir, dass er funktioniert. Das Haus ist nicht abgebrannt. Ich habe vergessen, eine Kochplatte auszumachen. Ist dir das noch nie passiert?«

Ihre Antwort kam wie aus der Pistole geschossen. »Nicht seit Klara auf der Welt ist.«

»Ich glaube, es ist mir auch nicht passiert, als du klein warst.«

Der Ausbruch unterblieb. Sie waren beide gute Fechter, und keinem gelang es, den entscheidenden Stoß anzubringen. Linda setzte sich auf einen der Gartenstühle, Wallander blieb stehen, noch abwartend, ob ihre Wut wieder aufflammen würde.

Sie sah ihn mit einem besorgt fragenden Blick an. »Bist du vergesslich geworden?«

»Das bin ich immer gewesen. In gewissen Grenzen. Vielleicht sollte man lieber sagen, dass ich zerstreut bin.«

»Ich meine, mehr als früher?«

Er setzte sich hin, plötzlich hatte er es satt, ständig die Unwahrheit zu sagen. »Ich glaube, so ist es. Manchmal können ganze Zeiträume einfach verschwinden. Wie Eis, das schmilzt.«

»Wie meinst du das?«

Wallander erzählte von seiner Reise nach Höör. Die Episode mit der Anhalterin ließ er allerdings aus.

»Auf einmal wusste ich nicht mehr, warum ich nach Höör gefahren bin. Es war, als befände ich mich in einem hell erleuchteten Raum, und jemand macht ohne Vorwarnung das Licht aus. Ich weiß nicht, wie lange ich mich im Dunkel befand. Es war, als wüsste ich nicht mehr, wer ich bin.«

»Ist das schon öfter vorgekommen?«

»Nicht so gravierend. Aber ich war bei einer Ärztin, einer Spezialistin in Malmö. Sie meinte, ich sei nur überarbeitet.

Dass ich immer noch glaubte, ein flotter Dreißigjähriger zu sein und noch alles schaffen zu können wie damals.«

»Das gefällt mir nicht. Geh zu einem anderen Arzt.«

Er nickte, sagte aber nichts. Sie stand auf und verschwand im Haus, um mit zwei Gläsern Wasser zurückzukommen. Wallander fragte vorsichtig, ganz nebenbei, ob die Polizei die Frau gefunden habe, die in Malmö ihre Eltern umgebracht hatte.

»Ich habe gehört, dass sie in Växjö gefasst worden ist. Jemand hat sie mitgenommen, als sie per Anhalter fuhr, und schöpfte Verdacht. Er lud sie bei einem Rasthaus in der Nähe der Stadt zu einem Kaffee ein und alarmierte die Polizei. Sie versuchte, sich ein Messer, das sie bei sich hatte, ins Herz zu stoßen. Aber es gelang ihr nicht.«

»Hast du jemals gewünscht, ich wäre tot?«, fragte er, erleichtert darüber, dass seine Beihilfe zur Flucht der Frau sich nicht herumgesprochen hatte. Martinsson hatte dichtgehalten.

»Natürlich«, entgegnete sie und musste lachen. »Ziemlich oft. Zuletzt vor ein paar Minuten. Hoffentlich lebt der Alte nicht, bis er allzu trottelig und senil wird, habe ich gedacht. Alle Kinder wollen ihre Eltern manchmal tot sehen. Aber wie oft hast du dir gewünscht, ich wäre tot?«

»Nie.«

»Soll ich das glauben?«

»Ja.«

»Ich kann dich damit trösten, dass ich mir bedeutend öfter Mona tot vorgestellt habe. Aber natürlich sehe ich mit Schrecken dem Tag entgegen, wenn ihr nicht mehr da seid. Übrigens haben Hans und ich es geschafft, Mona zu überreden, einen Entzug zu machen.«

Jussi hatte einen Hasen auf dem Acker entdeckt und fing an zu bellen. Sie saßen schweigend da und betrachteten seine vergeblichen Versuche, aus dem Zwinger herauszukommen. Der Hase verschwand, und Jussi beruhigte sich.

»Ich bin aus einem anderen Grund gekommen«, sagte sie plötzlich.

»Ist etwas mit Klara?«

»Nein. Mit ihr ist alles in Ordnung. Hans ist heute bei ihr zu Hause. Ich zwinge ihn dazu, seinen Teil der Verantwortung zu übernehmen. Ich glaube, er findet es gut. Klara ist wirklich das reinste Kontrastprogramm zu einer gestressten Bankwelt.«

»Aber es ist etwas anderes passiert?«

»Ich war gestern Abend in Kopenhagen. Zusammen mit zwei Freundinnen. Wir waren bei einem Konzert. Madonna, das Idol meiner Jugend. Es war ein großes Erlebnis. Hinterher haben wir noch etwas gegessen und sind spät auseinandergegangen. Ich sollte in dem feinen Hotel d'Angleterre wohnen. Hans' Firma kriegt dort Rabatt. Weil ich in guter Stimmung und noch nicht müde war, machte ich noch einen Bummel auf Strøget. Es waren viele Leute unterwegs, ich setzte mich auf eine Bank, und da sah ich ihn.«

»Wen?«

»Håkan.«

Wallander hielt den Atem an und betrachtete sie. Er konnte sehen, dass sie ihrer Sache sicher war. Sie zweifelte nicht. »Du scheinst dir sicher zu sein?«

»Es war nicht nur sein Aussehen, sein Gesicht, das ich für einen kurzen Augenblick erkannte. Es war auch seine Art, sich zu bewegen, die hochgezogenen Schultern, kleine, schnelle Schritte.«

»Was genau hast du gesehen?«

»Ich saß auf einer Bank auf einem kleinen Platz am Strøget, den Namen weiß ich nicht genau. Er kam von Nyhavn und war auf dem Weg nach oben. Er war schon an mir vorbei, als ich ihn erkannte. Zuerst das Haar im Nacken, dann seine Art zu gehen, und schließlich den Mantel.«

»Den Mantel?«

»Ich habe ihn erkannt.«

»Es gibt Tausende von Mänteln, die gleich aussehen.«

»Nicht Håkans Frühjahrsmantel. Er ist dunkelblau und dünn, wie ein Allwettermantel für Seeleute. Ich kann ihn nicht besser beschreiben. Aber es war Håkan.«

»Und was hast du gemacht?«

»Stell es dir selber vor! Ein Madonna-Auftritt, Freundinnen, Essen, Sommernacht, frei von Kindergeschrei und Mann. Und plötzlich huscht Håkan vorüber. Vielleicht bin ich fünfzehn Sekunden sitzen geblieben. Dann bin ich ihm nachgelaufen. Aber da war es schon zu spät. Er war weg. Es wimmelte von Menschen, Querstraßen, Taxis, Kneipen. Ich bin ganz Strøget hinaufgelaufen, bis zum Rådhusplads, und wieder zurück. Aber ich habe ihn nicht gefunden.«

Wallander leerte sein Wasserglas. Auch wenn sich das, was er gerade gehört hatte, unsinnig anhörte, wusste er, dass Linda einen scharfen Blick hatte und sich selten irrte, wenn es galt, Menschen zu identifizieren. »Lass uns noch einmal einen Schritt zurückgehen«, sagte er. »Wenn ich dich richtig verstanden habe, war er an der Bank, auf der du gesessen hast, schon vorbei, als du ihn erkannt hast. Aber du sagst, du hättest sein Gesicht gesehen. Er muss sich also umgedreht haben?«

»Ja. Er warf einen Blick über die Schulter zurück.«

»Warum hat er das getan?«

Sie zog die Stirn kraus. »Woher soll ich das wissen?«

»Es ist eine ganz einfache und sinnvolle Frage. Rechnete er damit, dass jemand hinter ihm war? War er ängstlich? Blickte er sich zufällig um oder hatte er etwas gehört? Es gibt eine Menge möglicher Antworten.«

»Ich glaube, er wollte kontrollieren, ob ihm jemand folgte.«

»Du glaubst?«

»Ich kann es nicht wissen. Aber ja, ich glaube, er kontrollierte, ob jemand hinter ihm war, den er nicht hinter sich haben wollte.«

»Wirkte er ängstlich? Besorgt?«

»Das kann ich nicht sagen.«

Wallander überlegte. Zwei oder drei Fragen blieben für den Moment unbeantwortet. »Kann er dich gesehen haben?«

»Nein.«

»Wie kannst du da sicher sein?«

»Dann hätte er zur Bank schauen müssen. Das hat er nicht getan.«

»Hast du es Hans erzählt?«

»Ich habe ihm erzählt, was ich gesehen hatte. Er war aufgebracht und sagte, ich müsse es mir eingebildet haben.«

»Wolltest du dich vergewissern, dass er nicht heimlich seinen Vater getroffen hatte?«

Sie nickte wortlos.

Eine Wolke schob sich vor die Sonne, in der Ferne hörte man Donnergrollen. Sie gingen hinein. Wallander bat sie, zum Essen zu bleiben, aber sie musste nach Hause. Gerade als sie fahren wollte, setzte das Unwetter ein, ein heftiger Sturzregen. Der Hofplatz verwandelte sich in ein trostloses Schlammfeld. Wallander beschloss, noch in dieser Woche ein paar Wagenladungen Kies zu bestellen, um nicht bei jedem Regenschauer durch Schlamm waten zu müssen.

»Ich bin sicher«, wiederholte sie. »Er war es. Quicklebendig in Kopenhagen.«

»Dann wissen wir das«, sagte Wallander. »Håkan hat nicht das gleiche Schicksal ereilt wie seine Frau. Er lebt. Das verändert alles.«

Linda nickte. Sie konnten jetzt nicht mehr ausschließen, dass Håkan seine Frau getötet hatte. Aber jetzt hieß es nichts zu überstürzen. Konnte es einen anderen Grund geben, warum er sich versteckt gehalten hatte? Aus Furcht, oder aus einem anderen, noch unbekannten Grund? War er auf der Flucht? Warum zog er es vor, im Schatten zu bleiben?

Sie schwiegen, beide versunken in ihre Gedanken. Der Regen zog ebenso schnell ab, wie er gekommen war.

»Was hat er in Kopenhagen gemacht?«, sagte Wallander. »Ich sehe nur eine plausible Antwort auf diese Frage.«

»Er wollte Hans treffen, denkst du. Vielleicht, um irgendwelche Geldprobleme zu lösen? Aber ich bin überzeugt davon, dass Hans mir nichts vorlügt.«

»Daran zweifle ich auch nicht. Aber wer sagt denn, dass sie schon Kontakt aufgenommen haben? Vielleicht geschieht es erst morgen.«

»Dann wird er es mir sagen.«

»Vielleicht«, sagte Wallander nachdenklich.

»Warum sollte er es nicht tun?«

»Mit Loyalität ist es immer schwierig. Was geschieht, wenn sein Vater ihn bittet, nicht darüber zu reden, auch mit dir nicht? Und wenn er einen Grund dafür vorbringt, den Hans nicht in Frage zu stellen wagt?«

»Ich merke es, wenn er mir etwas verheimlicht.«

»Eins habe ich gelernt«, sagte Wallander und setzte tastend den Fuß auf den matschigen Boden. »Man soll nie denken, man wisse besonders viel über die Gedanken und Vorstellungen anderer Menschen.«

»Was soll ich denn tun?«

»Sag vorläufig nichts. Frage nichts. Ich muss erst darüber nachdenken, was dies alles bedeutet. Das musst du auch. Aber ich werde natürlich mit Ytterberg sprechen.«

Er begleitete sie zum Wagen. Sie hielt sich an seinem Arm fest, um nicht auszurutschen. »Du solltest etwas mit diesem Hof machen«, sagte sie. »Willst du ihn nicht mit Kies auslegen?«

»Daran habe ich auch gerade gedacht«, sagte Wallander.

Sie saß schon im Wagen, als sie noch einmal auf Baiba zu sprechen kam. »Ist es wirklich so schlimm? Dass sie sterben wird?«

»Ja.«

»Wann ist sie gefahren?«

»Heute früh.«

»Wie war es, sie wieder zu treffen?«

»Sie ist gekommen, um Abschied zu nehmen. Sie hat Krebs und wird bald sterben. Was man dabei fühlt, kannst du dir ohne meine Hilfe denken.«

»Es muss schrecklich gewesen sein.«

Wallander wandte sich ab und ging um die Hausecke. Er wollte nicht in Tränen ausbrechen, nicht, weil er Angst hatte, ihr seine Schwäche zu zeigen, sondern um seiner selbst willen. Er wollte ganz einfach nicht an den Tod denken, nicht an Baibas Tod und nicht an seinen eigenen. Er blieb stehen, bis er hörte, dass sie den Wagen anließ und davonfuhr. Sie hatte verstanden, dass er in Ruhe gelassen werden wollte.

Als er in die Küche kam, setzte er sich an den Küchentisch, gegenüber von dem Platz, an dem er sonst seine Mahlzeiten einnahm.

Er dachte an das, was Linda über Håkan von Enke erzählt hatte. Sie waren wieder am Ausgangspunkt.

Er war in einem Kreis gegangen. Und war jetzt auf gewisse Weise wieder da, wo alles angefangen hatte.

28

Wallander stieg die wackelige Treppe zum Dachboden hinauf. Ein muffiger Geruch von Feuchtigkeit und Schimmel schlug ihm entgegen. Er war sich bewusst, dass er eines Tages das gesamte Dach erneuern musste. Aber noch nicht gleich, vielleicht in einem Jahr, vielleicht auch erst in zweien.

Er wusste ungefähr, wohin er den Karton gestellt hatte, nach dem er suchte. Doch jetzt fiel ihm ein anderer Karton ins Auge. In einem Umzugskarton von einer Firma in Helsingborg lag seine Plattensammlung. In all den Jahren in der Mariagata hatte er einen Plattenspieler gehabt. Aber eines Tages war er defekt, und es war Wallander nicht gelungen, ihn reparieren zu lassen. Beim Großputz anlässlich des Umzugs war das Ding auf dem Müll gelandet, aber die Platten hatte Wallander mitgenommen und auf den Dachboden gestellt. Er setzte sich auf den Boden und ging seine alten Alben durch. Jede Plattenhülle barg eine Erinnerung, manchmal deutlich und klar, manchmal auch nur wie ein Flimmern von Gesichtern, Düften, Gefühlen. In seinen ersten Teenagerjahren war er ein beinahe fanatischer Fan von The Spotnicks gewesen. Er besaß ihre vier ersten Platten und kannte noch jeden Titel, als er die Rückseite der Plattencover las. Die Melodien und die E-Gitarren hallten in ihm wider. Auch eine Platte von Mahalia Jackson war in dem Karton. Er hatte sie überraschenderweise von einem der *Seidenritter* geschenkt bekommen, die die Bilder seines Vaters aufkauften. Wahrscheinlich ging der Mann mit Bildern und Schallplatten hausieren. Wallander hatte ihm geholfen, die Bilder zum

Wagen zu tragen, und zum Dank diese Platte bekommen. Die Gospelsongs hatten ihn damals stark beeindruckt. *Go down, Moses,* dachte er und sah seinen ersten Plattenspieler vor sich, bei dem der Lautsprecher im Deckel saß und der ein kratzendes Geräusch von sich gegeben hatte.

Plötzlich hielt er eine Platte von Edith Piaf in den Händen. Das Cover war schwarzweiß und zeigte ihr Gesicht in Nahaufnahme. Er hatte die Platte von Mona bekommen, die The Spotnicks verabscheute und Streaplers und Sven-Ingvars gut fand, vor allem jedoch diese kleine französische Sängerin. Sie verstanden beide kein Wort von dem, was sie sang, aber die Stimme hatte sie ergriffen.

Hinter der Piaf stand eine Platte von John Coltrane. Wie war er an die gekommen? Er wusste es nicht mehr. Als er die Platte aus der Hülle zog, sah er, dass sie nahezu ungespielt war. Obwohl er sich anstrengte, blieb die Platte für ihn stumm. Kein einziger Ton von Coltranes Saxophon klang in seinem Inneren.

Ganz am Ende standen zwei Opernplatten, *La Traviata* und *Rigoletto.* Im Gegensatz zu John Coltrane waren sie stark abgespielt.

Er saß auf dem Speicherfußboden und überlegte, ob er den Karton mit hinunternehmen und einen Plattenspieler kaufen sollte, um die Platten wieder hören zu können. Aber am Ende schob er ihn weg. Die Musik, die er heute hörte, hatte er auf Band oder auf CDs. Er brauchte diese kratzenden Vinylplatten nicht mehr. Sie gehörten der Vergangenheit an und sollten auf dem dunklen Dachboden bleiben.

Den Karton, den er gesucht hatte, nahm er mit nach unten und stellte ihn auf den Küchentisch. Er holte eine große Anzahl Legobausteine heraus und breitete sie auf dem Tisch aus. Das Lego hatte er Linda geschenkt, als sie klein war. Es war ein Lotteriegewinn gewesen.

Die Idee stammte von Rydberg. Eines späten Abends im

Frühling hatten sie an Rydbergs Küchentisch gesessen, es war in einem von Rydbergs letzten Lebensjahren gewesen. Ein Mann mit einer abgesägten Schrotflinte hatte damals in Ystad und Umgebung eine Reihe von Raubüberfällen begangen. Um die Ereignisse in eine zeitliche Abfolge zu bringen und vielleicht eine Struktur zu erkennen, hatte Rydberg ein Kartenspiel geholt und mit den Karten die Bewegungen des Räubers markiert. Der unbekannte Täter war der Pik Bube gewesen. Wallander hatte damals eine Methode gelernt, wie man sich einen Überblick über die Vorgehensweise eines Täters verschaffen konnte, und vielleicht sogar darüber, wie er dachte. Als er selbst später die Rydberg'sche Methode ausprobierte, hatte er Legosteine statt Spielkarten benutzt. Aber das hatte er Rydberg nie verraten.

Er markierte Håkan und Louise, verschiedene Daten, Schauplätze, Ereignisse. Ein Feuerwehrmann mit rotem Helm musste Håkan darstellen, ein kleines Mädchen, das Linda Aschenputtel genannt hatte, wurde Louise. Eine Gruppe marschierender Lego-Soldaten legte er beiseite. Es waren die unbeantworteten Fragen, die er im Moment als die wichtigsten betrachtete. Wer war der Mann, der sich als Signes Onkel ausgegeben hatte? Warum war Signes Vater aus dem Schatten zurückgekehrt? Wo war er gewesen, und warum hatte er sich verborgen gehalten?

Ihm fiel wieder ein, dass er im Niklasgård anrufen musste. Am Telefon erfuhr er, dass niemand Signe besucht hatte. Weder ihr Vater noch ein unbekannter Onkel.

Er blieb mit einem Legostein in der Hand sitzen. Jemand sagt nicht die Wahrheit, dachte er. Unter all denen, mit denen ich über Håkan und Louise von Enke gesprochen habe, gibt es jemanden, der nicht sagt, was wirklich los ist. Der lügt oder die Wahrheit verdreht, indem er nicht alles sagt oder etwas Falsches behauptet. Wer? Und noch einmal, warum?

Das Telefon klingelte. Er stand auf und nahm es mit in den Garten.

Es war Linda. Sie kam direkt zur Sache. »Ich habe mit Hans gesprochen. Ich glaube, ich habe ihn zu sehr bedrängt. Er wurde wütend und verließ das Haus. Wenn er zurückkommt, werde ich ihn um Entschuldigung bitten.«

»Das hat Mona nie getan.«

»Was? Das Haus verlassen oder um Entschuldigung gebeten?«

»Sie ging oft einfach weg. Das war das letzte ihrer Argumente für alles und jedes. Eine knallende Tür. Wenn sie zurückkam, hat sie sich nie entschuldigt.«

Linda lachte auf. Nervös, dachte Wallander. Sie haben sich bestimmt heftiger gestritten, als sie zugeben will.

»Mona zufolge war es umgekehrt«, sagte Linda. »Du hast mit den Türen geknallt und dich nie entschuldigt.«

»Ich dachte, wir wären uns darüber einig, dass Mona oft die Unwahrheit sagt.«

»Das tust du auch. Meine Eltern sind beide keine ganz und gar ehrlichen Menschen.«

Wallander wurde ärgerlich. »Bist du das? Ganz und gar ehrlich?«

»Nein. Das habe ich auch nie behauptet.«

»Dann komm jetzt zur Sache.«

»Störe ich dich irgendwie?«

Wallander beschloss sofort, nicht ohne eine gewisse Freude, die Unwahrheit zu sagen. »Ich mache Essen.«

Sie durchschaute ihn sofort. »Draußen? Ich höre doch Vögel.«

»Ich grille.«

»Ich denke, du hasst Grillen?«

»Du weißt nicht viel darüber, was ich hasse und was nicht. Was wolltest du sagen?«

»Ich habe mit Hans gesprochen. Er hatte keinen Kontakt mit seinem Vater. Es hat auch keine Kontobewegungen auf den Konten der Familie gegeben, abgesehen von den Abhebungen, die Louise getätigt hat, bevor auch sie verschwand. Hans erledigt jetzt alle Post. Es ist auch sonst kein Geld abgehoben worden.«

Wallander spürte plötzlich, dass die Frage wichtiger war, als er zunächst gedacht hatte. »Wovon hat Håkan in der ganzen Zeit, in der er weg war, gelebt? Er taucht in Kopenhagen auf. Offensichtlich geht es nicht um Geld, weil er keinen Kontakt zu seinem Sohn aufnimmt und auch kein Geld an einem Automaten abhebt. Das kann heißen, dass jemand ihm hilft. Oder können sie Konten gehabt haben, von denen Hans nichts weiß?«

»Das ist natürlich möglich. Aber Hans hat viele Bankkontakte und hat das geprüft. Er hat nichts gefunden. Auch wenn es natürlich viele Methoden gibt, Geld zu verstecken.«

Wallander schwieg. Er hatte keine Fragen mehr. Aber er dachte jetzt ernsthaft darüber nach, ob der fehlende Geldbedarf ein Anhaltspunkt sein konnte. Klara begann zu schreien.

»Ich muss jetzt Schluss machen«, sagte Linda.

»Ich höre es. Wir können also alle Gedanken an heimliche Kontakte zwischen Hans und seinem Vater abschreiben?«

»Ja.«

Das Gespräch war beendet. Wallander legte das Telefon zur Seite und zog in die Hollywoodschaukel um. Er schaukelte leicht, einen Fuß auf dem Boden. Vor seinem inneren Auge sah er, wie Håkan von Enke sich über Strøget bewegte. Er ging schnell, blieb dann und wann stehen und drehte sich um, ging dann weiter. Plötzlich war er verschwunden, im Gewimmel der Menschen in einer Seitenstraße.

Wallander erwachte mit einem Ruck. Es hatte angefangen zu regnen, Tropfen fielen auf seinen nackten Fuß am Boden. Er stand auf und ging hinein. Als er die Tür hinter sich geschlossen hatte, hielt er inne. Plötzlich schien es ihm, als sähe er einen Zusammenhang, noch unklar, aber dennoch etwas, was Licht auf die Frage werfen konnte, wo Håkan von Enke sich nach seinem Verschwinden aufgehalten hatte. Ein Versteck, dachte Wallander. Als er verschwand, wusste er, was er tun würde. Von seinem Spaziergang auf dem Valhallaväg begab er sich an einen Ort, wo ihn niemand finden würde. Wallander war sich jetzt auch sicher, dass Louise nicht auf das Verschwinden ihres Mannes vorbereitet gewesen war, ihre Besorgnis war echt gewesen. Es waren keine Beweise hinzugekommen, keine Fakten, nur diese Intuition, die ihn überzeugte.

Wallander ging langsam in die Küche. Der Steinboden unter seinen Füßen war kühl. Er bewegte sich vorsichtig, als fürchtete er, seine Gedanken könnten sich verflüchtigen. Die Legosteine lagen auf dem Küchentisch. Er setzte sich. Ein Versteck, dachte er wieder. Alles geplant, gut organisiert, ein U-Boot-Kommandant weiß, wie man sein Dasein bis ins kleinste Detail arrangiert. Wallander versuchte, das Versteck vor sich zu sehen. Er hatte das Gefühl, sogar zu wissen, wo Håkan von Enke sich aufgehalten hatte. Er war ihm nahe gewesen, ohne es zu bemerken.

Er beugte sich über den Tisch und stellte eine Reihe von Legofiguren auf. Für jeden Einzelnen, der mit Håkan und Louise zu tun gehabt hatte. Sten Nordlander, die Tochter Signe, Steven Atkins in seinem Haus bei San Diego. Aber auch die Personen, die sich mehr an der Peripherie befunden hatten. Er stellte all diese Figuren auf, eine nach der anderen, und fragte sich, wer von ihnen von Enke geholfen haben konnte, jemand, der dafür gesorgt hatte, dass alles Nötige vorhanden war, einschließlich Geld.

Das ist es, was ich suche, dachte Wallander. Ein Versteck. Ob Ytterberg denkt wie ich, oder ob er mit einer anderen Sorte von Legosteinen spielt? Er griff zum Telefon und wählte die Nummer. Es regnete jetzt stärker, ein Platzregen trommelte gegen die Fensterbleche.

Ytterberg meldete sich. Die Verbindung war schlecht. Er war draußen, auf einer Straße. »Ich sitze in einem Restaurant und bezahle gerade. Kann ich zurückrufen?«

Zwanzig Minuten später war er in seinem Büro in der Bergsgata und rief an.

»Ich gehöre zu den Leuten, denen es nicht schwerfällt, nach dem Urlaub wieder zur Arbeit zu gehen«, antwortete er auf Wallanders Frage, wie er sich fühle in den ersten Tagen nach dem Urlaub.

»Meine Erfahrung ist eine andere«, sagte Wallander. »Zurückzukommen bedeutet, einen Schreibtisch vorzufinden, auf dem sich Papiere stapeln, die andere mit fröhlichen kleinen Merkzetteln beklebt haben, auf denen sie ihren eigenen Urlaub ankündigen.«

Er beschrieb zunächst sein Treffen mit Herman Eber. Ytterberg hörte aufmerksam zu und hatte verschiedene Fragen. Dann erzählte Wallander, dass Håkan von Enke aufgetaucht war. Er berichtete, was Linda erzählt hatte, und wurde dabei noch sicherer, dass sie sich nicht geirrt hatte. Als Ytterberg ihn fragte, zögerte er nicht mit der Antwort.

»Kann deine Tochter sich geirrt haben?«

»Nein. Aber ich verstehe, dass du die Frage stellst. Es ist ja ein merkwürdiges Zusammentreffen.«

»Keinerlei Zweifel, dass er es war?«

»Nein. Ich kenne meine Tochter. Wenn sie sagt, er war es, dann war er es. Kein Doppelgänger, keiner, der ihm ähnelte, sondern eindeutig Håkan von Enke.«

»Was sagt dein Schwiegersohn?«

»Sein Vater ist nicht nach Kopenhagen gekommen, um sich mit ihm zu treffen. Es gibt keinen Grund, ihm nicht zu glauben.«

»Aber ist es wirklich nachvollziehbar, dass er nicht versucht, Kontakt zu seinem Sohn aufzunehmen?«

»Was nachvollziehbar ist oder nicht, kann ich nicht sagen.

Aber ich glaube nicht, dass Hans so dumm ist, Linda täuschen zu wollen.«

»Seine Partnerin täuschen zu wollen, oder deine Tochter?«

»Vor allem die Frau, mit der er ein Kind hat. Wenn man denn überhaupt das eine vom anderen trennen kann.«

Sie redeten noch eine Weile hin und her darüber, was das Wiederauftauchen von Enkes zur Folge haben konnte.

Für Ytterberg bedeutete es vor allem, dass er der Frage nachgehen musste, ob und in welcher Weise Håkan von Enke mit Louises Tod zu tun hatte. »Ich weiß nicht, wie es dir geht, aber ich habe mir im Innersten vorgestellt, dass er auch tot ist. Zumindest nachdem wir da draußen auf Värmdö seine Frau gefunden hatten.«

»Ich habe gezweifelt«, sagte Wallander. »Aber wenn ich für die Ermittlung verantwortlich wäre, würde ich wahrscheinlich so denken wie du.«

Wallander legte Ytterberg kurz gefasst, aber dennoch detailliert seine Gedanken über von Enkes Versteck dar.

»Die Geheimdokumente, die wir in Louises Handtasche gefunden haben, bringen mich auf einen Gedanken. Da von Enke sich versteckt hält, liegt es nahe zu glauben, dass er auch an der Sache beteiligt ist, dass die beiden also zusammengearbeitet haben.«

»Als Spione?«

»Es wäre ja nicht der erste Fall hierzulande, dass Mann und Frau so etwas machen. Auch wenn vielleicht nur einer von beiden direkt engagiert ist.«

»Du denkst an Stig Bergling und seine Frau?«

»Gibt es denn andere?«

Wallander fand, dass Ytterberg zu einem arroganten Tonfall neigen konnte, den er normalerweise nicht toleriert hätte. Wenn jemand im Polizeipräsidium von Ystad ihm mit ironischen Fragen gekommen wäre, hätte er sich das nicht bieten lassen. Jetzt ließ er Ytterberg gewähren, denn wahrscheinlich war ihm gar nicht bewusst, wie er sich anhörte. »Weißt du, was die Mikrofilme enthielten? Informationen über militärische Fragen, Kriegsindustrie, Außenpolitik?«

»Nichts davon. Aber mein Eindruck ist, dass die Kollegen von der Geheimpolizei beunruhigt sind. Sie haben jedes einzelne Papier in dieser mageren Ermittlung einzusehen verlangt. Ich selbst bin morgen zu einem Gespräch mit einem Korvettenkapitän Holm einbestellt, der anscheinend ein ziemlich hohes Tier innerhalb des militärischen Nachrichtendienstes ist.«

»Es würde mich interessieren, welche Fragen er stellt.«

»Das ist immer eine gute Methode, zu erfahren, was die Leute schon wissen. Du willst mit anderen Worten wissen, welche Fragen er nicht stellt?«

»Genau.«

»Ich lasse von mir hören. Versprochen.«

Sie wechselten noch ein paar Worte über das Wetter, dann legten sie auf. Wallander zögerte einen Moment, bevor er die Legosteine in den Karton fegte und sich vornahm, alle Gedanken an Håkan von Enke und seine tote Frau für diesen Tag ruhen zu lassen. Schließlich hatte er eine Art Urlaub. Er fuhr nach Ystad, nachdem er einen Einkaufszettel geschrieben hatte. Als er an der Kasse stand und bezahlen wollte, bemerkte er, dass er seine Brieftasche vergessen hatte. Er ließ die Sachen stehen und ging ins Präsidium hinauf, um sich fünfhundert Kronen von Nyberg zu leihen, der gerade im Korridor erschien. Nyberg hatte einen dicken Verband um den Kopf.

»Was ist passiert?«

»Ich bin mit dem Fahrrad gestürzt.«

»Trägst du denn keinen Helm?«

»Leider nicht.«

Wallander merkte, dass Nyberg keine Lust hatte, sich zu unterhalten. Er versprach, ihm das Geld am nächsten Tag zurückzugeben, kehrte in den Laden zurück und fuhr anschließend nach Hause. Am Abend sah er eine Dokumentation über die weltweit wachsenden Müllberge und ging ungewöhnlich früh ins Bett, schon kurz nach elf. Er blätterte eine Zeitung durch und schlief gegen halb zwölf ein. Einmal wachte er vom Schrei eines Nachtvogels auf, vielleicht einer Eule, schlief aber schnell wieder ein.

Er erinnerte sich an den Vogel, als er um sechs Uhr aufwachte und aufstand, weil er sich ausgeschlafen fühlte. Nebel lag über den Äckern. Durchs Schlafzimmerfenster sah er Jussi, der reglos in seinem Zwinger saß, den Blick in die Ferne gerichtet.

Als er jung war, hätte er nie gedacht, dass dies das Leben war, das er mit sechzig führen würde. Eines Morgens am Fenster stehen und in den Nebel über der schonischen Landschaft hinausblicken, in einem eigenen Haus mit Hund, mit einer Tochter, die gerade ihr erstes Kind bekommen hatte, sein Enkelkind. Der Gedanke machte ihn wehmütig. Er schüttelte das Gefühl ab, indem er ins Bad ging und duschte.

Nach dem Frühstück kontrollierte er sorgfältig alle Herdplatten, bevor er mit Jussi hinausging, der wie ein Strich in den Nebelschwaden verschwand. Wallander fühlte sich klarer im Kopf als seit langem, nichts erschien ihm besonders schwierig, seine Lebenslust war stark. Er begann plötzlich, den Feldweg entlangzulaufen und die Schlappheit der letzten Monate herauszufordern. Er lief, bis er ordentlich außer Atem war. Die Sonne wärmte bereits, er zog sich das verschwitzte Hemd aus, sah mit Missvergnügen seinen allzu dicken Bauch und nahm sich vor abzunehmen, wie schon so viele Male.

Auf dem Rückweg zum Haus klingelte sein Handy. Jemand sprach ihn in einer fremden Sprache an, es war eine Frauenstimme, aber sehr weit weg, fast verschluckt von einem starken Rauschen im Äther. Nach wenigen Sekunden wurde das Gespräch unterbrochen. Wallander dachte, dass es Baiba gewesen sein konnte. Er glaubte trotz des starken Rauschens ihre Stimme erkannt zu haben. Als es nicht wieder klingelte, ging er nach Hause und setzte sich mit einer Tasse Kaffee in den Garten.

Es sollte ein schöner Sommertag werden. Er beschloss, in seiner ganzen Einsamkeit einen Ausflug zu machen. Es gehörte zu den richtig guten Stunden im Leben, sich nach einem Picknick zwischen Sanddünen zusammenzurollen und eine Weile zu schlafen. Er machte sich daran, einen Korb zu packen, der noch aus seinem Elternhaus stammte. Damals hatte seine Mutter Wollknäuel, Stricknadeln und angefangene Pullover darin aufbewahrt. Jetzt packte er Butterbrote, eine Thermoskanne, zwei Äpfel und einige Exemplare von *Svensk Polis*, die er noch nicht gelesen hatte, in den Korb. Es war erst elf Uhr, als er von neuem die Herdplatten kontrollierte und das Haus verschloss. Er fuhr nach Sandhammaren und fand einen windgeschützten Platz zwischen den Dünen und den niedrigen Bäumen. Nachdem er gegessen und die Zeitschriften durchgeblättert hatte, rollte er sich in eine Wolldecke und schlief kurz darauf ein.

Er erwachte fröstelnd. Die Sonne war hinter Wolken getreten, die Luft war kühl, und er hatte die Wolldecke abgeworfen. Er rollte sich wieder ein und benutzte seine zusammengefaltete Jacke als Kopfkissen. Nach einer Weile kam die Sonne wieder heraus. Plötzlich fiel ihm ein Traum ein, den er vor vielen Jahren gehabt hatte, es war ein wiederkehrender Traum, der nach einiger Zeit ebenso abrupt verschwand, wie er aufgetaucht war. Er war in ein erotisches Spiel mit einer schwarzen Frau ohne Gesicht verwickelt. Abgesehen von einem hässlichen Vorfall auf einer Reise in die Karibik, wo er eines Tages so betrunken gewesen war, dass er mit einer Prostituierten auf sein Zimmer gegangen war, hatte er nie ein Verhältnis mit einer dunkelhäutigen Frau gehabt. Er hatte auch keine besonders ausgeprägte Sehnsucht danach. Plötzlich war diese dunkle Frau in seinen Träumen aufgetaucht, um nach einigen Monaten wieder zu verschwinden.

Ein Unwetter zog am Horizont auf. Er packte zusammen und ging zurück zum Wagen. Bei Kåseberga fuhr er zum Hafen hinunter und kaufte Räucherfisch. Als er zu Hause ankam, klingelte das Telefon wieder. Es war dieselbe Frau wie zuvor, aber diesmal war die Verbindung besser, und er hörte sofort, dass es nicht Baiba war.

Es war eine Frau, die gebrochen Englisch sprach. »Kurt Wallander?«

»Das bin ich.«

»Ich heiße Lilja. Wissen Sie, wer ich bin?«

»Nein.«

Plötzlich fing die Frau an zu weinen. Sie schrie ihm direkt ins Ohr. Er bekam einen Schrecken.

»Baiba«, schrie sie. »Baiba.«

»Was ist mit ihr? Ja, ich kenne sie.«

»Sie ist tot.«

Wallander fiel die Tüte aus Kåseberga aus der Hand. »Baiba ist tot? Sie war doch vor zwei Tagen noch hier.«

»Ich weiß. Sie war meine Freundin. Aber jetzt ist sie tot.«

Wallander fühlte, wie sein Herz hämmerte. Er setzte sich auf den Schemel neben der Haustür. Liljas verwirrter und aufgeregter Erzählung entnahm er nach und nach, was geschehen war. Baiba war nur noch zwanzig Kilometer von Riga entfernt, als sie mit hoher Geschwindigkeit von der Straße abgekommen und gegen eine Steinmauer geprallt war. Sie war sofort tot, wiederholte Lilja ein ums andere Mal, als wäre das eine Methode, ihn vor der bodenlosen Trauer zu bewahren. Aber es war natürlich vergeblich, er glaubte, eine so starke Verzweiflung, wie sie jetzt in ihm aufwallte, noch nie erlebt zu haben.

Plötzlich wurde das Gespräch abgeschnitten, Wallander hatte nicht einmal Liljas Telefonnummer aufschreiben können. Er blieb auf dem Schemel im Flur sitzen und wartete, dass sie wieder anrief. Erst als ihm klar wurde, dass sie nicht mehr durchkam, stand er auf und ging in die Küche. Die Tüte mit dem Räucherfisch blieb liegen. Er wusste nicht, was er tun sollte. Er zündete eine Kerze an und stellte sie auf den Tisch. Sie musste ohne Unterbrechung gefahren sein, dachte er. Von der Fähre, mit der sie in dem polnischen Hafen angekommen war, durch Polen und Litauen bis nach Riga. War sie am Steuer eingeschlafen? Oder hatte sie den Wagen mit voller Absicht von der Straße herunter und in den Tod gelenkt? Wallander wusste, dass Autounfälle ohne Beifahrer nicht selten verdeckte Selbstmorde waren. Eine frühere Büroangestellte bei der Polizei in Ystad, eine geschiedene Frau mit Alkoholproblemen, hatte vor wenigen Jahren diesen Weg gewählt. Aber er glaubte nicht, dass Baiba so etwas getan hätte. Ein Mensch, der sich entschließt, umherzureisen und sich von Freunden und Liebhabern zu verabschieden, setzt seinem Leben kaum auf die Weise ein Ende, dass er einen Autounfall inszeniert. Sie war müde gewesen und hatte die Kontrolle über den Wagen verloren, eine andere Erklärung konnte er sich nicht vorstellen.

Er griff zum Telefon, um Linda anzurufen, weil er mit dem, was geschehen war, nicht allein bleiben konnte. Es gab Augenblicke, da musste er ganz einfach jemanden in seiner Nähe haben. Er wählte die Nummer, drückte jedoch auf Aus, als es am anderen Ende zu klingeln begann. Es war zu früh, er hatte noch nichts, was er ihr sagen konnte. Er warf das Handy aufs Sofa, ging hinaus zu Jussi und ließ ihn aus dem Zwinger, setzte sich auf den Boden und streichelte ihn. Es klingelte. Er stürzte ins Haus. Es war Lilja. Sie war jetzt ruhiger, er stellte ihr Fragen und bekam ein deutlicheres Bild davon, was passiert war.

Ihn bewegte natürlich auch eine andere Frage. »Warum rufen Sie mich an? Woher haben Sie meine Nummer?«

»Baiba hatte mich darum gebeten.«

»Um was gebeten?«

»Sie anzurufen, wenn sie tot wäre. Aber ich habe natürlich nicht gedacht, dass es so schnell ginge. Baiba glaubte, dass sie ungefähr noch bis Weihnachten leben würde.«

»Zu mir sagte sie, sie hoffe, noch bis zum Herbst zu leben.«

»Sie hat nicht immer ganz dasselbe gesagt. Ich glaube, sie wollte ihre Freunde in der gleichen Unsicherheit lassen, die sie auch empfand.«

Lilja erzählte, sie sei eine alte Freundin und Kollegin von Baiba. Sie kannten sich seit ihrer Teenagerzeit. »Ich wusste von Ihnen«, sagte sie. »Eines Tages rief Baiba mich an und sagte: ›Jetzt ist er in Riga, mein Freund aus Schweden. Ich bin heute Nachmittag mit ihm im Hotel Latvia im Café verabredet. Wenn du hingehst, kannst du ihn sehen.‹ Ich bin hingegangen und habe Sie gesehen.«

»Vielleicht hat Baiba Ihren Namen einmal erwähnt. Ich glaube schon. Aber begegnet sind wir uns also nicht?«

»Nein. Aber ich habe Sie gesehen. Baiba mochte Sie sehr. Damals hat sie Sie geliebt.«

Sie weinte wieder. Wallander wartete. In der Ferne grollte der Donner. Er hörte, wie sie hustete und sich die Nase putzte.

»Wie geht es jetzt weiter?«, fragte er, als sie wieder ans Telefon kam.

»Ich weiß nicht.«

»Wer sind ihre nächsten Angehörigen?«

»Ihre Mutter und ihre Geschwister.«

»Wenn ihre Mutter noch lebt, muss sie sehr alt sein. Ich erinnere mich nicht, dass sie jemals von ihr erzählt hat.«

»Sie ist fünfundneunzig Jahre alt. Aber sie ist klar im Kopf. Sie hat verstanden, dass ihre Tochter tot ist. Sie hatten seit Baibas Kindheit ein schwieriges Verhältnis.«

»Ich möchte wissen, wann die Beerdigung ist«, sagte Wallander.

»Ich rufe Sie an.«

»Was hat sie von mir gesagt?«, fragte Wallander zuletzt.

»Nicht viel.«

»Etwas muss sie doch gesagt haben.«

»Ja. Aber nicht viel. Obwohl wir Freundinnen waren. Baiba hat nie jemanden ganz an sich herangelassen.«

»Ich weiß«, sagte er. »Ich kannte sie auch, wenn auch auf eine ganz andere Weise als Sie.«

Nach dem Gespräch legte er sich aufs Bett und blickte an die Decke, an der vor einigen Monaten ein feuchter Fleck aufgetaucht war. Er lag sehr lange so da, bevor er zum Küchentisch zurückkehrte.

Kurz nach acht rief er Linda an und erzählte, was geschehen war. Er konnte nur mit großer Mühe sprechen und spürte eine Verzweiflung in sich, die er fast nicht ertragen konnte.

29

Am 14. Juli um elf Uhr fand die Trauerfeier für Baiba Liepa in einer Grabkapelle im Zentrum von Riga statt. Wallander war am Vortag mit einem Flugzeug aus Kopenhagen gekommen. Als er aus dem Flugzeug stieg, kannte er sich gleich wieder aus, obwohl das Terminal umgebaut worden war. Die sowjetischen Armeeflugzeuge, die damals, Anfang der neunziger Jahre, auf dem Flugplatz gestanden hatten, waren jetzt verschwunden. Durch die Scheiben des Taxis sah er eine veränderte Stadt. Außerhalb des eigentlichen Stadtkerns sah er hier und da noch verfallene Bauernhöfe und Schweine, die in Misthaufen wühlten. In der Stadt standen noch die alten Gebäude. Aber die Schaufenster waren andere, die Fassaden frisch gestrichen, die Bürgersteige ausgebessert. Den auffallendsten Unterschied machten jedoch die Menschen in den Straßen aus, ihre Kleidung, und die Autos, die sich an den Ampeln und an den Einfahrten zu zentralen Parkplätzen drängten.

Ein warmer Regen fiel über Riga an diesem Tag, an dem Wallander zurückkehrte. Lilja, die mit Nachnamen Blooms hieß, hatte angerufen und ihm die Einzelheiten über Baibas Beerdigung mitgeteilt. Das Einzige, was er gefragt hatte, war, ob seine Anwesenheit in irgendeiner Weise als unpassend aufgefasst werden könne.

»Wie kommen Sie darauf?«

»Es gab vielleicht Verhältnisse in der Familie, die ich nicht kenne.«

»Alle wissen, wer Sie sind«, sagte Lilja Blooms. »Baiba hat von Ihnen erzählt. Sie waren nie ein Geheimnis.«

»Die Frage ist nur, was sie erzählt hat.«

»Warum machen Sie sich solche Gedanken? Ich dachte, Sie liebten sich und würden heiraten. Das haben wir alle erwartet.«

»Sie wollte nicht.«

Er konnte hören, dass seine Worte sie erstaunten.

»Wir dachten, Sie wären derjenige, der sich zurückgezogen hätte. Sie selbst sagte nichts. Es hat lange gedauert, bis wir verstanden, dass es vorbei war. Aber sie wollte eigentlich nie darüber sprechen.«

Es war Linda gewesen, die Wallander darin bestärkte, zur Beerdigung zu fahren. Als er sie anrief, hatte sie sich sofort in den Wagen gesetzt und war gekommen. Sie war so betroffen, dass sie Tränen in den Augen hatte, als sie sein Haus betrat.

Das half ihm, selbst offen um Baiba zu trauern. Er saß lange mit ihr zusammen und erzählte Erinnerungen an die gemeinsame Zeit. »Ihr Mann, Karlis Liepa, wurde ermordet«, erzählte er. »Es war ein politischer Mord, die Spannungen zwischen Russen und Letten waren damals sehr stark. Ich bin nach Riga gefahren, um zur Aufklärung des Mordes beizutragen. Aber ich war natürlich ahnungslos in Bezug auf die politischen Abgründe, die sich im Land aufgetan hatten. Heute denke ich manchmal, dass ich damals anfing zu verstehen, wie die Welt während des Kalten Krieges eigentlich aussah. Es ist siebzehn Jahre her.«

»Ich erinnere mich noch an deine Reise«, sagte Linda. »Ich ging damals in die Volkshochschule und hatte noch keine Vorstellung, was ich werden wollte. Obwohl ich ganz im Innersten hätte verstehen müssen, dass ich Polizistin werden wollte.«

»Ich meine mich zu erinnern, dass du über alles redetest, nur nicht darüber.«

»Das hätte dich misstrauisch machen müssen. Dass du

aber nicht einmal geahnt hast, was in meinem Kopf vorging!«

»Ich habe ja auch nichts von Baiba geahnt, als Karlis Liepa ins Polizeipräsidium von Ystad kam.«

Wallander erinnerte sich vollkommen klar an die Ereignisse von damals. Abgesehen von seinem Kettenrauchen, das heftige Proteste bei allen Nichtrauchern unter den Polizisten auslöste, war Karlis Liepa ein ruhiger, fast unauffälliger Mann, mit dem Wallander sich gut verstand. Eines Abends, während eines starken Schneesturms, hatte er ihn mit nach Hause in die Mariagata genommen. Er hatte Whisky mit ihm getrunken und zu seiner Freude entdeckt, dass Polizeimajor Liepa ein ebenso großer Opernliebhaber war wie er selbst. Sie hatten sich an jenem Abend eine *Turandot*-Aufnahme mit Maria Callas angehört, während draußen der Schneesturm durch die leeren Straßen fegte.

Aber wo war die Platte jetzt? Sie war nicht bei den Platten gewesen, die er am Tag zuvor auf dem Dachboden gefunden hatte.

Die Antwort erhielt er, als Linda erzählte, sie habe die Platte bei sich zu Hause. »Du hast sie mir geliehen, als ich damals davon träumte, Schauspielerin zu werden. Ich wollte ein Einpersonenstück über das tragische Schicksal der Callas inszenieren. Kannst du dir das vorstellen? Wenn ich einer Frau nicht ähnlich bin, dann einer kleinen und pummeligen griechischen Opernsängerin.«

»Mit schlechten Nerven«, sagte Wallander.

»Was hat Baiba eigentlich gemacht? War sie Lehrerin?«

»Als ich sie traf, übersetzte sie technische Fachliteratur aus dem Englischen. Aber sie hat sich mit vielen Dingen beschäftigt.«

»Du solltest zur Beerdigung fahren. Um deiner selbst willen.«

Es war nicht ganz einfach, aber am Ende überzeugte sie ihn. Sie kümmerte sich auch darum, dass er einen schwarzen Anzug kaufte, begleitete ihn zu dem Geschäft in Malmö und erklärte ihm, als er sich über den Preis wunderte, dass es ein Qualitätsanzug sei, den er für den Rest seines Lebens tragen könne.

»Die Hochzeiten werden weniger«, sagte sie. »In deinem Alter gibt es häufiger Beerdigungen.«

Er bezahlte und murmelte etwas Unverständliches. Linda fragte nicht nach.

Wallander stieg aus dem Taxi und betrat mit seinem kleinen Koffer die Rezeption des Hotels Latvia. Das Café, in dem Lilja Blooms ihn und Baiba beobachtet hatte, existierte nicht mehr. Er checkte ein und bekam Zimmer 1516. Als er aus dem Aufzug trat und vor der Zimmertür stand, hatte er plötzlich das Gefühl, dass es genau dieses Zimmer war, in dem er bei seinem ersten Aufenthalt in Riga gewohnt hatte. Er erinnerte sich mit Bestimmtheit, dass seine damalige Zimmernummer die Ziffern 5 und 6 enthalten hatte. Er schloss auf und trat ein. Hier drinnen sah es nicht mehr so aus wie damals. Aber der Blick aus dem Fenster war unverändert, eine schöne Kirche, deren Name ihm entfallen war. Er packte den Koffer aus und hängte den neuen Anzug auf einen Bügel. Der Gedanke, dass es dieses Hotel, ja vielleicht sogar dieses Zimmer war, wo er Baiba zum ersten Mal getroffen hatte, bereitete ihm einen heftigen Schmerz.

Er ging ins Bad und wusch sich das Gesicht. Es war erst halb eins. Er hatte keine Pläne, hatte vielleicht nur im Sinn, einen Spaziergang zu machen. Er wollte um Baiba trauern, indem er sich an sie erinnerte, wie sie bei ihrer ersten Begegnung gewesen war.

Plötzlich kam ihm ein Gedanke, dem er sich noch nie zu stellen gewagt hatte. War seine Liebe zu Baiba stärker gewesen als die, die er einmal für Mona empfunden hatte? Obwohl Mona Lindas Mutter war?

Er ging hinaus, streifte durch die Stadt, aß in einem Restaurant, ohne wirklich hungrig zu sein. Am Abend setzte er sich im Hotel in eine Bar. Ein Mädchen von etwa zwanzig Jahren trat zu ihm und fragte, ob er Gesellschaft wünsche. Er antwortete nicht, schüttelte nur den Kopf. Kurz bevor das Restaurant des Hotels schloss, bestellte er noch ein Spaghettigericht, rührte es jedoch kaum an. Er trank Rotwein und war angetrunken, als er vom Tisch aufstand.

Es hatte inzwischen geregnet, aber jetzt hatte es sich wieder aufgeklärt. Er suchte den Weg zum Freiheitsdenkmal, vor dem Baiba und er einmal fotografiert worden waren. Einige Jugendliche fuhren Skateboard auf der Steinplatte vor dem Denkmal. Er ging weiter und kam erst spät wieder ins Hotel zurück. Er schlief auf dem Bett ein, ohne mehr als die Schuhe ausgezogen zu haben.

Am Morgen erwachte er von einem Klopfen an der Tür. Er fuhr aus dem Schlaf hoch und dachte verwirrt, es sei Baiba, die vor der Tür stand. Aber als er aufmachte, sah er eine junge Frau. Er wurde ärgerlich und dachte, wie abscheulich es war, dass zu jeder Tages- und Nachtzeit junge Prostituierte aufkreuzen konnten. Er wollte die Tür zuschlagen, als etwas im Gesicht des Mädchens ihn zögern ließ.

»Kurt Wallander?«, fragte sie. »Sie kennen mich nicht. Aber Sie haben meine Mutter gekannt.«

Wallander zögerte immer noch, ließ sie aber schließlich eintreten. Hatte Baiba eine Tochter gehabt, von der er nichts wusste? Einen kurzen und angsterfüllten Augenblick lang fragte er sich sogar, ob es sein eigenes Kind sein konnte. Aber er verwarf den Gedanken. Das hätte Baiba ihm erzählt. Er zeigte auf den Sessel und setzte sich selbst auf die Bettkante. Sie hatte blondes Haar, war vielleicht achtzehn, neunzehn Jahre alt, einfach gekleidet, ungeschminkt.

»Ich heiße Vera«, sagte sie. »Meine Mutter hieß Ines.«

Im selben Augenblick wusste er Bescheid. Ines, Baibas Freundin, die er bei seinem ersten Besuch in Riga getroffen hatte. Sie hatte ihn abgeholt zu einem seiner nächtlichen Besuche bei einer politischen Untergrundgruppe, die ihn um Beistand gebeten hatte. Und er hatte sie bei einer wilden Schießerei sterben sehen, als das Lokal, in dem die Widerstandsgruppe sich aufhielt, angegriffen wurde. Er sah sie noch recht genau vor sich, blutend, über einem umgestürzten Stuhl zusammengesunken.

»Ja«, sagte er. »Ich habe Ihre Mutter getroffen. Ich kannte sie nicht. Aber ich weiß, dass sie Baibas Freundin war.«

»Lilja sagte, Sie kämen zur Beerdigung. Ich war erst zwei Jahre alt, als meine Mutter starb. Ich will Ihnen nicht lästig fallen. Ich wollte Sie nur sehen, weil Sie einmal meine Mutter getroffen haben und ich selbst keine Erinnerung an sie habe.«

»Ich erinnere mich daran, dass sie sehr schön war«, sagte Wallander. »Und mutig und stark.«

»Stimmt es, dass Sie dabei waren, als sie starb?«

Die Frage kam schnell und ohne Zögern. Wallander nickte.

»Ich frage alle, die ich treffe und die irgendwelche Erinnerungen haben könnten. Es gibt immer eine Einzelheit, die anders ist, einen Eindruck, der sich vertieft, oder vielleicht etwas, was ich noch nicht wusste.«

»Es ist so lange her. Ich weiß nicht mehr, woran ich mich wirklich erinnere und woran ich mich nur zu erinnern glaube.«

Er versuchte, ihr seine Erinnerungsbilder so anschaulich zu schildern, wie er sich Ereignisse und einzelne Momente zu vergegenwärtigen vermochte. Er versuchte auch, so ehrlich wie möglich zu sein. Aber als er zu dem Augenblick kam, da Ines tot über dem umgestürzten Stuhl lag, sagte er nur, dass sie sicher sofort tot gewesen sei, als sie von den Schüssen getroffen wurde.

Sie stellte weitere Fragen. Aber er hatte alles gesagt, woran er sich erinnerte, und konnte ihr keine weiteren Antworten geben. Vera stand auf und strich ihren weißen Rock glatt. Einen kurzen Moment lang meinte Wallander zu sehen, dass sie ihrer Mutter ähnlich war. Aber er war sich nicht sicher, er konnte sich täuschen.

»Wer ist Ihr Vater?«, fragte er.

»Ich weiß es nicht. Mama hat zu Baiba gesagt, sie würde es mir erzählen, wenn ich größer wäre. Aber nicht einmal Baiba wusste es, Ines hatte ihren Freundinnen nichts verraten. Manchmal denke ich, er kam vielleicht aus der Sowjetunion.«

»Wie kommen Sie darauf?«

»Meine Mutter hat nie gesagt, wer er war. Sie schämte sich vielleicht seinetwegen. Danke, dass Sie mich hereingelassen haben. Ich habe Ihnen angesehen, dass Sie die Tür zuschlagen wollten. Dachten Sie, ich wäre käuflich? Haben Sie uns gegenüber wirklich solche Vorurteile?«

»Ich weiß nicht, was ich gedacht habe.«

»Lilja bat mich, Ihnen zu sagen, dass sie um zehn Uhr zu Ihnen kommt. Sie begleitet Sie zur Grabkapelle.«

Er brachte sie zur Tür und sah ihr nach, als sie den Korridor entlang zum Aufzug ging. Dann zog er seinen Beerdigungsanzug an und ging hinunter in den Speisesaal, um zu frühstücken, obwohl er nicht hungrig war.

Auf dem Flugplatz Kastrup hatte er zwei halbe Flaschen Wodka gekauft. Eine davon trug er in einer Innentasche. Im Aufzug nach unten schraubte er den Deckel ab und trank einen Schluck.

Wallander stand in der Rezeption, als Lilja Blooms durch die Glastüren kam. Sie entdeckte ihn sofort und trat auf ihn zu. Baiba musste ihr eins der wenigen existierenden Fotos gezeigt haben, dachte er.

Lilja war klein und rundlich und trug die Haare fast kurz geschoren. Sie sah ganz anders aus, als er sie sich vorgestellt hatte. In seiner Vorstellung war sie Baiba ähnlich. Als sie sich begrüßten, spürte Wallander, dass er verlegen wurde, ohne dass er hätte sagen können, warum.

»Die Kapelle liegt nicht weit entfernt«, sagte sie. »Es ist nur ein Fußweg von zehn Minuten. Ich rauche noch eine Zigarette. Sie können hier warten.«

»Ich komme mit«, sagte Wallander. Sie standen in der Sonne vor dem Hotel, Lilja mit Sonnenbrille und einer brennenden Zigarette in der Hand.

»Sie war betrunken«, sagte Lilja plötzlich.

Es dauerte einen Moment, bis Wallander begriff, was sie meinte. »Baiba?«

»Sie war betrunken, als sie starb. Das hat die Obduktion ergeben. Sie hatte viel Alkohol im Blut, als sie von der Straße abkam.«

»Es fällt mir schwer, das zu glauben.«

»Mir auch. Alle ihre Freunde verstehen es nicht. Aber was weiß man schon darüber, wie ein todkranker Mensch denkt?«

»Meinen Sie, dass sie sich das Leben genommen hat? Dass sie es bewusst getan hat? Gegen diese Mauer gefahren ist?«

»Es führt zu nichts, wenn wir darüber nachgrübeln, denn wir werden es nie mit Bestimmtheit wissen. Aber es gab keine Bremsspuren. Ein Fahrer, der hinter ihr war, hat ausgesagt, dass sie zwar nicht besonders schnell gefahren sei, aber in Schlangenlinien.«

Wallander versuchte, das Ganze vor sich zu sehen, die letzten Augenblicke in Baibas Leben. Er sah ein, dass er nicht sicher sein konnte, ob es ein Unfall oder Selbstmord gewesen war. Plötzlich ging ihm ein anderer Gedanke durch den Kopf. Konnte auch Louise von Enkes Tod ein Unglücksfall gewesen sein? Kein Mord oder Selbstmord?

Er verfolgte den Gedanken nicht weiter, weil Lilja ihre Zigarette ausdrückte und gehen wollte. Wallander entschuldigte sich, ging zur Toilette in der Rezeption und trank noch einen Schluck Wodka. Er betrachtete sich im Spiegel. Er sah einen Mann, der alt zu werden begann und von Unruhe erfüllt war vor dem, was ihn im verbleibenden Teil seines Lebens erwartete.

Sie erreichten die Kapelle und traten ins Dunkel ein, das durch das Sonnenlicht draußen noch verstärkt wurde. Es dauerte eine Weile, bis Wallanders Augen sich daran gewöhnt hatten.

In diesem Augenblick stellte er sich vor, Baiba Liepas Beerdigung sei eine Art Vorübung zu seiner eigenen. Das machte ihm Angst, und beinahe wäre er aufgestanden und gegangen. Er hätte nicht nach Riga fahren sollen, er hatte hier nichts zu suchen.

Aber er blieb und schaffte es, hauptsächlich dank des Alkohols, den er getrunken hatte, nicht in Tränen auszubrechen, nicht einmal, als er merkte, wie traurig Lilja Blooms neben ihm war. Der Sarg war wie eine ins Meer geworfene Insel, ein Versteck und der letzte Ruheplatz eines Menschen, den er einmal geliebt hatte.

Aus einem unerfindlichen Grund sah er auf einmal Håkan von Enke vor sich. Irritiert schob er den Gedanken von sich.

Der Wodka begann Wirkung zu zeigen. Es kam Wallander so vor, als ginge die Trauerfeier ihn eigentlich nichts an. Als sie vorüber war und Lilja Blooms zu Baibas Mutter ging, um sie zu begrüßen, verließ Wallander leise die Kapelle. Er wandte sich nicht um, ging auf kürzestem Weg ins Hotel und bat an der Rezeption um Unterstützung bei der Umbuchung seines Flugs. Sein Plan war gewesen, bis zum nächsten Tag zu bleiben, aber jetzt wollte er so schnell wie möglich fort. Es gab noch einen Platz auf einem Nachmittagsflug nach Kopenhagen. Er packte seinen Koffer, behielt den Beerdigungsanzug an und verließ das Hotel in einem Taxi, da er fürchtete, Lilja Blooms würde nach ihm suchen. Fast drei

Stunden saß er vor dem Flughafengebäude auf einer Bank, bevor es Zeit war, durch die Sicherheitskontrolle zu gehen.

An Bord der Maschine trank er weiter. In Ystad nahm er ein Taxi nach Hause und wäre beinahe umgefallen, als er aus dem Wagen stieg. Jussi war wie üblich bei den Nachbarn, und er beschloss, ihn erst am nächsten Tag zu holen.

Er fiel ins Bett, schlief fest und fühlte sich ausgeruht, als er am Morgen kurz vor neun aufwachte. Jetzt überkam ihn tiefe Scham darüber, dass er aus der Kapelle geflohen war, ohne sich von Lilja zu verabschieden. Er würde sie in ein paar Tagen anrufen und eine plausible Entschuldigung vorbringen. Aber was konnte er ihr sagen?

Später fühlte Wallander sich unwohl. Nirgendwo fand er Kopfschmerztabletten, obwohl er das Badezimmer und sämtliche Küchenschubladen durchsuchte. Weil er sich nicht überwinden konnte, nach Ystad hineinzufahren, fragte er seine nächste Nachbarin, ob sie Tabletten habe. Er nahm sie, in einem Glas Wasser aufgelöst, in ihrer Küche und bekam noch ein paar für zu Hause mit.

Als er zurückkam, sperrte er Jussi ein. Im Haus blinkte der Anrufbeantworter. Sten Nordlander hatte angerufen. Wallander suchte seine Handynummer heraus und rief ihn an.

Es wehte kräftig um Sten Nordlander, als er sich meldete. »Ich rufe zurück«, rief er. »Ich muss nur erst einen Platz in Lee aufsuchen.«

»Ich bin zu Hause.«

»In zehn Minuten. Geht es dir gut?«

»Ja.«

»Bis später.«

Wallander setzte sich an den Küchentisch und wartete. Jussi trabte in seinem Zwinger umher und schnüffelte, ob Mäuse oder Vögel zu Besuch gewesen waren. Manchmal warf er einen Blick zum Küchenfenster hinüber. Wallander hob die Hand und winkte. Jussi reagierte nicht, er sah ihn nicht, wusste nur, dass Wallander dort drinnen war. Wallander öffnete das Fenster. Sofort wedelte Jussi mit dem Schwanz und richtete sich auf den Hinterbeinen am Zaun auf.

Das Telefon klingelte. Sten Nordlander hatte einen Platz in Lee gefunden, die Windgeräusche waren fort. »Ich bin auf See«, sagte er. »Auf einer kleinen Insel, kaum mehr als eine kahle Schäre, in der Nähe von Möja. Weißt du, wo das liegt?«

»Nein.«

»Ganz weit draußen in den Stockholmer Schären. Es ist sehr schön.«

»Gut, dass du angerufen hast«, sagte Wallander. »Es ist etwas passiert. Ich hätte mich selbst auch gemeldet. Håkan hat sich gezeigt.«

Wallander erzählte rasch, was geschehen war.

»Merkwürdig!«, sagte Sten Nordlander. »Gerade als ich hier auf der Schäre an Land ging, musste ich an ihn denken.«

»Aus einem besonderen Grund?«

»Er liebte Inseln. Einmal hat er mir erzählt, er habe als junger Mann davon geträumt, Inseln in allen Weltmeeren zu besuchen.«

»Hat er jemals versucht, sich den Traum zu erfüllen?«

»Ich glaube nicht. Louise flog nicht gern, und Schiffsreisen mochte sie ebenso wenig.«

»Hat das nie zu Problemen zwischen ihnen geführt?«

»Davon weiß ich jedenfalls nichts. Er hing sehr an ihr und sie sehr an ihm. Träume können ihren Wert haben, selbst wenn man sie nicht verwirklichen kann.«

Die Verbindung war schlecht, die Schäre, auf der Nordlander sich befand, lag am äußersten Rand der Funkdeckung. Sie verabredeten, dass Nordlander wieder anrufen würde, wenn er aufs Festland zurückgekehrt war.

Wallander legte das Telefon langsam auf den Tisch. Saß reglos da. Plötzlich hatte er das starke Gefühl, zu wissen, wo Håkan von Enke sich versteckte. Sten Nordlander hatte ihm die Richtung angedeutet, in die er sich wenden musste.

Er konnte nicht sicher sein und hatte keine Beweise. Dennoch wusste er es.

Er dachte plötzlich an ein Buch, das er in Signe von Enkes Regal gesehen hatte, neben den Babar-Büchern. Das Märchen von Dornröschen. Ich habe lange geschlafen, dachte Wallander. Ich hätte viel früher begreifen müssen, wo er sich aufhält. Erst jetzt wache ich auf.

Er wurde wirklich alt. Dass er nicht sah, was direkt vor ihm lag.

Jussi bellte. Wallander ging nach draußen und gab ihm sein Fressen.

Früh am nächsten Morgen setzte er sich in den Wagen. Die Bauersfrau sah ihn verwundert an, als er schon wieder mit Jussi erschien.

Sie fragte, wie lange er fortbleiben würde. Er sagte es, wie es war.

Er wusste es nicht. Er hatte keine Ahnung.

30

Er mietete ein sechs Meter langes offenes Kunststoffboot mit einem 7 PS Evinrude-Außenbordmotor. Der Vermieter gab ihm auch eine Seekarte. Wallander hatte dieses Boot gewählt, weil er es gerade noch selbst rudern konnte, und er nahm an, dass das nötig werden würde. Als er den Mietvertrag unterzeichnete, legte er seinen Polizeiausweis vor. Der Mann zuckte zusammen.

»Alles in Ordnung«, sagte Wallander. »Ich brauche einen zweiten Tank mit Benzin. Vielleicht bringe ich das Boot morgen schon zurück, vielleicht behalte ich es ein paar Tage länger. Sie haben ja meine Kreditkartennummer und wissen, dass Sie Ihr Geld kriegen.«

»Besuch von der Polizei«, sagte der Mann. »Ist etwas passiert?«

»Nein. Ich will nur einen guten Freund überraschen, der fünfzig wird.«

Wallander hatte seine Lüge nicht vorbereitet. Er war es gewohnt, Ausflüchte zu suchen, es ging inzwischen wie von selbst.

Das Boot lag eingeklemmt zwischen zwei größeren Motorbooten, das eine von der Marke Storö. Der Außenborder hatte keinen elektrischen Starter, sprang aber sofort an, als Wallander an der Schnur zog. Der Vermieter erklärte in seinem finnischen Akzent, der Motor sei garantiert zuverlässig.

»Ich benutze das Boot selbst zum Fischen«, sagte er. »Das Problem ist nur, dass es kaum noch Fisch gibt. Aber ich fische trotzdem.«

Es war vier Uhr am Nachmittag. Wallander war vor einer Stunde in Valdemarsvik angekommen. Er hatte im wahrscheinlich einzigen Restaurant des Ortes gegessen und dann nach der Bootsvermietung gesucht, die ganz in der Nähe lag, auf einer Seite der langen Valdemarsvik. Wallander hatte einen Rucksack gepackt, in dem sich auch Taschenlampen und ein Paket mit Essen befanden. Außerdem hatte er warme Kleidung mitgenommen, obwohl es jetzt am Nachmittag warm war.

Auf dem Weg hinauf nach Östergötland war er durch mehrere Regenfronten gefahren. Einmal, nicht weit von Ronneby, war das Unwetter so stark gewesen, dass er auf einem Parkplatz anhalten musste, um das Ende des Regens abzuwarten. Während er dem Prasseln auf dem Wagendach lauschte und das Wasser an der Frontscheibe herabströmen sah, fragte er sich, ob sein Spürsinn ihn diesmal getäuscht hätte oder ob es sich, wie so viele Male zuvor, zeigen würde, dass er die Situation richtig gedeutet hatte.

Er blieb fast eine halbe Stunde in Gedanken versunken auf dem Parkplatz stehen, bis der Regen abrupt aufhörte. Als er in Valdemarsvik eintraf, hatte es aufgeklart und war nahezu windstill. Nur leichte Böen kräuselten das Wasser.

Es roch nach Schlamm und Lehm. Er erinnerte sich, dass es bei seinem letzten Besuch auch so gerochen hatte.

Wallander startete den Außenborder und fuhr davon. Der Vermieter sah ihm lange nach, bevor er zu seinem Büro zurückging. Wallander wollte noch bei Tageslicht aus der langen Bucht herauskommen. Dann würde er irgendwo anlegen und den Abend und die sommerliche Dämmerung abwarten. Er hatte versucht auszurechnen, in welcher Phase sich der Mond befand, aber ohne Erfolg. Er hätte Linda anrufen können. Da er aber nicht verraten wollte, wohin er unterwegs war und warum er diese Fahrt machte, ließ er es.

Wenn er erst aus der Bucht herausgekommen war, würde er Martinsson anrufen. Wenn er überhaupt jemanden anrief. Der Auftrag, den er sich selbst erteilt hatte, hing nicht davon ab, ob der Mond schien oder nicht. Er wollte einfach nur wissen, was ihn erwartete.

Als er hinter den Inseln das offene Meer sehen konnte, stellte er den Motor auf Leerlauf und studierte die in Folie eingeschweißte Seekarte. Nachdem er sich orientiert hatte, wählte er eine Stelle nicht weit von seinem Ziel, wo er bis zum Abend abwarten wollte. Aber der Platz war schon besetzt, bei den Felsen lagen mehrere Boote vor Anker. Er fuhr weiter und fand schließlich eine Schäre, nicht viel größer als eine Klippe, mit einigen Bäumen. Hier konnte er an Land rudern, nachdem er den Motor gekippt hatte. Er zog seine Jacke an, lehnte sich an einen Baum und trank Kaffee aus der Thermoskanne. Dann rief er Martinsson an. Wieder meldete sich ein Kind, vielleicht dasselbe wie beim letzten Mal.

Martinsson kam an den Apparat. »Du hast Glück«, sagte er. »Meine kleine Enkelin wird allmählich deine Sekretärin.«

»Der Mond«, sagte Wallander.

»Was ist damit?«

»Du fragst zu schnell. Ich bin noch nicht fertig.«

»Entschuldigung. Aber die Kinder belegen mich total mit Beschlag.«

»Ich verstehe das und würde dich nicht stören, wenn es nicht wichtig wäre. Hast du einen Kalender? In welcher Phase ist der Mond jetzt?«

»Der Mond? Ist das deine Frage? Bist du auf astronomische Abenteuer aus?«

»Vielleicht. Aber kannst du mir Auskunft geben?«

»Warte einen Augenblick.«

Martinsson legte das Telefon zur Seite. Er hatte an Wallanders Stimme gemerkt, dass er keine Erklärung bekommen würde.

»Wir haben Neumond«, sagte er, als er ans Telefon zurückkam. »Eine kleine, dünne Sichel. Vorausgesetzt, du befindest dich noch in Schweden.«

»Das tue ich. Danke für die Hilfe«, sagte Wallander. »Eines Tages erkläre ich es dir.«

»Ich bin gewohnt zu warten.«

»Worauf?«

»Auf Erklärungen. Nicht zuletzt von meinen Kindern, wenn sie nicht das tun, was wir besprochen haben. Aber das war hauptsächlich früher, als sie noch jünger waren.«

»Linda war genauso«, sagte Wallander in einem Versuch, Interesse zu bekunden.

Er bedankte sich noch einmal für die Hilfe und beendete das Gespräch. Er aß ein paar Butterbrote und legte sich dann hin, mit einem Stein als Kopfkissen.

Die Schmerzen kamen aus dem Nichts. Er lag da und schaute zum Himmel auf, in einiger Entfernung kreischten Möwen, als ihm ein Schmerz in den linken Arm fuhr, ein Schmerz, der sich auf Brust und Bauch ausdehnte. Zuerst glaubte er, es liege an einer scharfen Kante, die ihm wehtat. Dann musste er einsehen, dass die Schmerzen von innen kamen. Es waren genau die, vor denen er sich immer gefürchtet hatte. Er hatte einen Herzinfarkt.

Er lag reglos da, starr vor Schreck, und atmete möglichst flach. Er fürchtete, jeder neue Atemzug könnte den letzten Rest der Fähigkeit seines Herzens, zu schlagen, auslöschen.

Die Erinnerung an den Tod seiner Mutter trat auf einmal sehr deutlich in sein Bewusstsein. Es war, als spielte sich ihre letzte Stunde unmittelbar neben ihm ab. Sie war erst fünfzig Jahre alt gewesen. Sie hatte nie außerhalb des Haushalts gearbeitet, sondern versucht, die Familie mit den beiden Kindern Kurt und Kristina und ihrem launischen Mann mit den stets unsicheren Einkünften zusammenzuhalten. Sie hatten damals in Limhamn gewohnt und ein Haus mit einer anderen Familie geteilt. Der Mann war ein Lokführer, der nie einem Menschen etwas zuleide getan hatte. Eines Tages hatte er, aus reiner Freundlichkeit, Wallanders Vater gefragt, ob es nicht entspannend sein könnte, auch andere Motive zu malen als ständig die gleiche Landschaft. Wallander hatte das Gespräch mit angehört, der Lokführer, Nils Persson, hatte seinen eigenen Beruf als Beispiel angeführt. Nach langen Perioden mit immergleichen Fahrten zwischen Malmö und Alvesta war er glücklich, als er auf eine Express-Dampflok versetzt wurde, die nach Göteborg, ja manchmal sogar bis nach Oslo fuhr. Wallanders Vater war jedoch außer sich gewesen und hatte die Bekanntschaft sogleich aufgekündigt. Danach war es an Wallanders Mutter gewesen, ausgleichend zu wirken und für ein einigermaßen erträgliches Nachbarschaftsverhältnis zu sorgen.

Ihr Tod war plötzlich eingetreten, an einem Nachmittag im Herbst 1962. Sie hängte in ihrem kleinen Garten Wäsche auf. Wallander war gerade aus der Schule gekommen und aß in der Küche Butterbrote. Er sah seine Mutter dastehen, mit Wäscheklammern und einem Kopfkissenbezug in der Hand. Im nächsten Moment kniete sie am Boden, die Hände an die Brust gepresst. Erst glaubte er, sie habe etwas fallen lassen, dann sah er sie zur Seite kippen, langsam, als wolle sie dagegen ankämpfen. Er war hinausgelaufen und hatte ihren Namen gerufen, aber ihr war nicht mehr zu helfen. Der Arzt, der sie später obduzierte, sagte, es sei ein massiver Herzinfarkt gewesen. Selbst wenn sie schon im Krankenhaus gewesen wäre, hätte man ihr Leben nicht retten können.

Jetzt sah er es vor sich, in flimmernden, zuckenden Bildern, während er versuchte, seine eigenen Schmerzen abzuwehren. Er wollte sein Leben nicht vorzeitig beenden wie seine Mutter, vor allem wollte er nicht jetzt sterben, einsam auf einer Schäre in der Ostsee.

Er sprach stumme, erregte Gebete. Kaum zu einem Gott, mehr zu sich selbst, um zu widerstehen, sich nicht ins

Schweigen hinabziehen zu lassen. Und er merkte schließlich, dass die Schmerzen nicht stärker wurden, dass sein Herz weiterschlug. Er versuchte, sich zur Ruhe zu zwingen, besonnen zu handeln, nicht in blinde Panik zu geraten. Vorsichtig setzte er sich auf und tastete nach dem Handy, das er neben den Rucksack gelegt hatte. Er rief Lindas Nummer auf, hielt aber inne. Was konnte sie tun? Wenn er wirklich einen Herzinfarkt hatte, sollte er die Nummer des Notrufs wählen.

Doch etwas hielt ihn zurück. Vielleicht lag es daran, dass er zu spüren meinte, wie die Schmerzen nachließen. Am Handgelenk fühlte er, dass sein Puls regelmäßig war. Vorsichtig drehte er den linken Arm und fand eine Stellung, in der er frei atmen konnte. Das passte nicht zu den Symptomen bei einem akuten Herzinfarkt. Er fühlte erneut seinen Puls. Vierundsiebzig Schläge pro Minute. Sein normaler Puls lag zwischen sechsundsechzig und achtundsiebzig. Es ist Stress, dachte er. Mein Körper simuliert etwas, was mir passieren kann, wenn ich mich nicht beruhige, wenn ich mir immer weiter einbilde, ein unersetzlicher Polizist zu sein, wenn ich nicht richtig Urlaub mache.

Er legte sich wieder hin. Die Schmerzen nahmen weiter ab, auch wenn sie, wie eine Art Drohung, im Hintergrund noch vorhanden waren.

Eine Stunde später wagte er zu hoffen, dass er keinen Herzinfarkt erlitten hatte. Es war eine Warnung gewesen. Vielleicht sollte er nach Hause fahren, Ytterberg anrufen und ihm alles erzählen, was er herausgefunden hatte. Doch er beschloss zu bleiben. War er schon so weit gefahren, wollte er auch in Erfahrung bringen, ob er richtig gedacht hatte. Was immer das Ergebnis wäre, danach könnte er die Angelegenheit Ytterberg überlassen. Dann würde er sich nicht mehr damit befassen.

Er spürte große Erleichterung. Es war ein Lebensrausch, wie er ihn seit Jahren nicht erlebt hatte. Am liebsten wäre er aufgestanden und hätte seine Freude aufs Meer hinausgebrüllt. Aber er blieb sitzen, an den Baumstamm gelehnt, sah die Boote, die vorbeifuhren, sog den Duft des Meeres ein. Es war noch warm, als er sich mit seiner Jacke zudeckte und einschlief. Als er erwachte, waren kaum zehn Minuten vergangen, und die Schmerzen waren fast verschwunden. Er stand auf und ging um die kleine Felseninsel herum. Auf der Südseite erhob sich die Klippe beinahe senkrecht. Es war kaum möglich, dicht an der Wasserkante zu gehen.

Plötzlich hielt er inne und duckte sich. Ungefähr zwanzig Meter vor ihm war eine Felsspalte. Davor ankerte ein Motorboot, und eine Jolle war ein Stück auf die Klippe hinaufgezogen. In der Felsspalte lagen zwei Menschen und liebten sich. Er presste sich an die Felswand, konnte aber der Versuchung, zuzusehen, nicht widerstehen. Die beiden waren jung, kaum älter als zwanzig Jahre. Er starrte einen Moment wie gebannt auf ihre nackten Körper, bevor er sich losreißen konnte und den gleichen Weg zurückging, auf dem er gekommen war. Ein paar Stunden später, als es Abend geworden war, sah er das Motorboot mit der Jolle im Schlepp vorbeiziehen. Er stand auf und winkte. Der Junge und das Mädchen im Cockpit winkten zurück.

Auf eine Weise beneidete er sie. Aber es waren keine finsteren Gedanken. Eine Sehnsucht zurück in die Zeit seiner Jugend kannte er nicht. Seine frühesten erotischen Erlebnisse waren wie die der meisten jungen Männer gewesen, unsicher, ernüchternd, oft an der Grenze des Peinlichen. Er hatte den Schilderungen seiner Kameraden von Eskapaden und Eroberungen immer ungläubig gelauscht. Erst mit Mona hatte er einen wirklichen Genuss erlebt. In den ersten Jahren ihrer Beziehung hatten sie ein Sexualleben gehabt, wie er es nicht für möglich gehalten hätte. Auch mit ein paar anderen Frauen hatte er Schönes erlebt, aber es reichte kaum an die Intensität der Erfahrungen heran, die Mona und er am Anfang ihrer Beziehung gekannt hatten. Die große Ausnahme war natürlich Baiba.

Aber nie hatte er sich mit einer Frau auf einer Felsenklippe am Meer geliebt. Das Gewagteste, woran er sich erinnern konnte, war gewesen, als er einmal, ein wenig angetrunken, Mona auf eine Zugtoilette mitgelockt hatte. Aber sie waren durch wildes Hämmern an die Tür gestört worden. Mona hatte die Situation als ungeheuer peinlich empfunden und ihn in ihrer Wut schwören lassen, sie nie wieder zu ähnlichen erotischen Eskapaden zu verleiten.

Er hatte es auch nie wieder getan. Gegen Ende ihrer langen Beziehung hatte die Lust auf beiden Seiten sich verflüchtigt, wenngleich sie bei Wallander mit großer Heftigkeit zurückgekehrt war, nachdem Mona ihm erklärt hatte, sich scheiden lassen zu wollen. Aber da war die Tür bereits unwiderruflich zugefallen.

Jetzt war ihm, als sähe er sein Leben vollkommen klar vor sich. Er konnte darin vier entscheidende Wendungen ausmachen. Die erste war, als ich mich gegen den Willen meines dominierenden Vaters auflehnte und Polizist wurde, dachte er. Die zweite, als ich im Dienst einen Menschen getötet hatte und glaubte, nicht mehr weitermachen zu können, mich aber dennoch entschloss, den Polizeiberuf nicht aufzugeben. Die dritte, als ich die Mariagata verließ, aufs Land zog und mir Jussi zulegen konnte. Die vierte war, als ich schließlich akzeptierte, dass Mona und ich nie mehr zusammenleben würden. Das war wohl das Schwerste, was ich durchgemacht habe. Aber ich habe meine Entscheidungen getroffen, ich bin ganz allein verantwortlich dafür.

Mit der Dämmerung kamen die Mücken und begannen ihn zu quälen. Aber er hatte daran gedacht, einen Mückenstift mitzunehmen, und zog die Kapuze des Anoraks über den Kopf. Immer weniger Motorboote waren auf dem Sund zu sehen und von den umgebenden Buchten her zu hören. Ein Segelboot lief vor dem Wind aufs offene Meer hinaus.

Kurz nach Mitternacht, während die Mücken ihm um die Ohren schwirrten, verließ er die Felseninsel. Er folgte den immer undeutlicher werdenden Silhouetten der Inseln auf dem Kurs, den er mithilfe der Seekarte bestimmt hatte. Er fuhr langsam und kontrollierte genau, dass er nicht von diesem Kurs abkam. Als er sich seinem Ziel näherte, drosselte er die Fahrt noch weiter und kam schließlich ganz zum Stillstand. Eine leichte nächtliche Brise war aufgekommen. Er kippte den Motor hoch, brachte die Riemen aus und begann zu rudern. Aber er sah kein Licht am Ufer, und das bereitete ihm Kopfzerbrechen. Es sollte Licht brennen, dachte er. Es sollte nicht dunkel sein.

Er ruderte zum Ufer und stieg vorsichtig aus. Der Boden schrammte über die Steine, als er das Boot an Land zog. Er band die Leine um eine Erle am Ufer. Die Taschenlampen hatte er aus dem Rucksack genommen. Eine hielt er in der Hand.

Aber da war noch etwas anderes im Rucksack, zwischen den letzten Butterbrotpaketen und der Kleidung, und jetzt tastete er danach: Er hatte seine Dienstwaffe eingesteckt, dazu ein gefülltes Magazin. Warum er beides nach langem Abwägen mitgenommen hatte, konnte er sich selbst nicht richtig erklären. Nichts ließ vermuten, dass er sich einer unmittelbaren physischen Gefahr aussetzte.

Aber Louise ist tot, hatte er gedacht. Und Herman Eber hat mich davon überzeugt, dass sie ermordet wurde. Bis ich mehr weiß, ist es im Bereich des Möglichen, dass Håkan der Schuldige ist, auch wenn ich weder Beweise noch ein Motiv habe.

Er legte das Magazin ein und kontrollierte, dass die Waffe gesichert war. Dann schaltete er die Taschenlampe mit dem blauen Filter ein, den er aufgeschraubt hatte. Das Licht war schwach und würde für jemanden, der nicht auf der Hut war, schwer zu entdecken sein.

Er horchte ins Dunkel. Das Rauschen des Meeres übertönte alle anderen Geräusche. Er stellte den Rucksack zurück ins Boot und vergewisserte sich, dass es ordentlich vertäut war. Dann versuchte er vorsichtig, sich ins Innere der Insel zu bewegen. Unten am Wasser war dichtes Gestrüpp. Schon nach wenigen Metern lief er direkt in das Netz einer Kreuzspinne und fuchtelte mit den Armen, als er merkte, dass die Spinne an seinem Anorak hing. Schlangen ertrug er, aber Spinnen nicht. Statt geradewegs durchs Unterholz zu gehen, folgte er dem Ufer und suchte nach einer weniger dicht bewachsenen Stelle. Nach ungefähr fünfzig Metern gelangte er an eine ehemalige Slipanlage. Da er die Insel bisher nur von einem Boot aus gesehen hatte, fiel ihm die Orientierung schwer. Damals hatten sie die Insel auf der anderen, der westlichen Seite passiert. Jetzt hatte er auf der Ostseite angelegt, in der Hoffnung, dass dies die Rückseite der Insel war.

In einer seiner Taschen klingelte das Handy. Er verlor die Taschenlampe, als er nach dem Handy suchte, um den Ton abzustellen. Ein Klingeln nach dem anderen ertönte. Er fluchte leise, während er an seinem Anorak zerrte, um es zu finden. Er zählte sechs Klingeltöne, bevor es ihm endlich gelang, es abzuschalten. Auf dem Display sah er, dass es Linda war. Er stopfte das Handy in die Innentasche und zog den Reißverschluss zu. In seinen Ohren hatte sich das Klingeln wie eine Alarmsirene angehört. Er horchte. Aber es war nichts zu hören oder zu sehen. Das Rauschen des Meeres war allgegenwärtig.

Vorsichtig schlich er weiter, bis er die Konturen des dunklen Hauses sah. Er stellte sich hinter eine Eiche, bemerkte aber kein Licht. Ich habe mich geirrt, dachte er. Hier ist niemand. Meine Schlussfolgerung war ganz einfach falsch.

Dann erkannte er schließlich doch ein schwaches Licht

zwischen der Fensterbank und einer heruntergelassenen Jalousie. Als er näher kam, sah er auch an den anderen Fenstern einen schwachen Lichtschein.

Vorsichtig ging er ums Haus. Es war verdunkelt, als ob Krieg herrschte und kein Licht dem Feind den Weg weisen dürfte. Der Feind bin ich, dachte Wallander.

Er legte das Ohr an die Holzwand und lauschte. Er hörte murmelnde Stimmen, dann und wann mit Musik verwoben. Ein Fernseher oder ein Radio, was von beiden, konnte er nicht unterscheiden.

Er zog sich wieder in den Schatten zurück und versuchte, sich über sein weiteres Vorgehen klarzuwerden. Er hatte nicht über den Punkt hinausgeplant, an dem er sich jetzt befand. Sollte er bis zum Morgen warten, bevor er anklopfte, um zu sehen, wer ihm öffnete?

Er zögerte. Seine Unentschlossenheit ärgerte ihn. Wovor hatte er eigentlich Angst?

Er bekam keine Zeit, die Frage zu beantworten, zumindest nicht im Augenblick. Er fühlte eine Hand auf der Schulter und fuhr herum. Auch wenn es der Grund dafür gewesen war, dass er sich auf diese Reise begeben hatte, war er verwundert, Håkan von Enke hier im Dunkeln stehen zu sehen. Er trug Jeans und eine Trainingsjacke, hatte lange Haare und war unrasiert.

Sie standen sich stumm gegenüber und sahen sich an, Wallander mit seiner Taschenlampe in der Hand, Håkan von Enke barfuß auf der feuchten Erde.

»Ich nehme an, du hast das Handy klingeln hören«, sagte Wallander.

Håkan von Enke schüttelte den Kopf. Er wirkte nicht nur furchtsam, sondern auch traurig. »Ich habe eine Alarmanlage um das Haus installiert. In den letzten zehn Minuten habe ich versucht zu verstehen, wer auf die Insel gekommen ist.«

»Das war nur ich«, sagte Wallander.

»Ja«, sagte Håkan von Enke. »Das warst nur du.«

Dann gingen sie ins Haus. Erst dort im Licht entdeckte Wallander, dass auch Håkan von Enke eine Waffe trug, eine Pistole, die im Hosenbund steckte. Damals, in Djursholm, trug er die Waffe unter seinem Jackett.

Wen fürchtet er, dachte Wallander. Vor wem versteckt er sich?

Das Rauschen vom Meer her war nicht mehr zu hören. Wallander betrachtete den Mann, der so lange verschwunden gewesen war.

Lange saßen sie schweigend da. Dann begannen sie vorsichtig zu sprechen. Langsam, als näherten sie sich einander mit äußerster Wachsamkeit.

TEIL 4

Das Trugbild

31

Es wurde eine lange Nacht. Während des Gesprächs mit dem so lange Verschwundenen dachte Wallander, dass dies eine Fortsetzung des Gesprächs war, das sie in jener Nacht vor fast sechs Monaten in einem Festlokal in der Nähe von Stockholm geführt hatten. Was er jetzt zu begreifen begann, versetzte ihn in Erstaunen, erklärte jedoch, warum Håkan von Enke damals so beunruhigt gewesen war.

Wallander fühlte sich keineswegs wie Stanley, der seinen Livingstone gefunden hatte. Er hatte eine richtige Vermutung angestellt, das war alles. Seine Intuition hatte ihm den richtigen Weg gewiesen. Falls es von Enke wunderte, dass sein Versteck entdeckt worden war, so ließ er es sich nicht anmerken. Wallander dachte, dass der alte U-Boot-Kapitän seine Kaltblütigkeit zeigte. Was auch geschah, er ließ sich nicht aus der Ruhe bringen.

Die von außen so einfach wirkende Jagdhütte zeigte ein ganz anderes Gesicht, als Wallander über die Schwelle trat. Es gab keine Trennwände, nur einen großen Raum mit einer offenen Küche. Das Badezimmer in einem kleinen Anbau war der einzige Raum, den man schließen konnte. In einer Ecke stand ein Bett. Es wirkte spartanisch auf Wallander, eher wie eine Koje oder wie der kleine Schlafplatz, mit dem sich an Bord eines U-Boots auch der Kapitän begnügen musste. Mitten im Raum stand ein großer Tisch mit Büchern, Dokumentenmappen und Papieren. An einer Schmalseite hing ein Regal mit einem Radio, auf einem kleinen Tisch standen ein Fernseher und ein Plattenspieler, daneben ein dunkelroter altmodischer Sessel.

»Ich dachte nicht, dass es hier Strom gibt«, sagte Wallander.

»Mein Generator steht in einem in den Felsen gesprengten Raum. Man hört den Motor selbst bei ganz ruhigem Wetter nicht.«

Håkan von Enke stand am Herd und machte Kaffee. Wallander versuchte, sich auf das bevorstehende Gespräch vorzubereiten. Doch jetzt, da er den Mann gefunden hatte, nach dem er so lange gesucht hatte, wusste er nicht, was er ihn fragen sollte. Alles, was er zuvor gedacht hatte, kam ihm jetzt wie ein Gewirr unfertiger Schlussfolgerungen vor.

»Erinnere ich mich richtig«, sagte von Enke plötzlich und unterbrach ihn in seinen Gedanken, »dass du weder Zucker noch Milch nimmst?«

»Das stimmt.«

»Leider habe ich kein Gebäck. Hast du Hunger?«

»Nein.«

Håkan von Enke räumte eine Seite des großen Tisches frei. Wallander sah, dass die meisten Bücher von moderner Kriegsführung und aktueller Politik handelten. Eines der abgegriffensten hieß *Die U-Boot-Drohung*, ein vielsagender Titel.

Der Kaffee war stark. Von Enke selbst trank Tee. Wallander bereute, nicht auch Tee genommen zu haben.

Die Uhr zeigte zehn Minuten nach eins.

»Mir ist natürlich klar, dass du viele Fragen hast, auf die du Antworten bekommen möchtest«, sagte von Enke. »Es ist nicht sicher, dass ich alles beantworten kann oder will. Aber zunächst muss ich dir ein paar Fragen stellen. Vor allem: Bist du allein hier?«

»Ja.«

»Wer weiß davon, dass du hier bist?«

»Niemand.«

Wallander sah, dass von Enke zögerte, der Antwort Glauben zu schenken.

»Niemand«, wiederholte Wallander. »Diese Reise ist ganz und gar meine Angelegenheit. Niemand sonst ist an der Expedition beteiligt.«

»Auch Linda nicht?«

»Auch sie nicht.«

»Wie bist du hergekommen?«

»In einem kleinen Boot mit Außenborder. Wenn du willst, kann ich dir den Namen des Vermieters nennen. Aber er hat keine Ahnung, wohin ich wollte. Ich sagte, ich würde einen alten Freund an seinem Geburtstag überraschen. Ich bin überzeugt, dass er mir geglaubt hat.«

»Wo liegt das Boot?«

Wallander zeigte über die Schulter. »Auf der anderen Seite der Insel. An Land gezogen und an einer Erle festgemacht.«

Håkan von Enke betrachtete schweigend seine Teetasse. Wallander wartete.

»Ich wundere mich natürlich nicht darüber, dass mich am Ende jemand gefunden hat«, sagte von Enke. »Aber ich gebe zu, ich hätte nicht gedacht, dass du es wärst.«

»Wen hast du denn da draußen in der Dunkelheit erwartet?«

Håkan von Enke schüttelte den Kopf, er wollte nicht antworten. Wallander beschloss, die Frage vorläufig ruhen zu lassen.

»Wie hast du mich gefunden?« Von Enke wirkte müde, als er seine Frage stellte.

Wallander sagte sich, dass es anstrengend sein musste, auf der Flucht zu sein, auch wenn man nicht die ganze Zeit in Bewegung war, von einem Ort zum anderen. »Als ich auf Bokö war, machte Eskil Lundberg eine Bemerkung, dass die Hütte perfekt sei für jemanden, der von der Bildfläche verschwinden wolle. Wir fuhren auf dem Rückweg zum Festland hier vorbei. Du weißt natürlich, dass ich bei ihm war. Was er da sagte, war wie ein Samenkorn, das langsam aufging. Als ich dann hörte, dass du eine besondere Vorliebe für Inseln hast, kam ich darauf, dass du hier sein könntest.«

»Wer hat von mir und meinen Inseln erzählt?«

Wallander entschied sich dafür, Sten Nordlander zunächst aus der Sache herauszuhalten. Es gab eine andere Antwort, die nicht zu kontrollieren war. »Louise.«

Von Enke nickte stumm. Dann streckte er den Rücken, machte sich gewissermaßen bereit.

»Wir können dies hier auf zweierlei Weise bewerkstelligen«, sagte Wallander. »Entweder du erzählst selbst, oder du antwortest auf meine Fragen.«

»Stehe ich unter irgendeiner Anklage?«

»Nein. Aber deine Frau ist tot. Somit stehst du unter Verdacht. Das ist automatisch so.«

»Dafür habe ich volles Verständnis.«

Selbstmord oder Mord, dachte Wallander. Du scheinst nicht darüber im Zweifel zu sein, was von beidem zutrifft. Wallander war sich bewusst, dass er behutsam vorgehen musste. Der Mann vor ihm war trotz allem eine Person, über die er sehr wenig wusste.

»Erzähl«, sagte Wallander. »Ich unterbreche dich, wenn etwas unklar ist oder ich etwas nicht verstehe. Du kannst in Djursholm anfangen. An deinem Geburtstag.«

»Das ist das falsche Ende. Ich muss früher anfangen. Es gibt nur einen Ausgangspunkt«, sagte von Enke. »Er ist einfach, aber ganz und gar wahr. Ich habe meine Frau Louise über alles geliebt. Gott möge mir vergeben, was ich jetzt sage, aber ich habe sie mehr geliebt als meinen Sohn. Louise war meine ganze Freude im Leben, sie kommen zu sehen, ihr Lächeln zu sehen, zu hören, wie sie sich in einem angrenzenden Zimmer bewegte.«

Er verstummte und sah Wallander mit einem zugleich eindringlichen und herausfordernden Blick an. Er verlangte eine Antwort oder zumindest eine Reaktion von Wallander.

»Ja«, sagte Wallander. »Ich glaube dir. Es ist sicher wahr, was du da sagst.«

Dann setzte Håkan von Enke zu seiner Erzählung an. »Wir müssen weit in die Vergangenheit zurückgehen. Es gibt keinen Grund, alles bis ins kleinste Detail zu erzählen. Es dauert zu lange und ist auch nicht nötig. Aber wir müssen bis in die sechziger und siebziger Jahre des vergangenen Jahrhunderts zurück. Ich war damals im aktiven Dienst an Bord verschiedener Schiffe der Marine, zeitweise auf einem unserer modernsten Minensuchboote. Louise arbeitete in jenen Jahren als Lehrerin. In ihrer Freizeit betreute sie junge Wasserspringerinnen und fuhr manchmal nach Osteuropa, hauptsächlich nach Ostdeutschland, das damals mit großem Erfolg neue Talente hervorbrachte. Heute wissen wir, dass diese Erfolge auf einer Mischung von wahnsinnigem, fast an Sklavenhaltung erinnerndem Training und dem Einsatz hochentwickelter Dopingpräparate beruhte. Ende der siebziger Jahre wurde ich befördert und in den höchsten operativen Führungsstab der Marine berufen. Das bedeutete viel Arbeit, auch zu Hause. Mehrmals in der Woche nahm ich Dokumente, die der Geheimhaltung unterlagen, mit in die Wohnung. Ich hatte einen Waffenschrank, weil ich auch jagte, hauptsächlich Rehe, aber dann und wann nahm ich auch an den jährlichen Elchjagden teil. Ich hielt meine Gewehre und die Munition unter Verschluss und stellte auch meine Aktenmappe mit Dokumenten in den Waffenschrank, nachts oder wenn Louise und ich ausgingen, sei es ins Theater oder zu einer Abendgesellschaft.«

Er hielt inne, nahm den Teebeutel aus der Tasse, legte ihn auf die Untertasse und fuhr fort: »Wann merkt man, dass etwas nicht so ist, wie es sein soll? Die kaum sichtbaren Anzeichen dafür, dass etwas verändert oder bewegt worden ist? Ich vermute, dass du als Polizist häufig in Situationen gerätst, in denen du so vage Signale auffängst. Eines Morgens merkte ich, als ich den Waffenschrank aufschloss, dass etwas nicht so war, wie es sein sollte. Ich kann mich noch immer an das Gefühl erinnern. Ich wollte gerade meine braune Aktentasche herausnehmen, als ich innehielt. Hatte ich sie wirklich so hingestellt, wie sie jetzt stand? Mein Zweifel hatte etwas mit dem Schloss und der Richtung des Griffs zu tun. Mein Zögern dauerte fünf Sekunden, nicht länger. Dann verwarf ich den Gedanken. Ich kontrollierte immer, dass alle Papiere in der richtigen Reihenfolge abgelegt waren. An diesem Morgen machte ich keine Ausnahme. Ich dachte nicht mehr an die Angelegenheit. Ich halte mich für einen guten Beobachter mit einem guten Gedächtnis. Zumindest war es früher so. Wenn man älter wird, verschlechtern sich nach und nach alle Fähigkeiten, man kann den Verfall nur hilflos zur Kenntnis nehmen. Du bist jünger als ich, aber du hast vielleicht auch diese Erfahrung gemacht?«

»Die Augen«, sagte Wallander. »Alle zwei Jahre brauche ich eine neue Brille. Und ich glaube, ich höre auch nicht mehr so gut wie früher.«

»Der Geruchssinn hält dem Altern am besten stand. Er ist der einzige meiner Sinne, der mir noch unbeeinträchtigt vorkommt. Blumendüfte können genauso markant und klar sein wie früher.«

Sie schwiegen. Wallander hörte es in der Wand hinter sich rascheln.

»Mäuse«, sagte Håkan von Enke. »Als ich herkam, war es noch kalt. Manchmal war es geradezu unheimlich, wie es in den Wänden raschelte und nagte. Aber eines Tages werde ich die Bewegungen der Mäuse in den Hohlräumen nicht mehr hören.«

»Ich will dich in deiner Erzählung nicht unterbrechen«, sagte Wallander. »Aber als du an jenem Morgen verschwunden bist, hast du da gleich die Jagdhütte aufgesucht?«

»Ich bin abgeholt worden.«

»Von wem?«

Von Enke schüttelte den Kopf. Wallander insistierte nicht.

»Ich war bei meinem Waffenschrank«, fuhr von Enke fort. »Einige Monate später glaubte ich wieder, die Aktentasche sei verrückt worden. Ich sagte mir natürlich wieder, dass ich mir etwas einbildete. Die Papiere in der Tasche waren auch nicht in Unordnung. Aber diesmal machte ich mir doch Gedanken. Die Schlüssel zum Waffenschrank lagen unter einer Briefwaage auf meinem Schreibtisch. Nur Louise wusste, wo sie waren. Ich tat daraufhin das, was man tun sollte, wenn man sich solche Gedanken macht.«

»Nämlich?«

»Ich fragte sie geradeheraus. Sie saß in der Küche beim Frühstück.«

»Und was antwortete sie?«

»Sie sagte nein. Und stellte die naheliegende Frage, warum sie sich für meinen Waffenschrank interessieren sollte. Ich glaube, es war ihr nie recht, dass ich Waffen zu Hause hatte, auch wenn sie nichts sagte. Ich weiß noch, dass ich mich schämte, als ich zu dem wartenden Wagen ging, der mich zum Stab bringen sollte. Meine damalige Stellung gab mir das Recht auf einen wehrpflichtigen Fahrer.«

»Was geschah dann?«

Wallander spürte, dass seine Fragen von Enke störten. Er wollte selbst den Takt und das Tempo bestimmen. Wallander hob die Hände wie zur Entschuldigung. Er würde nicht mehr unterbrechen.

»Ich war überzeugt davon, dass Louise die Wahrheit sagte. Dennoch hatte ich weiter das Gefühl, dass meine Tasche und die Dokumente bewegt worden waren. Widerwillig arrangierte ich kleine unsichtbare Fallen. Ich heftete Papiere bewusst in falscher Reihenfolge ab, legte ein Haar ins Schloss der Tasche, ließ einen Fettfleck am Griff. Die schwierigste Frage war natürlich die nach dem Motiv. Warum sollte Louise sich für meine Papiere interessieren? Ich konnte mir nicht vorstellen, dass sie es aus Neugier oder aus Eifersucht tat. Sie wusste, dass sie dazu keinerlei Grund hatte. Es dauerte mindestens ein Jahr, bis ich mir zum ersten Mal die Frage stellte, ob das Undenkbare möglich wäre.«

Nach einer kurzen Pause fuhr von Enke fort: »Konnte Louise Kontakt zu einer fremden Macht unterhalten? Es erschien aus einem sehr einfachen Grund unwahrscheinlich. Die Dokumente, die ich mit nach Hause nahm, waren äußerst selten von der Art, dass sie für den Geheimdienst einer fremden Macht von Interesse hätten sein können. Aber meine Unruhe ließ mich nicht los. Ich merkte, dass ich anfing, meiner Frau zu misstrauen, sie zu verdächtigen, allein aufgrund vager Ahnungen oder wegen eines Haars, dessen Lage verändert war. Schließlich, und jetzt befinden wir uns am Ende der siebziger Jahre, beschloss ich, ein für alle Mal herauszufinden, ob mein Verdacht gegen Louise gerechtfertigt war oder nicht.«

Er stand auf und suchte etwas in einer Ecke, in der zahlreiche Kartenrollen lagen. Als er zurückkam, breitete er eine Seekarte der mittleren Ostsee auf dem Tisch aus. Die Kanten beschwerte er mit Steinen. »Herbst 1979«, sagte er. »Genauer gesagt: August und September. Wir wollten unser übliches Herbstmanöver durchführen, an dem die Mehrzahl unserer Schiffe beteiligt sein sollte. Mit der Übung als solcher hatte es nichts Besonderes auf sich. Es war in meiner Zeit beim Stab, ich sollte als Beobachter teilnehmen. Ungefähr einen Monat vor dem Beginn des Manövers, als alle Pläne und Zeittabellen erstellt waren, alle Navigationsrouten festgelegt und alle Schiffe auf verschiedene Übungsgebiete verteilt waren, machte ich einen eigenen Plan. Ich erstellte ein Dokument, das ich selbst als Geheimdokument kennzeichnete. Sogar der Oberbefehlshaber musste es unterschreiben, ohne genaues Wissen natürlich. Ich fügte einen ordentlichen geheimen Bestandteil in die Übung ein, bei dem eins unserer U-Boote ein technisch extrem anspruchsvolles Tankmanöver mit einem radargesteuerten Schiff durchführen sollte. Es war zwar alles Erfindung, aber man konnte es sich durchaus in der Realität vorstellen. Ich beschrieb exakt die Position und die Uhrzeit für die Übung. Ich wusste, dass der Zerstörer Småland, auf dem sich die Beobachter befanden, genau zu diesem Zeitpunkt in der Nähe sein würde. Ich nahm das Dokument mit nach Hause, schloss es über Nacht ein und legte es dann gut versteckt in meinen Schreibtisch, als ich am Morgen zum Stab fuhr. Diese Prozedur wiederholte ich an mehreren Tagen. In der darauffolgenden Woche verschloss ich das Dokument in einem Bankfach, das ich zu diesem Zweck gemietet hatte. Ich war im Zweifel, ob ich es zerreißen sollte, sagte mir aber, dass ich es eventuell als Beweismittel benötigen würde. Der Monat vor dem Beginn des Manövers war der schlimmste, den ich je erlebt habe. Louise gegenüber musste ich mich verhalten, als wäre nichts geschehen. Gleichzeitig aber hatte ich eine Falle für sie vorbereitet, die uns beide vernichten würde, wenn meine Befürchtung sich als zutreffend erweisen sollte.«

Er tippte mit dem Finger auf die Seekarte und zeigte Wallander einen Punkt nordöstlich von Gotska Sandön.

»Hier sollte die fiktive Begegnung zwischen dem U-Boot und dem nicht existierenden Tankschiff stattfinden. Es war eine Stelle außerhalb des unmittelbaren Übungsgebiets. Dass in einiger Entfernung russische Schiffe lagen und uns folgten, war nichts Ungewöhnliches. Wir haben die Manöver des Warschauer Pakts ebenso begleitet. Wir hielten uns in angemessenem Abstand, ohne zu provozieren. Dass ich genau diesen Punkt für das fiktive Treffen gewählt hatte, hing damit zusammen, dass der Oberbefehlshaber am Morgen in Berga abgesetzt werden sollte. Also würde der Zerstörer zum Zeitpunkt der von mir erfundenen Tankübung auf dem Rückweg ins Manövergebiet an der richtigen Stelle sein.«

»Ich möchte nicht unterbrechen«, sagte Wallander, »aber war es wirklich möglich, so exakte Zeitpläne einzuhalten, wenn so viele Schiffe beteiligt waren?«

»Das war unter anderem der Sinn des ganzen Manövers. Im Krieg ist nicht nur Geld, sondern auch ein erhebliches Maß an Pünktlichkeit Voraussetzung.«

Wallander zuckte zusammen, als etwas aufs Dach knallte.

Aber von Enke ließ keine Reaktion erkennen. »Ein Zweig«, sagte er kurz. »Sie fallen manchmal ab und schlagen hart aufs Dach. Ich habe angeboten, die abgestorbene Eiche zu fällen. Aber hier auf der Insel gibt es keine Motorsäge. Der Stamm ist ziemlich dick. Ich nehme an, die Eiche hat irgendwann in der Mitte des neunzehnten Jahrhunderts Wurzeln geschlagen.«

Er fuhr fort in seiner Beschreibung der Ereignisse von Ende August 1979. »Das Herbstmanöver erhielt eine besondere Würze, die niemand geplant hatte. Die Ostsee südlich von Stockholm wurde von einem schweren südwestlichen Sturm getroffen, vor dem die Meteorologen uns nicht richtig hatten warnen können. Eins unserer U-Boote unter dem Befehl eines unserer fähigsten jüngeren Kapitäne, Hans-Olov Fredhäll, erlitt einen Ruderschaden und musste in die Bråvik geschleppt werden und dort in Lee liegen, bis wir es wieder nach Muskö heraufholen konnten. Für die Männer an Bord war der Sturm alles andere als lustig. U-Boote können ziemlich stark rollen. Außerdem schlug vor Hävringe eine Korvette leck. Die Besatzung wurde von anderen Schiffen an Bord genommen, doch die Korvette sank nicht. Große Teile der Übung konnten trotz allem planmäßig durchgeführt werden. Der Sturm hatte etwas nachgelassen, als die letzte Phase des Manövers begann. Ich gebe zu, dass ich an den Tagen vor dem erfundenen Treffen zwischen dem U-Boot und dem hochmodernen Tankschiff unruhig und nahezu schlaflos war. Aber niemand schien den Eindruck zu haben, dass ich mich irgendwie sonderbar benahm. Wir setzten den Oberbefehlshaber, der zufrieden war mit dem, was er gesehen hatte, an Land ab. Der Kapitän an Bord der Småland befahl plötzlich volle Kraft voraus, um zu kontrollieren, ob das Schiff in tadellosem Zustand war. Eine Weile machte ich mir Sorgen, wir könnten den Punkt zu früh passieren. Aber der hohe Wellengang bewirkte, dass der Zerstörer nicht schneller vorankam, als ich kalkuliert hatte. Ich verbrachte den Vormittag auf der Brücke. Das fand keiner ungewöhnlich, weil ich ja selbst Schiffe befehligt hatte. Der Kapitän hatte die Verantwortung für das Schiff an den Zweiten abgegeben, Jörgen Mattsson. Es war Viertel vor zehn, als er mir sein Fernglas reichte und auf etwas zeigte. Es regnete und war ziemlich diesig. Aber ich hatte keinen Zweifel an dem, was er entdeckt hatte. Backbord voraus lagen zwei Fischerboote, die mit der Überwachungsapparatur und den Antennen ausgerüstet waren, die wir von Beobachtungsschiffen der russischen Marine her kannten. Sie hatten garantiert keinen Fisch im Laderaum. Aber dass dort russische Techniker saßen und unseren Funkverkehr abhörten, daran bestand ebenfalls kein Zweifel. Ich sollte vielleicht hinzufügen, dass wir uns in internationalen Gewässern befanden. Sie durften sich dort aufhalten, wo sie waren.«

»Sie erwarteten also ein U-Boot und ein ungewöhnliches Tankschiff?«

»Aber das wusste Mattsson natürlich nicht. Was machen die da? fragte er. Weit weg von unserem Manövergebiet? Ich weiß noch, was ich ihm antwortete. *Es sind vielleicht richtige Fischerboote.* Aber er fand das nicht lustig. Er telefonierte nach unten zum Kapitän, der dann die Brücke betrat. Unser Zerstörer machte keine Fahrt, während wir die Anwesenheit der Fischerboote meldeten. Ein Hubschrauber kam und schwebte eine Zeitlang über ihnen, bevor wir sie in Ruhe ließen und weiterfuhren. Aber da hatte ich die Brücke schon verlassen und war in meine Kabine gegangen.«

»Du hattest erfahren, was du lieber nicht erfahren hättest?«

»Es war ein Erlebnis, das mir Übelkeit bereitete und mir mehr zusetzte, als es die Seekrankheit je hätte tun können. Ich erbrach mich, sobald ich in die Kabine kam. Dann legte ich mich in die Koje und wusste, dass nichts mehr so sein würde, wie es einmal gewesen war. Es gab nur eine Erklärung, nämlich die, dass mein fingiertes Papier durch das Zutun meiner Frau Louise in die Hände des Warschauer Pakts geraten war. Natürlich konnte sie einen Helfer haben, das war meine Hoffnung. Dass sie nicht das direkte Verbindungsglied zu dem ausländischen Nachrichtendienst war, sondern eine Art Hilfswerkzeug für einen Spion, der die entscheidenden Kontakte unterhielt. Doch nicht einmal daran vermochte ich zu glauben. Ich hatte ihr Leben bis ins kleinste Detail untersucht. Es gab niemanden, den sie regelmäßig traf. Ich hatte weiterhin keine Ahnung, wie sie vorgegangen war. Ich wusste nicht einmal, wie sie mein falsches Dokument kopiert hatte. Hatte sie es abfotografiert oder abgeschrieben? Hatte sie es sich nur eingeprägt? Und wie hatte sie die Informationen weitergeleitet? Noch wichtiger war natürlich die Frage, wie sie an andere geheime Dokumente herankam. Der magere Inhalt meines Waffenschranks konnte nicht ausreichend sein. Mit wem arbeitete sie zusammen? Ich wusste es nicht, obwohl ich länger als ein Jahr meine freie Zeit damit verbracht hatte, zu begreifen, was vor sich ging. Aber ich war gezwungen, meinen eigenen Augen zu trauen. Ich lag da in der Kabine und spürte die Vibrationen der starken Schiffsmaschinen. Es gab keine Ausflucht mehr. Ich musste mir eingestehen, dass ich mit einer Frau verheiratet war, die ich nicht kannte. Was bedeutete, dass ich auch mich selbst nicht kannte. Wie konnte ich mich so in ihr getäuscht haben?«

Håkan von Enke stand auf und rollte die Seekarte zusammen. Als er sie in die Ecke zurückgelegt hatte, öffnete er die Tür und ging hinaus. Wallander hatte das Gehörte noch nicht richtig verarbeitet. Es war zu groß und umfassend. Es gab auch noch immer Fragen, die nach Antworten verlangten.

Von Enke kam zurück, schloss die Tür und kontrollierte seinen Hosenschlitz.

»Du hast von Ereignissen erzählt, die zwanzig Jahre zurückliegen«, sagte Wallander. »Das ist eine lange Zeit. Warum ist das, was passiert ist, gerade jetzt passiert?«

Håkan von Enke wirkte plötzlich unwillig, mürrisch, als er antwortete. »Was habe ich gesagt, als wir dieses Gespräch angefangen haben? Hast du es vergessen? Ich habe gesagt, dass ich meine Frau liebte. Daran konnte ich nichts ändern. Was immer sie getan hatte.«

»Du musst sie aber doch zur Rede gestellt haben?«

»Musste ich das wirklich?«

»Eine Sache war, dass sie unserem Land geschadet hatte. Aber sie hat auch dich getäuscht. Deine Geheimnisse gestohlen. Du konntest doch unmöglich mit ihr weiterleben, ohne ihr zu eröffnen, was du wusstest.«

»Wieso nicht?«

Wallander fiel es schwer, zu glauben, was er hörte. Aber der Mann, der seine leere Teetasse zwischen den Händen rollte, wirkte überzeugend.

»Du hast ihr also nichts gesagt?«

»Nie.«

»Niemals? Das klingt unfassbar.«

»Aber es ist so. Ich nahm keine geheimen Papiere mehr mit nach Hause. Es war keine plötzliche Veränderung. Als ich kurz darauf einen anderen Aufgabenbereich übernahm, konnte ich begründen, dass meine Aktentasche am Abend leer war.«

»Sie muss doch etwas gemerkt haben. Alles andere erscheint mir unwahrscheinlich.«

»Ich habe ihr nie etwas angesehen. Sie war wie immer.

Nach einigen Jahren fragte ich mich sogar, ob alles nur ein böser Traum war. Aber ich kann mich natürlich irren. Sie kann sehr wohl erkannt haben, dass ich sie durchschaut hatte. So teilten wir ein Geheimnis, ohne sicher zu sein, wie viel der andere wusste. Aber eines Tages veränderte sich alles.«

Wallander ahnte, worauf von Enke hinauswollte. »Du meinst die U-Boote?«

»Ja. Damals kamen auch Gerüchte auf, dass der Oberbefehlshaber den Verdacht hatte, in den schwedischen Streitkräften befinde sich irgendwo ein Spion. Die ersten Warnungen waren von einem abgesprungenen russischen Agenten gekommen, der in London ausgesagt hatte. Es gebe einen Spion in den Reihen der schwedischen Streitkräfte, den die Russen sehr hoch einstuften. Eine Person, die die Kunst beherrschte, an wirklich wichtige Informationen heranzukommen.«

Wallander schüttelte langsam den Kopf. »Das ist schwer zu verstehen«, sagte er. »Ein Spion in den Reihen der schwedischen Streitkräfte. Deine Frau war Lehrerin, in ihrer Freizeit trainierte sie talentierte junge Wasserspringerinnen. Wie konnte sie an militärische Geheimnisse kommen, wenn deine Tasche leer war?«

»Ich weiß noch, dass der russische Überläufer Ragulin hieß. Einer von vielen Überläufern damals. Wir konnten sie kaum auseinanderhalten. Er kannte natürlich nicht den Namen oder die näheren Umstände jener Person, die von den Russen nahezu verehrt wurde. Aber er wusste eine Sache, ein Detail, wenn man so will, und das veränderte das Bild auf dramatische Weise. Auch für mich.«

»Was war es?«

Håkan von Enke stellte die leere Tasse ab. Es war, als nähme er Anlauf. Wallander dachte an das, was Herman Eber ihm über einen anderen abgesprungenen Russen namens Kirov erzählt hatte.

»Es war eine Frau«, sagte von Enke. »Ragulin hatte gehört, dass der schwedische Spion eine Frau war.«

Wallander schwieg.

In den Wänden der Jagdhütte nagten die Mäuse.

32

Auf einer Fensterbank stand eine Flasche mit einem halbfertigen Schiff. Wallander bemerkte es erst, als Håkan von Enke zum zweiten Mal vom Tisch aufstand und nach draußen ging. Es schien ihn unsäglich zu quälen, einem anderen Menschen gegenüber zuzugeben, dass seine Frau Spionin gewesen war. Wallander hatte gesehen, dass seine Augen blank waren, als er sich entschuldigte und den Raum verließ. Er ließ die Tür offen stehen. Draußen wurde es allmählich hell, die Gefahr, dass jemand das Licht im Haus sehen könnte, verringerte sich. Als Håkan zurückkehrte, stand Wallander noch da und studierte die feine Detailarbeit des in Entstehung begriffenen Buddelschiffs.

»Die Santa María«, sagte von Enke. »Das Schiff des Kolumbus. Es hilft mir, die Gedanken abzuwehren. Ich habe die Kunst von einem alten Maschinisten gelernt, der Alkoholprobleme hatte. Man konnte ihn nicht mehr an Bord nehmen. Stattdessen ging er in Karlskrona herum und redete schlecht über alles und alle. Aber seltsamerweise beherrschte er die Kunst des Buddelschiffbaus, obwohl seine Hände nach menschlichem Ermessen viel zu zitterig hätten sein müssen. Ich selbst hatte nie die Zeit, mich damit zu beschäftigen, bevor ich hierher auf die Insel kam.«

»Eine namenlose Insel«, sagte Wallander.

»Ich nenne sie Blåskär. Irgendeinen Namen muss sie doch haben. Blåkulla und Blå Jungfrun gibt es bereits.«

Sie setzten sich wieder an den Tisch. Stillschweigend waren sie sich einig, dass der Schlaf noch warten konnte. Sie hatten ein Gespräch begonnen, das weitergehen musste.

Wallander sah, dass er jetzt an der Reihe war. Håkan von Enke wartete auf seine Fragen.

Wallander kam zum Ausgangspunkt zurück. »Bei der Feier zu deinem fünfundsiebzigsten Geburtstag wolltest du mit mir sprechen. Aber mir ist immer noch nicht klar, warum du diese Ereignisse ausgerechnet mir erzählt hast. Wir kamen auch zu keinem richtigen Endpunkt. Vieles habe ich nicht verstanden. Und verstehe es immer noch nicht.«

»Ich war der Meinung, dass du es wissen solltest. Mein Sohn und deine Tochter, unsere einzigen Kinder, werden hoffentlich ihr Leben lang zusammenbleiben.«

»Nein«, sagte Wallander. »Was du jetzt sagst, ist keine ausreichende Antwort. Es gab noch einen Grund, davon bin ich überzeugt. Außerdem empört es mich, dass du nicht die ganze Wahrheit gesagt hast, das will ich dir nicht verhehlen.«

Von Enke sah ihn verständnislos an.

»Du und Louise, ihr habt eine Tochter«, sagte Wallander. »Signe, die im Niklasgård ihr Leben verbringt. Ich weiß also sogar, wo sie ist. Von ihr hast du nichts erwähnt, nicht einmal deinem eigenen Sohn gegenüber.«

Håkan von Enke saß stocksteif auf seinem Stuhl und starrte ihn an. Er ist ein Mann, der sich nicht oft überrumpeln lässt, dachte Wallander. Aber jetzt habe ich es getan.

»Ich war da«, fuhr er fort. »Ich habe sie gesehen. Ich weiß auch, dass du sie regelmäßig besucht hast. Du warst sogar bei ihr, einen Tag bevor du verschwunden bist. Wir können uns natürlich dafür entscheiden, nicht die Wahrheit zu sagen, dann bringt dieses Gespräch keine Klarheit, sondern vermehrt nur all das, was sowieso schon im Dunkeln liegt. Die Entscheidung liegt bei uns. Oder richtiger gesagt, bei dir. Ich habe meine Wahl getroffen.«

Wallander betrachtete von Enke und fragte sich, warum er zu zögern schien.

»Du hast natürlich recht«, sagte von Enke schließlich.

»Ich bin einfach so daran gewöhnt, Signes Existenz zu verheimlichen.«

»Warum?«

»Louises wegen. Sie hat immer eine eigentümliche Schuld Signe gegenüber empfunden. Obwohl ihre Behinderung kein Geburtsschaden war und auch nicht durch etwas verursacht worden war, was Louise während der Schwangerschaft getan oder gegessen oder getrunken hatte. Wir redeten nie über sie. Für Louise existierte Signe einfach nicht. Aber für mich schon. Es hat mich immer gequält, Hans nichts sagen zu können.«

Wallander schwieg.

Håkan von Enke erkannte plötzlich, warum. »Hast du es ihm erzählt? War das nötig?«

»Ich hätte es als schändlich empfunden, ihn nicht davon zu unterrichten, dass er eine Schwester hat.«

»Wie hat er es aufgenommen?«

»Er war aufgebracht, was man natürlich verstehen kann. Er fühlte sich getäuscht.«

Håkan von Enke schüttelte den Kopf. »Ich hatte es Louise versprochen und konnte mein Versprechen nicht brechen.«

»Darüber musst du mit ihm selbst sprechen. Oder du lässt es bleiben. Was mich zu einer ganz anderen Frage bringt. Was hast du vor ein paar Tagen in Kopenhagen gemacht?«

Håkan von Enkes Verblüffung war echt. Wallander spürte, dass er jetzt die Oberhand gewonnen hatte. Die Frage war nur, wie er das nutzen konnte, um den Mann auf der anderen Seite des Tisches dazu zu bringen, die Wahrheit zu sagen. Es waren noch einige Fragen offen.

»Woher weißt du, dass ich in Kopenhagen war?«

»Vorläufig beantworte ich die Frage nicht.«

»Warum nicht?«

»Weil die Antwort im Augenblick irrelevant ist. Außerdem stelle ich hier die Fragen.«

»Soll ich das so verstehen, dass dies ein regelrechtes Verhör ist?«

»Nein. Aber vergiss nicht, dass du mit deinem Verschwinden deinem Sohn und meiner Tochter Ungeheures zugemutet hast. Eigentlich bin ich empört, wenn ich bedenke, wie du dich verhalten hast. Deine einzige Chance, mich zu besänftigen, besteht darin, meine Fragen wahrheitsgemäß zu beantworten.«

»Ich will es versuchen.«

Wallander setzte wieder an. »Hattest du Kontakt mit Hans?«

»Nein.«

»Hattest du es vor?«

»Nein.«

»Was hast du in Kopenhagen gemacht?«

»Ich habe Geld geholt.«

»Aber gerade hast du gesagt, du hättest keinen Kontakt mit Hans gehabt. Soweit ich weiß, verwaltet er deine und Louises Ersparnisse.«

»Wir hatten ein Konto bei der Danske Bank, dessen Existenz wir für uns behielten. Ich habe nach meiner Pensionierung ein paar Beratungsaufträge für den Hersteller eines marinen Waffensystems übernommen. Das Honorar wurde in Dollar ausbezahlt. Natürlich war es eine Art von Steuerschwindel.«

»Um welche Summen ging es dabei?«

»Ich kann nicht sehen, dass die Summen von irgendeinem Interesse sind. Es sei denn, du hast vor, mich wegen Steuerhinterziehung anzuzeigen.«

»Du wirst ernsterer Dinge verdächtigt. Aber antworte.«

»Zirka eine halbe Million schwedische Kronen.«

»Warum hattet ihr ein Konto bei einer dänischen Bank?«

»Die dänische Krone schien stabil zu sein.«

»Und du hattest keinen anderen Grund, nach Kopenhagen zu fahren?«

»Nein.«

»Wie bist du hingefahren?«

»Mit dem Zug von Norrköping. Bis dahin bin ich mit dem Taxi gefahren. Eskil, den du kennengelernt hast, hat mich nach Fyrudden gebracht und mich wieder abgeholt, als ich zurückkam.«

Wallander fand im Moment keinen Grund, am Wahrheitsgehalt dieser Angaben zu zweifeln. »Louise wusste also von deinem Schwarzgeld?«

»Sie hatte eine Kontovollmacht. Keiner von uns hatte ein schlechtes Gewissen. Wir fanden beide, dass die schwedische Steuerlast unverschämt hoch ist.«

»Warum brauchtest du jetzt Geld?«

»Weil das, was ich dabei hatte, ausgegeben war. Auch wenn man spartanisch lebt, braucht man immer Geld.«

Wallander ließ die Reise nach Kopenhagen auf sich beruhen und kehrte nach Djursholm zurück. »Eins frage ich mich, und nur du kannst darauf antworten. Als wir in Djursholm auf der Terrasse standen, bemerktest du hinter meinem Rücken einen Mann. Ich gebe zu, dass ich über diesen Augenblick viel nachgegrübelt habe. Wer war der Mann?«

»Ich weiß es nicht.«

»Aber du wurdest unruhig, als du ihn entdecktest.«

»Ich hatte Angst.«

Die Antwort war wie ein Aufschrei. Wallander war auf der Hut. Vielleicht war die lange Flucht für von Enke eine allzu große Belastung gewesen.

Er nahm sich vor, behutsamer fortzufahren. »Was glaubst du, wer es war?«

»Ich habe schon gesagt, dass ich es nicht weiß. Es ist auch nicht wichtig. Er war da, um mich durch seine Anwesenheit zu erinnern. Das glaube ich auf jeden Fall.«

»Woran? Erspar mir doch, dir alles einzeln aus der Nase ziehen zu müssen.«

»Irgendwie mussten Louises Kontaktleute gemerkt haben, dass ich sie verdächtigte. Vielleicht hatte sie selbst ihnen gesagt, dass ich begriffen hätte, was vorging. Es war früher schon vorgekommen, dass ich mich beobachtet fühlte. Aber noch nie so deutlich wie an jenem Abend in Djursholm.«

»Du meinst also, du wurdest beschattet?«

»Nicht regelmäßig. Aber manchmal merkte ich, dass jemand mir folgte.«

»Wie lange ging das schon so?«

»Ich weiß nicht. Es kann schon lange so gewesen sein, ohne dass ich etwas merkte. Viele Jahre.«

»Gehen wir von der Terrasse wieder hinein«, fuhr Wallander fort. »In das fensterlose Zimmer. Du wolltest, dass wir uns zurückzögen, du wolltest mit mir sprechen. Aber ich weiß noch immer nicht, warum du mich zu deinem Beichtvater ausersehen hast.«

»Das war nicht im Geringsten geplant, sondern die Eingebung eines Augenblicks. Ich wundere mich selbst über die spontanen Beschlüsse, die ich zuweilen fasse. Ich nehme an, das geht dir auch so? Die Veranstaltung war schrecklich. Ich wurde fünfundsiebzig und gab ein Fest, das ich überhaupt nicht wollte. Ich wurde von etwas befallen, was an Panik grenzte.«

»Später habe ich mir gedacht, dass in allem, was du gesagt hast, eine verborgene Mitteilung steckte. Habe ich recht mit meiner Vermutung?«

»Nein. Ich wollte einfach nur erzählen. Vielleicht erkennen, ob ich es zu einem späteren Zeitpunkt wagen würde, dir mein Geheimnis anzuvertrauen: Dass ich mit hoher Wahrscheinlichkeit mit einer Landesverräterin verheiratet war.«

»Hattest du niemand sonst, mit dem du reden konntest? Zum Beispiel Sten Nordlander? Dein bester Freund?«

»Ich schämte mich schon bei dem Gedanken, ihm mein Elend zu offenbaren.«

»Steven Atkins? Dem hast du immerhin von deiner Tochter erzählt.«

»Ich war betrunken. Wir hatten eine Menge Whisky getrunken. Ich bereute nachher, etwas gesagt zu haben, und glaubte, er hätte es vergessen. Jetzt sehe ich, dass es nicht so war.«

»Er ging davon aus, dass ich es wüsste.«

»Was sagen meine Freunde über mein Verschwinden?«

»Sie sind in Sorge. Erschüttert. An dem Tag, an dem sie erfahren, dass du dich versteckt hast, werden sie ziemlich empört sein. Ich vermute, dass du einige verlieren wirst. Was mich zu der Frage bringt, warum du verschwunden bist.«

»Ich fühlte mich bedroht. Der Mann vor dem Zaun war nur eine Art Prolog. Auf einmal entdeckte ich überall Schatten, wohin ich auch ging. So war es vorher nicht gewesen. Ich erhielt eigentümliche Anrufe. Es war, als wüssten sie ständig, wo ich mich befand. Eines Tages, als ich im Seefahrtshistorischen Museum war, kam ein Aufseher zu mir und sagte, da wäre ein Anruf für mich. Ein Mann warnte mich in gebrochenem Schwedisch. Er sagte nicht, wovor, nur dass ich mich in Acht nehmen sollte. Es wurde ganz unerträglich. Ich hatte noch nie solche Angst gehabt. Es fehlte nicht viel, und ich wäre zur Polizei gegangen und hätte Louise angezeigt. Ich überlegte, ob ich einen anonymen Brief schreiben sollte. Schließlich hielt ich es nicht länger aus. Ich traf eine Abmachung über die Nutzung der Jagdhütte. Eskil kam nach Stockholm und holte mich ab, als ich auf meinem Morgenspaziergang zum Stadion kam. Seitdem habe ich meine Zeit hier verbracht, abgesehen von der Fahrt nach Kopenhagen.«

»Es ist mir noch immer unbegreiflich, warum du Louise nie mit deinem Verdacht konfrontiert hast, der wohl schon zu einer Überzeugung geworden war. Wie konntest du stillschweigend mit einer Spionin zusammenleben?«

»Es stimmt nicht, was du da sagst. Ich habe sie zur Rede

gestellt. Zweimal. Zum ersten Mal in dem Jahr, in dem Olof Palme starb. Das hatte natürlich nichts mit der Sache zu tun. Aber es war eine unruhige Zeit. Ich saß manchmal mit meinen Kollegen beim Kaffee zusammen, wir unterhielten uns über den Verdacht, dass ein Spion zwischen uns sein Unwesen trieb. Es war eine grässliche Situation, Kuchen zu essen und über einen Spion zu diskutieren, der meine eigene Frau sein konnte.«

Wallander hatte plötzlich einen Niesanfall.

Håkan von Enke wartete. »Im Sommer 1986 habe ich sie zur Rede gestellt«, fuhr er fort. »Wir waren zusammen mit einem befreundeten Paar, Korvettenkapitän Friis und seiner Frau, mit denen wir Bridge spielten, an die Riviera gefahren. Wir wohnten in einem Hotel in Menton. Eines Abends hatten wir allein gegessen, weil das Ehepaar Friis Besuch von einer seiner Töchter hatte. Nach dem Essen machten wir einen Spaziergang durch die Stadt. Plötzlich hielt ich mitten im Schritt inne und fragte sie unverblümt. Ich hatte es nicht vorbereitet, es brach einfach aus mir heraus. Ich stellte mich vor sie hin und fragte: Bist du eine Spionin oder nicht? Sie geriet außer sich, weigerte sich zu antworten und hob die Hand, als wollte sie mich schlagen. Dann nahm sie sich zusammen und antwortete vollkommen ruhig, dass sie selbstverständlich keine Spionin sei. Wie konnte ich auf eine so absurde Idee verfallen? Was sollte sie einer fremden Macht zu berichten haben? Ich weiß noch, dass sie lächelte, sie nahm mich nicht ernst, und da konnte ich es selbst auch nicht mehr tun. Ich konnte einfach nicht glauben, dass sie die Fähigkeit besaß, sich dermaßen zu verstellen. Ich bat sie um Verzeihung, gab meiner Erschöpfung die Schuld. Den Rest des Sommers war ich überzeugt, mich geirrt zu haben. Aber im Herbst kehrte mein Verdacht zurück.«

»Was war der Grund?«

»Wie gehabt. Dokumente im Waffenschrank, ein Gefühl, dass jemand an der Aktentasche gewesen war.«

»Hast du eine Veränderung bei ihr bemerkt, nachdem du ihr in Menton von deinem Verdacht erzählt hattest?«

Von Enke dachte nach, bevor er antwortete. »Die Frage habe ich mir natürlich auch gestellt. Manchmal glaubte ich zu merken, dass sie anders war, manchmal nicht. Ich bin immer noch unsicher.«

»Was geschah, als du sie das zweite Mal zur Rede stelltest?«

»Das war im Winter 1996, genau zehn Jahre später. Wir saßen zu Hause am Frühstückstisch, draußen schneite es. Plötzlich fragte sie mich nach etwas, was ich im Schlaf während der Nacht gerufen hatte. Sie behauptete, ich hätte geschrien, sie sei eine Spionin.«

»Hattest du das?«

»Ich weiß nicht. Manchmal soll ich im Schlaf geredet haben. Aber ich wusste nie etwas davon.«

»Was hast du ihr geantwortet?«

»Ich habe das Ganze umgedreht und sie gefragt, ob es wahr wäre, was ich geträumt hätte. Sie warf ihre Serviette nach mir und verließ die Küche. Es dauerte zehn Minuten, bis sie zurückkam. Ich weiß noch, dass ich auf die Uhr sah. Neun Minuten und fünfundvierzig Sekunden. Sie entschuldigte sich, war wieder wie immer und erklärte, ein für alle Mal, wie sie sagte, dass sie von solchen Verdächtigungen nichts mehr hören wolle. Sie seien absurd. Sollte ich meine Anschuldigungen wiederholen, müsste sie davon ausgehen, dass ich geistig verwirrt oder im Begriff sei, senil zu werden.«

»Und dann?«

»Nichts. Aber meine Befürchtungen ließen nicht nach. Und die Gerüchte über einen Spion in den schwedischen Streitkräften verdichteten sich. Zwei Jahre später spitzte es sich so zu, dass ich allen Ernstes glaubte, den Verstand zu verlieren.«

»Was war geschehen?«

»Eines Tages wurde ich zu einem Verhör beim militärischen Sicherheitsdienst bestellt. Man richtete keine direkten Anschuldigungen gegen mich, aber ich gehörte während einer gewissen Periode zu denen, die im Verdacht standen, Spionage zu treiben. Es war eine groteske Situation. Aber ich weiß noch, wie ich dachte, dass Louise, wenn es zutraf, dass sie militärische Geheimnisse an die Russen verkaufte, sich die perfekte Tarnung verschafft hatte.«

»Dich?«

»Genau. Mich.«

»Was geschah weiter?«

»Nichts. Die Gerüchte um einen großen Spion kamen und gingen, manchmal waren sie stärker, manchmal schwächer. Viele von uns wurden zu Verhören einbestellt, auch noch nach der Pensionierung. Und ich hatte also das Gefühl, überwacht zu werden.«

Von Enke stand auf, machte die Lampen aus und zog einige Rouleaus hoch. Eine graue Dämmerung mit einem ebenso grauen Meer zeigte sich zwischen den Bäumen. Wallander trat an ein Fenster. Es war windig geworden. Er machte sich Sorgen wegen des Boots. Håkan von Enke begleitete ihn, als er hinausging, um die Vertäuung zu kontrollieren. Ein paar Eiderenten schaukelten auf den Wellen. Die Sonne vertrieb langsam den nächtlichen Dunst. Das Boot lag an seinem Platz. Mit vereinten Kräften zogen sie es höher zwischen die Strandsteine.

»Wer hat Louise getötet?«, fragte Wallander, als sie zurückgingen.

Håkan von Enke blieb stehen und sah ihn an. Wallander stellte sich vor, dass er Louise damals in Menton auf ähnliche Art und Weise mit seinem Verdacht konfrontiert hatte.

»Wer sie getötet hat? Das fragst du mich? Ich weiß nur, dass ich es nicht war. Aber was sagt die Polizei? Was sagst du?«

»Der Kriminalbeamte in Stockholm, der die Ermittlung leitet, macht einen kompetenten Eindruck. Aber er weiß es nicht. Noch nicht, sollte ich vielleicht sagen. Wir geben nicht so leicht auf.«

In der Jagdhütte setzten sie sich wieder an den Tisch und führten ihr Gespräch fort.

»Wir müssen noch einmal von vorn anfangen«, sagte Wallander. »Warum ist sie verschwunden? Der nächstliegende Gedanke für uns, die wir die Geschichte von außen betrachteten, war natürlich, dass es eine Absprache zwischen euch gab.«

»So war es aber nicht. Ich erfuhr aus den Zeitungen, dass sie verschwunden war. Es war ein Schock für mich.«

»Sie wusste also nicht, wo du dich versteckt hältst?«

»Nein.«

»Wie lange hattest du eigentlich vor, hier zu bleiben?«

»Ich brauchte meine Ruhe, musste nachdenken. Außerdem war ich mit dem Tod bedroht worden. Ich musste einen Ausweg finden.«

»Ich habe Louise mehrere Male getroffen. Sie war aufrichtig und zutiefst besorgt, was dir zugestoßen sein könnte.«

»Sie hat dich genauso getäuscht, wie sie mich getäuscht hat.«

»Das ist nicht sicher. Kann sie dich nicht ebenso sehr geliebt haben wie du sie?«

Von Enke antwortete nicht, schüttelte nur den Kopf.

»Und?«, fragte Wallander. »Hast du einen Ausweg gefunden?«

»Nein.«

»Du musst nachgedacht, gegrübelt, schlaflos hier im Haus gelegen haben. Ich glaube dir, dass du Louise geliebt hast. Aber nicht einmal nach ihrem Tod hast du dein Versteck verlassen. Die Gefahr für dein Leben sollte doch nach meinem Dafürhalten vorbei gewesen sein, als sie nicht mehr lebte. Aber du hast dich weiter versteckt. Mir ist das schleierhaft.«

»Seit ihrem Tod habe ich fast zehn Kilo abgenommen. Ich kann kaum essen, ich schlafe so gut wie nicht mehr. Ich versuche zu verstehen, was geschehen ist, aber ohne Erfolg. Es ist, als wäre Louise ein mir fremder Mensch geworden. Ich weiß nicht, wen sie getroffen hat, was zu ihrem Tod geführt hat. Ich habe keine Antworten.«

»Hattest du jemals den Eindruck, dass sie Angst hatte?«

»Nie.«

»Ich kann etwas erzählen, was nicht in den Zeitungen gestanden hat, etwas, was die Polizei der Öffentlichkeit bislang noch vorenthält.«

Wallander berichtete von dem Verdacht, dass Louise mit einem Gift getötet worden war, das man früher in der DDR benutzt hatte. »Es ist wohl so, dass du die ganze Zeit recht gehabt hast«, sagte er abschließend. »An irgendeinem Punkt in ihrem Leben ist deine Frau Louise Agentin für den russischen Nachrichtendienst geworden. Sie war das, was du vermutet hast. Die Spionin, von der bei den Gerüchten die Rede war.«

Von Enke stand abrupt auf und verließ das Haus. Wallander wartete. Nach einer Weile wurde er unruhig und ging ihm nach. Er fand ihn auf dem Rücken liegend in einer Felsennische auf der dem offenen Meer zugewandten Seite der Insel.

Wallander setzte sich neben ihn auf einen Stein. »Du musst zurückkommen«, sagte er. »Nichts wird klarer dadurch, dass du dich weiter hier versteckst.«

»Vielleicht wartet auf mich das gleiche Gift? Was wird besser dadurch, dass ich auch sterbe?«

»Nichts. Aber die Polizei verfügt über Möglichkeiten, dich zu schützen.«

»Ich muss mich an den Gedanken gewöhnen. Dass ich

trotz allem recht hatte. Ich muss versuchen zu verstehen, warum und wie sie das alles getan hat. Erst dann kann ich zurückkommen.«

»Du solltest dir damit nicht allzu viel Zeit lassen«, sagte Wallander und stand auf.

Er ging zurück zur Jagdhütte. Jetzt war er es, der Kaffee machte. Sein Kopf fühlte sich schwer an nach der langen Nacht. Als Håkan von Enke wieder eintrat, hatte er schon die zweite Tasse getrunken.

»Reden wir von Signe«, sagte Wallander. »Ich habe sie besucht und eine Mappe gefunden, die du zwischen ihren Büchern versteckt hattest.«

»Ich liebte meine Tochter. Aber ich habe sie heimlich besucht. Louise wusste nichts davon.«

»Du warst also der Einzige, der sie besucht hat?«

»Ja.«

»Du irrst dich. Nachdem du verschwunden warst, ist zumindest einmal ein anderer Mann dort gewesen. Er gab sich als dein Bruder aus.«

Håkan von Enke schüttelte ungläubig den Kopf. »Ich habe keinen Bruder. Ich habe einen Verwandten in England. Das ist alles.«

»Ich glaube dir«, sagte Wallander. »Wer der Mann war, der deine Tochter besucht hat, wissen wir nicht. Was bedeuten könnte, dass alles noch komplizierter ist, als du oder ich ahnen.«

Wallander sah, wie von Enke sich plötzlich veränderte. Die Nachricht, dass ein anderer Mann Signe im Niklasgård besucht hatte, war für ihn beunruhigender als alles, worüber sie gesprochen hatten.

Es ging auf sechs zu. Das lange nächtliche Gespräch war beendet. Sie hatten beide keine Kraft mehr.

»Ich fahre jetzt«, sagte Wallander. »Bis auf weiteres bin ich der Einzige, der weiß, wo du dich aufhältst. Aber du kannst nicht mehr lange warten, bis du zurückkommst. Außerdem werde ich dich weiter mit Fragen behelligen. Denk darüber nach, wer den Niklasgård besucht haben kann. Jemand muss dir dorthin gefolgt sein. Aber wer? Und warum? Darüber müssen wir weiter sprechen.«

»Sag Hans und Linda, dass es mir gutgeht. Sie sollen sich keine Sorgen machen. Behaupte, ich hätte dir einen Brief geschrieben.«

»Ich sage, dass du mich angerufen hast. Einen Brief würde Linda sofort sehen wollen.«

Sie gingen hinunter zum Boot, schoben es gemeinsam ins Wasser. Bevor sie das Haus verließen, hatte Wallander von Enkes Telefonnummer notiert. Aber von Enke hatte auch gesagt, dass auf Blåskär das Netz meist schwach war. Der Wind hatte weiter zugenommen, die Rückfahrt würde beschwerlich sein. Wallander kletterte ins Boot und ließ den Motor ins Wasser.

»Ich muss wissen, was mit Louise passiert ist«, sagte von Enke. »Ich muss wissen, wer sie getötet hat. Ich muss wissen, warum sie sich entschieden hat, ein Leben als Landesverräterin zu führen.«

Der Motor sprang beim ersten Ziehen der Schnur an. Wallander hob die Hand zum Gruß und drehte das Boot. Als er die Spitze von Blåskär umfuhr, wandte er sich noch einmal um. Håkan von Enke stand noch am Rand der Klippe.

In diesem Augenblick befiel Wallander eine Vorahnung, dass etwas nicht so war, wie es sein sollte. Was es war, hätte er nicht sagen können. Aber das Gefühl war stark und ließ ihn nicht los.

Er fuhr in die Valdemarsvik zurück, lieferte das Boot ab und machte sich auf die lange Rückfahrt nach Schonen. Auf einem Parkplatz in der Nähe von Gamleby hielt er an und schlief ein paar Stunden.

Als er mit steifen Gliedern erwachte, war die Vorahnung

noch da. Es war wie eine Warnung. Etwas stimmte ganz und gar nicht, und er sah nicht, was es war.

Als er viele Stunden später auf seinen Hofplatz einbog, wusste er noch immer nicht, was seiner Aufmerksamkeit entgangen war.

Er dachte nur: Nichts ist das, als was es sich ausgibt.

33

Am nächsten Tag schrieb Wallander eine Zusammenfassung seines Gesprächs mit Håkan von Enke. Anschließend ging er noch einmal das gesamte Material durch, das er gesammelt hatte. Louise blieb weiter vollständig anonym. Wenn sie tatsächlich Informationen an die Russen verkauft hatte, dann hatte sie sich geschickt hinter der Maske einer unauffälligen Frau verborgen. Wer war sie eigentlich? Vielleicht gehörte sie zu den Menschen, die erst fassbar werden, wenn sie tot sind? Wenn überhaupt?

Es war ein regnerischer und windiger Julitag in Schonen. Wallander blickte durch die Fenster in das trostlose Wetter hinaus. Dieser Sommer war im Begriff, zu einem der schlechtesten zu werden, an die er sich erinnern konnte. Er zwang sich, mit Jussi einen langen Spaziergang zu machen. Er musste Sauerstoff tanken und seine Gedanken ordnen. Er sehnte sich nach einem sonnigen und stillen Tag, an dem er sich im Garten ausstrecken konnte, unbelastet von den Problemen, die ihn jetzt beschäftigten.

Als er sich nach dem Spaziergang die nassen Sachen ausgezogen hatte, setzte er sich in seinem abgetragenen Morgenmantel ans Telefon und blätterte im Telefonverzeichnis. Es war voller durchgestrichener Telefonnummern, Änderungen und Zusätze. Auf der Rückfahrt am Tag zuvor war ihm ein Klassenkamerad eingefallen, Sölve Hagberg, der ihm vielleicht helfen konnte. Er suchte nach seiner Telefonnummer, die er aufgeschrieben hatte, als sie sich vor einigen Jahren zufällig in Malmö begegnet waren.

Sölve Hagberg war schon als Kind ein Sonderling gewesen. Wallander erinnerte sich beschämt daran, dass er selbst zu denen gehört hatte, die Sölve gemobbt hatten. Wegen seiner Kurzsichtigkeit und seines ehrlichen Willens, etwas zu lernen. Aber alle Versuche, das Selbstvertrauen des Strebers zu erschüttern, schlugen fehl. Alle höhnischen Sprüche, alle Fußtritte und Rempeleien waren an ihm abgeprallt.

Nach der Schulzeit hatten sie keinen Kontakt mehr gehabt, bis Wallander eines Tages zu seiner Verblüffung entdeckt hatte, dass Sölve Hagberg als Kandidat in einem Fernsehquiz mit Namen *Kvitt eller Dubbelt* auftreten sollte. Noch verblüffender war es, dass die Geschichte der schwedischen Flotte das Thema war, zu dem er antrat. Sölve war schon als Kind übergewichtig gewesen, was natürlich den Mobbern die Wahl ihres Opfers erleichtert hatte. War er damals übergewichtig gewesen, so war er jetzt richtiggehend fett. Es sah aus, als rollte er auf unsichtbaren Rädern ins Studio. Er war glatzköpfig, trug eine randlose Brille und sprach noch immer den schwer verständlichen Dialekt, an den sich Wallander aus der Schulzeit erinnerte. Mona hatte sein Aussehen mit Abscheu kommentiert und war in die Küche gegangen, um Kaffee zu kochen, während Wallander zuschaute, wie er sämtliche Fragen, die ihm gestellt wurden, richtig beantwortete. Er hatte gewonnen, nachdem er mit der größten Selbstverständlichkeit und ohne je zu zweifeln seine präzisen und detaillierten Antworten gegeben hatte. Er wusste wirklich alles über die lange und verwickelte Geschichte der Flotte. Es war Sölve Hagbergs Traum gewesen, seinen Militärdienst bei der Marine abzuleisten und anschließend Marineoffizier auf Lebenszeit zu werden. Aber natürlich war er wegen seiner Schwerfälligkeit als Wehrpflichtiger ausgemustert und zu seinen Büchern und Schiffsmodellen nach Hause geschickt worden. Jetzt hatte er seine Revanche bekommen, oder eher genommen.

Für eine kurze Zeit hatten sich die Zeitungen für diesen

eigentümlichen Mann interessiert, der immer noch in Limhamn wohnte und seinen Lebensunterhalt mit Vorträgen und Artikeln in Zeitschriften und Jahrbüchern verschiedener militärischer Institutionen bestritt. In den Berichten über Sölve war auch von seinem enormen Archiv die Rede gewesen. Er hatte detaillierte Informationen über schwedische Seeoffiziere vom siebzehnten Jahrhundert bis in die Gegenwart gesammelt und laufend auf den jüngsten Stand gebracht. Vielleicht konnte Wallander in diesem Archiv etwas finden, was ihm mehr darüber verriet, wer Håkan von Enke eigentlich war.

Wallander fand schließlich die Nummer, sie war unter dem Buchstaben H an den abgegriffenen Rand gekritzelt. Er zog das Telefon heran und wählte die Nummer. Eine Frau meldete sich. Wallander stellte sich vor und fragte nach Sölve.

»Er ist tot.«

Wallander verschlug es die Sprache. Die Frau fragte nach einer Weile des Schweigens, ob er noch da sei.

»Ja, ich bin noch da. Ich wusste nicht, dass er tot ist.«

»Er ist vor zwei Jahren gestorben. Er hatte einen Herzinfarkt. Er war in Ronneby und hatte vor einer Gruppe ehemaliger Maschinisten, die zum festen Stamm der Flotte gehört hatten, einen Vortrag gehalten. Beim anschließenden Essen brach er zusammen. Ich bekam die seltsame Mitteilung, dass er ›zwischen Hauptgericht und Nachtisch verschieden‹ sei.«

»Sie sind seine Frau, vermute ich?«

»Asta Hagberg. Wir waren sechsundzwanzig Jahre verheiratet. Ich habe ihm gesagt, dass er abnehmen müsse. Daraufhin tat er nur noch drei Stück Zucker in seinen Kaffee – statt vier. Und wer sind Sie?«

Wallander erklärte, wer er war, und wollte das Gespräch so schnell wie möglich beenden.

»Sie waren einer von denen, die ihn gepiesackt haben«,

sagte sie, »jetzt fällt mir Ihr Name wieder ein. Er hatte Ihre Namen aufgeschrieben und verfolgte genau, wie Ihr Leben verlief. Er schämte sich nicht, voller Freude zu notieren, wenn es jemandem dreckig ging. Warum rufen Sie an? Was wollen Sie?«

»Ich hatte gehofft, etwas in seinem großen Archiv nachschlagen zu können.«

»Sölve ist tot, aber vielleicht kann ich Ihnen helfen. Auch wenn ich nicht weiß, ob ich das will. Warum haben Sie ihn nicht in Ruhe gelassen?«

»Ich glaube, keiner von uns war sich darüber im Klaren, was wir da taten. Kinder können biestig sein. Ich war keine Ausnahme.«

»Tut es Ihnen leid?«

»Natürlich.«

»Dann kommen Sie her. Weil er wohl ahnte, dass er nicht allzu lange leben würde, hat er mir gezeigt, wie sein Archiv aufgebaut ist. Was passiert, wenn ich auch nicht mehr lebe, weiß ich nicht. Ich bin immer zu Hause. Sölve hat mir Geld hinterlassen. Ich brauche nicht zu arbeiten.«

Sie lachte. »Wissen Sie, wie er sein Geld verdient hat?«

»Ich nehme an, er war ein gefragter Vortragsredner.«

»Dafür hat er nie Geld genommen. Sie haben noch einen Versuch frei.«

»Dann weiß ich es nicht.«

»Er spielte Poker. Er besuchte illegale Spielclubs. Das fällt wohl in Ihr Ressort?«

»Ich dachte, dass man Kartenspiele heutzutage im Internet spielt.«

»Daraus hat er sich nie etwas gemacht. Er hat seine Clubs besucht, manchmal war er mehrere Wochen weg. Es kam vor, dass er große Summen verlor, aber meistens kehrte er mit einem Koffer voller Scheine zurück. Er sagte mir, ich solle sie zählen und zur Bank bringen. Er selbst ging ins Bett und schlief, oft tagelang. Die Polizei war bei verschiedenen

Gelegenheiten hier. Er wurde bei Razzien gefasst, aber nie angeklagt und verurteilt. Ich vermute, er hatte eine Absprache mit der Polizei.«

»Was meinen Sie damit?«

»Was soll ich denn anderes meinen, als dass er ihnen Tipps gab? In diesen Clubs tauchten gewisse gesuchte Personen mit dem Geld aus Raubüberfällen auf. Keiner konnte sich vorstellen, dass der nette dicke Sölve eine Plaudertasche war. Kommen Sie, oder kommen Sie nicht?«

Als Wallander die Adresse notierte, sah er, dass Sölve immer in derselben Straße in Limhamn gewohnt hatte. Sie verabredeten sich für fünf Uhr am selben Tag. Nach dem Gespräch rief er Linda an. Da der Anrufbeantworter lief, sagte er nur, dass er zu Hause sei. Nachdem er die Lebensmittel, denen er nicht mehr traute, in den Müll geworfen hatte, schrieb er eine Einkaufsliste.

Gerade als er aus dem Haus gehen wollte, rief Linda an. »Ich war in der Apotheke. Klara ist krank.«

»Ist es etwas Ernstes?«

»Du hörst dich immer gleich so an, als läge sie im Sterben. Sie hat Fieber und Halsschmerzen. Das ist alles.«

»Warst du mit ihr beim Arzt?«

»Ich habe in der Ambulanz angerufen. Ich glaube, ich habe alles unter Kontrolle. Vorausgesetzt, du regst dich nicht auf, so dass du damit dann mich aufregst. Wo bist du gewesen?«

»Das sage ich im Moment nicht.«

»Eine Frau, mit anderen Worten. Das ist gut.«

»Keine Frau. Aber ich muss dir etwas Wichtiges sagen. Ich bekam vor einer Weile einen Anruf. Von Håkan. Er hat sich gemeldet.«

Zuerst schien sie nicht zu verstehen. Dann rief sie laut in den Hörer. »Håkan hat sich gemeldet? Was sagst du da, verdammt? Wo ist er? Wie geht es ihm? Was ist passiert?«

»Schrei mir nicht so ins Ohr! Ich weiß nicht, wo er ist. Das wollte er nicht verraten. Er hat nur gesagt, dass es ihm gutgehe. Es hörte sich nicht so an, als ob ihm etwas fehlte.«

Wallander hörte sie schwer atmen. Es bereitete ihm starkes Unbehagen, sie anzulügen. Er bereute, sein Wort gegeben zu haben, bevor er die Insel verließ. Ich sage es, wie es ist, dachte er. Ich kann meine Tochter nicht betrügen.

»Das hört sich völlig wahnsinnig an. Hat er nichts darüber gesagt, warum er verschwunden ist?«

»Nein. Aber er hat gesagt, dass er nichts mit Louises Tod zu tun habe. Er war genauso geschockt wie wir alle. Nach seinem Verschwinden hat er keinen Kontakt mehr zu ihr gehabt.«

»Sind meine Schwiegereltern vollkommen verrückt?«

»Das kann ich nicht beantworten. Aber wir sollten auf jeden Fall froh sein, dass er lebt. Das war die einzige Nachricht, die ich euch übermitteln sollte. Es geht ihm gut. Aber er wollte weder sagen, wann er zurückkommt, noch warum er sich versteckt hält.«

»Hat er das gesagt? Dass er sich versteckt hält?«

Wallander erkannte, dass er zu viel gesagt hatte. Aber jetzt war es zu spät für einen Rückzieher. »Ich erinnere mich nicht genau an den Wortlaut. Du darfst nicht vergessen, dass auch ich vollkommen überrumpelt war.«

»Ich muss mit Hans sprechen. Er ist in Kopenhagen.«

»Ich bin heute Nachmittag nicht zu Hause. Ruf mich heute Abend an. Dann können wir weitersprechen. Ich möchte natürlich wissen, wie Hans reagiert.«

»Er wird sich freuen, was denn sonst!«

Wallander schämte sich, als er den Hörer auflegte. Er musste sich auf Lindas Zorn gefasst machen, wenn die Wahrheit eines Tages ans Licht kam.

Missmutig verließ er das Haus und fuhr nach Ystad zum Einkaufen. Er erstand einen neuen Kochtopf, den er nicht brauchte, und dachte, dass die Lebensmittelpreise unverschämt hoch waren. Er machte einen Spaziergang durch Ystads Zentrum, ging in ein Herrenbekleidungsgeschäft und erstand ein Paar Strümpfe, die er ebenfalls nicht brauchte. Dann fuhr er nach Hause. Nach dem Regen hatte es aufgeklart und war wärmer geworden. Er wischte die Hollywoodschaukel trocken und legte sich hinein. Als er aufwachte, war es halb vier. Er setzte sich in den Wagen und fuhr nach Limhamn. Was er eigentlich erwartete, wusste er nicht. Bei seiner Ankunft empfand er die gewohnte Mischung aus Beklemmung und Nostalgie, die ihn stets befiel, wenn er an den Ort seiner Kindheit zurückkehrte. Er parkte den Wagen in der Nähe von Asta Hagbergs Einfamilienhaus und wanderte zu dem Mietshaus, in dem er selbst aufgewachsen war. Zwar war die Fassade renoviert, und ein neuer Zaun umgab das Haus, aber es erinnerte ihn doch alles an seine Kindheit. Der Sandkasten war damals kleiner gewesen. Und die zwei Birken, auf die er immer geklettert war, gab es nicht mehr. Er blieb auf dem Bürgersteig stehen und sah Kindern beim Spielen zu. Sie waren dunkelhäutig, kamen sicher aus dem Mittleren Osten oder aus Nordafrika. Eine Frau mit Kopftuch saß neben der Haustür und strickte, während sie gleichzeitig ein Auge auf die Kinder hatte. Durch ein offenes Fenster hörte Wallander arabische Musik. Hier habe ich gewohnt, dachte er. In einer anderen Welt, in einer anderen Zeit.

Ein Mann trat aus dem Haus und ging zum Gartentor. Auch er war dunkelhäutig.

Er betrachtete Wallander mit einem Lächeln. »Suchen Sie jemand?«, fragte er in unsicherem Schwedisch.

»Nein«, antwortete Wallander. »Ich habe vor sehr langer Zeit in diesem Haus gewohnt. Einer meiner Nachbarn war Lokführer.«

Er zeigte auf das Fenster im ersten Stock, das zu ihrem Wohnzimmer gehört hatte.

»Es ist ein gutes Haus«, sagte der Mann. »Wir fühlen uns wohl hier, die Kinder fühlen sich wohl. Man braucht keine Angst zu haben.«

»Das ist gut. Menschen sollten keine Angst haben.«

Wallander nickte und ging davon. Das Gefühl, alt zu werden, bedrückte ihn. Er beschleunigte seine Schritte, um von sich selbst fortzukommen.

Ein ungepflegter Garten umgab das Haus, in dem Asta Hagberg wohnte.

Die Frau, die ihm aufmachte, war genauso dick wie Sölve Hagberg, als Wallander ihn im Fernsehen gesehen hatte. Sie war verschwitzt und ungekämmt und trug einen viel zu kurzen Rock. Zuerst glaubte er, sie sei es, die stark nach Parfüm roch. Dann erkannte er, dass das ganze Haus von fremden Aromen getränkt war. Spritzt sie Parfüm auf die Möbel? Sprüht sie Moschus auf die Topfpflanzen?

Sie fragte, ob er Kaffee trinken wolle. Er lehnte dankend ab, ihm war schon schlecht von den erstickenden Düften, die ihm von allen Seiten entgegenschlugen. Als sie ins Wohnzimmer traten, hatte Wallander den Eindruck, er käme auf die Kommandobrücke eines großen Schiffes. Überall Steuerräder, Kompasse und schön polierte Messingbeschläge, Votivschiffe an der Decke, eine alte Hängekoje. Asta Hagberg zwängte sich in einen hohen Drehstuhl, der, so vermutete Wallander, ebenfalls von einem Schiff stammte. Er setzte sich auf ein Sofa, das, wie ein Messingschild verriet, von der *Kungsholm* der schwedischen Amerikalinie stammte.

»Was kann ich für Sie tun?«, fragte sie, während sie sich eine Zigarette anzündete, die sie zuvor in ein Mundstück gesteckt hatte.

»Håkan von Enke«, sagte Wallander. »Ein alter U-Boot-Kapitän, inzwischen pensioniert.«

Asta Hagberg bekam plötzlich einen schweren Hustenanfall. Wallander hoffte, diese rauchende, übergewichtige Frau würde nicht vor seinen Augen sterben. Er schätzte ihr Alter auf ungefähr sechzig. So alt wie er.

»Der verschwundene von Enke«, sagte sie. »Und seine inzwischen tote Frau Louise? Stimmt das?«

»Ich weiß, dass Sölve ein einzigartiges Archiv hatte. Kann es darin etwas geben, was mir hilft zu verstehen, warum von Enke verschwunden ist?«

»Er ist natürlich tot.«

»Dann suche ich nach der Ursache seines Todes«, sagte Wallander ausweichend.

»Seine Frau beging Selbstmord. Das lässt darauf schließen, dass die Familie mit schweren Problemen zu kämpfen hatte. Nicht wahr?«

Sie trat an einen Tisch und zog ein Tuch weg, unter dem sich ein Computer verbarg. Wallander wunderte sich, mit welcher Leichtigkeit ihre dicken Finger über die Tasten flogen.

Nachdem sie einige Minuten getippt hatte, lehnte sie sich zurück und blinzelte auf den Bildschirm. »Håkan von Enkes Karriere verlief ganz und gar normal. Er kam annähernd so weit, wie zu erwarten war. Wäre Schweden in einen Krieg geraten, hätte er noch den einen oder anderen Grad höher steigen können. Aber das ist nicht sicher.«

Wallander stand auf und trat neben sie. Der Parfümgestank war so erdrückend, dass er versuchte, durch den Mund zu atmen. Er las auf dem Bildschirm, sah das Foto, das von Enke in seinen Vierzigern zeigte.

»Gibt es in seiner Laufbahn etwas Bemerkenswertes?«

»Nein. Als junger Kadett gewann er ein paar Preise in skandinavischen Sportwettbewerben. Guter Schütze, gute Kondition, gewann ein paar Geländeläufe. Wenn man das nun als besonders bemerkenswert ansehen will.«

»Was gibt es über seine Frau?«

Die dicken Finger tanzten, der Husten schüttelte sie wieder, aber sie hörte erst auf, als ein Foto der lächelnden Louise mit Dauerwelle auf dem Bildschirm erschien. Wallander nahm an, dass sie fünfunddreißig, vielleicht vierzig Jahre alt war. Sie trug eine Perlenkette. Wallander studierte den Text. Auch da fand sich nichts, was auf den ersten Blick abweichend oder erstaunlich war. Asta Hagberg rief eine neue Seite auf. Wallander las, dass Louises Mutter aus Kiew stammte. »1905 heiratet Angela Stefanowitsch den schwedischen Kohleexporteur Hjalmar Sundblad. Sie zieht nach Schweden und nimmt die schwedische Staatsangehörigkeit an. Louise ist das jüngste von vier Kindern, die sie mit Hjalmar bekam.«

»Alles normal, wie Sie sehen«, sagte Asta Hagberg.

»Abgesehen davon, dass ihre Mutter aus Russland stammt.«

»Heute würde man wohl Ukraine sagen. Die meisten Schweden haben Wurzeln irgendwo außerhalb unserer Grenzen. Wir sind ein Volk aus Finnen, Holländern, Deutschen, Russen, Franzosen. Sölves Urgroßvater kam aus Schottland, meine Großmutter hatte türkisches Blut in den Adern. Wie ist das bei Ihnen?«

»Meine Vorfahren waren Kleinbauern in Småland.«

»Haben Sie Ihre Abstammung zurückverfolgt? Gründlich?«

»Nein.«

»Sie werden sehen, wenn Sie es eines Tages tun, finden Sie wahrscheinlich etwas Unerwartetes. Es ist immer spannend, aber nicht immer angenehm. Ein guter Freund von mir ist Pastor in der Schwedischen Kirche. Als er pensioniert wurde, wollte er seine familiären Wurzeln erkunden. Er fand ziemlich schnell in direkt absteigender Linie zwei Personen, die innerhalb von fünfzig Jahren hingerichtet worden waren. Der eine am Anfang des siebzehnten Jahrhunderts. Er hatte einen Raubmord begangen und wurde enthauptet.

Sein Enkel wurde von einer der zahlreichen deutschen Armeen angeworben, die in der Mitte des siebzehnten Jahrhunderts durch Europa marschierten. Er wurde gehängt, weil er desertiert war. Nach dieser Entdeckung gab der gute Pastor es auf, seine Ahnen weiter zu erforschen. Man kann ihn verstehen.«

Sie erhob sich unter großer Anstrengung und bedeutete ihm mit einem Kopfnicken, ihr in ein angrenzendes Zimmer zu folgen. An den Wänden standen Dokumentenschränke aufgereiht.

Sie schloss einen der Rollverschlüsse auf und zog ein mit Mappen gefülltes Schubfach heraus. »Man weiß nie, was es noch gibt«, sagte sie, während sie den Inhalt durchsuchte.

Sie nahm eine Mappe heraus und legte sie auf einen Tisch. Die Mappe enthielt Fotos. Wallander war nicht sicher, ob sie auf etwas Bestimmtes aus war oder ob sie aufs Geratewohl suchte.

Sie hielt bei einem Schwarzweißfoto inne und hob es ins Licht. »Ich hatte eine vage Erinnerung an dieses Bild. Es ist nicht ganz uninteressant.«

Sie reichte es Wallander, der staunte, als er es betrachtete. Da war dieser große, magere Mann mit dem tadellosen Anzug und der Fliege, herzlich lächelnd. Sein Name war Stig Wennerström. Er hielt ein Cocktailglas in der Hand und richtete seine Aufmerksamkeit einzig und allein auf Håkan von Enke. »Wann ist das aufgenommen worden?«

»Es steht auf der Rückseite. Sölve war immer sehr genau mit Daten und Ortsangaben.«

Wallander las auf einem aufgeklebten Zettel einen maschinengeschriebenen Text. *Oktober 1959, schwedische Marinedelegation zu Besuch in Washington, Empfang beim Militärattaché Wennerström.* Wallander suchte nach einer Bedeutung. Hätte Louise dort gestanden, wäre es ihm leichter gefallen, sich einen Zusammenhang vorzustellen. Aber sie war nicht dabei. Im Hintergrund des Bildes waren nur

Männer und eine weiß gekleidete Serviererin zu sehen, eine Schwarze.

»Reisten die Ehefrauen mit?«, fragte er.

»Nur wenn die allerhöchste militärische Führung auf Reisen ging. Stig Wennerström nahm seine Frau häufig mit auf Reisen und zu Empfängen. Aber auf dieser Reise war Håkan von Enke weit davon entfernt, zur absoluten Spitze zu zählen. Er war vermutlich allein auf der Reise. Wenn Louise ihn begleitet hätte, wäre es auf eigene Kosten gewesen. Und sie hätte bestimmt nicht an einem Empfang beim schwedischen Militärattaché teilgenommen.«

»Ich wüsste gerne genau, wie es auf dieser Reise war.«

Asta Hagberg hatte wieder einen Hustenanfall. Wallander stellte sich an ein Fenster und öffnete es einen Spaltweit. Der Parfümgeruch raubte ihm den Atem.

»Es dauert ein bisschen«, sagte sie, als der Hustenanfall vorbei war. »Ich muss es suchen. Aber Sölve hat natürlich die Informationen über diese und alle anderen Delegationsreisen schwedischer Militärs aufbewahrt.«

Er kehrte zum Sofa von der *Kungsholm* zurück. Er hörte sie vor sich hin summen, während sie in einem dritten Zimmer nach dem Verzeichnis der Personen suchte, die Ende der fünfziger Jahre an Amerikareisen teilgenommen hatten.

Es dauerte fast vierzig Minuten, und Wallander wartete immer ungeduldiger, bis sie mit triumphierendem Blick und einem Papier in der Hand wieder ins Zimmer trat. »Frau von Enke war dabei«, sagte sie. »Sie ist hier als ›Begleitperson‹ verzeichnet, und daneben stehen ein paar Abkürzungen, die wahrscheinlich besagen, dass es nicht die Marine war, die ihre Reise bezahlte. Wenn es wichtig ist, kann ich bestimmt herausfinden, was diese Abkürzungen bedeuten.«

Wallander hatte das Blatt in die Hand genommen. Die Delegation hatte aus acht Personen unter der Führung von Korvettenkapitän Karlén bestanden. Unter »Begleitpersonen« waren unter anderem Louise von Enke und Märta

Aurén verzeichnet, die Frau von Oberstleutnant Karl-Axel Aurén.

»Kann man hiervon eine Kopie machen?«, fragte Wallander.

»Was ›man‹ kann, weiß ich nicht. Aber ich habe ein Fotokopiergerät im Keller. Wie viele Kopien brauchen sie?«

»Eine.«

»Ich berechne zwei Kronen pro Kopie.«

Sie verschwand. Wallander dachte, dass Håkan und Louise acht Tage in Washington gewesen waren. Das hieß, dass Louise von jemandem kontaktiert worden sein konnte. Aber war das überhaupt wahrscheinlich? Schon damals? Gegen Ende der fünfziger Jahre trat der Kalte Krieg sicher in eine schärfere Phase. Es war eine Zeit, in der die Amerikaner an jeder Straßenecke russische Spione sahen. War auf dieser Reise etwas geschehen?

Asta Hagberg kam mit der Kopie zurück. Wallander legte zwei Einkronenstücke auf den Tisch.

»Ich war Ihnen vielleicht keine so große Hilfe, wie Sie gehofft hatten?«

»Nach verschwundenen Menschen zu suchen ist häufig eine zähe und sehr langwierige Arbeit. Man muss Schritt für Schritt vorgehen.«

Sie begleitete ihn hinaus. Erleichtert zog er die parfümfreie Luft in die Lungen.

»Melden Sie sich ruhig wieder«, sagte sie. »Ich bin hier, falls ich Ihnen behilflich sein kann.«

Wallander nickte, bedankte sich und verließ den Garten. Er stieg in seinen Wagen und war schon fast am Ortsrand von Limhamn, als er beschloss, noch einen anderen Platz aufzusuchen. Er hatte schon oft daran gedacht, nachzusehen, ob ein Erinnerungszeichen, das er vor etwa fünfzig Jahren hinterlassen hatte, noch vorhanden war. Er parkte am Friedhof. Dann ging er vor bis zur westlichen Ecke der Mauer und beugte sich hinunter. War er zehn oder elf Jahre alt gewesen? Er wusste es nicht genau. Aber alt genug, um eins der großen Geheimnisse des Lebens entdeckt zu haben. Dass er nämlich er selbst war, nicht verwechselbar, ein Mensch mit einer ganz eigenen Identität. Diese Erkenntnis hatte ihn in große Versuchung geführt. Er würde sein Zeichen an einer Stelle anbringen, wo es nie verschwinden könnte. Die niedrige Friedhofsmauer, gekrönt von einem eisernen Geländer, war das Heiligtum, das er auserwählt hatte. Eines Herbstabends schlich er sich dorthin, einen dicken Nagel und einen Hammer in seiner Jacke verborgen. Limhamn hatte verlassen dagelegen. Er hatte die Stelle schon vorher ausgesucht, einen ungewöhnlich glatten Stein in der westlichen Ecke der Mauer. Während ein kalter Regen auf ihn fiel, meißelte er seine Initialen »KW« in die Friedhofsmauer.

Er entdeckte die Buchstaben sofort. Sie waren leicht verwittert und im Verlauf der vielen Jahre undeutlich geworden. Aber er hatte tief gemeißelt, sein Zeichen war noch da. Eines Tages werde ich mit Klara herkommen, dachte er. Ich werde ihr erzählen, wie ich damals beschloss, die Welt zu verändern. Und sei es auch nur durch das Einritzen meiner Initialen in eine Steinmauer.

Er ging auf den Friedhof und setzte sich auf eine Bank im Schatten eines Baums. Er schloss die Augen und meinte, seine eigene kindliche Stimme zu hören, wie sie vor dem Stimmbruch geklungen hatte und bevor all das, was der Erwachsenenwelt angehörte, über ihn hereingebrochen war. Vielleicht sollte ich mich hier begraben lassen, dachte er. Zum Ausgangspunkt zurückkehren, mich in genau diese Erde legen. Die Grabinschrift habe ich schon in die Friedhofsmauer geritzt.

Er verließ den Friedhof und setzte sich in den Wagen. Bevor er den Motor anließ, dachte er noch einmal über das Gespräch mit Asta Hagberg nach. Was hatte es ihm gebracht?

Die Antwort war einfach. Er war keinen Schritt weitergekommen. Louise blieb so anonym wie zuvor. Eine Offiziersfrau, die auf den Bildern nicht zu sehen war.

Aber die Unruhe, die er seit der Begegnung mit Håkan von Enke auf der Insel in sich gespürt hatte, war noch da.

Ich sehe es nicht, dachte Wallander. Das, was ich längst hätte entdecken sollen. Ich sehe nicht das, was mir helfen kann, endlich zu begreifen, was geschehen ist.

34

Wallander kehrte nach Hause zurück. Der Besuch bei Asta Hagberg hatte ihm nichts gebracht, doch damit hatte er rechnen müssen. Schlimmer bedrückte ihn die Trauer über Baibas Tod. Sie kam und ging in Wellen, die Erinnerung an ihren unerwarteten Besuch und an ihren Tod so kurz danach. Es war, wie es war: In ihrem Tod sah er auch seinen eigenen.

Nachdem er den Wagen abgestellt und Jussi aus dem Zwinger geholt hatte, damit er laufen konnte, wie es ihm gefiel, goss er sich ein großes Glas Wodka ein. Er leerte es, an der Spüle stehend, in einem Zug. Er füllte das Glas noch einmal und nahm es mit ins Schlafzimmer, schloss die Gardinen vor den beiden Fenstern, zog sich aus und legte sich nackt aufs Bett. Das Glas balancierte er auf seinem zitternden Bauch. Noch einen Schritt kann ich gehen, dachte er. Wenn der mich nicht weiterbringt, gebe ich auf. Ich teile Håkan mit, dass ich Linda und Hans sagen werde, wo er sich aufhält. Wenn das dazu führt, dass er sich ein neues Versteck sucht, dann ist das seine Sache. Ich rede mit Ytterberg, Nordlander und unbedingt mit Atkins. Danach ist das hier nicht mehr meine Angelegenheit, was es ja eigentlich nie gewesen ist. Bald ist der Sommer vorbei, mein Urlaub war keiner, und ich werde wieder am Schreibtisch sitzen und mich wundern, wo die Zeit geblieben ist.

Er leerte das Glas und fühlte, wie sich die Wärme und der angenehme Rausch einstellten. Noch einen Schritt, dachte er. In welche Richtung? Er stellte das leere Glas auf den Nachttisch und war bald eingeschlafen. Als er eine

Stunde später erwachte, wusste er, was er tun würde. Im Schlaf hatte sein Gehirn eine Antwort formuliert. Er sah es ganz klar, das Einzige, was jetzt wichtig war. Wer, wenn nicht Hans, konnte ihm weitere Auskünfte geben? Er war ein intelligenter junger Mann, vielleicht nicht besonders sensibel. Aber Menschen wussten immer viel mehr, als sie zu wissen glaubten. Über Ereignisse, Beobachtungen, die sie unbewusst gespeichert hatten.

Er suchte seine schmutzige Wäsche zusammen und stellte die Waschmaschine an. Dann rief er Jussi. Ein Bellen ertönte vom frisch gemähten Feld eines Nachbarn. Jussi kam angestürmt, er hatte sich in etwas Übelriechendem gerollt. Wallander sperrte ihn in seinen Zwinger, zog den Gartenschlauch heran und spritzte den Hund ab. Jussi stand mit eingeklemmtem Schwanz da und sah Wallander flehentlich an.

»Du riechst nach Scheiße«, sagte Wallander. »Ich kann keinen stinkenden Hund ins Haus lassen.«

Dann ging Wallander in die Küche und setzte sich an den Tisch. Er schrieb die wichtigsten Fragen auf, die ihm einfielen, und suchte die Nummer von Hans' Arbeitsplatz in Kopenhagen. Als ihm mitgeteilt wurde, Hans sei für den Rest des Tages in wichtigen Sitzungen und nicht zu erreichen, wurde er ungeduldig. Er sagte der jungen Frau in der Vermittlung, sie solle Hans ausrichten, dass er sich binnen einer Stunde mit Kriminalkommissar Kurt Wallander in Verbindung setzen solle. Wallander hatte gerade die Waschmaschine aufgemacht und gemerkt, dass er kein Waschmittel zugegeben hatte, als das Telefon klingelte. Hans verbarg seine Gereiztheit nicht.

»Was machst du morgen?«

»Ich arbeite. Warum hörst du dich so verbiestert an?«

»Nichts Besonderes. Wann hast du Zeit für mich?«

»Höchstens am Abend. Ich habe den ganzen Tag Termine.«

»Ändere sie. Ich komme um zwei Uhr nach Kopenhagen. Ich brauche eine Stunde, nicht mehr, aber auch nicht weniger.«

»Ist etwas passiert?«

»Es passiert ständig etwas. Wenn es einfach zu sagen wäre, hätte ich es schon getan. Ich brauche Antworten auf einige Fragen, ein paar neue, aber auch ein paar alte.«

»Ich wäre dir dankbar, wenn es bis zum Abend warten könnte. Die Finanzmärkte sind in Unruhe. Es finden unkalkulierbare Bewegungen statt.«

»Ich komme um zwei«, sagte Wallander. »Kaffee ist in Ordnung.« Er legte auf und stellte die Waschmaschine wieder an, nachdem er diesmal zu viel Waschmittel zugegeben hatte. Er fand sich kindisch, weil er die Waschmaschine für seine Vergesslichkeit strafte.

Dann mähte er den Rasen, harkte die Kieswege, legte sich in die Hollywoodschaukel und las einen Roman über den Opernkomponisten Verdi. Das Buch hatte er sich selbst zu Weihnachten geschenkt. Als er die Waschmaschine ausräumte, zeigte sich, dass ein rotes Taschentuch unter die Wäsche geraten war und sie verfärbt hatte. Also ließ er das Programm zum dritten Mal durchlaufen. Anschließend setzte er sich auf die Bettkante, stach sich in den Finger und maß seinen Blutzucker. Damit nahm er es auch nicht immer genau. Der Wert war jedoch noch in Ordnung, 8,1.

Dann legte er sich aufs Sofa und hörte sich eine vor kurzem gekaufte Aufnahme von Rigoletto an. Er dachte an Baiba, hatte Tränen in den Augen und träumte sie sich wieder lebendig. Aber sie war fort und würde nie wiederkommen. Als die Musik geendet hatte, taute er ein Fischgratin aus der Tiefkühltruhe auf und trank Wasser dazu. Er schielte zu einer Flasche Wein auf der Anrichte hinüber, ließ sie aber ungeöffnet. Der Wodka, den er zuvor getrunken hatte, war genug. Am Abend sah er im Fernsehen *Manche mögen's heiß*, einen von Monas und seinen Lieblingsfilmen. Obwohl er den Film schon viele Male gesehen hatte, konnte er immer noch darüber lachen.

In dieser Nacht schlief er gut, zu seiner eigenen Verwunderung.

Linda rief am Morgen an, als er beim Frühstück saß. Das Fenster stand offen, der Tag war schön und warm. Wallander saß nackt auf dem Küchenstuhl.

»Was hat Ytterberg dazu gesagt, dass Håkan sich gemeldet hat?«

»Ich habe noch nicht mit ihm gesprochen.«

Sie reagierte verwundert und aufgebracht. »Warum nicht? Wenn einer wissen muss, dass Håkan noch lebt, dann doch er.«

»Håkan hat mich gebeten, nichts zu sagen.«

»Davon hast du gestern nichts gesagt.«

»Ich habe es wohl vergessen.«

Sie spürte sofort, dass seine Antwort ausweichend und unbestimmt war. »Gibt es noch mehr, was du mir nicht erzählt hast?«

»Nein.«

»Dann solltest du auf der Stelle Ytterberg anrufen.«

Wallander hörte die Verärgerung in ihrer Stimme. »Wenn ich dir jetzt eine ganz aufrichtige Frage stelle, bekomme ich dann eine aufrichtige Antwort?«

»Ja.«

»Was steckt eigentlich hinter der ganzen Geschichte? Wie ich dich kenne, hast du eine Meinung.«

»In diesem Fall habe ich keine. Ich bin ebenso verwirrt wie du.«

»Es gibt jedenfalls keine annehmbare Erklärung dafür, dass Louise eine Spionin gewesen wäre.«

»Annehmbar oder nicht, das kann ich nicht beantworten. Aber die Polizei hat nun mal gewisse Dinge in ihrer Tasche gefunden.«

»Die muss ihr jemand hineingelegt haben. Das ist die einzige Erklärung. Eine Spionin war sie auf keinen Fall«, wiederholte Linda. »Da sind wir ganz sicher.«

Sie verstummte, wartete vielleicht darauf, dass er ihr zustimmte. Plötzlich hörte er Klara im Hintergrund schreien.

»Was macht sie?«

»Sie liegt im Bett. Und will da nicht bleiben. Das wollte ich übrigens schon immer fragen. Wie war ich? Habe ich viel gebrüllt? Habe ich dich das schon einmal gefragt?«

»Alle Kinder schreien. Du hattest Koliken, als du klein warst. Darüber haben wir schon einmal gesprochen. Dass ich es war und nicht Mona, die dich nachts herumgetragen hat.«

»Ich frage mich nur. Ich glaube, man sieht sich selbst in seinen Kindern. Heute rufst du also Ytterberg an?«

»Morgen. Aber du warst ein liebes Kind.«

»Später wurde es schlimmer. Als ich Teenager war.«

»Ja«, sagte Wallander. »Viel schlimmer.«

Nach dem Gespräch blieb er sitzen. Es war eine seiner schlimmsten Erinnerungen, ein Ereignis, das er sich äußerst selten ins Bewusstsein rief. Linda hatte als Fünfzehnjährige versucht, sich das Leben zu nehmen. Es war wahrscheinlich kein besonders ernst gemeinter Versuch gewesen, eher der klassische Ruf danach, gesehen zu werden, ein Hilferuf. Aber es hätte dennoch schlimm ausgehen können, wenn Wallander nicht seine Brieftasche vergessen hätte und noch einmal nach Hause zurückgekehrt wäre. Er hatte sie lallend vorgefunden, neben sich eine leere Tablettenschachtel. Eine Angst wie in jenem Augenblick hatte er weder vorher noch nachher je erlebt. Und es zählte zu den größten Niederlagen in seinem Leben, dass er nicht gemerkt hatte, wie schlecht es ihr ging, gerade in den schweren Teenagerjahren.

Er schüttelte das Unbehagen ab. Er war überzeugt davon,

dass er selbst seinem Leben ein Ende gemacht hätte, wenn sie damals gestorben wäre.

Er dachte zurück an ihr Gespräch. Lindas feste Überzeugung, dass Louise keine Spionin war, machte ihn nachdenklich. Es handelte sich nicht um einen Beweis, sondern um eine Überzeugung: Es konnte nicht sein. Aber wenn es so ist, dachte Wallander, was ist *dann* die Erklärung? Konnten Louise und Håkan trotz allem irgendwie zusammengearbeitet haben? Oder war Håkan von Enke so kaltblütig verlogen, dass er von seiner großen Liebe zu Louise sprach, damit niemand auch nur auf den Gedanken kam, er könne sie nicht geliebt haben? Steckte er hinter ihrem Tod und versuchte, alle Nachforschungen in eine falsche Richtung zu lenken?

Wallander schrieb ein paar Worte auf seinen Notizblock. *Lindas Überzeugung, dass Louise unschuldig ist.* Im Innersten glaubte er nicht an ihre Unschuld. Louise war selbst verantwortlich dafür, dass sie getötet worden war. So musste es sein.

Einige Minuten vor zwei Uhr klingelte Wallander an der Glastür des exklusiven Büros am Rundetårn in Kopenhagen. Eine üppige junge Dame ließ ihn durch die summenden Türen. Sie rief Hans, der sofort auf dem Korridor erschien und Wallander entgegenkam. Er war blass und machte einen übernächtigten Eindruck. Sie gingen an einem offenen Sitzungsraum vorbei, in dem ein heftiger Wortwechsel zwischen einem englisch sprechenden Herrn in mittleren Jahren und zwei isländisch sprechenden jüngeren blonden Männern vor sich ging. Ihr Disput wurde von einer ganz in Schwarz gekleideten Frau gedolmetscht.

»Harte Bandagen«, sagte Wallander. »Ich dachte, Finanzleute sprächen leise miteinander?«

»Wir sagen manchmal, dass wir in der Schlachterbranche

arbeiten«, sagte Hans. »Es hört sich schlimmer an, als es ist. Aber wenn man sich mit Geld befasst, bekommt man zumindest symbolisch blutige Hände.«

»Worüber diskutieren sie so erregt?«

Hans schüttelte den Kopf. »Geschäfte. Worum es geht, kann ich nicht erzählen. Nicht einmal dir.«

Wallander fragte nicht weiter. Hans nahm ihn mit in ein kleineres Sitzungszimmer, das vollständig verglast war und an der Außenwand des Bürogebäudes zu hängen schien. Sogar der Fußboden war aus Glas. Wallander hatte das Gefühl, sich in einem Aquarium zu befinden. Eine Frau, ebenso jung wie die in der Anmeldung, brachte Kaffee und einen Teller mit Kopenhagener Gebäck. Wallander legte seinen Notizblock und den Stift neben die Tasse, während Hans eingoss. Wallander sah, dass seine Hand zitterte.

»Ich dachte, die Zeit des Notizenmachens wäre vorbei«, sagte Hans. »Sind denn Polizisten heute nicht ausschließlich mit Aufnahmegeräten oder sogar mit Videokameras ausgerüstet?«

»Fernsehserien vermitteln nicht immer ein zutreffendes Bild von unserer Arbeit«, sagte Wallander. »Natürlich benutze ich auch mal ein Aufnahmegerät. Aber dies hier ist ja kein Verhör, sondern ein Gespräch.«

»Wo sollen wir anfangen? Ich muss dir vorab sagen, dass ich wirklich nur diese eine Stunde habe. Es war schon schwierig genug, den Zeitplan zu ändern.«

»Es geht um deine Mutter«, sagte Wallander mit Nachdruck. »Keine Arbeit kann wichtiger sein, als herauszufinden, was ihr zugestoßen ist. Ich nehme an, dass wir uns darin einig sind?«

»So habe ich es nicht gemeint.«

»Kommen wir also zur Sache, egal, was du gemeint oder nicht gemeint hast.«

Hans starrte Wallander intensiv an. »Lass mich zuallererst sagen, dass meine Mutter unmöglich eine Spionin gewesen sein kann. Auch wenn sie sich oft geheimnisvoll gab.«

Wallander zog die Augenbrauen hoch. »Das hast du früher nicht gesagt, wenn wir über sie sprachen. Dass sie geheimnisvoll war. Das ist neu.«

»Ich habe nachgedacht nach unserem letzten Gespräch. Sie erscheint mir immer geheimnisvoller. In erster Linie wegen Signe. Kann man eigentlich jemanden schlimmer täuschen? Als wenn man vor einem Kind verbirgt, dass es einen Bruder oder eine Schwester hat? Ich habe mich manchmal darüber beklagt, dass ich ein Einzelkind war. Besonders, bevor ich in die Schule kam. Aber nie lag auch nur etwas Ausweichendes in ihren Antworten. Jetzt denke ich, dass sie meine kindliche Sehnsucht mit Eiseskälte beantwortete.«

»Und dein Vater?«

»Er war in jenen Jahren wenig zu Hause. In meiner Erinnerung war er auf jeden Fall fast nie da. Wenn er mal durch die Tür trat, wusste ich, dass er bald wieder verschwinden würde. Er hatte immer Geschenke für mich. Aber ich wagte es nicht, mich richtig zu freuen. Wenn seine Uniformen hervorgeholt und gelüftet und gebürstet wurden, wusste ich, was passieren würde. Am nächsten Morgen war er weg.«

»Kannst du etwas mehr darüber sagen, was dir an deiner Mutter geheimnisvoll vorkam?«

»Das fällt mir schwer. Manchmal wirkte sie abwesend, so tief in ihren eigenen Gedanken, dass sie böse wurde, wenn ich sie störte. Es kam mir beinah so vor, als fügte ich ihr Schmerzen zu, als hätte ich sie gestochen. Ich weiß nicht, ob ich mich richtig verständlich mache, aber das ist meine Erinnerung. Manchmal klappte sie ein Notizbuch zu oder verbarg hastig ein Papier, an dem sie arbeitete, wenn ich ins Zimmer kam. Wird es so klarer?«

»Gab es etwas, was deine Mutter machte, wenn dein Vater nicht zu Hause war? Eine Routine, die sich plötzlich änderte?«

»Nein. Ich glaube nicht.«

»Du antwortest zu schnell. Denk nach!«

Hans stand auf und trat ans Glasfenster. Durch den Fußboden konnte Wallander einen Straßenmusikanten sehen, der eine Gitarre malträtierte, einen Hut vor sich auf dem Pflaster. Kein Geräusch von der Musik drang durchs Glas.

Hans kehrte an seinen Platz zurück. »Vielleicht«, sagte er zögernd. »Was ich jetzt sage, kann ich nicht beschwören. Es kann Einbildung sein, ein Erinnerungsbild, das täuscht. Aber vielleicht hast du recht. Wenn Håkan weg war, saß sie oft am Telefon, immer bei geschlossener Tür. Das tat sie nicht, wenn er zu Hause war.«

»Telefonieren oder die Tür zumachen?«

»Beides.«

»Mach weiter!«

»Oft lagen Papiere da, an denen sie arbeitete. Ich hatte das Gefühl, dass die Papiere verschwanden, wenn Håkan nach Hause kam, dass stattdessen Blumen auf dem Tisch standen.«

»Was waren das für Papiere?«

»Das weiß ich nicht. Aber manchmal waren es auch Zeichnungen.«

Wallander merkte auf. »Zeichnungen wovon?«

»Wasserspringer. Meine Mutter konnte gut zeichnen.«

»Wasserspringer?«

»Verschiedene Sprünge, Phasen einzelner Sprünge. ›Handstandsprung mit Schraube‹ und wie sie alle heißen.«

»Kannst du dich an andere Zeichnungen erinnern?«

»Sie hat mich mehrmals gezeichnet. Wo die Zeichnungen sind, weiß ich nicht. Aber sie waren gut.«

Wallander brach ein Plunderstück in zwei Teile und tunkte die eine Hälfte in seinen Kaffee. Hans sah zur Uhr. Der Musikant unter Wallanders Füßen spielte weiter seine lautlose Musik. »Ich bin noch nicht ganz fertig«, sagte Wallander. »Erzähl mir etwas über die Ansichten deiner Mutter. Politisch, sozial, wirtschaftlich. Was dachte sie über Schweden?«

»Bei uns wurde nicht über Politik gesprochen.«

»Nie?«

»Einer meiner Eltern sagte vielleicht, dass die schwedischen Streitkräfte nicht mehr in der Lage wären, unser Land zu verteidigen. Dann konnte der andere antworten, das sei die Schuld der Kommunisten. Mehr wurde nicht gesagt. Beide hätten beides sagen können. Sie waren natürlich konservativ, darüber haben wir schon gesprochen. Es kam überhaupt nichts anderes in Frage, als für die Moderaten zu stimmen. Die Steuern waren zu hoch, Schweden nahm zu viele Einwanderer auf, die dann auf den Straßen Chaos anrichteten. Man kann, glaube ich, sagen, dass sie so dachten, wie man es von ihnen erwartete.«

»Und davon wich keiner von beiden ab?«

»Nie, soweit ich mich erinnern kann.«

Wallander nickte und aß die zweite Hälfte des Plunderstücks. »Reden wir von dem Verhältnis deiner Eltern zueinander«, sagte er dann. »Wie war es?«

»Es war gut.«

»Sie haben nie Krach gehabt oder sich gestritten?«

»Nein. Ich glaube, dass sie sich wirklich liebten. Später habe ich gedacht, dass ich als Kind nie fürchten musste, sie würden sich eines Tages scheiden lassen. Der Gedanke existierte einfach nicht.«

»Aber Menschen leben doch nicht konfliktfrei?«

»Sie doch. Es sei denn, sie hätten gestritten, wenn ich schlief und nichts merkte. Aber das kann ich kaum glauben.«

Wallander hatte keine Fragen mehr. Aber er war noch nicht bereit, aufzugeben. »Fällt dir noch etwas ein, was du mir über deine Mutter sagen kannst? Sie war freundlich, und sie war geheimnisvoll, vielleicht rätselhaft, das wissen wir jetzt. Aber, ehrlich gesagt, du weißt erstaunlich wenig über deine Mutter.«

»Das ist mir auch klargeworden«, sagte Hans mit einer, wie Wallander glaubte, schmerzlichen Aufrichtigkeit. »Es gab fast nie Momente der tiefen Vertrautheit zwischen uns. Sie hat eine gewisse Distanz zu mir nie verloren. Wenn ich mir wehtat, tröstete sie mich natürlich. Aber jetzt im Nachhinein sehe ich, dass es für sie fast lästig war.«

»Gab es einen anderen Mann in ihrem Leben?«

Wallander hatte die Frage nicht vorbereitet. Aber als sie jetzt ausgesprochen war, erschien sie ihm völlig logisch.

»Nein. Ich glaube, dass es zwischen meinen Eltern keine Untreue gab. Von keiner Seite.«

»Und bevor sie geheiratet haben? Was weißt du über die Zeit?«

»Ich habe das Gefühl, dass sie, weil sie sich so früh begegnet sind, nie eine andere Beziehung hatten. Jedenfalls nicht ernsthaft. Aber da kann ich natürlich nicht sicher sein.«

Wallander steckte seinen Notizblock in die Jackentasche und stand auf. Er hatte kein einziges Wort notiert. Es gab nichts, was er hätte aufschreiben können. Er war genauso klug wie vorher.

Hans blieb sitzen. »Mein Vater hat also angerufen?«, sagte er. »Er lebt, will sich aber nicht zeigen?«

Wallander setzte sich wieder. Der Gitarrenspieler unter seinen Füßen war jetzt fort. »Dass er es war, steht außer Zweifel. Es war kein anderer, der seine Stimme imitierte. Er sagte, es gehe ihm gut. Für sein Verhalten hat er keine Erklärung gegeben. Er wollte euch nur wissen lassen, dass er lebt.«

»Und er hat nichts darüber gesagt, wo er war?«

»Nein.«

»Was hattest du für ein Gefühl? War er weit entfernt? Hat er von einem Festnetzanschluss oder von einem Handy angerufen?«

»Das kann ich nicht sagen.«

»Weil du es nicht willst oder nicht kannst?«

»Weil ich es nicht kann.«

Wallander stand wieder auf. Sie verließen den verglasten Raum. Als sie am Sitzungszimmer vorüberkamen, waren die Türen geschlossen, aber die lautstarke Diskussion dahinter ging weiter. Sie trennten sich an der Anmeldung.

»Konnte ich dir helfen?«, fragte Hans.

»Du warst ehrlich«, erwiderte Wallander. »Mehr kann ich nicht verlangen.«

»Eine diplomatische Antwort. Ich konnte dir also nicht geben, was du erhofft hast.«

Wallander hob resigniert die Hände. Die Glastür ging auf, er winkte noch einmal zurück. Der Aufzug brachte ihn lautlos hinunter zum Eingang. Er hatte seinen Wagen in einer Seitenstraße von Kongens Nytorv geparkt. Weil es sehr warm war, zog er die Jacke aus und knöpfte das Hemd auf.

Plötzlich hatte er das Gefühl, beobachtet zu werden. Er drehte sich um. Die Straße war voller Menschen. Er entdeckte kein ihm bekanntes Gesicht. Nach hundert Metern blieb er vor einem Schaufenster stehen und betrachtete eine Auswahl exklusiver Damenschuhe. Er schielte zurück in die Richtung, aus der er gekommen war. *Ein Mann stand da und sah auf seine Armbanduhr. Dann legte er sich den Mantel vom rechten auf den linken Arm.* Wallander meinte, ihn schon gesehen zu haben, als er sich zum ersten Mal umgedreht hatte. Er richtete den Blick wieder auf die Schaufensterauslage. Der Mann ging hinter ihm vorbei. Davon hatte Rydberg oft gesprochen. *Man brauchte nicht ständig hinter der Person zu bleiben, die man beschattete. Ebenso gut konnte man sich vor ihr befinden.* Wallander wandte sich vom Schaufenster ab und zählte hundert Schritte. Dann blieb er stehen und sah sich um. Jetzt fiel ihm niemand auf. Der Mann mit dem Mantel über dem Arm war verschwunden. Als Wallander sein Auto erreichte, sah er sich zum letzten Mal um. Die Menschen, die kamen und gingen, waren ihm alle unbekannt. Wallander schüttelte den Kopf. Er musste sich etwas eingebildet haben.

Er fuhr über die lange Brücke zurück, machte bei der Raststätte Fars Hatt eine Pause und fuhr anschließend direkt nach Hause.

Als er aus dem Wagen stieg, hatte er plötzlich ein Blackout. Er stand mit den Autoschlüsseln in der Hand da, völlig leer. Die Motorhaube war warm. Wieder befiel ihn Panik. Wo war er gewesen? Jussi bellte und sprang am Zaun hoch. Wallander starrte den Hund an und versuchte, sich zu erinnern. Er sah auf die Autoschlüssel, auf das Auto, als könnten sie ihm Antwort geben. Es dauerte fast zehn Minuten, bevor der Krampf nachließ und er wieder wusste, was er getan hatte. Er war schweißgebadet. Es wird schlimmer, dachte er. Ich muss herausfinden, was mit mir los ist.

Er holte Post und Zeitungen aus dem Briefkasten und setzte sich an den Gartentisch. Er war immer noch erschüttert über den Gedächtnisverlust, der ihn überfallen hatte.

Erst später, als er Jussi sein Fressen gegeben hatte, entdeckte er zwischen den Zeitungen einen Brief. Ohne Absender. Die Schrift kannte er nicht.

Er öffnete den handgeschriebenen Brief. Er war von Håkan von Enke.

35

Der Brief war in Norrköping aufgegeben und hatte folgenden Wortlaut:

In Berlin lebt ein Mann namens George Talboth. Er ist Amerikaner und hat früher an der Botschaft in Stockholm gearbeitet. Er spricht fließend Schwedisch und gilt als Experte für das Verhältnis der skandinavischen Länder zur Sowjetunion und dem heutigen Russland. Ich lernte ihn schon Ende der 1960er Jahre kennen, als er zum ersten Mal in Stockholm war und mit dem damaligen Militärattaché Hotchinson zu verschiedenen Empfängen und Besuchen kam, unter anderem in Berga. Wir lernten uns näher kennen, er und seine Frau spielten Bridge, wir verkehrten miteinander. Nach und nach wurde mir klar, dass er der CIA angehörte. Er versuchte jedoch nie, mir vertrauliche Informationen zu entlocken, die ich nicht hätte weitergeben dürfen. 1974, vielleicht ein Jahr später, erkrankte seine Frau Marilyn an Krebs und starb bald darauf. Für George war es eine Katastrophe. Er und seine Frau hatten ein womöglich noch engeres Verhältnis gehabt als Louise und ich. Er kam immer öfter zu uns nach Hause, fast jeden Sonntag und oft auch während der Woche. 1979 wurde er zur Botschaft nach Bonn versetzt und blieb auch nach seiner Pensionierung in Deutschland, zog jedoch nach Berlin. Es ist natürlich möglich, dass er, sozusagen »nebenbei«, seinem Land weiterhin verschiedene Dienste erweist. Doch darüber weiß ich nichts.

Im vergangenen Dezember sprach ich am Telefon mit ihm. Er ist inzwischen 72 Jahre alt, aber intellektuell noch sehr beweglich. Er ist fest davon überzeugt, dass der Kalte Krieg noch immer eine Realität ist. Als das sowjetische Imperium zusammenbrach, gab es zwar eine Revolution, die ebenso durchgreifend war wie die Ereignisse von 1917, aber George zufolge handelte es sich nur um einen vorübergehenden Rückgang, eine kurzzeitige Schwächephase. Heute sieht er sich in seiner Auffassung bestätigt durch ein Russland, das immer stärker wird und immer höhere Forderungen an seine Umwelt stellen wird. Ich habe mir erlaubt, einige Zeilen an ihn zu schreiben, und bitte Dich, Kontakt zu ihm aufzunehmen. Wenn es jemanden gibt, der zu Deiner Suche nach einer Erklärung für das, was Louise geschehen ist, eventuell etwas beitragen kann, dann ist er es. Ich hoffe, Du nimmst mir nicht übel, dass ich auf diese Weise versuche, Dir bei Deinen, wie ich sehe, aufrichtigen Bemühungen behilflich zu sein. Mit respektvollem Gruß. Håkan von Enke.

Wallander legte den Brief auf den Gartentisch. Dass Håkan von Enke einen Kontakt vermitteln wollte, war natürlich gut. Aber der Brief missfiel ihm dennoch. Das Gefühl, dass es etwas gab, was er nicht durchschaute, stellte sich wieder ein. Er las den Brief noch einmal, langsam, als versuchte er, durch ein Minenfeld voranzukommen. *Briefe sollen gedeutet werden*, hatte Rydberg einmal gesagt. Man muss wissen, was man tut, besonders wenn ein Brief Bedeutung für eine Ermittlung haben kann. Aber was gab es hier zu deuten? Da stand nichts zwischen den Zeilen. Wallander ging ins Haus zu seinem Computer und googelte den Namen George Talboth. Er erhielt eine Reihe von Treffern, doch nichts, was passte. Aus reinem Trotz gab er noch das Suchwort CIA ein und stieß bei den Antworten zu seiner Überraschung auf ein Kulinarisches Institut. Neben der richtigen CIA natürlich.

Er verließ den Computer, maß seinen Blutzucker und war diesmal mit dem Ergebnis von 10,2 weniger zufrieden. Das war zu hoch. Er war mit der Einnahme seiner Metformintabletten und mit seinem Insulin zu nachlässig gewesen. Eine Kontrolle im Kühlschrank ergab, dass er in den nächsten Tagen seinen Medikamentenvorrat auffrischen musste.

Er schluckte jeden Tag nicht weniger als sieben verschiedene Tabletten, für seinen Diabetes, seinen Blutdruck und seinen Cholesterinspiegel. Es gefiel ihm nicht, es war wie eine Niederlage. Viele seiner Kollegen nahmen überhaupt keine Medikamente, zumindest behaupteten sie es. Rydberg hatte seinerzeit alle chemischen Präparate verachtet. Er nahm nicht einmal etwas gegen die Kopfschmerzen, die ihn oft plagten. Jeden Tag führe ich meinem Körper eine Unzahl chemischer Substanzen zu, über die ich im Grunde nichts weiß, dachte er. Ich glaube meinen Ärzten und der Pharmaindustrie, ohne ihre Verordnungen in Frage zu stellen.

Nicht einmal Linda hatte er von all seinen Medikamenten erzählt. Sie wusste auch nicht, dass er inzwischen Insulin spritzte. Für den Fall, dass sie an seinen Kühlschrank ging, hatte er die Packungen hinter einigen Gläsern Mango Chutney versteckt, die sie, wie er wusste, nicht anrühren würde.

Er las den Brief noch mehrere Male, ohne etwas anderes zu entdecken als das, was da stand. Håkan von Enke hatte ihm keine versteckte Botschaft gesandt. Gegen sieben Uhr stattete sein nächster Nachbar Olofsson ihm einen überraschenden Besuch ab. Er roch nach Tierfutter. Er war ein großer, zahnloser Kerl, als ob er eigentlich Eishockeyspieler wäre und kein schonischer Landwirt. Jetzt kam er, um sich nach Wallanders kleinem Stück Land zu erkundigen, das brachlag; könnte er sich vorstellen, das Land zu verpachten? Olofssons Enkelin sollte ein Pony zum Geburtstag bekommen, und im nächsten Jahr würde er eine kleine Weide brauchen. Wallander war natürlich einverstanden und weigerte sich, Geld zu nehmen. Es reichte schon, dass sie so oft Jussi versorgten. Olofsson war ein redseliger Bursche, und Wallander sah ein, dass er nicht gehen würde, bevor er eine Tasse Kaffee bekommen hatte. Sie unterhielten sich über Wind und Wetter und ausgebrochene Jungbullen. Olofsson war neugierig und stellte Fragen über verschiedene Kriminalfälle, von denen er in *Ystads Allehanda* gelesen hatte. Es war fast zehn Uhr, als Olofsson endlich seinen massigen Körper vom Stuhl hochstemmte und zu seinem Traktor hinausging. Sie besiegelten die Absprache wegen der Weide mit einem Handschlag. Wallander war todmüde, als er ins Haus zurückkehrte. Der Brief von Håkan von Enke lag auf dem Küchentisch. Er fing noch einmal an, ihn zu lesen, ließ ihn aber nach der Hälfte sinken. Er suchte nach etwas, was nicht da war.

In der Nacht träumte er von seinem Vater. Er stand auf dem kleinen Stück Land, das Wallander Olofsson versprochen hatte, und streichelte seine Staffelei, als wäre sie ein Pferd.

Es war kurz nach sieben, und er war gerade aufgestanden, als das Telefon klingelte. Er dachte, es könne nur Linda sein, die sich so früh meldete, gerade jetzt, wo er Urlaub hatte. Er hob ab.

»Ist dort Kurt Wallander?«

Es war ein Mann. Sein Schwedisch war tadellos, dennoch nahm Wallander einen ganz leichten Akzent wahr.

»Ich nehme an, ich spreche mit George Talboth«, sagte Wallander. »Ich hatte damit gerechnet, dass Sie sich melden würden.«

»Sag du, ich bin George und du bist Knut.«

»Nicht Knut. Kurt.«

»Kurt. Kurt Wallander. Ich verwechsle Namen leicht. Wann kommst du her?«

Die Frage verblüffte Wallander. Was hatte Håkan von Enke ihm eigentlich geschrieben? »Ich habe nicht die Absicht, nach Berlin zu fahren. Ich habe erst gestern einen Brief erhalten, der von deiner Existenz berichtet.«

»Håkan schrieb mir, du wärst sicher bereit, herzukommen.«

»Warum kommst du nicht nach Schonen?«

»Ich habe keinen Führerschein. Und zu fliegen oder Zug zu fahren langweilt mich.«

Ein Amerikaner ohne Führerschein, dachte Wallander. Das muss ein seltsamer Mensch sein.

»Vielleicht kann ich dir helfen«, fuhr George Talboth fort. »Ich kannte Louise ebenso gut, wie ich Håkan kannte. Sie hatte außerdem guten Kontakt zu meiner Frau Marilyn. Sie haben oft zusammen Tee getrunken. Hinterher erzählte Marilyn, worüber sie sich unterhalten hatten.«

»Und was war das?«

»Louise sprach fast immer über Politik. Marilyn interessierte sich weniger dafür. Aber sie hörte höflich zu.«

Wallander furchte die Stirn. Hatte Hans nicht genau das Gegenteil gesagt? Dass seine Mutter nie über Politik sprach, höchstens in knappen Floskeln mit ihrem Mann? Plötzlich hatte er doch Lust, George Talboth in Berlin zu besuchen. Nach dem Zusammenbruch der DDR war er nicht dort gewesen. Dagegen hatte er Mitte der 80er Jahre zweimal zusammen mit Linda Ostberlin besucht, in der Zeit, als sie vom Theater besessen war und unbedingt das Berliner Ensemble sehen wollte. Er erinnerte sich mit Unbehagen daran, wie die DDR-Grenzbeamten mitten in der Nacht die Schlafwagentür aufgerissen hatten und seinen Pass zu sehen verlangten. Bei beiden Besuchen hatten sie in einem Hotel am Alexanderplatz gewohnt. Wallander hatte sich dort immer unwohl gefühlt.

»Ich könnte mir vorstellen, dich zu besuchen«, sagte er. »Ich kann den Wagen nehmen.«

»Du wohnst bei mir«, sagte George Talboth. »Ich habe eine Wohnung in Schöneberg. Wann kommst du?«

»Wann passt es dir?«

»Ich bin Witwer. Es passt mir, wenn es dir passt.«

»Übermorgen?«

»Ich gebe dir meine Telefonnummer. Ruf mich an, wenn du kurz vor Berlin bist, dann lotse ich dich durch die Stadt. Isst du Fisch oder Fleisch?«

»Beides.«

»Wein?«

»Rot.«

»Dann weiß ich alles, was ich wissen muss. Hast du etwas zu schreiben?«

Wallander notierte sich die Telefonnummer auf dem Rand von Håkan von Enkes Brief.

»Du bist willkommen«, sagte George Talboth. »Habe ich richtig verstanden, dass deine Tochter mit dem jungen Hans von Enke verheiratet ist?«

»Das ist nicht ganz richtig. Sie haben eine Tochter, Klara. Aber verheiratet sind sie noch nicht.«

»Bring ein Foto von deinem Enkelkind mit.«

Wallander legte auf. Bilder von Klara hatte er an verschiedenen Stellen im Haus aufgehängt. Er nahm zwei Fotos, die in der Küche an die Wand gepinnt waren, und legte sie auf den Tisch neben seinen Pass. Während er frühstückte, studierte er seinen Atlas, um abzuschätzen, wie weit es von der Fährstation in Sassnitz nach Berlin war. Durch einen Anruf bei der Reederei in Trelleborg erfuhr er die Abfahrtszeiten, schrieb sie auf und freute sich auf die bevorstehende Reise. An diesen Sommer werde ich mich wegen all der Autofahrten erinnern, dachte er. Genau wie damals, als Linda klein war und wir in den Ferien nach Dänemark fuhren, aber auch nach Gotland und einmal sogar bis nach Hammerfest in Nordnorwegen.

Am 23. Juli setzte er sich in den Wagen und nahm die Küstenstraße nach Trelleborg, zur Fähre und zum Festland. Linda hatte er nur gesagt, er wolle sich ein paar Urlaubstage in Berlin gönnen. Sie hatte keine misstrauischen Fragen gestellt, sondern nur gesagt, dass sie ihn beneide. Aus dem Fernsehen wusste er, dass Berlin und Zentraleuropa gerade eine Hitzewelle erlebten.

Er beschloss, nicht direkt nach Berlin zu fahren. Irgendwo würde er die Autobahn verlassen und in einem kleinen Hotel übernachten. Er hatte es nicht eilig.

Er aß auf der Fähre und teilte den Tisch mit einem redseligen Lastwagenfahrer, der ihm erklärte, er sei mit mehreren Tonnen Hundefutter auf dem Weg nach Dresden.

»Warum sollen deutsche Hunde schwedisches Futter fressen?«, überlegte Wallander.

»Das kann man sich fragen. Aber ist es nicht das, was den freien Markt ausmacht?«

Wallander ging an Deck. Er verstand, warum viele Menschen sich dafür entschieden, an Bord von Schiffen zu arbeiten. Wie Håkan von Enke, auch wenn der lange Jahre seines Lebens auf See unter der Wasseroberfläche verbracht hatte. Warum wurde man U-Boot-Kapitän?, dachte er. Ebenso gibt es bestimmt viele Menschen, die sich fragen, warum man Polizist wird. Mein eigener Vater zum Beispiel.

Hinter Sassnitz hielt er auf einem Parkplatz, wechselte das Hemd und zog kurze Hosen und Sandalen an. Einen kurzen Augenblick fühlte er sich glücklich bei dem Gedanken, dass er anhalten konnte, wo er wollte, wohnen konnte, wo er wollte, essen konnte, wo er wollte. So sieht die Freiheit aus, dachte er und grinste über seinen pathetischen Gedanken. Ein älterer Polizeibeamter befindet sich auf der Flucht, er hat sich selbst freigelassen.

Er fuhr bis Oranienburg kurz vor Berlin, bevor er beschloss zu übernachten. Er suchte eine Weile nach einem passenden Hotel und entschied sich für den Kronhof am

Stadtrand. Der Mann an der Rezeption war ein älterer Herr mit üppigem Schnauzbart. Als er sah, dass Wallander Schwede war, erzählte er, schon oft daran gedacht zu haben, irgendwo in den schwedischen Wäldern ein Sommerhaus zu kaufen. Konnte Herr Wallander möglicherweise eine Gegend empfehlen?

»Småland«, sagte Wallander. »Dort liegen zahlreiche leere Häuser in den Wäldern und warten auf neue Besitzer.«

Er bekam ein Eckzimmer im zweiten Stock. Es war groß und mit zu vielen dunklen Möbeln eingerichtet. Aber Wallander war zufrieden. Er wohnte oben, niemand würde in der Nacht auf seinem Kopf herumtrampeln. Er zog seine lange Hose an und streifte zwei Stunden durch die Stadt, trank Kaffee, sah sich in einem Antiquariat um und kehrte in den Kronhof zurück. Es war fünf Uhr. Er war hungrig, beschloss aber, mit dem Essen noch zu warten. Er legte sich mit einer Kreuzworträtsel-Zeitschrift aufs Bett. Nachdem er einige Wörter gelöst hatte, schlief er ein. Als er wach wurde, war es halb acht. Er ging ins Restaurant und setzte sich an einen Ecktisch. Es war immer noch früh am Abend, und im Speisesaal saßen nur wenige Gäste. Eine Kellnerin, die ihn irgendwie an Fanny Klarström erinnerte, reichte ihm die Speisekarte. Er aß ein Wiener Schnitzel und trank Wein dazu. Es kamen jetzt mehr und mehr Gäste, die meisten schienen sich zu kennen. Wallander bestellte eine Schokoladencreme zum Nachtisch, obwohl er wusste, dass er etwas so Süßes nicht essen sollte. Er trank noch ein Glas Wein und merkte, dass er langsam betrunken wurde. Heute kann ich wenigstens keine Waffe vergessen, dachte er. Kein empörter Martinsson wird mich morgen früh zur Rede stellen.

Um neun Uhr zahlte er und ging auf sein Zimmer, zog sich aus und legte sich ins Bett. Aber er konnte nicht einschlafen. Plötzlich fühlte er sich rastlos, gejagt. Das gute Gefühl, das ihn während seines einsamen Abendessens erfüllt hatte, war verflogen. Schließlich gab er es auf, zog sich wieder an und kehrte ins Restaurant zurück. Er betrat die abgetrennte Bar und bestellte ein Glas Wein. An der Theke standen ein paar ältere Männer und tranken Bier. Die Tische waren leer, nur am Nebentisch saß eine etwa vierzigjährige Frau. Sie trank Wein und tippte eine SMS in ihr Handy. Sie lächelte Wallander an, er lächelte zurück. Sie tranken sich zu. Sie beschäftigte sich weiter mit ihrem Handy. Wallander bestellte noch ein Glas Wein und ließ der Frau auch noch ein Glas bringen. Sie bedankte sich, legte das Telefon weg, kam herüber und setzte sich zu ihm. Er erklärte in seinem schlechten Englisch, dass er Schwede sei, auf der Durchreise nach Berlin. Da er unsicher war, wie Kurt auf Englisch ausgesprochen wurde, sagte er, er heiße James.

»Ist das ein schwedischer Name?«, fragte sie.

»Meine Mutter war aus Irland«, gab er zurück.

Er lächelte über seine Lüge und fragte nach ihrem Namen. Isabel, sagte sie. Sie erklärte ihm, in wenigen Jahren würde Oranienburg von Berlin geschluckt werden. Wallander betrachtete ihr Gesicht. Sie machte einen verlebten Eindruck und war viel zu stark geschminkt. Er fragte sich plötzlich, ob sie vielleicht eine Professionelle war, die in dieser Bar auf Beutezug ging. Aber dafür war sie nicht herausfordernd genug gekleidet, dachte er. Außerdem bin ich nicht auf Prostituierte aus.

Wer war sie, diese Isabel, die er hier zum Wein einlud? Sie erzählte, sie sei Floristin, alleinstehend, habe erwachsene Kinder und eine *sehr schöne* Wohnung – so ihre Worte – in einem Wohnblock in der Nähe eines Parks, zu dem sie den Weg zu erklären versuchte. Aber Wallander interessierte sich weder für den Park noch für den Weg, er hatte angefangen, sie zu begehren, konnte sie sich schon nackt in seinem Hotelzimmer vorstellen, und dorthin wollte er sie jetzt mitnehmen. Er merkte, dass sie angetrunken war, und dass er selbst nicht mehr trinken sollte, war ihm ebenfalls klar. Es ging auf Mitternacht zu, die Bar leerte sich, der Mann hinter dem Tresen fragte, ob es noch Bestellungen gebe. Wallander verlangte die Rechnung und sagte zu Isabel, er könne ihr in seinem Zimmer noch etwas zu trinken anbieten. Er hatte bisher nicht erwähnt, dass er im Hotel wohnte. Sie schien nicht überrascht zu sein, vielleicht wusste sie es schon. Gab es zwischen der Rezeption und der Bar geheime Kommunikationswege? Aber ihm war es egal, er zahlte, gab viel zu viel Trinkgeld und führte die Frau an der leeren Rezeption vorbei direkt zu seinem Zimmer. Erst nachdem er die Tür geschlossen hatte, gestand er ihr die finstere Wahrheit, dass er ihr gar nichts anzubieten hatte. Es gab auch keine Minibar, das Hotel war mit derartigem Luxus nicht ausgestattet, und ein Zimmerservice existierte ebenso wenig. Doch sie wusste, worauf sie sich eingelassen hatte, sie umarmte ihn plötzlich, und ihn erfasste eine wilde Gier, die er nicht kontrollieren konnte. Sie landeten in seinem Bett, er erinnerte sich nicht, wann er zuletzt mit einer Frau geschlafen hatte, und im Körper dieser Isabel versuchte er Baiba und Mona und andere Frauen wiederzufinden, die er seit langem vergessen hatte. Das Ganze ging sehr schnell, und als Wallander das Begehren erneut aufwallen fühlte, war sie längst eingeschlafen und ließ sich nicht wecken. Mit einer schlafenden und schnarchenden Frau Liebe zu machen, das überstieg die Grenzen seiner Vorstellung. Es blieb nichts anderes übrig, als selbst zu schlafen, und das tat er auch, eine Hand zwischen ihren schweißfeuchten Schenkeln.

Die Hand lag noch da, als er im Morgengrauen erwachte. Er hatte Kopfschmerzen, die Zunge klebte im Mund, und sogleich beschloss er zu fliehen, weg aus diesem Zimmer und von Isabel, die an seiner Seite schlief. Er zog sich leise an, sah ein, dass er sich besser nicht ans Steuer seines Wagens setzen sollte, konnte sich aber auch nicht vorstellen hierzubleiben. Er nahm seine Tasche und ging hinunter zur Rezeption, wo ein junger Mann auf einer Pritsche unter dem altmodischen Schlüsselschrank schlief. Er wachte auf, als Wallander rief, machte die Rechnung fertig und gab das Wechselgeld zurück.

Wallander legte den Schlüssel zusammen mit einem Zehn-Euro-Schein auf die Theke. »Im Zimmer schläft noch eine Frau. Ich nehme an, das reicht auch für sie?«

»Alles klar«, sagte der junge Mann und gähnte.

Wallander hastete zu seinem Wagen und machte sich auf in Richtung Berlin. Er fuhr nur bis zum nächsten Parkplatz. Dort bog er ein und rollte sich auf der Rückbank zusammen, um zu schlafen. Er bereute stark, was in der Nacht geschehen war. Er versuchte sich einzureden, dass es nicht so schlimm war. Immerhin hatte sie kein Geld von ihm verlangt. Sie konnte ihn auch nicht als vollkommen abstoßend erlebt haben.

Um neun Uhr wurde er wach und fuhr weiter. Von einem Motel an der Autobahn rief er George Talboth an, der eine Karte zur Hand hatte und schnell den Ort fand, an dem Wallander sich befand.

»Ich bin in ungefähr einer Stunde da«, sagte er. »Setz dich solange in die Sonne.«

»Wie kommst du her? Ich dachte, du hättest keinen Führerschein?«

»Das lässt sich regeln.«

Wallander kaufte Kaffee in einem Pappbecher und setzte sich vor dem Restaurant des Motels in den Schatten. Er fragte sich, ob Isabel schon wach geworden war und sich wunderte, wo er geblieben war. Er hatte fast keine Erinnerung an Einzelheiten ihrer plumpen und gefühllosen Liebesbegegnung. War es überhaupt dazu gekommen? Die verschwommenen Fragmente, die er vor sich sah, waren ihm nur peinlich.

Er holte sich einen zweiten Kaffee, dazu ein eingeschweißtes Sandwich. Als ob man auf einem Schwamm kaute, dachte er. Als er sich das halbe Sandwich hineingequält hatte, warf er den Rest den Tauben hin, die am Boden pickten.

Die Stunde verging. Immer noch kam kein Amerikaner, der nach einem schwedischen Kriminalbeamten suchte. Erst nach einer weiteren Viertelstunde hielt ein schwarzer Mercedes an der Rezeption des Motels. Der Wagen hatte Diplomatenkennzeichen. Wallander begriff, dass Talboth angekommen war. Ein Mann in einem weißen Anzug und mit Sonnenbrille stieg aus. Er blickte sich um und entdeckte Wallander sofort.

Er kam auf ihn zu und nahm die Sonnenbrille ab. »Kurt Wallander?«

»Das bin ich.«

George Talboth war an die zwei Meter groß, von kräftiger Statur, und sein Handschlag hätte Wallander erdrosseln können, wenn man ihm die Hand um den Hals gelegt hätte.

»Der Verkehr war dichter, als ich dachte. Es tut mir leid, dass ich verspätet bin.«

»Ich habe deinen Rat befolgt und das schöne Wetter genossen. An die Uhrzeit habe ich gar nicht gedacht.«

George Talboth hob die Hand und winkte dem Mercedes mit dem unsichtbaren Chauffeur. Der Wagen glitt davon.

»Ich bekomme die Hilfe, die ich brauche«, sagte er. »Fahren wir?«

Sie setzten sich in Wallanders Peugeot. Talboth erwies sich als lebender GPS-Empfänger, der Wallander in dem immer dichter werdenden Verkehr ohne Zögern den richtigen Weg wies. Nach einer guten Stunde hielten sie vor einem schönen Altbau im Stadtteil Schöneberg. Wallander dachte, dass es eines der wenigen Häuser war, die das Ende des Zweiten Weltkriegs überlebt hatten, als Hitler sich in seinem Bunker erschoss und die Rote Armee sich von einer Straßenecke zur anderen durch die Stadt herankämpfte. Talboth wohnte im obersten Stock in einer Sechszimmerwohnung.

Er führte Wallander zu einem großen Schlafzimmer, dessen Fenster auf einen Park hinausgingen. »Ich werde dich jetzt einige Stunden allein lassen«, sagte Talboth. »Ich muss ein paar Dinge erledigen.«

»Ich komme schon zurecht.«

»Wenn ich zurück bin, haben wir unbegrenzt Zeit. Es gibt in der Nähe ein ausgezeichnetes italienisches Restaurant. Wir haben Zeit, uns zu unterhalten. Wie lange hast du vor zu bleiben?«

»Nicht besonders lange. Eigentlich wollte ich morgen zurückfahren.«

George Talboth schüttelte energisch den Kopf. »Kommt überhaupt nicht in Frage. Man besucht eine Stadt wie Berlin nicht für so kurze Zeit. Das ist eine Beleidigung dieser Stadt, die so viel von der tragischen Geschichte der Welt erlebt hat.«

»Lass uns später darüber sprechen«, redete Wallander sich heraus. »Aber wie du selbst eben gesagt hast, haben auch alte Männer zuweilen noch das eine oder andere zu erledigen.«

George Talboth gab sich mit der Antwort zufrieden und zeigte ihm das Badezimmer, die Küche und einen langgestreckten Balkon. Als er die Wohnung verlassen hatte, trat Wallander an ein Fenster und sah ihn wieder in den schwarzen Mercedes einsteigen. Er holte sich ein Bier aus dem Kühlschrank und trank es auf dem Balkon direkt aus der Flasche. Das war seine Art und Weise, sich von der Frau zu verabschieden, die er am Abend zuvor getroffen hatte. Jetzt würde sie für ihn höchstens noch als aufdringliche Erinnerung in seinen Träumen existieren. Von den Frauen, die er ernsthaft geliebt hatte, träumte er nicht. Die, mit denen er mehr oder weniger ungute Erlebnisse verband, kehrten oft in seinen Träumen wieder.

Er dachte, dass er sich an das erinnerte, was er lieber vergessen wollte, und das vergaß, woran er sich erinnern sollte.

Etwas an seiner Art zu leben war ganz und gar falsch. Ob es allen so ging? Wovon träumte Linda? Wovon träumte Martinsson? Oder wie sahen die Träume seines beflissenen Vorgesetzten Lennart Mattson aus?

Er trank noch ein Bier, fühlte sich leicht angesäuselt und ließ sich ein Bad ein. Seine Stimmung hatte sich gebessert, als er aus der Wanne stieg.

Zwei Stunden später kam George Talboth zurück. Sie setzten sich auf den Balkon, der jetzt im Schatten lag, und begannen miteinander zu sprechen.

Da entdeckte Wallander einen kleinen Stein auf dem Balkontisch. Er war absolut sicher, den Stein zu kennen.

36

Eine Frage verfolgte Wallander in der Zeit, die er mit George Talboth verbrachte. Hatte der Amerikaner gesehen, dass Wallander den Stein bemerkt hatte? Wallander war nicht sicher, wie es sich damit verhielt, als er am nächsten Tag zurückfuhr. Aber er glaubte verstanden zu haben, dass George Talboth ein Mann mit einem scharfen Blick war. Die Bewegungen hinter seinen Augen sind schnell, dachte Wallander. Sein Gehirn hat weder ein Leck, noch befindet es sich im Niedergang. Dass er kurzzeitig uninteressiert und fast apathisch wirken kann, darf man nicht als einen Mangel an Aufmerksamkeit missverstehen.

Aber eins war sicher, der Stein, der von Håkan von Enkes Schreibtisch verschwunden war, lag jetzt auf George Talboths Balkon. Oder zumindest eine exakte Kopie.

Der Gedanke an eine Kopie betraf auch den Mann selbst. Schon vor dem Motel hatte Wallander das Gefühl durchzuckt, George Talboth habe einen Doppelgänger. Nicht notwendigerweise jemanden, den er persönlich kannte. Sondern eher jemanden, den er gesehen hatte, ohne im Moment zu wissen, wo.

Erst am Abend, unmittelbar bevor sie zum Essen gingen, fand Wallander die Antwort. Talboth glich dem Schauspieler Humphrey Bogart. Obwohl er viel größer war und nicht ständig eine Zigarette in seinem Mundwinkel hing. Aber es war nicht nur eine Ähnlichkeit im Aussehen, es gab auch etwas in der Stimme, das Wallander aus Filmen wie *Der Schatz der Sierra Madre* und *African Queen* zu kennen glaubte. Er fragte sich, ob Talboth sich dessen bewusst war, und vermutete, dass die Antwort ja lautete. George Talboth machte den Eindruck eines äußerst bewussten Menschen.

Bevor sie sich auf den Balkon setzten, zeigte George Talboth, dass er auch Überraschungen aus dem Hut zaubern konnte. Er öffnete eine bis dahin geschlossene Tür in der Wohnung. Dahinter befand sich ein riesiges Aquarium mit schimmernden Fischen, ganze Schwärme in Rot und Blau, die sich lautlos hinter dem dicken Glas bewegten. Wassertanks und Plastikschläuche füllten den Raum. Was Wallander jedoch am meisten verblüffte, waren raffiniert konstruierte Tunnel auf dem Boden des Aquariums, durch die elektrische Züge in vorgegebenen Bahnen sausten. Die Tunnel waren durchsichtig, Glas hinter Glas. Kein Tropfen Wasser drang hinein. Die Züge sausten herum, ohne dass die Fische sich dieser Eisenbahnlinie auf ihrem künstlichen Meeresboden bewusst zu sein schienen.

»Der Tunnel ist fast eine Kopie des Tunnels zwischen Dover und Calais«, sagte Talboth. »Als ich dieses Modell baute, habe ich die Originalzeichnungen benutzt und gewisse Konstruktionsdetails übernommen.«

Wallander dachte an Håkan von Enke, der mit seinem Buddelschiff in der entlegenen Jagdhütte saß. Es gibt eine Verwandtschaft jenseits ihrer Freundschaft, dachte er. Aber was das bedeutet, vermag ich nicht zu sagen.

»Es macht mir Spaß, mit den Händen zu arbeiten«, fuhr Talboth fort. »Nur sein Gehirn zu benutzen ist nicht gut für den Menschen. Geht es dir ebenso?«

»Das kann ich nicht behaupten. Mein Vater war geschickt mit den Händen. Aber ich habe nichts davon geerbt.«

»Was machte dein Vater?«

»Er stellte Bilder her.«

»Er war also Künstler? Warum benutzt du das Wort ›herstellen‹?«

»Mein Vater war ein wenig speziell«, sagte Wallander. »Er

malte sein ganzes Leben lang eigentlich nur ein Motiv. Viel mehr ist dazu nicht zu sagen.«

Talboth bemerkte Wallanders Unwillen und stellte keine weiteren Fragen. Sie betrachteten die langsamen Bewegungen der Fische und die Züge, die in ihren Tunneln dahinsausten. Wallander bemerkte, dass sie sich nicht immer an exakt der gleichen Stelle trafen. Es gab eine Verschiebung, die zunächst kaum bemerkbar war. Er sah auch, dass die Züge auf einer bestimmten Strecke auf demselben Gleis liefen. Er zögerte, stellte dann aber doch eine Frage bezüglich seiner Beobachtung.

Talboth nickte. »Gut gesehen«, sagte er. »Du hast recht. Ich habe eine kleine Verzögerung ins System eingebaut.«

Von einem Wandregal nahm er eine Sanduhr, die Wallander beim Betreten des Raums nicht aufgefallen war.

»Hier ist Sand aus Westafrika«, sagte Talboth. »Um geographisch korrekt zu sein, von den Stränden der kleinen Inselgruppe Buback, die Guinea-Bissau vorgelagert ist, einem Land, das die meisten Menschen nicht einmal dem Namen nach kennen. Es war ein alter englischer Admiral, der bestimmte, dass dies der perfekte Sand für die englische Flotte sei, als noch Stundengläser für die Zeitmessung benutzt wurden. Wenn ich diese Sanduhr in exakt dem Moment umgedreht hätte, als ich den Stromschalter betätigte und die Züge starten ließ, hättest du erlebt, dass der eine Zug den anderen in exakt neunundfünfzig Minuten einholt. Ich tue dies manchmal, um zu kontrollieren, ob der Sand im Stundenglas etwa langsamer rinnt oder der Transformator seine Spannung verliert.«

Als Junge hatte Wallander von einer eigenen Märklin-Eisenbahn geträumt. Doch sein Vater hatte es sich nie leisten können, ihm eine Anlage zu kaufen. Der Gedanke an Züge wie die, die er gerade vor sich hatte, stellte noch immer einen unerfüllbaren Traum dar.

Sie setzten sich auf den Balkon. Der Sommernachmittag war warm, und Talboth hatte Eiswasser und Gläser auf den Tisch gestellt.

Wallander hatte sich überlegt, dass es keinen Grund für ihn gab, nicht direkt zur Sache zu kommen. »Was hast du gedacht, als du hörtest, dass Louise verschwunden war?«

Talboths klare Augen waren unverwandt auf Wallander gerichtet. »Ich war vielleicht nicht direkt überrascht«, erwiderte er.

»Warum nicht?«

Talboth zuckte mit den Schultern. »Ich brauche dir nicht zu erzählen, was du schon weißt. Håkans Verdacht, der immer unerträglicher wurde – jetzt können wir wohl von einer Gewissheit sprechen –, mit einer Vaterlandsverräterin verheiratet zu sein. Kann man so sagen? Mein Schwedisch ist nicht immer ganz korrekt.«

»Es ist richtig«, sagte Wallander. »Wenn man spioniert, verrät man meistens sein Vaterland. Es sei denn, man treibt spezifischere Dinge wie Industriespionage.«

»Håkan verschwand, weil er es nicht mehr aushielt«, fuhr Talboth fort. »Er versteckte sich, weil er Zeit zum Nachdenken brauchte. Als Louise verschwand, war er im Großen und Ganzen fertig mit seinen Überlegungen. Er würde die Beweise, die er hatte, dem militärischen Nachrichtendienst übergeben. Alles sollte korrekt ablaufen. Er hatte nicht die Absicht, sich persönlich oder seinen Ruf zu schonen. Natürlich wusste er, dass Hans in Mitleidenschaft gezogen werden würde. Aber daran war nichts zu ändern. Am Ende war es eine Frage der Ehre. Mit ihrem Verschwinden war er mundtot gemacht. Seine Angst wuchs. Nach einigen der Telefongespräche, die ich mit ihm führte, machte ich mir Sorgen. Es schien beinahe so, als litte er unter Verfolgungswahn. Seine einzige Erklärung dafür, dass Louise verschwand, war die, dass es ihr irgendwie gelungen war, seine Gedanken zu lesen. Er hatte Angst, sie könnte herausfinden, wo er sich aufhielt. Wenn nicht sie selbst, dann ihr Auftraggeber im russischen Nachrichtendienst. Håkan war überzeugt, dass Louise immer noch sehr wichtig war. Sie würden nicht zögern, ihn zu töten, um sie zu halten. Auch wenn sie inzwischen zu alt war, um aktiv Spionage zu betreiben, so war es doch wichtig, dass sie nicht enttarnt wurde. Die Russen wollten natürlich nicht, dass bekannt wurde, was sie wussten. Oder nicht wussten.«

»Was dachtest du, als du von ihrem Selbstmord erfuhrst?«

»Daran habe ich nie geglaubt. Für mich war klar, dass sie getötet worden war.«

»Warum?«

»Ich antworte mit einer Gegenfrage. Warum hätte sie Selbstmord begehen sollen?«

»Vielleicht hatten Schuldgefühle sie überwältigt? Vielleicht war ihr klargeworden, welche Qualen sie ihrem Mann bereitet hatte? Es gibt viele denkbare Gründe. Bei meiner Arbeit als Polizist habe ich viele Beispiele dafür erlebt, dass sich Menschen aus wesentlich weniger schwerwiegenden Gründen das Leben genommen haben.«

Talboth dachte einen Moment über Wallanders Worte nach. »Das kann natürlich stimmen. Aber ich habe dir nicht alles gesagt, was mein Bild von Louise ausmacht. Ich kannte sie. Auch wenn sie große Teile ihrer Persönlichkeit verbarg, lernte ich sie gut kennen. Sie war kein Mensch, der Selbstmord begeht.«

»Warum glaubst du das?«

»Es gibt Menschen, die begehen nicht Selbstmord. Das ist einfach so.«

Wallander schüttelte den Kopf. »Meine Erfahrung ist eine andere. Ich bin der Meinung, dass jeder Mensch unter bestimmten unglücklichen Umständen sich umbringen kann.«

»Ich will dir nicht widersprechen. Du kannst meine Meinung auslegen, wie du willst. Und ich bin überzeugt davon, dass deine polizeiliche Erfahrung von Gewicht ist. Aber man kann vielleicht nicht völlig von den Erfahrungen absehen, die man sich durch die lebenslange Arbeit in den amerikanischen Nachrichtendiensten erwirbt.«

»Wir wissen inzwischen, dass sie ermordet wurde. Wir wissen auch, dass in ihrer Handtasche nachrichtendienstliches Material gefunden wurde.«

Talboth hatte das Wasserglas gehoben. Er zog die Stirn in Falten und stellte das Glas zurück, ohne getrunken zu haben. Wallander bemerkte plötzlich eine geschärfte Wachsamkeit bei ihm.

»Das wusste ich nicht. Dass man nachrichtendienstliches Material beschlagnahmt hat.«

»Es war auch nicht vorgesehen, dass du es erfährst. Ich dürfte es dir gar nicht erzählen. Aber ich tue es um Håkans willen. Ich gehe davon aus, dass es unter uns bleibt.«

»Ich sage niemandem etwas davon. Das lernt man beim Nachrichtendienst. An dem Tag, an dem man aufhört, darf nichts mehr da sein. Man leert sein Gedächtnis, wie andere ihre Schränke oder Schreibtische leeren.«

»Was würdest du sagen, wenn ich dir verrate, dass Louise vermutlich mit Substanzen vergiftet wurde, die seinerzeit von der DDR eingesetzt wurden? Um Hinrichtungen zu vertuschen und sie wie Selbstmorde aussehen zu lassen.«

Talboth nickte langsam. Wieder hob er das Glas mit Eiswasser. Diesmal trank er. »Das kommt auch bei der CIA vor«, sagte er. »Wir waren natürlich auch oft gezwungen, Menschen zu liquidieren. Und zwar so, dass alle an Selbstmord glaubten.«

Wallander war nicht verwundert über Talboths Zurückhaltung in Bezug auf alles, was nicht mit Håkan oder Louise von Enke zu tun hatte. Aber er war entschlossen, so viel wie möglich aus ihm herauszuholen. »Wir gehen also davon aus, dass Louise ermordet wurde«, sagte er.

»Kann der schwedische Sicherheitsdienst sie liquidiert haben?«

»So geht das in Schweden nicht zu. Es gibt außerdem keinen Grund, zu glauben, dass sie enttarnt war. Uns fehlt mit anderen Worten ein Täter mit einem glaubwürdigen Motiv.«

Talboth verrückte seinen Korbstuhl, um im Schatten zu sitzen. Eine Weile schwieg er und kaute auf der Unterlippe. »Man könnte fast glauben, dass es sich um ein Eifersuchtsdrama handelt«, sagte er plötzlich.

Er hatte sich mit einem Ruck im Stuhl aufgesetzt. »In Schweden zu arbeiten war natürlich nie das Gleiche, wie hinter dem Eisernen Vorhang eingesetzt zu werden, solange der noch existierte«, fuhr er fort. »Wer dort enttarnt wurde, dem drohte fast immer die Hinrichtung. Es sei denn, er war so wichtig, dass er zu einem Tauschhandel gebraucht werden konnte. Ein Verräter gegen einen anderen. Spione werden manchmal von mentaler Unschärfe befallen, wenn sie zu lange im Feld tätig gewesen sind, ständig darauf eingestellt, dass ihre Identität aufgedeckt wird. Der Druck wird zu stark. Deshalb kommt es vor, dass Spione sich gegeneinander wenden. Die Gewalt kehrt sich nach innen. Der Erfolg des einen wird zu groß. Es entsteht Eifersucht, Konkurrenz tritt an die Stelle von Zusammenarbeit und Loyalität. In Louises Fall wäre das tatsächlich denkbar. Aus einem ganz speziellen Grund.«

Jetzt war es an Wallander, seinen Stuhl in den Schatten zu rücken. Er beugte sich vor und griff nach seinem Wasserglas. Das Eis war geschmolzen.

»Wie Håkan erzählt hat, sind Gerüchte über einen schwedischen Spion schon lange im Umlauf gewesen«, sagte Talboth. »Die CIA war genau darüber informiert. Als ich an unserer Botschaft in Stockholm arbeitete, haben wir dieser Frage große Aufmerksamkeit gewidmet. Dass jemand schwedische Militärgeheimnisse an die Russen verkaufte, war für uns und die Nato ein Problem. Schwedens Waffen-industrie hatte mit ihren technischen Innovationen einen Spitzenplatz inne. Wir erörterten den Spionageverdacht regelmäßig mit unseren schwedischen Kollegen. Aber auch mit Kollegen unter anderem aus England, Frankreich und Norwegen. Wir hatten es mit einem außerordentlich raffinierten Agenten zu tun. Uns war auch klar, dass auf schwedischer Seite ein Zwischenträger existieren musste, ein *Lieferant*. Jemand, der den Agenten mit Informationen versorgte, der sie seinerseits an die Russen weitergab. Wir wunderten uns darüber, dass wir, oder richtiger gesagt unsere schwedischen Kollegen, nie irgendwelche Spuren fanden. Die Schweden hatten eine *short list* von zwanzig Namen, sämtlich Offiziere in verschiedenen Waffengattungen. Aber die schwedischen Ermittler blieben erfolglos, und wir konnten ihnen nicht helfen. Es war, als jagten wir ein Phantom. Irgendein heller Kopf kam auf die Idee, die Person, die wir suchten, *Diana* zu nennen. Wie Fantomens Amazonenprinzessin. Ich fand das auch deshalb idiotisch, weil nichts darauf hindeutete, dass eine Frau in die Sache verwickelt war. Aber später sollte sich zeigen, dass der Vergleich jenes Schlaukopfs hellseherisch gewesen war. So war auf jeden Fall die Lage bis zum März 1987. Bis zum achten März, um genau zu sein. An jenem Tag geschah etwas, was die gesamte Situation auf einen Schlag veränderte, eine Reihe schwedischer Offiziere des Nachrichtendienstes in die Kälte schickte und uns alle neue Gedanken denken ließ. Davon hat Håkan nichts erzählt, glaube ich?«

»Nein.«

»Es begann am frühen Morgen auf dem Amsterdamer Flughafen Schiphol. Plötzlich stand ein Mann vor der Tür der Flughafenpolizei. Er trug einen sackartigen Anzug und ein weißes Hemd mit Schlips. In einer Hand hielt er einen kleinen Koffer, in der anderen einen Hut, über dem Arm lag ein Mantel. Er machte wohl den Eindruck, aus einer anderen

Zeit zu stammen, vielleicht aus einem Schwarzweißfilm mit düsterer Hintergrundmusik. Er geriet an einen Polizisten, der eigentlich viel zu jung für seine Aufgabe war. Aber es war Grippezeit, der junge Polizist hatte einspringen müssen, und jetzt stand ein Mann vor ihm, der in schlechtem Englisch um politisches Asyl in den Niederlanden ersuchte. Er zeigte einen russischen Pass, in dem sein Name mit Oleg Linde angegeben war. Ein ungewöhnlicher russischer Name, könnte man meinen, doch er war korrekt. Der Mann war um die vierzig Jahre alt, hatte schütteres Haar und eine Narbe, die sich über einen Nasenflügel zog. Der junge Polizeibeamte, der noch nie zuvor einem Asyl suchenden Flüchtling aus dem Osten Auge in Auge gegenübergestanden hatte, zog einen älteren Kollegen hinzu, der sich des Falles annahm. Bevor dieser Polizeibeamte, ich glaube, sein Vorname war Geert, eine erste Frage stellen konnte, begann Oleg Linde zu reden. Ich habe die Verhöre so oft gelesen, dass ich glaube, das Wichtigste auswendig zu wissen. Er war Oberst der Spezialeinheit für Westspionage im KGB, und er bat um politisches Asyl, weil er sich nicht länger daran beteiligen wollte, das zerfallende Sowjetimperium zusammenzuhalten. Das waren seine ersten Worte. Dann kam der Köder, den er vorbereitet hatte. Er kenne viele sowjetische Spione, die im Westen arbeiteten. Besonders betreffe dies einige sehr geschickte Agenten, die von den Niederlanden aus operierten. Anschließend nahmen die Sicherheitsleute sich den Mann vor. Er wurde in eine Wohnung in Den Haag gebracht, ironischerweise in unmittelbarer Nähe zu den Räumlichkeiten des Internationalen Gerichtshofs, dort wurde er *auseinandergenommen*, wie niederländische Kollegen es ausdrückten. Es dauerte nicht allzu viele Tage, bis man erkannte, dass Oleg Linde nicht ganz echt war. Man hielt seine Identität geheim, begann aber sogleich, den Kollegen in aller Welt mitzuteilen, dass ein richtiges Prachtstück, eine echte *Antiquität,* aufgetaucht sei. Wollte man herkommen und sich ein Bild machen? Das Stück untersuchen? Es gingen Berichte aus Moskau ein, dass der KGB kopfstand, sie liefen wie aufgescheuchte Ameisen in dem Haufen herum, den jemand mit einem Stock umgerührt hatte. Oleg Linde war einer von denen, die absolut nicht verschwinden durften. Aber jetzt war er weg, spurlos, und man fürchtete das Schlimmste. Die Russen begriffen, dass er in den Niederlanden war, als ihr dortiges Agentennetz zusammenbrach. Er hatte seinen großen *Ausverkauf* begonnen, wie wir sagten. Und er war billig. Er wollte nur einen neuen Namen und eine neue Identität. Soweit ich weiß, ging er nach Mauritius, ließ sich in einer Stadt mit dem wunderbaren Namen Pamplemousse nieder und brachte sich dort als Schreiner durch. Anscheinend war der gute Oleg Linde Kunstschreiner gewesen, bevor er beim KGB landete. Aber was diesen Teil der Geschichte betrifft, bin ich weniger gut informiert.«

»Was macht er jetzt?«

»Er ruht in Frieden. Er starb im Jahr 2006 an Krebs. Auf Mauritius heiratete er eine junge Dame, mit der er ein paar Kinder bekam. Aber über deren Leben weiß ich nichts. Seine Geschichte erinnert übrigens an die eines anderen abgesprungenen Agenten, der ›Boris‹ genannt wurde.«

»Von dem habe ich reden hören«, sagte Wallander. »Es muss in jenen Jahren abgesprungene Russen fast wie am Fließband gegeben haben.«

Talboth stand auf und ging in die Wohnung. Unten auf der Straße fuhren mehrere Feuerwehrautos mit eingeschalteten Sirenen vorbei.

Talboth kam mit dem randvoll gefüllten Wasserkrug zurück. »Er gab uns die Information, dass der Spion, nach dem wir in Schweden schon so lange suchten, wirklich eine Frau war«, sagte er und setzte sich wieder. Ihren Namen kannte er nicht, sie wurde von einigen Leuten im KGB betreut, die vollkommen unabhängig von anderen Offizieren arbeiteten. So machte man es mit besonders wertvollen Agenten. Aber er war sicher, dass sie eine Frau war. Sie arbeitete weder bei den Streitkräften noch in der Waffenindustrie. Das bedeutete also, dass sie einen oder vielleicht mehrere Lieferanten hatte, von denen sie mit Leckerbissen versorgt wurde, die sie weiterverkaufte. Es wurde nie klar, ob sie aus ideologischen Gründen spionierte oder ein rein kommerzielles Unternehmen betrieb. Nachrichtendienste ziehen immer Spione vor, die Geschäfte machen. Wenn zu viel ideologische Überzeugung hineinspielt, kann das Ganze leicht entgleisen. Auf die Glaubensstarken kann man sich nie ganz verlassen, pflegen wir zu sagen. Unsere Branche ist eine zynische Branche, und das muss sie sein, wenn sie brauchbare Arbeit liefern soll. Wir wiederholen unser Mantra, dass wir die Welt vielleicht nicht besser, aber auf jeden Fall nicht schlechter machen. Wir rechtfertigen uns damit, dass wir eine Art Gleichgewicht des Schreckens aufrechterhalten, was wir wahrscheinlich auch tun.«

Talboth rührte die Eisstücke im Krug mit einem Löffel um. »Die Kriege der Zukunft«, sagte er nachdenklich, »die werden um Grundressourcen wie Wasser geführt. Unsere Soldaten werden für Wasserpfützen sterben.«

Er füllte, beinahe traurig, sein Glas und achtete sorgsam darauf, nichts zu verschütten. Wallander wartete.

»Wir haben sie nie gefunden«, fuhr Talboth fort. »Wir unterstützten die Schweden, so gut wir konnten, aber sie wurde nie identifiziert, nie enttarnt und gefasst. Wir fingen an, in Betracht zu ziehen, dass sie vielleicht nur eine Erfindung war. Aber die Russen erfuhren nach wie vor Dinge, die sie nicht wissen sollten. Wenn Bofors ein raffiniertes technisches Detail in einem Waffensystem entwickelte, so wussten die Russen in kurzer Zeit davon. Wir stellten zahllose Fallen, aber nie tappte jemand hinein.«

»Und Louise?«

»Sie war natürlich über jeden Verdacht erhaben. Wer

hatte Grund, sie zu verdächtigen? Eine Sprachlehrerin, die Wasserspringen liebte?«

Talboth entschuldigte sich, er müsse nach seinem Aquarium schauen. Wallander fing an, sich Notizen zu machen über alles, was Talboth gesagt hatte. Aber er brauchte nichts zu schreiben, er würde sich auch so erinnern. Er ging in das ihm angewiesene Zimmer und legte sich aufs Bett, die Arme unter dem Kopf verschränkt. Als er wach wurde, waren zwei Stunden vergangen. Er sprang auf, als hätte er verschlafen. Talboth saß auf dem Balkon und rauchte eine Zigarette. Wallander kehrte zu seinem Stuhl zurück.

»Ich glaube, du hast geträumt«, sagte Talboth. »Auf jeden Fall hast du im Schlaf laut gerufen.«

»Meine Träume sind manchmal wüst«, sagte Wallander. »Sie überfallen mich, wie sie wollen.«

»Davon bin ich verschont«, sagte Talboth. »Ich erinnere mich nie an meine Träume. Und dafür bin ich wirklich dankbar.«

Sie machten einen Spaziergang zu dem italienischen Restaurant, von dem Talboth gesprochen hatte. Während des Essens, zu dem sie Rotwein tranken, unterhielten sie sich weiter über Louise von Enke. Nach dem Essen bestand Talboth darauf, dass sie verschiedene Sorten Grappa probierten, bevor er, mit der gleichen Entschiedenheit, verlangte, die Rechnung zu bezahlen. Wallander fühlte sich angesäuselt, als sie das Restaurant verließen. Talboth steckte sich eine Zigarette an. Er drehte den Kopf zur Seite, wenn er den Rauch ausblies.

»Es ist also viele Jahre her«, sagte Wallander, »dass Oleg Linde von einem weiblichen schwedischen Spion erzählte. Es kommt mir absurd vor, dass die Frau immer noch tätig sein soll.«

»Wenn sie es denn ist«, sagte Talboth. »Vergiss nicht, worüber wir auf dem Balkon gesprochen haben.«

»Wenn die Spionage weitergeht, würde sie das freisprechen«, sagte Wallander.

»Nicht unbedingt. Jemand kann den Staffelstab übernommen haben. In dieser Welt gibt es keine einfachen Erklärungsmuster. Oft ist die Wahrheit das Gegenteil von dem, was man sich vorstellt.«

Sie gingen langsam die Straße entlang. Talboth zündete sich die nächste Zigarette an.

»Das Zwischenglied«, sagte Wallander. »Der, den du als *Lieferanten* bezeichnet hast. Ist man, was den betrifft, genauso schlau?«

»Er ist nie enttarnt worden.«

»Was natürlich bedeutet, dass es ebenso gut eine Frau sein kann?«

Talboth schüttelte den Kopf. »Frauen sind selten so einflussreich in den Streitkräften oder in der Waffenindustrie. Ich wette meine magere Pension darauf, dass es ein Mann ist.«

Der Abend war schwül. Wallander spürte erste Anzeichen von Kopfschmerzen.

»Gibt es in dem, was ich dir erzählt habe, etwas, was dich besonders erstaunt?«, fragte Talboth abwesend, hauptsächlich, um das Gespräch in Gang zu halten.

»Nein.«

»Hast du eine Schlussfolgerung gezogen, die von meinen abweicht?«

»Nein. Jedenfalls glaube ich es nicht.«

»Was sagen die Kriminalbeamten, die im Fall von Louises Tod ermitteln?«

»Ihnen fehlt jede Spur. Es gibt keinen Täter, kein Motiv. Abgesehen davon, dass man im Geheimfach ihrer Tasche Mikrofilme gefunden hat.«

»Das ist wohl Beweis genug dafür, dass sie die Spionin ist. Vielleicht ist etwas schiefgelaufen, als sie das Material übergeben wollte?«

»Das ist eine plausible Erklärung. Ich vermute, dass die Polizei nach dieser Theorie arbeitet. Aber *was* ist schiefgelaufen? Mit wem hat sie sich getroffen? Und warum geschieht das gerade jetzt?«

Talboth blieb stehen und trat seine Zigarettenkippe aus. »Es ist trotz allem ein Riesenschritt nach vorn«, sagte er. »Jetzt ist es erwiesen. Man kann die ganze Ermittlung auf Louise konzentrieren. Wahrscheinlich wird man über kurz oder lang auch den Mittelsmann finden.«

Sie blieben vor der Haustür stehen. Talboth tippte den Türcode ein.

»Ich brauche Luft«, sagte Wallander plötzlich. »Ich bin ein eingefleischter alter Nachtwanderer. Ich geh noch eine Weile weiter.«

Talboth nickte, nannte ihm den Code und verschwand. Wallander sah die Tür lautlos ins Schloss fallen. Dann ging er die menschenleere Straße entlang. Das Gefühl, dass etwas ganz und gar nicht stimmte, drängte sich ihm von Neuem auf. Es war das gleiche Gefühl, das er gehabt hatte, als er nach der Nacht mit Håkan von Enke die Insel verließ. Er dachte an Talboths Worte, dass die Wahrheit oft das Gegenteil dessen sei, was man erwarte. Manchmal musste die Wirklichkeit auf den Kopf gestellt werden, um auf die Füße zu kommen.

Wallander hielt inne und drehte sich um. Die Straße lag noch immer menschenleer da. Aus einem offenen Fenster war Musik zu hören. Deutsche Schlagermusik. Er schnappte die Wörter *leben*, *eben* und *neben* auf. Er ging weiter, bis er zu einem kleinen Platz gelangte. Ein paar Jugendliche knutschten auf einer Bank. Ich könnte mich hier hinstellen und rufen, dachte er. *Ich begreife nicht, was vor sich geht.* Das könnte ich rufen. Sicher weiß ich nur, dass irgendetwas mir entgeht und sich nicht einfangen lässt. Zumindest nicht von mir. Nähere ich mich der Lösung, oder entferne ich mich von ihr? Wenn ich das wüsste.

Er wanderte noch eine Weile über den Platz, immer müder. Als er in die Wohnung zurückkam, schien Talboth ins Bett gegangen zu sein. Die Balkontür war geschlossen. Wallander zog sich aus und schlief bald ein.

In der Nacht liefen wieder Pferde durch seine Träume. Aber als er am Morgen erwachte, erinnerte er sich nicht mehr an Einzelheiten.

37

Als Wallander die Augen aufschlug, wusste er zuerst nicht, wo er war. Er warf einen Blick auf seine Armbanduhr. Es war sechs Uhr. Er blieb liegen. Durch die Wand meinte er das Pfeifen der Maschinen zu hören, die die Sauerstoffzufuhr für das Wasser in dem großen Aquarium regelten. Ob die Züge fuhren oder nicht, konnte er nicht hören. Sie fristeten in ihren gut isolierten Tunneln ein lautloses Dasein. Wie Maulwürfe, dachte er. Aber auch wie Menschen, die sich eingeschlichen haben in die Korridore, wo geheime Beschlüsse gefasst werden. Beschlüsse, die sie stehlen und weiterleiten zu der Seite, die in Unkenntnis gehalten werden sollte.

Er stand auf und hatte es plötzlich eilig, wegzukommen. Er duschte nicht einmal, sondern zog sich gleich an und ging in die weitläufige, helle Wohnung. Die Balkontür stand offen, die dünnen Gardinen wehten leicht im Wind. Talboth saß auf seinem Stuhl und hielt eine Zigarette in der Hand. Vor ihm stand eine Kaffeetasse. Er wandte sich langsam zu Wallander um. Es war, als hätte er ihn schon kommen hören, bevor er die Tür erreichte. Er lächelte. Wallander dachte plötzlich, dass er diesem Lächeln nicht traute.

»Ich hoffe, du hast gut geschlafen?«

»Das Bett ist gut«, erwiderte Wallander. »Das Zimmer war dunkel und ruhig. Aber jetzt möchte ich mich bedanken und abfahren.«

»Du gibst Berlin also keinen Tag zusätzlich? Ich könnte dir vieles zeigen.«

»Ich würde gern bleiben. Aber es ist besser, wenn ich jetzt nach Hause fahre.«

»Ich nehme an, dein Hund kann nicht so lange ohne Betreuung bleiben?«

Woher weiß er, dass ich einen Hund habe?, durchzuckte es Wallander. Ich habe es nicht erwähnt.

Er hatte das vage Gefühl, dass Talboth sofort merkte, wie er sich verplappert hatte.

»Ja«, sagte Wallander. »Du hast recht. Ich kann die Bereitwilligkeit meiner Nachbarn, sich um Jussi zu kümmern, nicht über Gebühr beanspruchen. Den ganzen Sommer war ich ständig unterwegs. Außerdem habe ich ja ein Enkelkind, mit dem ich möglichst viel zusammen sein möchte.«

»Es freut mich, dass Louise ihr Enkelkind noch erlebt hat«, sagte Talboth. »Kinder sind die eine Sache. Mit den Enkelkindern aber kommt ein Gefühl von noch größerem Sinn, von Vollendung. Wenn die Kinder einen Hauch von Sinn über unser Dasein werfen, sind die Enkelkinder noch einmal eine Bekräftigung. Hast du ein Foto mitgebracht?«

Wallander zeigte die beiden Fotos, die er mitgenommen hatte.

»Ein schönes Kind«, sagte Talboth und stand auf. »Du musst aber auf jeden Fall frühstücken, bevor du fährst.«

»Nur Kaffee«, sagte Wallander. »Ich esse morgens nichts.«

Talboth schüttelte sorgenvoll den Kopf. Aber er kam mit Kaffee zurück auf den Balkon, schwarz, wie Wallander ihn immer trank.

»Du hast gestern etwas gesagt, was mich nachdenklich gemacht hat«, sagte Wallander.

»Ich habe bestimmt viel gesagt, über das du dich gewundert haben dürftest.«

»Du hast gesagt, dass man die Erklärung manchmal genau in der entgegengesetzten Richtung zu der finden kann, in der man sucht. Meintest du das ganz allgemein, oder hattest du etwas Bestimmtes im Sinn?«

Talboth überlegte einen Moment. »Ich erinnere mich

kaum an das, was du gerade ansprichst«, antwortete er. »Aber wenn ich etwas in der Art gesagt habe, dann war es eher ganz allgemein.«

Wallander nickte. Er glaubte Talboth kein Wort. Seine Äußerung hatte einen ganz bestimmten Sinn gehabt. Wallander hatte es nur nicht begriffen.

Talboth wirkte rastlos, nicht so entspannt und ruhig wie am Vortag. »Ich möchte gern ein Foto von uns beiden zusammen machen«, sagte er. »Ich hole meine Kamera. Ein Gästebuch habe ich nicht. Aber wenn ich Besuch bekomme, mache ich immer ein Foto.«

Er kam mit einem Fotoapparat zurück, den er auf der Armlehne eines Stuhls abstellte, dann drückte er auf den Selbstauslöser und setzte sich neben Wallander. Als das Bild gemacht war, nahm er den Apparat und machte noch ein Foto von Wallander allein. Wenig später verabschiedeten sie sich. Wallander hielt seine Jacke in der einen und den Wagenschlüssel in der anderen Hand.

»Findest du selbst aus dieser großen Stadt heraus?«, fragte Talboth.

»Mein Orientierungssinn ist nicht besonders gut. Aber früher oder später finde ich den richtigen Weg. Außerdem verfügt das Straßennetz deutscher Städte über eine beeindruckende Logik.«

Sie schüttelten sich die Hand. Wallander trat auf die Straße und winkte zu Talboth hinauf, der auf dem Balkon am Geländer lehnte. Als er das Haus verließ, war Wallander aufgefallen, dass Talboth auf der Tafel mit den Namen der Bewohner fehlte. Stattdessen stand da »USG Enterprises«. Wallander merkte sich den Namen und fuhr davon.

Es dauerte, wie er befürchtet hatte, fast zwei Stunden, bis er aus der Stadt herausgefunden hatte. Als er schließlich auf der Autobahn war, verpasste er die richtige Abfahrt und merkte zu spät, dass er auf direktem Weg zur polnischen Grenze war. Nach einigen Mühen gelang es ihm, umzukehren und schließlich die nach Norden führende Autobahn zu erreichen. Als er an Oranienburg vorüberfuhr, fröstelte es ihn bei der Erinnerung an das, was dort geschehen war.

Die weitere Heimfahrt verlief problemlos. Am Abend kam Linda zu Besuch. Klara war erkältet, und Hans passte auf sie auf. Am nächsten Tag sollte er nach New York fliegen.

Es war ein warmer Abend, sie konnten draußen sitzen. Linda trank Tee.

»Wie laufen denn seine Geschäfte?«, fragte Wallander, als sie nebeneinander in der Hollywoodschaukel saßen.

»Ich weiß es nicht«, sagte Linda. »Aber manchmal frage ich mich, was eigentlich los ist. Früher kam er nach Hause und erzählte von all den glänzenden Geschäften, die sie im Lauf des Tages gemacht hatten. Jetzt sagt er überhaupt nichts.«

Ein paar Wildgänse flogen in V-Formation über sie hinweg. Schweigend betrachteten beide den Vogelzug, der nach Süden verschwand.

»Jetzt schon Zugvögel?«, sagte Linda. »Ist das nicht zu früh?«

»Sie machen vielleicht Start- und Formationsübungen«, sagte Wallander.

Linda musste lachen. »So einen Kommentar hätte auch Großvater von sich geben können. Weißt du, dass du ihm immer ähnlicher wirst?«

Wallander wies das von sich. »Dass er Humor hatte, wissen wir beide. Aber er konnte auch gemein sein, viel gemeiner, als ich es mir je erlauben würde.«

»Ich glaube nicht, dass er gemein war«, sagte Linda mit Nachdruck. »Ich glaube, er hatte Angst.«

»Wovor denn?«

»Vielleicht davor, alt zu werden. Zu sterben. Ich glaube, er versteckte das hinter dieser Bosheit, die oft nur aufgesetzt war.«

Wallander erwiderte nichts. Er fragte sich, ob sie es ernst meinte, dass sie sich so ähnlich waren. Dass auch bei ihm die Angst zu sterben spürbar war.

»Morgen fahren wir beide und besuchen Mona«, sagte Linda plötzlich.

»Wieso das?«

»Weil sie meine Mutter ist und weil du und ich ihre nächsten Angehörigen sind.«

»Sie hat doch diesen psychopathischen ICA-Händler, der sie besuchen kann.«

»Hast du nicht mitgekriegt, dass es mit den beiden aus ist?«

»Nein. Aber ich weigere mich trotzdem, mitzufahren.«

»Und warum?«

»Ich will nichts mehr mit Mona zu tun haben. Jetzt, wo Baiba tot ist, kann ich ihr noch weniger verzeihen, was sie über sie gesagt hat.«

»Eifersüchtige Menschen sagen eifersüchtige Dummheiten. Mona hat mir erzählt, was du von dir gegeben hast, wenn du eifersüchtig warst.«

»Sie lügt.«

»Nicht immer.«

»Ich komme nicht mit. Ich will nicht.«

»Aber ich will. Und ich glaube vor allem, dass Mama es will. Du kannst sie nicht einfach ausstreichen.«

Wallander sagte nichts mehr. Weitere Proteste waren sinnlos. Wenn er nicht tat, was sie sagte, würde ihr Ärger ihr Verhältnis für lange Zeit unerträglich machen. Das wollte er nicht. »Ich weiß nicht einmal, wo diese Entzugsklinik liegt«, sagte er schließlich.

»Das siehst du morgen. Es wird eine Überraschung.«

In der Nacht zog ein Tiefdruckgebiet über Schonen herauf. Als sie am nächsten Morgen um kurz nach acht im Auto saßen, um nach Osten zu fahren, hatte es angefangen zu regnen und zu stürmen. Wallander fühlte sich miserabel. Er hatte schlecht geschlafen und war müde, als Linda ihn abholte. Sie schickte ihn sofort zurück ins Haus, um die verwaschene alte Hose zu wechseln, die er angezogen hatte.

»Du brauchst nicht schick zu sein, um sie zu besuchen. Aber so schäbig solltest du auch nicht aussehen.«

Sie bogen auf die Nebenstraße zu dem alten Schloss Glimmingehus ein. Linda warf ihm einen Blick zu. »Weißt du noch?«

»Natürlich weiß ich noch.«

»Wir haben Zeit genug. Wir können anhalten.«

Linda fuhr auf den Parkplatz vor den hohen Schlossmauern. Sie stiegen aus und gingen über die Zugbrücke auf den Schlosshof.

»Es ist eine der frühesten Erinnerungen meines Lebens«, sagte Linda. »Als du und ich hier waren. Und du hast mir mit deinen Spukgeschichten einen Riesenschrecken eingejagt. Wie alt war ich damals?«

»Als wir das erste Mal hier waren, warst du gerade vier geworden. Aber da habe ich dir keine Spukgeschichten erzählt. Das habe ich getan, als du sieben warst, glaube ich. Vielleicht in dem Sommer, bevor du in die Schule kamst.«

»Ich weiß noch, wie stolz ich auf dich war«, sagte sie. »Mein großer, toller Papa. Ich denke manchmal an diese Augenblicke zurück, als ich ganz geborgen und total glücklich darüber war, auf der Welt zu sein.«

»Ich habe es damals genauso erlebt«, antwortete Wallander aufrichtig. »Das waren wohl die besten Jahre, als du klein warst.«

»Was wird aus dem Leben?«, sagte Linda. »Denkst du so? Jetzt, wo du sechzig bist?«

»Ja«, sagte er. »Vor einigen Jahren ertappte ich mich dabei, dass ich die Todesanzeigen in *Ystads Allehanda* studierte. Wenn mir eine andere Tageszeitung in die Hände fiel, las ich auch da die Todesanzeigen. Immer öfter fragte ich mich, was wohl aus meinen Klassenkameraden in Limhamn geworden war. Wie war ihr Leben verlaufen? Im Vergleich mit meinem? Ich fing ein wenig halbherzig an, Informationen zu sammeln.«

Sie setzten sich auf die Steintreppe, die in die Burg führte. »Wir Jungs, die im Herbst 1955 eingeschult wurden, haben wahrlich ganz unterschiedliche Lebenswege eingeschlagen. Ich glaube, ich weiß heute, wie es den meisten ergangen ist. Viele hatten wenig Glück. Einige sind tot, einer erschoss sich nach seiner Auswanderung nach Kanada. Einige haben geschafft, was sie sich vorgenommen hatten, wie Sölve Hagberg, der *Kvitt eller dubbelt* gewonnen hat. Die meisten haben ein arbeitsreiches Leben geführt, ohne viel Aufhebens davon zu machen. So war eben ihr Leben. Und so war meins. Mit sechzig hat man fast alles hinter sich, das muss man einfach akzeptieren, auch wenn es schwerfällt. Es gibt nur noch wenige wichtige Entscheidungen, die vor einem liegen.«

»Hast du das Gefühl, dass dein Leben aufs Ende zugeht?«

»Manchmal.«

»Was denkst du dann?«

Er zögerte mit der Antwort. Dann sagte er es, wie es war. »Dass ich darum traure, dass Baiba nicht mehr lebt. Dass es zwischen uns beiden nie etwas geworden ist.«

»Es gibt andere«, sagte Linda. »Du brauchst nicht allein zu sein.«

Wallander stand auf. »Nein«, sagte er. »Es gibt keine anderen. Baiba war nicht austauschbar.«

Sie gingen zum Wagen zurück und fuhren weiter zu der Klinik, die nicht weit entfernt lag. Es war ein großer Fachwerkhof, im Viereck um einen gut erhaltenen Innenhof gebaut. Mona saß auf einer Bank und rauchte, als sie den mit Kieseln gepflasterten Innenhof betraten.

»Hat sie angefangen zu rauchen?«, fragte Wallander. »Sie hat doch früher nicht geraucht.«

»Sie sagt, sie täte es, um sich zu trösten. Und dass sie wieder aufhören könne, wenn das hier vorbei ist.«

»Und wann ist es vorbei?«

»Sie bleibt noch einen Monat hier.«

»Und Hans bezahlt das?«

Sie antwortete nicht auf die Frage, weil die Antwort selbstverständlich war. Mona stand auf, als sie zu ihr kamen. Wallander betrachtete ihr blassgraues Gesicht und die schweren Tränensäcke unter den Augen mit Widerwillen.

»Es ist nett von dir, dass du kommst«, sagte sie und gab ihm die Hand.

»Ich wollte doch sehen, wie es dir geht«, murmelte er.

Sie setzten sich zu beiden Seiten von Mona auf die Bank. Wallander wollte sofort wieder weg. Dass Mona mit Entzugsbeschwerden und Angstzuständen kämpfte, war kein Grund für ihn, hier zu sein. Warum wollte Linda, dass er Mona in diesem Zustand sah? Sollte er irgendwie seine Schuld bekennen? Schuld woran? Er merkte, wie es in ihm hochkochte, während Linda und Mona miteinander sprachen. Dann fragte Mona, ob sie ihr Zimmer sehen wollten. Wallander verzichtete, doch Linda begleitete Mona ins Haus. In der Zwischenzeit ging er über den Hof. Das Handy in seiner Jackentasche klingelte.

Es war Ytterberg. »Bist du im Dienst?«, fragte er. »Oder hast du noch Urlaub?«

»Ich habe Urlaub«, sagte Wallander. »Zumindest bilde ich mir das ein.«

»Ich hocke in meinem Büro. Vor mir liegt ein Bericht von unseren geheimen Kollegen beim Militär. Willst du wissen, was sie zu sagen haben?«

»Es kann sein, dass wir unterbrochen werden.«

»Ich glaube, wir schaffen es, wenn du mir ein paar Minuten gibst. Es ist ein außerordentlich magerer Bericht. Was bedeutet, dass fast alles für meine Augen oder für die anderer gewöhnlicher Polizisten als ungeeignet angesehen wird.

Ich zitiere: *Teile des Berichts unterliegen der Geheimhaltung.* Vor uns werden nur ein paar Sandkörner ausgestreut. Die Perlen, wenn es denn welche gibt, behalten sie für sich.«

Ytterberg hatte plötzlich einen Niesanfall. »Es ist eine Allergie«, entschuldigte er sich. »Irgendein Reinigungsmittel, das sie hier im Präsidium benutzen, vertrage ich nicht. Ich glaube, in Zukunft putze ich mein Büro selbst.«

»Gute Idee«, sagte Wallander ungeduldig.

»In dem Bericht wird das Folgende mitgeteilt, ich zitiere: *Bei dem Material, unter anderem Mikrofilm und fotografische Negative sowie verschlüsselter Text, das in der Handtasche der Toten gefunden wurde, handelt es sich um militärisches Material, das der Geheimhaltung unterliegt. Der größere Teil ist überaus brisanter Natur und gerade deshalb als geheim eingestuft, damit er nicht in die Hände Unbefugter gelangt.* Zitat Ende. Es besteht mit anderen Worten kein Zweifel.«

»Dass das Material echt ist?«

»Genau. Und es steht weiter in dem Bericht, dass ähnliches Material den Russen schon früher in die Hände gespielt worden sein muss. Sie sind durch schwedische Ausschlussmethoden überführt worden, über Kenntnisse zu verfügen, die sie nicht haben dürften. Verstehst du, wie ich das meine? Der Bericht ist in einer gelinde gesagt schwer begreifbaren militärischen Sprache abgefasst.«

»Das kennen wir ja schon von unseren geheimen Kollegen. Warum sollte es anders sein, wenn geheime Militärs reden? Aber ich glaube, ich verstehe, was du meinst.«

»Viel mehr enthält der Bericht nicht. Aber man kommt nicht um die Schlussfolgerung herum, dass Louise von Enke tatsächlich ihre Finger in die militärischen Marmeladentöpfe gesteckt hat. Sie hat nachrichtendienstliches Material verkauft. Gott weiß, woher sie es hatte.«

»Es bleiben noch viele Fragen«, sagte Wallander. »Was geschah da draußen auf Värmdö? Warum wurde sie ermordet? Wen sollte sie treffen? Und warum nahm derjenige oder nahmen diejenigen das, was sie in der Handtasche hatte, nicht mit?«

»Sie wussten vielleicht nicht, dass es da war.«

»Sie hatte es vielleicht nicht bei sich«, sagte Wallander.

»Mit der Möglichkeit rechnen wir auch. Dass es ihr jemand untergeschoben hat.«

»Soweit ich sehe, ist das nicht unmöglich.«

»Aber warum?«

»Damit sie der Spionage verdächtigt würde.«

»Aber ist sie denn keine Spionin?«

»Es kommt mir vor, als befände ich mich in einem Labyrinth«, sagte Wallander. »Ich finde keinen Weg hinaus. Aber lass mich nachdenken über das, was du gerade erzählt hast. Eine wie hohe Priorität hat dieser Mord bei euch zurzeit?«

»Eine sehr hohe. Es wird gemunkelt, dass er in einem Fernsehprogramm über aktuelle Verbrechensermittlungen behandelt werden soll. Die Chefs werden immer nervös, wenn die Medien mit ihren Mikrofonen anrücken.«

»Schick sie zu mir«, sagte Wallander. »Ich habe keine Angst.«

»Wer hat denn Angst? Ich mache mir lediglich Sorgen, dass ich ausraste, wenn mir dumme Fragen gestellt werden.«

Wallander setzte sich auf die Bank und rekapitulierte noch einmal alles, was Ytterberg gesagt hatte. Er suchte nach Hohlräumen, fand aber keine. Es fiel ihm schwer, sich zu konzentrieren.

Mona hatte glänzende Augen, als Linda und sie zurückkamen. Wallander nahm an, dass sie geweint hatte. Er wollte nicht wissen, worüber sie gesprochen hatten. Aber er empfand auf einmal Mitleid mit Mona. Auch ihr hätte er die Frage stellen können: Was ist aus deinem Leben geworden?

Jetzt stand sie hier, grau, niedergeschlagen und zitternd, und sie war Kräften ausgeliefert, die stärker waren als sie.

»Es ist Zeit für meine Behandlung«, sagte sie. »Vielen Dank, dass ihr gekommen seid. Es ist nicht leicht, was ich hier durchmache.«

»Wie sieht denn die Behandlung aus?«, fragte Wallander in einem tapferen Versuch, sich interessiert zu zeigen.

»Jetzt gleich wartet ein Gespräch mit einem Arzt. Er heißt Torsten Rosén. Er hat selbst Alkoholprobleme gehabt. Ich muss mich beeilen.«

Sie trennten sich draußen im Hof. Linda und Wallander fuhren schweigend nach Hause. Er dachte, dass sie noch unangenehmer berührt war als er. Sie hatte ein immer intensiveres Verhältnis zu ihrer Mutter bekommen, nachdem die schwierigen Teenagerjahre vorbei waren.

»Ich bin froh, dass du mitgekommen bist«, sagte Linda, als sie ihn absetzte.

»Du hast mir ja kaum eine Wahl gelassen«, antwortete er. »Aber natürlich war es wichtig, dass ich sehen konnte, wie es ihr geht und was sie durchmacht. Die Frage ist nur: Wird sie es schaffen?«

»Ich weiß nicht. Ich kann es nur hoffen.«

»Ja«, sagte Wallander. »Das ist am Ende alles, was bleibt, die Hoffnung.«

Durch das offene Seitenfenster strich er ihr rasch übers Haar. Sie wendete und fuhr davon. Wallander sah ihr nach, bis der Wagen verschwunden war.

Ihm war beklommen zumute. Er ließ Jussi aus dem Zwinger und saß eine Zeitlang da und kraulte ihn hinter den Ohren. Erst dann schloss er die Haustür auf.

Er spürte sofort, dass jemand im Haus gewesen war. Seine Vorsicht zahlte sich jetzt aus. Eine der kleinen Warnmarkierungen, die er angebracht hatte, war nicht mehr an ihrem Platz. Im Fenster neben der Haustür hatte jemand einen kleinen Kerzenhalter, den er in die Mitte vor den Griff des geteilten Fensters gestellt hatte, verrückt. Jetzt stand der von einem Kupferring umschlossene Leuchter tiefer in der Fensternische, links vom Griff. Wallander verharrte reglos und hielt den Atem an. Konnte er sich irren? Nein, er war sicher. Als er das Fenster eingehender untersuchte, entdeckte er, dass es von außen mithilfe eines schmalen und spitzen Gegenstands geöffnet worden war, vermutlich mit einem Werkzeug, wie Autodiebe es benutzten, um Autotüren aufzubrechen.

Vorsichtig hob er den Leuchter an, untersuchte ihn und stellte ihn wieder ab. Dann ging er langsam durchs Haus. Er fand keine anderen Spuren. Sie sind vorsichtig, dachte er. Vorsichtig und geschickt. Der Leuchter war eine zufällige Nachlässigkeit.

Er setzte sich an den Küchentisch und betrachtete den Kerzenhalter im Flur. Wahrscheinlich gab es nur eine einzige Erklärung dafür, dass Unbekannte in sein Haus eingedrungen waren.

Jemand war überzeugt, dass er über ein Wissen verfügte, von dem er selbst nichts wusste. Ein Wissen, das auf seinen Notizen oder sogar Gegenständen in seinem Besitz beruhte.

Er saß auf dem Stuhl und rührte sich nicht. Ich nähere mich, dachte er. Oder jemand nähert sich mir.

38

Am nächsten Morgen wurde er von Träumen aus dem Schlaf gerissen, an die er sich nicht erinnerte. Vielleicht waren es wieder die galoppierenden Pferde gewesen, vielleicht etwas anderes, er wusste es nicht. Der Leuchter stand im Fenster und erinnerte ihn daran, dass jemand in seiner Nähe war. Er ging nackt auf den Hof hinaus, zunächst um zu pinkeln, dann um Jussi aus dem Zwinger zu lassen. Ein erster herbstlicher Nebel trieb über die Äcker. Er fröstelte und beeilte sich, wieder ins Haus zu kommen. Er zog sich an, machte Kaffee und setzte sich an den Küchentisch, entschlossen, noch einmal zu versuchen, Licht in das Dunkel um Louise von Enkes Tod zu bringen. Ihm war klar, dass er bestenfalls eine provisorische Erklärung finden würde. Aber vielleicht könnte er die Ursache für das ständig nagende Gefühl finden, er habe etwas übersehen. Das Gefühl war durch die Gewissheit, dass er wieder Besuch in seinem Haus gehabt hatte, nicht geringer geworden. Kurz gesagt: Er hatte nicht die Absicht, aufzugeben.

An diesem Morgen fiel es ihm jedoch schwer, sich zu konzentrieren. Nach einigen Stunden gab er auf, raffte seine Papiere zusammen und fuhr ins Polizeipräsidium. Er wählte wieder den Eingang durch die Garage und gelangte ungesehen zu seinem Zimmer. Nachdem er eine halbe Stunde über den Papieren gegrübelt hatte, lugte er aus der Tür auf den leeren Korridor hinaus und ging zum Kaffeeautomaten. Gerade als sein Becher voll war, tauchte Lennart Mattson hinter ihm auf. Wallander hatte seinen Chef lange nicht gesehen, und er hatte ihn auch nicht vermisst. Lennart Mattson war braungebrannt und hatte abgenommen, was Wallander neidisch machte und ärgerte.

»Schon hier?«, sagte Lennart Mattson. »Du kannst es dir nicht verkneifen? Die Arbeit lockt? So soll es sein. Ohne Leidenschaft wird man kein guter Polizist. Ansonsten hast du erst Montag wieder Dienst?«

»Ich bin auf dem Weg nach Hause«, sagte Wallander. »Ich brauchte ein paar Papiere aus meinem Zimmer.«

»Hast du etwas Zeit? Ich habe erfreuliche Nachrichten, die ich gern mit jemandem teilen möchte.«

»Ich habe Zeit ohne Ende«, gab Wallander zurück und war sicher, dass Lennart Mattson die Ironie sowieso nicht mitbekam.

Sie gingen ins Büro des Polizeipräsidenten. Wallander setzte sich in einen der Besuchersessel.

Lennart Mattson nahm eine Mappe von dem tadellos aufgeräumten Schreibtisch in die Hand. »Erfreuliche Nachrichten, wie ich schon sagte. Wir hier unten in Schonen haben eine der besten Aufklärungsraten im ganzen Land. Wir lösen mehr Fälle als die meisten anderen. Wir haben nicht nur das beste Ergebnis, sondern auch die höchste Zunahme, verglichen mit dem Vorjahr. Das hier ist genau das, was wir brauchen, um uns weiter anzustrengen.«

Wallander hörte seinem Chef zu. Es gab keinen Grund, daran zu zweifeln, dass das, was er da hörte, wirklich in dem Bericht stand. Aber Wallander wusste auch, dass die Interpretation von Statistiken einem Jonglieren mit den Ellenbogen gleichkam. Es war immer möglich, eine Statistik zu erstellen, die wahr und verlogen zugleich war. Dass die allgemeine Aufklärungsrate der schwedischen Polizei zu den niedrigsten in der westlichen Welt gehörte, war Wallander und seinen Kollegen schmerzlich bewusst. Es glaubte auch keiner von ihnen, dass der Tiefpunkt bereits erreicht war. Die negative Entwicklung würde sich fortsetzen. Bürokratische Umwälzungen brachten einen ständig wachsenden

Strom unaufgeklärter Verbrechen mit sich. Funktionierende Polizeieinheiten wurden abgeschafft oder so lange umstrukturiert, bis sie nicht mehr arbeiten konnten. Es wurde wichtiger, statistische Ziele zu erreichen, als wirklich Verbrechen aufzuklären und Täter vor Gericht zu bringen. Außerdem war Wallander, wie die meisten seiner Kollegen, der Meinung, dass falsche Prioritäten gesetzt wurden. An dem Tag, an dem die schwedische Polizeiführung beschlossen hatte, »Kleinkriminalität« zu tolerieren, war den letzten Resten eines vertrauensvollen Verhältnisses zwischen Polizei und Bevölkerung der Boden entzogen. Der normale Bürger konnte nicht tolerieren, dass sein Auto, seine Garage oder sein Sommerhaus aufgebrochen wurden. Die Bürger wollten, dass auch diese kriminellen Taten aufgeklärt oder zumindest untersucht wurden.

Aber er hatte natürlich keine Lust, jetzt mit Lennart Mattson darüber zu diskutieren. Es würde im Herbst schon noch genug Gelegenheiten für Gespräche geben.

Lennart Mattson legte den Bericht zurück und betrachtete seinen Besucher mit plötzlich sorgenvoller Miene. Seine Stirn war feucht. »Wie geht es dir eigentlich? Du siehst blass aus. Warum bist du nicht draußen an der Sonne?«

»Welcher Sonne?«

»Der Sommer war doch nicht so schlecht. Ich selbst bin nach Kreta geflogen, um sicher zu sein, gutes Wetter zu haben. Kennst du den Palast von Knossos? Fantastische Delphine an den Wänden dort.«

Wallander stand auf. »Mir geht es gut«, sagte er. »Aber weil heute ein wenig die Sonne scheint, werde ich deinen Rat befolgen und das schöne Wetter draußen genießen.«

»Keine vergessenen Waffen irgendwo?«

Wallander starrte Lennart Mattson an. Es fehlte nicht viel, und er hätte zugeschlagen.

Wallander ging zu seinem Zimmer zurück, setzte sich, legte die Füße auf den Tisch und schloss die Augen. Er dachte an Baiba. Und an Mona, die zitternd in der Entzugsklinik saß. Während sein Chef sich an einer Statistik ergötzte, die mit Sicherheit nicht die Wahrheit wiedergab.

Er nahm die Füße vom Tisch. Einen Versuch mache ich noch, dachte er. Einen Versuch, zu verstehen, warum ich die ganze Zeit an meinen Schlussfolgerungen zweifle. Ich wünschte, ich hätte einen besseren Einblick in politische Zusammenhänge, dann wäre ich nicht so verwirrt.

Plötzlich fiel ihm ein Ereignis ein, an das er im Erwachsenenalter nicht wieder gedacht hatte. Es musste 1962 oder 1963 gewesen sein, irgendwann im Herbst. Wallander hatte als Bote für ein Blumengeschäft in Malmö gearbeitet. Eines Samstags hatte er den Auftrag bekommen, schnell wie der Blitz einen Blumenstrauß in den Folkets Park zu bringen. Dort hielt Ministerpräsident Tage Erlander eine Rede, und am Schluss sollte ein kleines Mädchen einen Blumenstrauß überreichen. Das Problem war nur, dass einer der Verantwortlichen in der Arbeiterpartei geschlampt und keine Blumen bestellt hatte. Jetzt war es also eilig. Hatte er verstanden? Wallander trat in die Pedale, so schnell er konnte. Das Blumengeschäft hatte ihn angekündigt, und er wurde sofort durchgelassen, die Blumen wurden ausgewickelt, und das Mädchen, das sie überreichen sollte, nahm sie in die Hand. Wallander bekam sogar fünf Kronen Trinkgeld. Außerdem wurde ihm eine Limonade angeboten, und er stand da mit dem Strohhalm im Mund und hörte dem hoch gewachsenen Mann am Rednerpult zu, der mit einer eigentümlich nasalen Stimme sprach. Er hatte schwierige Wörter gewählt, die Wallander fremd waren. Er hatte von Entspannung gesprochen, vom Recht der kleinen Nationen, von Schwedens selbstverständlicher Neutralität und Freiheit von allen möglichen Pakten und Allianzen. So viel hatte Wallander jedenfalls verstanden.

Als er am Abend nach Hause kam, war er in das Zimmer gegangen, das sein Vater als Atelier nutzte. Sonderbar, er konnte sich noch daran erinnern, dass sein Vater gerade an jenem Abend eine mit Schablone aufgetragene Waldlandschaft ausmalte, die den Hintergrund seines ewig wiederholten Motivs bildete. In den frühen Teenagerjahren hatten Wallander und sein Vater guten Kontakt zueinander. Vielleicht war es die beste Zeit ihres gemeinsamen Lebens. Noch waren es drei, vier Jahre, bis Wallander nach Hause kommen und seinem Vater eröffnen sollte, dass er Polizist werden wollte. Der Vater hatte ihn damals fast aus dem Haus geworfen, auf jeden Fall hatte er längere Zeit nicht mit ihm geredet.

Wallander hatte sich auf seinen Schemel gesetzt und seinem Vater vom Besuch im Folkets Park erzählt. Der Vater grummelte oft, dass er sich nicht für Politik interessiere. Aber Wallander hatte mit der Zeit erkannt, dass das überhaupt nicht stimmte. Er wählte treu die Sozialdemokraten, hegte ein bissiges Misstrauen gegen die Kommunisten und beschuldigte die bürgerlichen Parteien, immer nur die Menschen zu bevorteilen, denen es sowieso schon gutging.

Plötzlich erinnerte sich Wallander beinahe Wort für Wort an das Gespräch, das sie geführt hatten. Sein Vater hatte sich schon oft mit vorsichtig lobenden Worten über Erlander geäußert und gemeint, dass er ein ehrlicher Mann sei, dem man im Gegensatz zu vielen anderen Politikern vertrauen könne.

»Er hat gesagt, Russland wäre unser Feind«, sagte Wallander.

»Das ist nicht ganz richtig. Es könnte vielleicht nicht schaden, wenn unsere Politiker auch einmal darüber nachdächten, welche Rolle die USA heute spielen.«

Wallander war verblüfft. Amerika stand doch für das Gute? Hatten sie nicht Hitler und sein Tausendjähriges Reich gestürzt? Aus Amerika kamen die Filme, die Musik und die Kleidung. Für Wallander war Elvis Presley der Größte und sein Song *Blue Suede Shoes* gerade der beliebteste. Zwar hatte er aufgehört, Filmstars zu sammeln, aber solange er es getan hatte, war Alan Ladd sein erklärter Liebling, nicht zuletzt wegen seines raffinierten Nachnamens. Und jetzt gab sein Vater eine diskrete Warnung vor Amerika von sich. Gab es etwas, was er nicht wusste?

Wallander hatte die Worte des Ministerpräsidenten wiederholt. *Schwedens Freiheit von allen Pakten und Allianzen, die selbstverständliche Neutralität des Landes.* »Ach«, hatte sein Vater entgegnet, »hat er das gesagt? In Wirklichkeit fliegen die amerikanischen Düsenflugzeuge durch den schwedischen Luftraum. Wir proklamieren formell die Freiheit von Allianzen und stecken gleichzeitig mit der Nato und vor allem Amerika unter einer Decke.«

Wallander fragte seinen Vater, was er damit meine. Aber er erhielt keine Antwort, nur ein fast unhörbares Gemurmel und dann die Aufforderung, ihn in Ruhe zu lassen. »Du stellst zu viele Fragen.«

»Hast du nicht immer gesagt, ich sollte keine Scheu haben, dich zu fragen, wenn ich etwas nicht verstehe?«

»Irgendwo gibt es eine Grenze.«

»Und wo ist die?«

»Hier, gerade jetzt. Ich male verkehrt.«

»Wie kann das sein? Du malst doch immer dasselbe Motiv, schon länger als ich lebe.«

»Geh jetzt! Lass mich in Ruhe!«

Und dann, als er in der Tür stand: »Ich habe fünf Kronen Trinkgeld bekommen, weil ich rechtzeitig mit den Blumen für Elander da war.«

»*Erlander.* Lern mal, wie die Leute heißen.«

Und genau hier, als hätte die Erinnerung ihm eine Tür geöffnet, begann Wallander zu ahnen, dass er einen vollkommen falschen Weg eingeschlagen hatte. Er war getäuscht worden, und er hatte sich täuschen lassen. Er war den Spuren seiner Vorurteile gefolgt – statt denen der Wirklichkeit. Er saß reglos am Schreibtisch, die Hände gefaltet, und verknüpfte seine Gedanken zu einer neuen und unerwarteten Erklärung des Geschehens. Es war so atemberaubend, dass er sich zunächst weigerte zu glauben, dass er recht haben könnte. Das Einzige, was er mit Sicherheit sagen konnte, war, dass sein Instinkt ihn immerhin gewarnt hatte. Er hatte tatsächlich etwas übersehen. Er hatte Wahrheit und Lüge vermischt, hatte Ursache und Wirkung verwechselt – und umgekehrt.

Er ging auf die Toilette und zog das Hemd aus, weil er schweißgebadet war. Nachdem er sich gewaschen hatte, ging er in den Keller und holte ein frisches Hemd aus seinem Spind. Er dachte zerstreut daran, dass Linda es ihm vor einigen Jahren zum Geburtstag geschenkt hatte.

Als er wieder in seinem Zimmer war, suchte er in seinen Papieren das Foto, das Asta Hagberg ihm kopiert hatte, das Bild von Oberst Stig Wennerström, der sich in Washington mit dem jungen Håkan von Enke unterhielt. Er legte das Bild vor sich hin und betrachtete die Gesichter der beiden Männer. Wennerström mit seinem kühlen Lächeln, ein Martiniglas in der Hand, vor ihm von Enke, ernsthaft zuhörend, was Wennerström ihm zu sagen hatte.

In Gedanken stellte Wallander seine Legosteine wieder auf. Alle waren da, Louise und Håkan von Enke, Hans, Signe in ihrem Bett, Sten Nordlander, Herman Eber, der Freund Steven in Amerika, George Talboth in Berlin. Er stellte auch Fanny Klarström dazu und ganz am Schluss einen Stein, von dem er nicht wusste, wen er darstellte. Langsam nahm er dann im Kopf Stein um Stein fort, bis nur noch zwei übrig waren, Louise und Håkan. Er ließ den Stift los, den er in der Hand hielt. Es war Louise, die umfiel. So hatte sie ihr Leben beendet, irgendwo auf Värmdö umgestoßen. Aber Håkan, ihr Mann, stand immer noch.

Wallander schrieb seine Gedanken nieder. Dann steckte er das Foto aus Washington in die Jackentasche und verließ das Präsidium. Diesmal ging er durch den Haupteingang hinaus, grüßte das Mädchen in der äußeren Anmeldung, wechselte einige Worte mit ein paar Verkehrspolizisten, die gerade hereinkamen, und ging zur Stadt hinunter. Wer ihn beobachtet hätte, würde sich vermutlich gefragt haben, warum er so ruckhaft ging, mal schnell, dann wieder langsam, mit einer Hand gestikulierend, als unterhielte er sich mit jemandem und müsste das Gesagte durch Gesten verstärken.

Er blieb beim Imbissstand vor dem Krankenhaus stehen und war lange unschlüssig, was er nehmen sollte. Schließlich ging er weiter, ohne etwas gegessen zu haben.

Aber unentwegt kreisten die immergleichen Gedanken in seinem Kopf. Konnte das, was er jetzt vor sich sah, wirklich stimmen? Konnte er das Geschehene so völlig falsch aufgefasst haben?

Er irrte in der Stadt umher, bis er schließlich auf die Pier des Kleinboothafens hinauswanderte und sich dort auf eine Bank setzte. Er zog das Foto aus Washington aus der Tasche, studierte es ein weiteres Mal und steckte es zurück.

Plötzlich wusste er, wie alles zusammenhing. Baiba hatte recht gehabt, seine geliebte Baiba, nach der er sich jetzt noch mehr sehnte.

Hinter jeder Person steht immer eine andere. Sein Irrtum war gewesen, dass er die Person, die ganz vorn stand, und die, die sich im Hintergrund verborgen hielt, verwechselt hatte.

Alles hing endlich zusammen, er sah das Muster, das ihm bisher entgangen war. Er sah es sehr deutlich.

Ein Fischerboot lief aus dem Hafen aus. Der Mann am Ruder hob die Hand und winkte Wallander zu. Er winkte zurück. Am Horizont im Süden türmte sich eine Gewitterfront auf. In diesem Moment vermisste er seinen Vater. Das geschah nicht oft. Nach seinem Tod hatte Wallander zunächst eine erschreckende Leere gespürt, gleichzeitig aber auch Erleichterung. Jetzt waren Leere und Erleichterung vergangen. Jetzt vermisste er ihn ganz einfach und spürte eine große Sehnsucht nach den guten Augenblicken, die sie trotz allem miteinander erlebt hatten.

Er dachte an den Besuch bei der alten Frau, die so freundlich von seinem Vater gesprochen hatte. Ich habe vielleicht nie klar gesehen, wer er war, was er für mich und für andere bedeutete. Ebenso, wie ich erst jetzt verstehe, was eigentlich hinter Håkan von Enkes Verschwinden und Louises Tod steckt. Endlich merke ich, dass ich mich einer Lösung nähere, statt mich von ihr zu entfernen.

Er sah ein, dass er noch einmal eine Reise machen musste, in diesem Sommer, in dem es schon so viele Ortswechsel gegeben hatte. Doch er hatte keine Wahl, er wusste jetzt, was er tun musste.

Noch einmal zog er das Foto aus der Tasche. Er hielt es vor sich und riss es dann in der Mitte durch. Es hatte einmal eine Welt gegeben, die Stig Wennerström und Håkan von Enke vereint hatte. Jetzt hatte er sie getrennt.

War es damals schon so?, sagte er laut zu sich selbst. Oder war das etwas, was weit später eingetreten war?

Er wusste es nicht. Aber er würde auf jeden Fall versuchen, es herauszufinden.

Niemand hörte, wie er dort draußen, auf der äußersten Spitze der Pier, laut mit sich selbst redete.

39

Später hatte er nur bruchstückhafte Erinnerungen daran, wie der Tag vergangen war. Er kehrte zu guter Letzt von der Pier in die Stadt zurück, blieb vor einem neu eröffneten Esslokal in der Hamngata stehen, trat durch die Tür und machte auf dem Absatz kehrt. Dann ließ er sich eine weitere Runde durch die Straßen treiben, bis er sich vor dem Chinarestaurant, das er gern besuchte, wiederfand. Er setzte sich an einen freien Tisch, es waren um diese Zeit am Nachmittag nur wenige Gäste im Lokal, und bestellte zerstreut ein Gericht von der Karte.

Wenn jemand ihn nachher gefragt hätte, was es gewesen sei, hätte er wahrscheinlich nicht antworten können. Er war in Gedanken nur damit beschäftigt, sich einen Plan zurechtzulegen, der ihn weiterbringen konnte. Er musste herausfinden, ob er recht hatte oder nicht, jetzt, da sich auf einmal alles ganz anders darstellte. Er hatte neue Karten auf der Hand, die auf einen Schlag andere Voraussetzungen boten. Alles, was er bis dahin geglaubt hatte, war auf einem gedanklichen Müllhaufen gelandet.

Lange stocherte er mit den Stäbchen im Essen herum, bevor er es plötzlich viel zu schnell hinunterschlang, bezahlte und das Restaurant verließ. Auf dem Weg zu seinem Zimmer wurde er von Kristina Magnusson aufgehalten, die fragte, ob er Lust habe, sie und ihre Familie am kommenden Wochenende zum Essen zu besuchen. Er konnte den Tag selbst aussuchen, Samstag oder Sonntag. Da ihm keine Ausrede einfiel, nahm er die Einladung für den Sonntag an. Er hängte sein selbstgebasteltes Schild *Bitte nicht stören* vor die Tür, stellte das Telefon aus und schloss die Augen. Nach einer Weile streckte er den Rücken, notierte sich einige Wörter auf einem Kollegblock und fasste seinen Beschluss. Er musste aufs Ganze gehen und herausfinden, ob das, was er glaubte, richtig war. Dass er sich nicht nur geirrt, sondern sogar gründlich an der Nase hatte herumführen lassen. In einem Wutanfall warf er seinen Kugelschreiber an die Wand und fluchte. Einmal, nicht mehr. Dann rief er Sten Nordlander an. Die Verbindung war schlecht. Als Wallander betonte, dass es wichtig sei und er so schnell wie möglich mit ihm reden müsse, versprach Nordlander zurückzurufen. Wallander legte auf und fragte sich, warum es so schwierig war, in gewissen Teilen der Schären anzurufen. Oder befand Sten Nordlander sich ganz woanders?

Er wartete und wälzte die Gedanken in seinem übervollen Hirn, das wie ein bis an den äußersten Rand gefüllter Tank war, der jeden Moment überlaufen konnte.

Vierzig Minuten später rief Sten Nordlander an. Wallander hatte die Armbanduhr vor sich auf den Tisch gelegt, die Zeiger standen auf zehn nach sechs. Die Verbindung war jetzt ausgezeichnet.

»Es tut mir leid, dass ich dich habe warten lassen. Jetzt liege ich bei Utö.«

»Nicht weit von Muskö«, sagte Wallander. »Oder irre ich mich?«

»Nein, gar nicht. Man kann ruhig sagen, dass ich mich in klassischen Gewässern befinde. U-Boot-Gewässern also.«

»Wir müssen uns treffen«, sagte Wallander. »Ich möchte gern mit dir reden.«

»Ist etwas passiert?«

»Es passiert dauernd etwas. Aber ich möchte mit dir über einen Gedanken sprechen, der mir wichtig erscheint.«

»Es ist also nichts passiert?«

»Nein. Aber ich möchte nicht am Telefon darüber sprechen. Wie sieht es in den nächsten Tagen bei dir aus?«

»Wenn du vorhast herzukommen, muss es wichtig sein.«

»Ich habe noch etwas anderes in Stockholm zu erledigen«, sagte Wallander, so ruhig er konnte.

»Wann willst du kommen?«

»Gleich morgen. Es war ein kurzfristiger Entschluss. Ich weiß, dass es schon spät ist.«

Sten Nordlander überlegte. Wallander hörte seine schweren Atemzüge durchs Telefon. »Ich bin auf dem Heimweg«, sagte er schließlich. »Wir können uns in der Stadt treffen.«

»Wenn du mir sagst, wie ich fahren soll, kann ich dahin kommen, wo du bist.«

»Nein. Treffen wir uns in der Lobby von Sjöfartshotellet. Um wie viel Uhr?«

»Um vier Uhr«, sagte Wallander. »Ich bin dir dankbar, dass du dir die Zeit nimmst.«

Sten Nordlander lachte. »Lässt du mir denn eine Wahl?«

»Höre ich mich so streng an?«

»Wie ein alter Lehrer. Und bist du sicher, dass nichts passiert ist?«

»Nicht, dass ich wüsste«, sagte Wallander ausweichend. »Bis morgen.«

Wallander setzte sich an seinen Computer, schaffte es mit einiger Mühe, eine Zugfahrkarte zu buchen, und bestellte außerdem ein Zimmer im Sjöfartshotel. Der Zug fuhr schon am frühen Morgen, deshalb beeilte er sich, nach Hause zu kommen, und brachte Jussi zu seinen Nachbarn. Der Mann stand draußen auf dem Hof und schraubte an seinem Traktor.

Er blinzelte Wallander entgegen, als der mit dem Hund kam. »Sicher, dass du ihn nicht verkaufen willst?«

»Ganz sicher. Aber ich muss morgen nach Stockholm.«

»Hast du nicht noch vor kurzem in meiner Küche gesessen und davon gesprochen, wie wenig du Großstädte magst?«

»Das stimmt auch. Aber die Arbeit zwingt mich dazu.«

»Habt ihr hier nicht genug Ganoven, auf die ihr aufpassen könnt?«

»Sicher. Aber jetzt geht es um Stockholm.«

Wallander gab Jussi einen Klaps und reichte dem Nachbarn die Leine. Jussi war daran gewöhnt und reagierte nicht, als Wallander allein über die Felder zurückging.

Bevor Wallander ihn verließ, hatte er dem Bauern noch eine Frage gestellt. Sie gehörte zum guten Ton in dieser Jahreszeit, wenn es auf den Herbst zuging. »Wie ist die Ernte dieses Jahr?«

»Ganz ordentlich.«

Mit anderen Worten sehr gut, dachte Wallander. Im Normalfall reicht es bei ihm nur zu düsteren Prognosen.

Als er nach Hause kam, rief er Linda an. Auch ihr wollte er nichts vom konkreten Anlass für seine Reise sagen. Er erklärte, er sei zu einer Tagung nach Stockholm gerufen worden. Sie fragte nicht nach und wollte nur wissen, wie lange er wegbleibe.

»Zwei Tage, vielleicht drei.«

»Wo wohnst du?«

»Im Sjöfartshotell. Zumindest die erste Nacht. Vielleicht übernachte ich danach bei Sten Nordlander.«

Es war halb acht, als er ein paar Sachen in den Koffer gepackt, das Haus verschlossen und sich in den Wagen gesetzt hatte, um nach Malmö zu fahren. Nach langem Zögern hatte er sein – genauer gesagt seines Vaters – altes Schrotgewehr zusammen mit einer Anzahl von Patronen und seine Dienstpistole in den Koffer gelegt. Er fuhr mit dem Zug und brauchte keine Sicherheitskontrollen zu passieren. Die Waffen bereiteten ihm ein ungutes Gefühl. Aber er wagte nicht, ohne sie zu reisen.

Er stieg in einem einfachen Hotel am Stadtrand von Malmö ab, aß in einem Restaurant in der Nähe von Jägersro zu Abend und machte anschließend einen langen Spaziergang, um sich müde zu laufen. Schon vor fünf Uhr am nächsten Morgen war er fertig angezogen. Zusammen mit der Zimmerrechnung bezahlte er dafür, dass sein Wagen auf dem Hotelparkplatz stehen bleiben konnte, und ließ ein Taxi rufen, um zum Bahnhof zu fahren. Er spürte, dass es ein warmer Tag werden würde. Vielleicht war der Sommer noch einmal nach Schonen gekommen?

Morgens war er am konzentriertesten. Das war schon immer so gewesen. Als er jetzt auf dem Bürgersteig stand und auf das Taxi wartete, hatte er keinen Zweifel. Er tat das Richtige.

Während der Reise nach Stockholm schlief er hin und wieder, blätterte in verschiedenen Zeitungen, löste Kreuzworträtsel zur Hälfte, saß aber meistens nur da und ließ seine Gedanken wandern. Immer wieder kehrte er zu jenem Abend in Djursholm zurück. Er erinnerte sich an die vielen Fotos, die zu Hause lagen. An Håkan von Enkes Unruhe. Und an ein einziges Bild, auf dem Louise nicht lächelte. Auf dem sie ernst war.

Er aß im Zugrestaurant belegte Brote und trank Kaffee, war sprachlos angesichts der Preise und saß dann wieder am Fenster, den Kopf in die Hand gestützt, und schaute hinaus auf die vorbeifliegende Landschaft.

Hinter Nässjö geschah das, was er inzwischen ständig fürchtete. Er wusste plötzlich nicht mehr, wohin er unterwegs war. Er musste auf seinen Fahrschein schauen, um sich zu erinnern.

Gegen Mittag bezog er sein Zimmer im Sjöfartshotell und ging danach zum Essen hinunter in den Speisesaal. Eine englisch sprechende Gesellschaft saß in seiner Nähe. Er hörte jemanden sagen, dass sie aus Birmingham seien. Er aß Hacksteak, trank ein Bier und wechselte anschließend in die Bar hinüber, wo er mit seinem Kaffee in einem blauen Sessel versank. Inzwischen war es Viertel vor zwei. Er hatte immer noch zwei Stunden Wartezeit vor sich.

Einige Minuten nach vier Uhr betrat Sten Nordlander das Hotel. Er war braungebrannt und hatte die Haare kurz geschnitten. Wallander hatte den Eindruck, dass er auch abgenommen hatte.

Er lächelte breit, als er Wallander entdeckte. »Du siehst kaputt aus«, sagte er. »Wozu hast du eigentlich deinen Urlaub genutzt?«

»Vermutlich zu nichts Gutem«, erwiderte Wallander.

»Es ist schönes Wetter, gehen wir nach draußen, oder willst du hier bleiben?«

»Ich dachte genau wie du, dass wir draußen sitzen könnten. Was hältst du von Mosebacke?«

Während des Spaziergangs zu dem hoch gelegenen Platz sagte Wallander nicht, warum er nach Stockholm gekommen war. Sten Nordlander stellte auch keine Fragen. Wallander geriet außer Atem von dem Aufstieg, während Sten Nordlander in guter Form zu sein schien. Sie setzten sich auf die Terrasse, auf der fast alle Tische besetzt waren. Bald würde der Herbst da sein, die Abende würden kühl werden. Die Menschen in der Stadt nutzten die Möglichkeit, im Freien zu sitzen, so lange es ging.

Wallander trank Tee, er bekam Magenprobleme von zu viel Kaffee. Sten Nordlander entschied sich für ein Bier und ein belegtes Brot.

Wallander begann: »Ich war nicht ganz ehrlich, als ich sagte, es sei nichts passiert. Aber ich wollte am Telefon nicht darüber sprechen.«

Er beobachtete Sten Nordlander. Sein überraschter Gesichtsausdruck wirkte ganz und gar echt.

»Håkan?«, fragte er.

»Richtig. Es geht um ihn. Ich weiß, wo er ist.«

Sten Nordlander wandte den Blick nicht ab. Er weiß

nichts, dachte Wallander und fühlte sich erleichtert. Er ist völlig ahnungslos. Gerade jetzt brauche ich einen Menschen, auf den ich mich verlassen kann.

Sten Nordlander schwieg und wartete. Sie waren von freundlichem Gemurmel an den Tischen umgeben. »Erzähl mir, was passiert ist!«

»Vorher muss ich ein paar Fragen stellen. Um zu sehen, ob meine Auffassung davon, wie die Ereignisse zusammenhängen, wirklich stimmt. Reden wir ein wenig über Politik. Wofür stand Håkan eigentlich, in seiner aktiven Zeit als Offizier? Was für politische Ansichten hatte er? Nehmen wir ein Beispiel: Olof Palme. Es ist bekannt, dass viele Militärs ihn hassten und nicht davor zurückschreckten, absurde Gerüchte zu verbreiten, dass er geisteskrank sei und im Krankenhaus behandelt werde oder dass er ein Spion für die Sowjetunion sei. Wie passt Håkan in dieses Bild?«

»Er passt ganz und gar nicht hinein. Das habe ich dir schon gesagt. Håkan gehörte nie zu denen, die blind gegen Olof Palme und die sozialdemokratische Regierung hetzten. Nach einem Treffen bei Palme merkte er sogar, dass die Kritik an Palme unsinnig sei. Genauso wie es eine überspannte Sicht gab, was die Kriegskapazität der Sowjetunion anging und ihren Willen, Schweden anzugreifen.«

»Hattest du jemals Anlass, an seiner Aufrichtigkeit zu zweifeln?«

»Ich hatte nie einen Grund. Håkan ist ein Patriot. Aber er ist scharfsichtig und sehr analytisch. Ich glaube, die extreme Russenfeindlichkeit, die ihn umgab, hat ihn gequält.«

»Wie war seine Sicht der USA?«

»In vieler Hinsicht kritisch. Vor allem in Bezug auf die Tatsache, dass sie Atomwaffen gegen ein anderes Land und seine Menschen eingesetzt haben. Man kann natürlich die besonderen Umstände anführen, die gegen Ende des Zweiten Weltkriegs herrschten. Aber die Amerikaner haben getan, was noch kein anderes Land getan hat. Bisher.«

Wallander hatte im Moment keine weiteren Fragen. Nichts von dem, was Nordlander gesagt hatte, war erstaunlich oder unerwartet. Wallander hatte die Antworten erhalten, mit denen er gerechnet hatte. Er goss sich Tee ein und dachte, dass der Augenblick gekommen war. »Wir haben schon einmal darüber gesprochen, dass es einen Spion in den schwedischen Streitkräften gab. Er wurde nie enttarnt.«

»Diese Art von Gerüchten gibt es immer. Hat man nichts anderes zu reden, kann man darüber spekulieren, wie der Maulwurf seine Gänge gräbt.«

»Wenn ich diese Gerüchte richtig verstanden habe, handelte es sich um einen Spion, der in mehrfacher Hinsicht gefährlicher war als Wennerström.«

»Davon weiß ich nichts. Aber ist es nicht so, dass der Spion, den man nicht fasst, immer der ist, der uns am meisten bedroht?«

Wallander nickte. »Es ging auch ein anderes Gerücht. Genauer gesagt, das Gerücht ist noch immer lebendig. Dass es sich bei diesem Spion um eine Frau handelte.«

»Daran hat doch keiner geglaubt. Zumindest nicht in meinen Kreisen. Bei so wenigen Frauen in den Streitkräften und auf Posten, wo der Zugang zu geheimen Dokumenten möglich wäre, ist es sehr unwahrscheinlich.«

»Hast du jemals mit Håkan darüber gesprochen?«

»Eine Spionin? Nein, nie.«

»Louise war Spionin«, sagte Wallander langsam. »Sie spionierte für die Sowjetunion.«

Sten Nordlander schien zuerst nicht zu verstehen, was Wallander sagte. Dann erkannte er die Bedeutung dessen, was er gehört hatte. »Das kann nicht möglich sein.«

»Das *kann* nicht nur möglich sein, es *ist* möglich.«

»Ich glaube auf keinen Fall, was du sagst. Was für Beweise hast du?«

»Du solltest glauben, was ich sage. In Louises Handtasche

hat die Polizei Geheimdokumente auf Mikrofilm gefunden, außerdem eine Anzahl Fotonegative. Was darauf zu sehen war, weiß ich nicht. Aber man hat mich davon überzeugt, dass dieses Material der Beweis für ihre Spionagetätigkeit ist. Gegen Schweden, für Russland, noch früher für die Sowjetunion. Sie war, mit anderen Worten, lange aktiv.«

Sten Nordlander betrachtete ihn ungläubig. »Soll ich das wirklich glauben?«

»Ja, das sollst du.«

»Da fallen mir eine Menge Fragen ein, Argumente dafür, dass das, was du sagst, unmöglich stimmen kann.«

»Aber kannst du ganz sicher sein, dass es falsch ist, was ich sage?«

Sten Nordlander erstarrte, das Bierglas in der Hand. »Ist Håkan in diese Sache verwickelt? Haben sie zusammengearbeitet?«

»Das ist wenig wahrscheinlich.«

Sten Nordlander setzte das Glas hart ab. »Weißt du es, oder weißt du es nicht? Warum antwortest du nicht geradeheraus?«

»Es spricht nichts dafür, dass Håkan mit Louise zusammengearbeitet hat.«

»Aber warum versteckt er sich dann?«

»Weil er sie im Verdacht hatte. Er war ihr über viele Jahre auf der Spur. Am Ende fürchtete er um sein eigenes Leben. Er glaubte, Louise hätte gemerkt, dass er sie verdächtigte. Da war die Gefahr, dass er ermordet würde, nicht von der Hand zu weisen.«

»Aber Louise ist tot.«

»Vergiss nicht, dass Håkan schon lange verschwunden war, als Louise gefunden wurde.«

Wallander sah einen neuen Sten Nordlander Gestalt annehmen. Bisher war er energisch und offen, jetzt schrumpfte er. Die Verwirrung, die er durchlebte, verwandelte ihn.

An einem Nachbartisch entstand ein kleinerer Tumult, als ein Betrunkener stürzte und Flaschen und Gläser mitriss. Ein Angestellter war schnell zur Stelle und sorgte wieder für Ruhe. Wallander trank seinen Tee. Sten Nordlander war aufgestanden und ans Geländer getreten. Er blickte auf die Stadt, die sich unter ihm ausbreitete.

Als er zum Tisch zurückkam, sagte Wallander: »Ich brauche deine Hilfe, um Håkan zur Rückkehr zu bewegen.«

»Was kann ich tun?«

»Ihr seid beste Freunde. Ich möchte, dass du mich auf einen Ausflug begleitest. Wohin, das erfährst du morgen. Können wir deinen Wagen nehmen? Kannst du dein Boot hier ein, zwei Tage liegen lassen?«

»Das ist kein Problem.«

Wallander stand auf. »Hol mich morgen um drei Uhr am Hotel ab. Zieh dich für Regen an. Wir trennen uns hier.«

Er ließ Sten Nordlander keine Fragen mehr stellen und blickte sich auf dem Weg zum Hotel nicht um. Er war noch immer nicht sicher, ob auf Sten Nordlander Verlass war. Aber er hatte seine Wahl getroffen, jetzt konnte er nichts mehr ändern.

In der Nacht lag er lange wach und wälzte sich zwischen den feuchten Laken. Im Traum sah er Baiba über dem Boden schweben, ihr Gesicht war vollkommen durchsichtig.

Früh am Morgen verließ er das Hotel und nahm ein Taxi nach Djurgården, wo er sich unter einen Baum legte und eine Weile schlief. Die Tasche mit der Schrotflinte benutzte er als Kopfkissen. Als er aufwachte, ging er langsam durch die Stadt zurück. Er stand bereit, als Sten Nordlander mit seinem Wagen vor dem Hotel hielt. Wallander legte die Tasche auf die Rückbank.

»Wohin fahren wir?«

»Nach Süden.«

»Weit?«

»Gut zweihundert Kilometer. Aber wir haben es nicht eilig.«

Sie verließen die Stadt und fuhren auf die Autobahn.

»Was erwartet uns?«, fragte Sten Nordlander.

»Nichts, als dass du ein Gespräch anhören sollst.«

Sten Nordlander stellte keine weiteren Fragen. Weiß er, wohin wir fahren?, dachte Wallander. Spielt er den Erstaunten? Er war nicht sicher. Tief in seinem Innersten gab es natürlich einen Grund, warum er seine Waffen mitgenommen hatte. Ich kann nicht wissen, ob ich mich nicht verteidigen muss, dachte er. Ich kann nur hoffen, dass es nicht notwendig wird.

Sie erreichten den Hafen um zehn Uhr am Abend. Wallander hatte auf einem langen Aufenthalt zum Abendessen in Söderköping bestanden. Schweigend hatten sie auf den Fluss geschaut, der durch die Stadt floss und zuzuwachsen drohte. Das von Wallander bestellte Boot lag im inneren Hafenbecken bereit.

Gegen elf Uhr näherten sie sich dem Ziel. Wallander stellte den Motor ab und ließ das Boot an Land treiben. Er horchte. Alles war still. Sten Nordlanders Gesicht war in der Dunkelheit kaum zu sehen.

Dann gingen sie an Land.

40

Vorsichtig bewegten sie sich durch das Spätsommerdunkel. Wallander hatte Sten Nordlander zugeflüstert, er solle dicht bei ihm bleiben, aber er hatte ihm keine Erklärung gegeben. Sobald sie die Insel betreten hatten, war Wallander sicher, dass Sten Nordlander Håkan von Enkes Versteck nicht kannte. So geschickt hätte niemand verbergen können, dass er wusste, wo der Mann, den sie suchten, zu finden war.

Wallander blieb stehen, als er in einem Fenster der Jagdhütte Licht sah. Durch das schwache Rauschen vom Meer her konnte er Musik hören. Es dauerte einige Sekunden, bis ihm klar wurde, dass das Fenster offen stand.

Er drehte sich zu Sten Nordlander um und flüsterte: »Du kannst nicht glauben, dass Louise eine Spionin war?«

»Findest du das verwunderlich?«

»Nicht im Geringsten.«

»Ich höre, was du sagst, aber ich sträube mich dagegen, zu glauben, dass es wahr ist.«

»Und daran tust du recht«, sagte Wallander langsam. »Was ich dir erzähle, ist das, was man uns glauben machen *will*.«

Sten Nordlander schüttelte den Kopf. »Jetzt verstehe ich gar nichts mehr.«

»Was ich sage, ist ganz einfach. Die Dokumente in der Handtasche beweisen, dass Louise eine Spionin war. Aber sie können in die Handtasche gesteckt worden sein, als sie schon tot war. Man versuchte auch, den Mord zu kaschieren und wie einen Selbstmord aussehen zu lassen. Als ich Håkan hier auf der Insel getroffen habe, hat er mir sehr eingehend erzählt, dass er über viele Jahre Louise im Verdacht hatte, eine Spionin zu sein. Es war absolut glaubwürdig. Aber da begann ich auf einmal zu verstehen, was ich vorher nicht verstanden hatte. Es war, als hielte ich einen Spiegel hoch und sähe alles in einer umgekehrten Perspektive.«

»Und was hast du gesehen?«

»Etwas, was alles auf den Kopf stellte. Wie sagt man noch? Dass man etwas auf den Kopf stellen muss, um es auf die Füße zu bekommen? So ging es mir.«

»Ich soll also die Schlussfolgerung ziehen, dass Louise keine Spionin war? Was redest du da eigentlich?«

Wallander antwortete nicht auf die Frage. »Ich will, dass du dich hier an die Hauswand stellst«, sagte er. »Bleib da und hör es dir an!«

»Was denn?«

»Das Gespräch, das ich gleich mit Håkan von Enke führen werde.«

»Aber warum dieses Tappen im Dunkeln?«

»Wenn er weiß, dass du hier bist, riskieren wir, dass er nicht die Wahrheit sagt.«

Sten Nordlander schüttelte den Kopf. Aber er sagte nichts mehr, protestierte nicht und schlich zum Haus. Wallander stand reglos da. Er hatte eingeplant, dass von Enke mittels seiner Alarmvorrichtung wusste, dass jemand auf der Insel war. Jetzt kam es nur darauf an, dass er die zweite Person, die vor der Jagdhütte stand, nicht bemerkte.

Sten Nordlander war bereits an der Hauswand. Wallander hätte ihn nicht bemerkt, wenn er nicht gewusst hätte, dass er da war. Er selbst wartete, unbeweglich. Er empfand eine seltsame Mischung von großer Ruhe und Beunruhigung. Das Ende der Geschichte, dachte er. Habe ich recht, oder habe ich den größten Irrtum meines Lebens begangen?

Er bereute, Sten Nordlander nicht klargemacht zu haben, dass es einige Zeit dauern konnte.

Ein Nachtvogel flatterte auf und verschwand wieder. Wallander lauschte ins Dunkel nach einem Geräusch, das ihm verriet, dass Håkan von Enke auf dem Weg war. Sten Nordlander stand an der Hauswand und rührte sich nicht. Die Musik ertönte weiter durch das offene Fenster.

Er fuhr zusammen, als er die Hand auf seiner Schulter fühlte. Er drehte sich um und sah direkt in Håkan von Enkes Gesicht.

»Du wieder hier?«, sagte Håkan mit leiser Stimme. »Das war nicht abgesprochen. Ich hätte dich für einen Eindringling halten können. Was willst du?«

»Mit dir reden.«

»Ist etwas passiert?«

»Es ist viel passiert. Wie du sicher weißt, bin ich nach Berlin gereist, um deinen alten Freund George Talboth zu treffen. Ich muss sagen, dass er genau so auftrat, wie ich es von einem hohen CIA-Offizier erwartet hatte.«

Wallander hatte sich vorbereitet, so gut er konnte. Er wusste, dass er nicht übertreiben durfte. Er musste laut genug sprechen, damit Sten Nordlander ihn verstehen konnte. Aber nicht so laut, dass Håkan von Enke Verdacht schöpfte, es könnte einen Mithörer geben.

»Er hatte den Eindruck, du wärst ein guter Mann.«

»Ich habe noch nie ein Aquarium gesehen wie das, das er mir gezeigt hat.«

»Es ist ganz außergewöhnlich. Besonders die Züge, die in den Tunneln fahren.«

Eine kräftige Windbö zog vorbei. Dann war es wieder still.

»Wie bist du hergekommen?«, fragte von Enke.

»Mit demselben Boot.«

»Und du bist allein gekommen?«

»Warum sollte ich nicht?«

»Gegenfragen als Antwort auf meine Fragen machen mich misstrauisch.«

Håkan von Enke ließ plötzlich eine Taschenlampe aufleuchten, die er dicht am Körper gehalten hatte. Er richtete den Strahl auf Wallanders Gesicht. Eine Verhörleuchte, dachte Wallander. Wenn er sie nur nicht aufs Haus richtet und Sten Nordlander entdeckt. Dann bricht alles zusammen.

Die Lampe erlosch.

»Wir brauchen nicht hier draußen zu stehen.«

Wallander folgte von Enke so dicht wie möglich. Als sie ins Haus kamen, schaltete er das Radio aus. Nichts im Raum hatte sich seit Wallanders vorigem Besuch verändert.

Håkan von Enke war auf der Hut. Wallander fragte sich, ob es an seinem Instinkt lag, der ihm Gefahr signalisierte. Es war jedenfalls mehr als das natürliche Misstrauen angesichts von Wallanders Erscheinen auf der Insel.

»Du musst einen Grund haben«, sagte von Enke langsam. »Ein plötzlicher Besuch, mitten in der Nacht?«

»Ich wollte mit dir reden.«

»Über deine Reise nach Berlin?«

»Nein, darüber nicht.«

»Dann musst du dich erklären.«

Wallander hoffte, dass Sten Nordlander draußen vor dem Fenster ihr Gespräch verstehen konnte. Was, wenn Håkan plötzlich einfiele, das Fenster zu schließen? Ich habe keine Zeit zu verlieren, dachte Wallander. Ich muss sagen, worum es geht. Ich kann nicht länger warten.

»Du musst dich erklären«, wiederholte Håkan von Enke.

»Es geht um Louise«, sagte Wallander. »Die Wahrheit über sie.«

»Kennen wir die nicht schon? Haben wir nicht kürzlich hier gesessen und über sie gesprochen?«

»Das haben wir. Aber du hast wohl kaum die Wahrheit gesagt.«

Håkan von Enke betrachtete ihn mit der gleichen ausdruckslosen Miene wie vorher.

»Plötzlich hatte ich das Gefühl, dass da etwas nicht zusammenpasste«, sagte Wallander. »Es war, als stände ich da und schaute in die Luft, während ich eigentlich den Boden zu meinen Füßen studieren sollte. Es geschah während meines Besuchs in Berlin. Ich merkte, dass George Talboth nicht nur meine Fragen beantwortete. Er erkundete auch, geschickt und unauffällig, was ich eigentlich wusste. Als mir das klar wurde, erkannte ich auf einmal etwas ganz anderes. Etwas Entsetzliches, Schändliches, einen Verrat von solcher Niedertracht und Menschenverachtung, dass ich es zunächst nicht glauben wollte. Was ich zuerst angenommen hatte, ebenso wie Ytterberg, was du erklärt hattest und was Talboth erzählt hatte, das war nicht die Wahrheit. Ich war benutzt und ausgenutzt worden, ich war gehorsam und blauäugig in alle Fallen getappt, die an meinem Weg platziert worden waren. Doch das brachte mich auch dazu, eine andere Person zu sehen.«

»Wen?«

»Nennen wir sie die wahre Louise. Sie ist nie Spionin gewesen. Sie war nicht falsch, sondern so echt, wie man es sich nur vorstellen kann. Als ich sie zum ersten Mal traf, war ich von ihrem schönen Lächeln beeindruckt. Daran musste ich wieder denken, als wir uns in Djursholm trafen. Ich bin danach lange davon ausgegangen, sie habe ihr Lächeln benutzt, um ihr großes Geheimnis zu verbergen. Bis ich einsah, dass ihr Lächeln vollkommen echt war.«

»Bist du gekommen, um mir etwas vom Lächeln meiner toten Frau zu erzählen?«

Wallander schüttelte resigniert den Kopf. Die Situation erschien ihm plötzlich so widerwärtig, dass er nicht wusste, wie er damit umgehen sollte. Er hätte aus der Haut fahren sollen. Aber er schaffte es nicht.

»Ich bin gekommen, weil ich die Wahrheit gefunden habe. Und die Wahrheit ist, dass Louise meilenweit davon entfernt war, Spionage gegen Schweden zu betreiben. Ich hätte es viel früher begreifen sollen. Aber ich habe mich täuschen lassen.«

»Wer hat dich getäuscht?«

»Ich mich selbst. Ich bin wie alle anderen von der Meinung verführt worden, dass der Feind immer aus dem Osten kommt. Aber wer mich am meisten getäuscht hat, das warst du. Der wirkliche Spion.«

Immer noch das gleiche ausdruckslose Gesicht, dachte Wallander. Aber wie lange noch?

»Ich soll ein Spion sein?«

»Ja!«

»Ich soll für die Sowjetunion oder Russland spioniert haben? Du musst wahnsinnig sein!«

»Ich habe nichts von Russland oder der alten Sowjetunion gesagt. Ich habe gesagt, dass du ein Spion bist. Im Dienst der USA. Und zwar seit vielen Jahren, Håkan. Wie lange du das Spiel getrieben hast und wie alles anfing, das kannst nur du beantworten. Auch deine Motive sind mir nicht bekannt. Nicht du hast Louise verdächtigt. Sie war es, die dich im Verdacht hatte, ein Agent für die Amerikaner zu sein. Das war am Ende der Grund für ihren Tod.«

»Ich habe Louise nicht getötet!«

Der erste Riss, dachte Wallander. Håkans Stimme wird schrill. Er fängt an, sich zu verteidigen.

»Das glaube ich auch nicht. Das haben andere erledigt. Vielleicht hat George Talboth dir geholfen? Aber sie starb, damit du nicht enttarnt wurdest.«

»Diese absurden Behauptungen kannst du nicht beweisen.«

»Das ist richtig«, sagte Wallander. »Ich kann es nicht. Aber es gibt andere, die es können. Ich weiß genug, um die Polizei und das Militär zu veranlassen, das Geschehene aus einer neuen Perspektive zu betrachten. Der Spion, den man so lange in den Streitkräften vermutete, war keine Frau. Es war ein Mann. Der nicht zögerte, sich hinter seiner Frau zu verstecken und sich damit den perfekten Deckmantel umzuhängen. Alle waren auf der Suche nach einem russischen Spion, einer Frau. Während sie nach einem Mann hätten suchen sollen, der für die USA spionierte. Keiner bedachte die Möglichkeit, alle waren darauf fixiert, Feinde im Osten zu suchen. So ist es in meinem ganzen Leben gewesen, die Bedrohung kommt aus dem Osten. Dass jemand auch nur auf die Idee kommen könnte, Landesverrat in die andere Richtung zu betreiben, für die USA, hat keiner sehen wollen. Diejenigen, die vor so etwas warnten, waren einsame Rufer in der Wüste. Man kann natürlich entgegnen, die USA hätten sowieso Zugang zu allem gehabt, was sie über unsere Streitkräfte wissen wollten. Doch so war es nicht. Die Nato und die USA benötigten spezifische Informationen über die schwedischen Streitkräfte und zugleich auch Wissen darüber, wie viel wir über bestimmte militärische Dispositionen der Russen wussten.«

Wallander hielt inne. Håkan von Enke sah ihn mit unverändert ausdruckslosem Gesicht an.

»Du hast dir eine perfekte Tarnung verschafft, als du dich in der Marine unbeliebt machtest«, fuhr Wallander fort. »Du hast dagegen protestiert, dass man die russischen U-Boote, die bei der Verletzung schwedischer Hoheitsgewässer ertappt wurden, davonkommen ließ. Du stelltest so viele Fragen, dass man dich als übertrieben fanatischen Gegner Russlands ansah. Gleichzeitig konntest du die USA kritisieren, wenn es gerade passte. Aber natürlich wusstest du, dass es U-Boote der Nato waren, die sich damals in unseren Gewässern verbargen. Du hast ein Spiel gespielt, und du hast es gewonnen. Gegen alle. Außer möglicherweise gegen deine Frau, die Verdacht schöpfte, dass vielleicht nicht alles mit rechten Dingen zuging. Warum du hierhergekommen bist, weiß ich nicht. Vielleicht haben deine Arbeitgeber es dir befohlen? War es einer von ihnen, der an jenem Abend, als du deinen Geburtstag feiertest, in Djursholm vor dem

Zaun stand und rauchte? Um dir eine abgesprochene Warnung zu geben? Seit langer Zeit war diese Jagdhütte ausersehen als der Ort, an den du dich zurückziehen konntest. Die Jagdhütte, von der du durch Eskil Lundbergs Vater wusstest, der dir nur zu gern behilflich war. Hattest du doch dafür gesorgt, dass er für zerstörte Stege und zerrissene Netze Schadensersatz erhielt. Der Mann, der auch nie ein Wort nach außen dringen ließ über die Abhörvorrichtung, die die Amerikaner erfolglos an dem russischen Unterwasserkabel anzubringen versuchten. Ich nehme an, dass man dich hier mit einem Schiff abholen würde, falls du evakuiert werden müsstest. Wahrscheinlich hat man dir nichts davon gesagt, dass Louise sterben musste. Aber es waren deine Freunde, die sie getötet haben. Und du kanntest den Preis für das Geschäft, das du betrieben hast. Du konntest nichts tun, um das, was geschah, zu verhindern. War es nicht so? Das Einzige, was ich mich noch frage, ist, was dich bewogen hat, sogar deine Frau zu opfern.«

Håkan von Enke betrachtete seine rechte Hand. Er wirkte irgendwie uninteressiert an dem, was Wallander gesagt hatte. Vielleicht, dachte Wallander, ist es trotz allem die Trauer darüber, dass der Tod von Louise der Preis war, den er bezahlen musste? Jetzt, wo es zu spät ist?

»Es war nie beabsichtigt, dass sie sterben sollte«, sagte von Enke, ohne den Blick von seiner Hand zu heben.

»Was hast du gedacht, als du hörtest, dass sie tot ist?«

Håkan von Enkes Antwort war sachlich, fast trocken. »Es fehlte nicht viel, und ich hätte meinem Leben selbst ein Ende gemacht. Der Gedanke an mein Enkelkind hat mich daran gehindert.«

Einen Moment schwiegen sie beide. Wallander dachte, dass Sten Nordlander bald hereinkommen sollte. Aber eine Frage wollte er noch beantwortet haben. »Wie ist es zugegangen?«, fragte er.

»Was?«

»Ich meine nicht, wie du an deine Informationen gelangt bist. Ich meine, was dich zum Spion gemacht hat.«

»Das ist eine lange Geschichte.«

»Wir haben Zeit. Und du brauchst mir keine erschöpfende Antwort zu geben. Nur so viel, dass ich es verstehe.«

Håkan von Enke lehnte sich zurück und schloss die Augen. Wallander erkannte auf einmal, dass er einen alten Mann vor sich hatte.

»Es begann vor langer Zeit«, sagte von Enke, ohne die Augen zu öffnen. »Die Amerikaner kamen schon früh, schon in den sechziger Jahren auf mich zu. Ich war bald von der Notwendigkeit überzeugt, dass die USA und die Nato Zugang zu Informationen benötigten, um uns verteidigen zu können. Allein würden wir es nie schaffen. Ohne die USA wären wir von vornherein verloren.«

»Wer nahm den Kontakt zu dir auf?«

»Du musst bedenken, wie die Lage damals war. Es gab eine Reihe von Menschen, junge vor allem, die ihre ganze Zeit dem Kampf gegen den Vietnamkrieg der USA widmeten. Aber die allermeisten von uns wussten, dass wir auf die Unterstützung der Amerikaner angewiesen wären, wenn es eines Tages in Europa knallte. Ich war empört über die ahnungslosen und romantischen Linken. Und ich wollte etwas tun. Ich ging sehenden Auges in die Sache hinein. Es war Ideologie, könnte man sagen. Heute ist es genauso. Ohne die USA wäre die Welt Kräften ausgeliefert, die nichts lieber täten, als Europa all seiner Macht zu berauben. Was hat China für Ambitionen? Was werden die Russen tun an dem Tag, an dem sie ihre internen Probleme gelöst haben?«

»Aber es muss doch auch Geld mit im Spiel gewesen sein?«

Von Enke antwortete nicht. Er wandte sich ab und versank wieder in seine eigenen Gedanken. Wallander stellte noch einige Fragen, auf die er ebenfalls keine Antwort erhielt. Håkan von Enke hatte das Gespräch ganz einfach beendet.

Plötzlich stand er auf und ging zu der offenen Küche hinüber. Er holte eine Flasche Bier aus dem Kühlschrank und zog dann eine der Küchenschubladen auf. Wallander folgte ihm mit dem Blick.

Als Håkan von Enke sich umdrehte, hielt er eine Pistole in der Hand. Wallander sprang auf. Die Waffe war auf ihn gerichtet. Langsam stellte Håkan von Enke die Bierflasche auf die Anrichte.

Er hob die Waffe. Sie war jetzt auf Wallanders Kopf gerichtet. Der schrie auf, brüllte. Dann sah er, wie die Bewegung der Waffe sich fortsetzte.

»Ich kann nicht mehr«, sagte Håkan von Enke. »Es gibt absolut keine Zukunft mehr.«

Er setzte den Lauf ans Kinn und drückte ab. Der Schuss dröhnte durch den Raum.

Im gleichen Moment, in dem er mit blutüberströmtem Gesicht zusammensackte, stürzte Sten Nordlander herein. »Bist du verletzt?«, schrie er. »Bist du getroffen?«

»Nein. Er hat auf sich selbst geschossen.«

Sie starrten auf den Mann, der in einer unnatürlichen Körperhaltung auf dem Boden lag. Das Blut, das sein Gesicht bedeckte, machte es unmöglich, zu sagen, ob seine Augen offen oder geschlossen waren.

Wallander erkannte als Erster, dass er noch lebte. Er riss einen Pulli von einer Stuhllehne und presste ihn gegen von Enkes Kinn. Gleichzeitig rief er Sten Nordlander zu, er solle nach Handtüchern suchen. Das Austrittsloch ging durch die Wange. Es war Håkan von Enke nicht gelungen, sich mit einer Kugel ins Gehirn zu töten.

»Er hat schief geschossen«, sagte Wallander, als Sten

Nordlander ihm ein Laken hinhielt, das er aus dem Bett gerissen hatte.

Håkan von Enkes Augen waren geöffnet, aber nicht gebrochen.

»Drücken«, sagte Wallander und zeigte Sten Nordlander, was er tun sollte.

Er nahm sein Handy und wählte die Notrufnummer. Keine Verbindung. Er lief nach draußen und kletterte auf einen Felsen hinter dem Haus. Auch hier bekam er keine Verbindung. Er kehrte ins Haus zurück.

»Er wird verbluten«, sagte Sten Nordlander.

»Du musst fest drücken«, sagte Wallander. »Das Telefon funktioniert nicht. Ich muss Hilfe holen. Manchmal ist das Netz hier draußen zu schwach.«

»Ich glaube nicht, dass er durchkommt.«

»Wenn er stirbt, werden wir nie erfahren, was eigentlich geschehen ist.«

Sten Nordlander kniete neben dem blutenden Mann. Er blickte mit weit aufgerissenen Augen zu Wallander auf. »War das wirklich wahr?«

»Du hast uns gehört. Oder?«

»Jedes Wort. Ist es wahr?«

»Alles ist wahr. Was ich gesagt habe und was er gesagt hat. Er war ungefähr vierzig Jahre lang Spion für die USA. Er hat unsere Streitkräfte verkauft, und er muss es gut gemacht haben, wenn die Amerikaner ihn für so wertvoll hielten, dass sie nicht einmal zögerten, seine Frau zu ermorden.«

»Es ist mir unmöglich, das zu verstehen.«

»Dann haben wir einen Grund mehr, zu versuchen, ihn am Leben zu erhalten. Nur er allein kann es uns sagen. Ich hole Hilfe. Es wird einige Zeit dauern. Wenn du verhindern kannst, dass er zu viel Blut verliert, schaffen wir es vielleicht.«

Wallander war schon auf dem Weg zur Tür, als Sten

Nordlander ihm hinterherrief: »Gibt es wirklich keinen Zweifel?«

»Gar keinen.«

»Das bedeutet, dass er mich mein ganzes Leben lang getäuscht hat.«

»Er hat alle getäuscht.«

Wallander verließ das Haus und rannte hinunter zum Boot. Mehrmals stolperte er und fiel. Als er zum Wasser kam, merkte er, dass der Wind stärker geworden war. Er machte die Leine los, schob das Boot ins Wasser, sprang hinein und konnte den Motor beim ersten Anreißen starten. Es war so dunkel, dass er sich fragte, ob er den Hafen finden würde.

Er hatte das Boot gerade gewendet und wollte Gas geben, als er den trockenen Knall eines Schusses hörte. Kein Zweifel, es war eine Waffe, die abgefeuert wurde. Das Geräusch kam aus der Jagdhütte. Er nahm das Gas weg und lauschte. Hatte er sich doch verhört? Er wendete und fuhr zum Ufer zurück. Als er aus dem Boot sprang, landete er im Wasser und spürte, wie es in die Schuhe eindrang. Er horchte auf neue Geräusche. Der Wind nahm weiter zu. Er holte seine Schrotflinte heraus und lud sie. Waren doch noch andere Menschen auf der Insel, von denen er nichts wusste? Mit dem Gewehr in der Hand kehrte er zur Jagdhütte zurück. Er bewegte sich so leise wie möglich und blieb stehen, als er das schwache Licht durch die Spalten zwischen den Gardinen fallen sah. Kein Laut, nur das Rauschen des Windes in den Baumkronen und vom Meer.

Als er sich auf die Tür der Jagdhütte zubewegte, knallte es wieder. Der gleiche trockene Knall. Er warf sich auf den Boden und lag unbeweglich, das Gesicht an die feuchte Erde gepresst. Mit den Händen schützte er seinen Kopf, das Gewehr hatte er losgelassen. Jede Sekunde erwartete er, dass es vorbei wäre.

Aber niemand kam. Schließlich wagte er es, sich aufzusetzen und nach seinem Gewehr zu greifen. Langsam stand er auf und näherte sich in geduckter Haltung der Tür. Bevor er öffnete, schlug er zweimal hart gegen den Türrahmen. Nichts rührte sich drinnen. Er rief, ohne dass Sten Nordlander antwortete. Zwei Schüsse, dachte er fieberhaft und versuchte zu verstehen, was das bedeutete.

Er konnte es nicht wissen. Aber er ahnte es. Er sah Sten Nordlanders Gesicht vor sich, als er gefragt hatte: *Gibt es wirklich keinen Zweifel?*

Wallander schob die Tür auf und trat ein.

Håkan von Enke war tot. Sten Nordlander hatte ihn in die Stirn geschossen. Anschließend hatte er die Waffe auf sich selbst gerichtet und lag jetzt tot auf dem Boden neben seinem früheren Freund und Kollegen. Wallander dachte verzweifelt, dass er es hätte vorhersehen müssen. Sten Nordlander hatte dort draußen in der Dunkelheit gestanden und gehört, dass Håkan von Enke sie alle verraten hatte, am meisten vielleicht jene, die ihm vertraut und ihn weniger als Offizierskollegen denn als Freund gesehen hatten.

Wallander vermied es, seinen nassen Fuß in das Blut zu setzen, das über den Fußboden gelaufen war. Er sank in den Sessel, in dem er eben noch Håkan von Enke zugehört hatte. Die Erschöpfung hämmerte in ihm. Er dachte, dass ihm die Wahrheit mit jedem Jahr, das verging, zu einer schwereren Bürde wurde. Und doch war sie es, die er ständig suchte.

Wie weit waren sie schon gekommen, als ich in Djursholm war?, dachte er. Wenn ich davon ausgehe, dass sein Gespräch mit mir Teil des Plans war, mich glauben zu machen, seine Frau sei eine Spionin, um damit alles Interesse von sich selbst abzulenken, dann waren die wichtigsten Entscheidungen bereits gefallen. Vielleicht war Håkan von Enke selbst auf die Idee gekommen, mich zu benutzen? Es auszunutzen, dass sein Sohn mit einer Frau zusammenlebte, deren Vater ein dummer Provinzpolizist war?

Er empfand Trauer und Zorn zugleich, wie er da im Sessel saß, die beiden toten Männer vor sich. Aber vor allem dachte er in diesem Moment daran, dass Klara nun auch ihren Großvater väterlicherseits nicht mehr erleben würde. Sie musste sich mit den Eltern ihrer Mutter begnügen, einer Großmutter, die gegen den Alkohol kämpfte, und einem Großvater, der immer älter und hinfälliger wurde.

Vielleicht saß er eine halbe Stunde da, vielleicht länger, bis er sich zwang, wieder Polizist zu werden. Er legte sich einen einfachen Plan zurecht, um alles so zurücklassen zu können, wie es war. Bevor er ging, holte er nur die Wagenschlüssel aus Sten Nordlanders Tasche. Dann verließ er die Jagdhütte und fuhr mit dem Boot in die Dunkelheit hinaus.

Aber bevor er das Boot zum zweiten Mal ins Wasser schob, hielt er am Ufer inne und schloss die Augen. Es war, als raste die Vergangenheit auf ihn zu. Die ganze ihn umgebende Welt, über die er immer so wenig gewusst hatte. Jetzt war er selbst als Nebenfigur auf der großen Bühne gelandet. Was wusste er heute, was er früher nicht gewusst hatte? Eigentlich nicht viel, dachte er. Ich bin immer noch die verwirrte Gestalt an der Peripherie des großen politischen und militärischen Geschehens. Heute wie damals bin ich eine ängstliche und unsichere Randfigur.

Er stieß das Boot vom Land ab und schaffte es trotz der Dunkelheit, in den Hafen zu steuern. Er legte das Boot an den Platz, von dem er es geholt hatte. Der Hafen lag verlassen da. Um zwei Uhr setzte er sich in Sten Nordlanders Wagen und fuhr davon. Er parkte den Wagen in der Nähe des Bahnhofs, wischte sorgfältig das Lenkrad, den Schalthebel und die Tür von außen ab und warf die Schlüssel in einen Gully. Dann wartete er auf den ersten Zug nach Süden. Einige Stunden verbrachte er auf einer Parkbank. Es war ein seltsames Erlebnis, sich mit der alten Schrotflinte seines Vaters in dieser fremden Stadt aufzuhalten. Als er im

Morgengrauen ein früh geöffnetes Café fand, hatte Nieselregen eingesetzt. Er trank Kaffee und blätterte in alten Zeitungen, bevor er zum Bahnhof ging und in den Zug stieg. Er
würde nie wieder herkommen.

Durchs Zugfenster sah er Sten Nordlanders Wagen auf
dem Parkplatz. Früher oder später würde sich jemand dafür
interessieren. Das eine würde das andere ergeben. Eine Frage
würde sein, wie Nordlander zum Hafen und von dort hinaus
nach Blåskär gekommen war. Aber der Bootsvermieter
würde Wallander nicht zwangsläufig mit der Tragödie in
Verbindung bringen, die sich in der einsam gelegenen Jagdhütte abgespielt hatte. Außerdem würden sicher alle Details
der Geheimhaltung unterliegen.

Wallander erreichte Malmö um kurz nach zwölf, holte seinen Wagen und fuhr nach Ystad. Bei der Ausfahrt geriet er
in eine Polizeikontrolle. Er zeigte seinen Polizeiausweis,
pustete ins Röhrchen.

»Wie läuft es?«, fragte er seinen Kollegen, um ein auf-
munterndes Interesse an den Tag zu legen. »Sind die Leute
nüchtern?«

»Im Großen und Ganzen ja. Aber wir fangen gerade erst
an. Irgendeinen erwischen wir immer. Und bei euch in
Ystad?«

»Im Moment ruhig. Aber im August ist in der Regel mehr
los als im Juli.«

Wallander nickte zum Abschied, kurbelte die Scheibe
hoch und fuhr weiter. Vor ein paar Stunden habe ich mich
noch mit zwei Toten in einem Raum aufgehalten, dachte er.
Aber das kann mir niemand ansehen. Unsere Erinnerungen
schlagen nicht nach außen durch.

Auf dem Weg kaufte er ein, holte Jussi und erreichte
schließlich seinen Hof. Als er die eingekauften Lebensmittel
in den Kühlschrank gelegt hatte, setzte er sich an den Küchentisch. Alles um ihn herum war still.

Er versuchte, sich etwas zurechtzulegen, was er Linda erzählen würde.

Aber er rief sie den ganzen Tag nicht an, nicht einmal am Abend.

Er wusste einfach nicht, was er ihr sagen sollte.

EPILOG

Eines Nachts im Mai 2009 erwachte Wallander von einem Traum. Es kam immer häufiger vor in seinem Leben, dass die Erinnerungen der Nacht lebendig blieben, wenn er die Augen öffnete. Früher hatte er sich nur äußerst selten an Träume erinnert. Jussi, der krank gewesen war, schlief auf dem Fußboden neben dem Bett. Die Uhr auf dem Nachttisch zeigte Viertel nach vier. Vielleicht hatte nicht nur der Traum ihn geweckt? Vielleicht war der Schrei eines Nachtvogels durch das offene Schlafzimmerfenster hereingedrungen? Das war schon früher vorgekommen.

Aber jetzt war die Eule fort. Er hatte von Linda und dem Telefongespräch geträumt, das sie am Tag seiner Rückkehr von Blåskär hätten führen sollen. Im Traum hatte er sie angerufen und ihr erzählt, was passiert war. Sie hatte ihm zugehört, ohne etwas zu sagen. Dann war es vorbei. Der Traum war einfach abgebrochen, wie ein morscher Ast.

Er erwachte mit einem heftigen Gefühl von Unbehagen. In Wirklichkeit hatte er es nicht über sich gebracht, sie anzurufen. Die Erklärung, die er sich selbst dafür gab, war eine einfache Entschuldigung. Er hatte nicht zu der Tragödie beigetragen, und es würde nur zu einer für ihn unerträglichen Situation führen, wenn er genau erzählen müsste, was geschehen war. Damit würde er sich auch dem Verdacht aussetzen, in die Angelegenheit verwickelt zu sein. Erst wenn die Tragödie öffentlich wurde, müssten sie und Hans erfahren, was geschehen war. Und er selbst könnte, im besten Fall, unsichtbar bleiben.

Wallander dachte, dass es zum Schwersten gehörte, was

er je erlebt hatte. Er konnte es nur mit einer viele Jahre zurückliegenden Situation vergleichen, als er zum ersten Mal im Dienst einen Menschen getötet und ernstlich überlegt hatte, den Polizeiberuf an den Nagel zu hängen. Damals hatte er daran gedacht, das zu tun, was Martinsson jetzt getan hatte. Als Polizist aufzuhören und etwas ganz anderes zu machen.

Wallander beugte sich über die Bettkante und schaute auf seinen Hund. Jussi schlief. Auch er träumte, die Vorderpfoten scharrten in der Luft. Wallander lehnte sich wieder zurück. Durchs Fenster strömte kühlende Nachtluft ins Zimmer. Er trat die Decke von sich. Seine Gedanken wanderten zu dem Papierstapel auf dem Küchentisch. Schon im September des Vorjahres hatte er angefangen, einen Bericht über all jene Ereignisse abzufassen, die sich vor der Tragödie in der Jagdhütte auf Blåskär abgespielt hatten.

Es war Eskil Lundberg gewesen, der die Leichen gefunden hatte. Die Kriminalpolizei in Norrköping hatte sogleich Ytterberg zur Unterstützung hinzugerufen. Da es sich auch um einen Fall für die Sicherheitspolizei und den militärischen Nachrichtendienst handelte, war über die wichtigsten Einzelheiten eine Nachrichtensperre verhängt worden. Wallander war auf das angewiesen, was Ytterberg ihm im Vertrauen berichten konnte. Die ganze Zeit wartete Wallander darauf, dass trotz allem seine Anwesenheit in der Jagdhütte aufgedeckt würde. Seine größte Sorge war, dass Sten Nordlander seiner Frau etwas von der Reise erzählt hatte. Aber anscheinend hatte er nichts gesagt. Tief betroffen las Wallander in der Zeitung von der Verzweiflung der Frau über den Tod ihres Mannes und ihre Weigerung, zu glauben, dass er seinen alten Freund getötet und danach sich selbst erschossen haben sollte.

Ytterberg beklagte sich hin und wieder bei Wallander. Nicht einmal er, der die polizeiliche Ermittlung leitete, wusste, was sich hinter den Kulissen abgespielt hatte. Aber dass Sten Nordlander Håkan von Enke mit zwei Schüssen getötet und danach sich selbst das Leben genommen hatte, daran bestand kein Zweifel. Dagegen war es vollkommen unerklärlich, wie Sten Nordlander nach Blåskär hinausgekommen war. Es bedeutete, sagte Ytterberg bei mehreren Gelegenheiten, dass vermutlich eine weitere Person beteiligt gewesen war. Aber wer diese Person war und welche Rolle sie gespielt hatte, vermochte er nicht zu sagen. Auch in Bezug auf das eigentliche Motiv für die Tragödie tappte man völlig im Dunkeln.

Die Zeitungen und andere Medien ergingen sich in wilden Spekulationen. Man hatte sich in dem blutigen Drama in der Jagdhütte gesuhlt. Linda, Hans und Klara hatten kaum noch gewagt, ihr Haus zu verlassen, um den neugierigen Journalisten mit ihren aufdringlichen Fragen nicht in die Arme zu laufen. Die wildesten Verschwörungstheorien besagten, dass Håkan von Enke und Sten Nordlander ein Geheimnis mit ins Grab genommen hatten, das mit dem Mord an Olof Palme zusammenhing.

Während der Gespräche mit Ytterberg hatte Wallander hin und wieder vorsichtig und eher wie aus Höflichkeit gefragt, wie es um den Verdacht stehe, Louise von Enke sei eine Spionin für Russland gewesen.

Ytterberg hatte ihm nur äußerst knappe Antworten geben können. »Ich habe den Eindruck, dass in Bezug auf sie alles stillsteht«, antwortete er. »Ich habe keine Ahnung, nach welcher Wahrheit die Sicherheitspolizei sucht oder was sie verbergen will. Möglicherweise müssen wir so lange warten, bis ein Enthüllungsjournalist sich diese Geschichte vornimmt.«

Nie hörte Wallander ein einziges Wort darüber, dass Håkan von Enke für die USA spioniert haben sollte. Es gab keinen Verdacht, keine Gerüchte, keinen Gedanken daran, dass dies die Ursache für das Geschehene sein konnte. Bei einer Gelegenheit fragte er Ytterberg geradeheraus, ob es derartige Theorien gebe.

Ytterberg hatte völlig verständnislos reagiert. »Warum in Gottes Namen hätte er für die USA spionieren sollen?«

»Ich versuche, alles, was geschehen ist, zu drehen und zu wenden«, sagte Wallander. »Genau wie man Louise der Spionage für Russland verdächtigt hatte, könnte man sich eine ganz andere Möglichkeit vorstellen.«

»Ich glaube, es wäre sogar bis zu mir durchgesickert, wenn die Sicherheitspolizei oder das Militär etwas Derartiges vermuteten.«

»Ich denke nur laut«, hatte Wallander ausweichend geantwortet.

»Weißt du etwas, was ich nicht weiß?«, fragte Ytterberg plötzlich mit unerwarteter Schärfe.

»Nein«, sagte Wallander. »Ich weiß nichts, was du nicht weißt.«

Nach diesem Telefongespräch hatte er angefangen zu schreiben. Er sammelte seine Notizen zusammen und entwickelte ein System von Merkzetteln, die er an eine Wohnzimmerwand heftete. Aber jedes Mal, wenn Linda ihn besuchte, sei es mit Hans und Klara oder allein, nahm er sie ab. Er wollte seinen Bericht ohne die Einmischung anderer schreiben, ja, ohne dass überhaupt jemand ahnte, womit er sich beschäftigte.

Er begann damit, die losen Fäden zu bearbeiten, die er noch im Korb hatte. Einige ließen sich schnell von der Liste streichen. Dass »USG Enterprises«, wie er an George Talboths Tür gelesen hatte, der Name einer Beratungsfirma war, ließ sich leicht herausfinden. Nichts deutete darauf hin, dass es keine ehrenwerte Gesellschaft war. Aber wer in sein Haus eingebrochen war, konnte er nie beantworten, ebenso wenig die Frage, wer den Niklasgård besucht hatte. Dass es sich um Menschen handelte, die Håkan von Enke zuarbeiteten, war selbstverständlich. Aber was mit den Aktionen bezweckt worden war, wurde Wallander nie klar. Auch wenn es am wahrscheinlichsten war, dass man nach der Mappe gesucht hatte, die Wallander Signes Buch nannte. Jetzt lag sie auf seinem Tisch, während er schrieb. Aber wenn er wegging, versteckte er sie noch immer in Jussis Zwinger.

Es dauerte nicht lange, bis ihm klar wurde, was er da eigentlich tat. Er schrieb in ebenso hohem Maß über sich selbst wie über Håkan von Enke. Als er in Gedanken zurückkehrte zu dem, was er über den Kalten Krieg gehört hatte, über die zwiespältige Sicht des schwedischen Militärs in Bezug auf Neutralität und die Freiheit von Allianzen oder die Notwendigkeit, in die Nato integriert zu werden, erkannte er, wie wenig er über die Welt wusste, in der er gelebt hatte. Natürlich war es unmöglich, sich im Nachhinein all das Wissen zu verschaffen, das ihn vorher nicht interessiert hatte. Was er jetzt über diese Welt lernen konnte, war nur noch aus der Rückschau möglich. Er fragte sich bedrückt, ob dies nicht seine ganze Generation kennzeichnete. Der mangelnde Wille, sich mit der Welt auseinanderzusetzen, mit den politischen Verhältnissen, die ständig wechselten. Oder war seine Generation geteilt gewesen? In die Engagierten und die Gleichgültigen?

Jetzt sah er, dass sein Vater über so manches besser informiert gewesen war als er selbst. Das galt nicht nur für die Episode mit Tage Erlander im Folkets Park von Malmö. Er erinnerte sich auch, dass sein Vater ihm in den frühen siebziger Jahren heftige Vorwürfe gemacht hatte, weil er es nicht der Mühe wert gefunden hatte, bei der Wahl seine Stimme abzugeben. Wallander konnte sich noch gut an die Wut seines Vaters erinnern, wie er ihn einen »Politikmuffel« genannt, mit einem Pinsel nach ihm geworfen und ihn aufgefordert hatte, zu verschwinden. Was er natürlich auch getan hatte. Damals hatte er seinen Vater allenfalls komisch gefunden. Warum sollte er sich damit beschäftigen, worüber die schwedischen Politiker sich stritten? Ihn interessierte höchstens die Frage, ob die Steuern sanken und die Löhne stiegen.

Oft saß er am Küchentisch und grübelte darüber nach, ob seine nächsten Freunde genauso waren wie er selbst. Politisch uninteressiert, nur mit ihren privaten Angelegenheiten befasst. Wenn überhaupt über Politik gesprochen wurde, war es eher eine wenig fundierte Art und Weise, Politiker zu zerpflücken, sich über ihre idiotischen Entscheidungen zu erregen, aber dann nicht weiter zu fragen, wie die Alternativen ausgesehen hätten.

Es hatte eigentlich nur eine kurze Periode gegeben, in der er ernsthaft über den politischen Zustand in Schweden, Europa und vielleicht in der Welt nachgedacht hatte. Es war vor bald zwanzig Jahren gewesen, im Zusammenhang mit dem brutalen Doppelmord an einem älteren Landwirtspaar in Lenarp. Es hatte sich gezeigt, wie schnell man illegale Einwanderer oder Asyl suchende Flüchtlinge verdächtigen konnte. Wallander hatte damals seine eigenen Ansichten über die massive Einwanderung nach Schweden überprüft. Er hatte zugeben müssen, dass sich unter seiner freundlichen und toleranten Oberfläche dunkle, vielleicht rassistische Ansichten verbargen. Das hatte ihn erschreckt. Er hatte sie ausgemerzt, heute waren sie nicht mehr vorhanden. Aber nach jener Ermittlung, die ihre merkwürdige Lösung auf dem Jahrmarkt von Kivik gefunden hatte, wo man die beiden Mörder gefasst hatte, war er wieder in seine apathische Haltung gegenüber der Politik zurückgefallen.

Im Lauf des Herbstes besuchte er mehrfach die Bibliothek in Ystad und entlieh Bücher über die schwedische Nachkriegsgeschichte. Er las über die politischen Debatten, die darüber geführt worden waren, ob Schweden Atomwaffen haben oder Mitglied in der Nato werden sollte. Obwohl er im frühen Erwachsenenalter gewesen war, als diese

Debatten geführt wurden, hatte er keine Erinnerung daran, wie er reagiert hatte. Als hätte er in einer Glaskugel gelebt.

Eines Tages erzählte er Linda davon, wie er begonnen hatte, sein Leben zu betrachten. Es zeigte sich, dass sie sich in ganz anderer Weise für politische Fragen interessierte. Er wunderte sich, weil es ihm bisher nicht aufgefallen war.

Sie hatte nur geantwortet, dass das politische Bewusstsein der Menschen sich nicht immer an der Oberfläche zeige. »Wann hast du mir zuletzt eine politische Frage gestellt?«, sagte sie. »Warum sollte ich mit dir über Politik diskutieren, wo ich weiß, wie wenig du dich dafür interessierst?«

»Was sagt Hans?«

»Er weiß enorm viel über die Welt. Aber wir sind uns nicht immer einig.«

Wallanders Gedanken kamen oft gerade bei Hans ins Stocken. Im Spätherbst 2008, Mitte Oktober, hatte Linda ihn völlig aufgelöst angerufen und erzählt, die dänische Polizei habe in Hans' Büro in Kopenhagen eine Razzia durchgeführt. Einige der Finanzmakler, vor allem zwei Isländer, steckten hinter falschen Wertsteigerungen bei Aktien, um ihre eigenen Provisionen und Boni zu sichern. Als die Finanzkrise kam, platzte die Blase. Vorübergehend standen alle Mitarbeiter, auch Hans, im Verdacht, in die Angelegenheit verwickelt zu sein. Erst im März hatte Hans den Bescheid erhalten, dass er nicht mehr verdächtigt werde, Unregelmäßigkeiten begangen zu haben. Es war für ihn eine schwere Belastung gewesen, da er außerdem die Trauer über den Tod auch des zweiten Elternteils verarbeiten musste. Mehrmals hatte er Wallander aufgesucht und ihn gebeten, ihm zu erklären, was eigentlich geschehen war. Wallander hatte gesagt, was er sagen konnte, scheute jedoch davor zurück, die wahren Hintergründe auch nur anzudeuten.

Wallander fragte sich vor allem, wie er es anstellen sollte, damit die Zusammenfassung seiner Gedanken und des Wissens, über das er verfügte, die Öffentlichkeit erreichte. Sollte er das Material vielleicht anonym den Behörden übermitteln? Doch würde ihn jemand ernst nehmen? Wer hatte ein Interesse, dass die guten Beziehungen zwischen Schweden und den USA gestört würden? Vielleicht war das Schweigen, das sich über Håkan von Enkes Spionagetätigkeit ausbreitete, das, was alle Beteiligten sich wünschten?

Es war Ende September gewesen, als er anfing zu schreiben, und jetzt hatte er mehr als acht Monate damit zugebracht. Er wollte nicht, dass das Geschehene mit dem Mantel des Schweigens zugedeckt und begraben würde. Der Gedanke empörte ihn.

Während er schrieb, versah er wie gewohnt seinen Dienst. Zwei trostlose Ermittlungen wegen schwerer Körperverletzung hielten ihn den ganzen Herbst über auf Trab. Im April 2009 übernahm er die Ermittlung einer Serie von Brandstiftungen in der Umgebung von Ystad.

Am meisten beunruhigten Wallander in dieser Zeit seine immer wieder auftretenden Gedächtnisausfälle. Am schlimmsten war es an einem der Weihnachtstage gewesen. Während der Nacht hatte es geschneit. Er hatte sich angezogen und war hinausgegangen, um die Zufahrt freizuschippen. Als er fertig war, wusste er plötzlich nicht mehr, wo er war. Nicht einmal Jussi erkannte er. Es dauerte geraume Zeit, bis ihm klar wurde, auf welchem Hof er stand. Er tat nicht, was er hätte tun sollen. Er ging nicht zum Arzt, weil er ganz einfach viel zu große Angst hatte.

Er versuchte sich einzureden, dass er zu viel arbeitete, dass er ausgebrannt war. Manchmal gelang ihm das. Aber die Angst, dass dieses Vergessen schlimmer und schlimmer werden würde, verließ ihn nicht mehr. Er fürchtete, dement zu werden, an Alzheimer im Anfangsstadium zu leiden.

Wallander lag noch im Bett. Es war Sonntagmorgen, er hatte frei. Am Nachmittag würde Linda ihn mit Klara besuchen. Vielleicht würde Hans mitkommen, wenn er es einrichten konnte.

Um sechs Uhr stand er auf, ließ Jussi aus dem Zwinger und machte Frühstück. Den Rest des Vormittags widmete er seinen Papieren. Er ahnte an ebendiesem Morgen zum ersten Mal, dass es eine Art *Lebensvermächtnis* war, woran er schrieb. So hatte sein Leben sich gestaltet. Selbst wenn er noch zehn oder fünfzehn Jahre lebte, würde sich daran nicht viel ändern. Dagegen fragte er sich, während er eine Art hallende Leere in sich spürte, was er nach seiner Pensionierung als Polizist tun wollte. Er dachte an das Gespräch mit Nyberg, der bald in den Norden ziehen würde, in die tiefen Wälder.

Es gab nur eine Antwort, und das war Klara. Ihre Gegenwart machte ihn immer froh. Sie würde da sein, auch für ihn.

An diesem Morgen im Mai setzte er den Schlusspunkt. Weiter kam er nicht mehr und meinte, alles gesagt zu haben. Er hatte alle Papiere auf seinem Computer ins Reine geschrieben, und jetzt lag ein Ausdruck vor ihm auf dem Tisch. In mühsamer Arbeit, Wort für Wort, hatte er die Geschichte des Mannes rekonstruiert, der ihn getäuscht und dazu gebracht hatte, zu glauben, seine Frau sei eine Spionin. Wallander dachte, dass auch er selbst ein Teil des Berichts war, nicht nur der, der ihn niedergeschrieben hatte.

Für einige der losen Enden hatte er keine Erklärung gefunden. So grübelte er viel über Louises Schuhe nach. Warum hatten sie auf Värmdö ordentlich ausgerichtet neben ihr gestanden? Wallander nahm am Ende an, dass sie an einem anderen Ort getötet worden war und ihre Schuhe dabei nicht angehabt hatte. Jemand hatte dann die Schuhe neben sie gestellt, ohne darüber nachzudenken, was er tat. Es gab auch keine Antwort auf die Frage, wo Louise sich in der Zeit, in der sie verschwunden war, aufgehalten hatte. Sie war gefangen gehalten worden, bevor jemand entschieden hatte, dass sie um Håkan von Enkes willen sterben musste.

Auch die Frage der Steine blieb Wallander ein ungelöstes Rätsel. Da war der Stein, den er zu Hause bei Håkan von Enke gesehen hatte, der zweite, den er von Atkins bekommen hatte, und dann der Stein auf George Talboth's Balkontisch. Er sagte sich, dass es sich um eine Art Souvenir handelte, in den schwedischen Schären von Personen aufgesammelt, die sich dort nicht hätten aufhalten dürfen. Aber warum der eine Stein später von Håkan von Enkes Schreibtisch verschwand, blieb ihm schleierhaft. Er konnte sich verschiedene Möglichkeiten denken, wagte es jedoch nicht, sich für eine von ihnen zu entscheiden.

Einige Male hatte er mit Atkins telefoniert. Hatte ihn weinen hören, während er von seinem verlorenen Freund sprach. Seinen verlorenen Freunden, verbesserte er sich stets. Er vergaß Louise nicht. Atkins hatte gesagt, er wolle zur Beerdigung kommen. Als es aber Mitte August endlich so weit war, tauchte er nicht auf. Auch später ließ er nie mehr etwas von sich hören. Wallander fragte sich zuweilen, worüber Atkins und Håkan von Enke sich bei all ihren Treffen unterhalten hatten. Er würde es nie erfahren.

Etwas hätte er Håkan und Louise gern noch gefragt, wäre er dazu gekommen. Warum war Håkans Schreibtischschublade in Unordnung gewesen? Hatte er geplant, für den Fall einer erzwungenen Flucht nach Kambodscha zu reisen? Und warum hatte Louise zweihunderttausend Kronen von ihrem Konto abgehoben? Er hatte kein Geld gefunden, als die Wohnung in Stockholm geräumt wurde. Das Geld war verschwunden, es gab auch dafür keine Erklärung.

Die Toten hatten ihre Geheimnisse mit ins Grab genommen. Auch Sten Nordlanders Entscheidung, Håkan von Enke und sich selbst zu töten, sollte ihm für immer ein Rätsel bleiben.

Manchmal meinte er zu verstehen. Doch ebenso oft war es ihm unbegreiflich.

Ende November, als Wallander einen kurzen Lehrgang in Stockholm absolvierte, mietete er ein Auto und fuhr zum Niklasgård hinaus. Hans, der die Reise zu seiner unbekannten Schwester noch nicht gewagt hatte, begleitete ihn. Es war ein ergreifender Augenblick für Wallander, als er Hans an Signes Bett sah. Er dachte daran, dass Håkan seine Tochter häufig besucht hatte. Ihr vertraute er, dachte Wallander. Und wagte es, ihr seine geheimsten Papiere anzuvertrauen.

Lange grübelte er darüber nach, ob er dem, was er zusammengetragen hatte, einen Titel voranstellen sollte. Schließlich entschloss er sich, lediglich ein weißes Papier als Umschlag zu benutzen. Es waren insgesamt zweihundertzwölf Seiten geworden. Ein letztes Mal blätterte er sie durch, hielt hier und da inne, um zu überprüfen, ob er das Richtige geschrieben hatte. Er nahm trotz allem an, dass er der Wahrheit so nahe gekommen war wie möglich.

Er beschloss, das Material an Ytterberg zu schicken. Er würde es nicht unter seinem Namen aufgeben, sondern an seine Schwester Kristina senden und sie bitten, es in Stockholm einzuwerfen. Ytterberg würde sich natürlich ausrechnen können, dass Wallander der Absender war, aber er würde es nicht ohne weiteres beweisen können.

Ytterberg ist ein kluger Mann, dachte Wallander. Er wird den bestmöglichen Gebrauch machen von dem, was ich geschrieben habe. Er ist auch in der Lage, sich vorzustellen, warum ich vorziehe, es ihm anonym zu schicken.

Aber Wallander sah auch, dass selbst Ytterberg gegen eine Wand anrennen könnte, die nicht nachgab. Immer noch galten die USA vielen Schweden als Heilsbringer. Ein Europa ohne die USA wäre nahezu wehrlos. Vielleicht würde niemand von der Wahrheit, in deren Besitz Wallander sich wähnte, etwas wissen wollen.

Wallander dachte an die schwedischen Soldaten, die nach Afghanistan entsandt worden waren. Dies wäre nie geschehen, hätten die USA es nicht verlangt. Nicht offen, aber im Geheimen, genauso, wie sich ihre U-Boote mit dem Einverständnis der schwedischen Marine und schwedischer Politiker Anfang der 1980er Jahre in unseren Gewässern versteckt hatten. Oder wie CIA-Männer am 18. Dezember 2001 zwei terrorverdächtige Ägypter von schwedischem Territorium holen und unter äußerst demütigenden Umständen in ihre Heimat verfrachten durften, zu Gefängnis und Folter. Er konnte sich sogar vorstellen, dass ein enttarnter Håkan von Enke als Held und nicht als verachtenswerter Landesverräter betrachtet werden würde.

Nichts, dachte er, kann ganz sicher sein. Weder wie diese Ereignisse gedeutet werden, noch was in Zukunft aus meinem Leben wird.

Er hatte seinen Schlusspunkt gesetzt, unabhängig davon, ob es ein provisorischer war oder nicht.

Der Maitag war klar, aber kühl. Gegen Mittag machte er einen langen Spaziergang mit Jussi, der wieder gesund zu sein schien. Als Linda mit Klara eintraf, aber ohne Hans, hatte Wallander das Haus geputzt und alle Papiere weggeräumt, die sie nicht sehen sollte. Klara war im Auto eingeschlafen. Wallander trug sie behutsam ins Haus und legte sie aufs Sofa. Sie in den Armen zu halten gab ihm stets das Gefühl, dass Linda in neuer Gestalt zurückgekommen war.

Sie setzten sich an den Küchentisch und tranken Kaffee.

»Hast du geputzt?«, fragte Linda.

»Den ganzen Tag.«

Sie lachte und schüttelte den Kopf. Dann wurde sie plötzlich wieder ernst. Wallander wusste, dass alle Probleme, mit denen Hans sich herumschlug, natürlich auch sie aufgewühlt hatten. »Ich will wieder anfangen zu arbeiten«, sagte sie. »Ich halte es langsam nicht mehr aus, nur Mutter zu sein.«

»Aber es sind doch nur noch vier Monate, bis du wieder in den Dienst gehst?«

»Vier Monate können eine sehr lange Zeit sein. Ich merke, dass ich allmählich die Geduld verliere.«

»Mit Klara?«

»Mit mir selbst.«

»Das hast du wohl von mir geerbt. Die Ungeduld.«

»Sagst du nicht immer, Geduld wäre die höchste Tugend für einen Polizisten?«

»Das heißt aber nicht, dass Geduld sich von allein einstellt.«

Sie trank einen Schluck Kaffee und dachte über seine Worte nach.

»Ich fühle mich alt«, sagte Wallander. »Jeden Tag erwache ich mit dem Gefühl, dass es so wahnsinnig schnell geht. Ich weiß nicht, ob ich hinter etwas herlaufe oder vor etwas davonlaufe. Ich laufe nur. Wenn ich ganz ehrlich bin, habe ich große Angst vor dem Altwerden.«

»Denk an deinen Vater! Der machte einfach immer weiter und kümmerte sich nicht darum, dass er älter wurde.«

»Das stimmt nicht. Er hatte Angst, zu sterben.«

»Vielleicht manchmal. Aber nicht dauernd.«

»Er war ein eigentümlicher Mann. Ich glaube nicht, dass sich irgendjemand mit ihm vergleichen kann.«

»Ich tue das.«

»Du hattest ein Verhältnis zu ihm, das ich schon als sehr junger Mann verloren habe. Ich denke manchmal daran, dass er auch immer ein besseres Verhältnis zu meiner Schwester Kristina hatte. Vielleicht war es auch ganz einfach so, dass er mit Frauen leichter umgehen konnte. Ich wurde mit dem falschen Geschlecht geboren. Er wollte nie einen Sohn haben.«

»Das ist doch Unsinn, und das weißt du.«

»Unsinn oder nicht, es sind jedenfalls Gedanken, die mir durch den Kopf gehen. Ich habe Angst vor dem Alter.«

Sie streckte plötzlich die Hand aus und berührte seinen Arm. »Ich habe bemerkt, dass du beunruhigt bist. Aber im Innersten weißt du, dass es sinnlos ist. Gegen sein Alter kann man nichts machen.«

»Ich weiß«, sagte Wallander. »Aber manchmal kommt es mir vor, als wäre Klagen das Einzige, was mir bleibt.«

Sie unterhielten sich, bis Klara wach wurde und glücklich lachend auf Wallander zulief.

Plötzlich überkam ihn ein furchtbarer Schrecken. Sein Gedächtnis ließ ihn wieder im Stich. Er wusste nicht, wer das Mädchen war, das auf ihn zurannte. Er hatte sie schon einmal gesehen, aber wie sie hieß und was sie hier tat, er hatte keine Ahnung.

Es war, als würde es vollkommen still. Als verschwänden die Farben und ließen ihm etwas in Schwarz und Weiß zurück.

Der Schatten hatte sich vertieft. Und langsam sollte Kurt Wallander in einem Dunkel verschwinden, das ihn einige Jahre später in das leere Universum entließ, das Alzheimer heißt.

Danach ist nichts mehr. Die Erzählung von Kurt Wallander geht unwiderruflich zu Ende. Die Jahre, die er noch zu leben hat, vielleicht zehn, vielleicht mehr, sind seine eigene Zeit, seine und Lindas, seine und Klaras, keines anderen Menschen Zeit.

NACHWORT

In der Welt der Fiktion sind viele Freiheiten möglich. Es ist zum Beispiel nicht ungewöhnlich, dass ich eine Landschaft verändere, damit niemand sagen kann: Genau da war es! Genau hier hat die Handlung sich abgespielt!

Dahinter steht natürlich die Absicht, den Unterschied zwischen dem Fiktiven und dem Dokumentarischen hervorzuheben. Was ich schreibe, *könnte* so geschehen sein, wie ich es erzähle. Aber es ist nicht notwendigerweise so gewesen.

Im vorliegenden Buch gibt es viele solcher gleitenden Übergänge zwischen dem, was wirklich geschehen ist, und dem, was denkbar gewesen wäre.

Wie die meisten Autoren schreibe ich, damit die Welt auf die eine oder andere Weise begreiflicher wird. Dabei kann die Fiktion dem dokumentarischen Realismus durchaus überlegen sein.

Da spielt es keine Rolle, ob es irgendwo im mittleren Schweden ein Pflegeheim mit Namen Niklasgård gibt oder nicht. Auch nicht, ob im Stockholmer Stadtteil Östermalm ein Festlokal existiert, das von Marineoffizieren besucht wird. Oder ein Café irgendwo am Stadtrand, das dem gleichen Zweck dient. Wo zum Beispiel ein U-Boot-Kapitän namens Hans-Olov Fredhäll auftauchen kann. Madonna hat 2008 auch kein Konzert in Kopenhagen gegeben.

Aber das Wichtigste in diesem Buch ruht auf dem soliden Fundament, das die Wirklichkeit ausmacht.

Viele waren mir bei den Vorarbeiten behilflich. Ihnen allen danke ich.

Für den Inhalt und den letzten Punkt bin jedoch ich verantwortlich. Ganz und gar, ohne Ausnahme.

Göteborg im Juni 2009
Henning Mankell

INHALT